순전한 복음

순전한 복음

지은이 | 하용조, 이재훈
초판 발행 | 2012년 7월 23일

등록번호 | 제3-203호
등록된 곳 | 서울특별시 용산구 서빙고동 95번지
발행처 | 사단법인 두란노서원
영업부 | 2078-3333   FAX 080-749-3705
출판부 | 2078-3477

▌책 값은 뒤표지에 있습니다.
 ISBN 978-89-531-1769-3   03230

▌독자의 의견을 기다립니다.
 tpress@duranno.com   http://www.Duranno.com

▌이 책의 성경 본문은 우리말성경을 사용했습니다.

두란노서원은 바울 사도가 3차 전도여행 때 에베소에서 성령 받은 제자들을 따로 세워 하나님의 말씀으로 양육하던 장소입니다. 사도행전 19장 8-20절의 정신에 따라 첫째 목회자를 돕는 사역과 평신도를 훈련시키는 사역, 둘째 세계선교(TIM)와 문서선교(단행본 · 잡지) 사역, 셋째 예수문화 및 경배와 찬양 사역, 그리고 가정 · 상담 사역 등을 감당하고 있습니다. 1980년 12월 22일에 창립된 두란노서원은 주님 오실 때까지 이 사역들을 계속할 것입니다.

하용조·이재훈 지음

세대는 바뀌어도
변함없이 전하는
사랑의 메시지

순전한 복음

두란노

3부

사랑의 기적을 베푸시는 예수님

4부

제자들을
가르치시는 예수님

5부

복음을
전하시는 예수님

6부

마침내
승리하신 예수님

예수님께서 우리에게 전해 주신 하나님 나라의 복음은 단순하고 명쾌하게 모든 진실을 보여 주었습니다. 순전하기 때문입니다. 만일 인간을 구원하시는 하나님의 복음이 소수의 이해력이 뛰어난 사람들만 이해할 수 있는 복음이었다면 하나님은 더 이상 하나님이실 수 없습니다. 하나님의 능력으로 인간을 구원하신 것이 아니라 인간의 능력에 따라 차별하시는 것이기 때문입니다. 복음은 단순하고 분명하고 정확합니다. 사람들이 복음을 깨닫지 못하는 것은 죄로 말미암아 마음이 어두워졌고 생각이 복잡해져 있기 때문입니다. 따라서 순전한 복음을 순전하게 전하는 일이야말로 복음을 전하는 자들의 책임이기도 합니다. 순전한 복음은 순전한 마음을 통해서만 증거될 수 있기 때문입니다.

고 하용조 목사님은 한국 교회 목회자들 가운데 하나님 앞에서 순전한 삶을 통해 복음을 가장 순전하게 증거하시는 분들 중 한 분이셨습니다. 하 목사님의 설교는 머리만 복잡하게 하는 설교가 아니라 마음을 뜨겁게 하고 능력과 확신을 주는 설교였습니다. 복음에 대한 순전한 마음으로 설교하셨기 때문입니다. 마가복음은 하 목사님께서 영원한 안식으로 들어가시기 전 마지막으로 설교하신 복음서입니다. 예수님께서 종으로 오셔서 죽기까지 충성하신 것처럼 죽기까지 헌신적으로 설교하시다가 돌아가셨습니다. 그런 의미에서 마가복음은 하 목사님의 마지막 설교로 너무 잘 어울리는 책입니다. 평소 설교하다가 주님 품으로 가시겠다고 말씀하신 대로 주일 설교를 마치시고 주일 밤 떠나셨습니다.

 하 목사님께서 다 끝내지 못한 마가복음을 후임 담임목사로 세움을 받은 제가 끝까지 마무리하게 되었습니다. 하 목사님 1주기 추모를 맞이하면서 주님의 종으로 충성스럽게 사셨던 하 목사님의 복음과 하나님 나라에 대한 순전한 열심이 이 설교집을 읽고 묵상하는 모든 성도들에게 온전히 전해질 수 있기를 간절히 기도합니다.

온누리교회 담임목사
이재훈

1부

세상에 오신 예수님

하나님의 아들 예수 그리스도에 관한 복음이 시작되었습니다.
예수님은 세상에 오신 하나님의 어린양이었습니다.

막 1:1-15

¹하나님의 아들 예수 그리스도에 관한 복음은 이렇게 시작됩니다. ²예언자 이사야의 글에 "내가 네 앞에 내 심부름꾼을 보낼 것이다. 그가 네 길을 준비할 것이다." ³"광야에서 외치는 사람의 소리가 있다. '주를 위해 길을 예비하라. 그분을 위해 길을 곧게 하라'" 고 기록돼 있는 대로 ⁴세례자 요한이 광야에 나타나서 죄 용서를 위한 회개의 세례를 선포했습니다. ⁵유대 온 지방과 예루살렘 모든 사람들이 요한에게 나아와 자기 죄를 고백하고 요단 강에서 요한에게 세례를 받았습니다. ⁶요한은 낙타털로 만든 옷을 입고 허리에 가죽띠를 두르고 메뚜기와 들꿀을 먹었습니다. ⁷그리고 요한은 이렇게 선포했습니다. "나보다 더 능력 있는 분이 내 뒤에 오실 텐데 나는 몸을 굽혀 그분의 신발끈을 풀 자격도 없다. ⁸나는 너희에게 물로 세례를 주지만 그분은 너희에게 성령으로 세례를 주실 것이다." ⁹그 무렵에 예수께서 갈릴리 나사렛에서 요단 강으로 오셔서 요한에게 세례를 받으셨습니다. ¹⁰예수께서 물에서 막 나오실 때 하늘이 열리고 성령이 비둘기처럼 자기에게 내려오는 것을 보셨습니다. ¹¹그리고 하늘에서 소리가 들려왔습니다. "너는 내가 사랑하는 아들이다. 내가 너를 무척 기뻐한다." ¹²그러고 나서 곧 성령이 예수를 광야로 내보내셨습니다. ¹³예수께서 40일 동안 광야에 계시면서 사탄에게 시험을 받으셨습니다. 그때 예수께서 들짐승들과 함께 계셨는데 천사들이 예수를 시중들었습니다. ¹⁴요한이 감옥에 갇힌 뒤 예수께서는 갈릴리로 가셔서 하나님의 복음을 선포하셨습니다. ¹⁵"때가 찼고 하나님 나라가 가까이 왔으니 회개하고 복음을 믿으라!"

예수 그리스도, 복음의 시작

예수 그리스도는 복음의 주제이고 저자이고 하나님의 아들입니다.
이 복음은 예수님이 탄생하면서부터 시작되는 것이 아니라
탄생 이전인 아주 오래전부터 시작되었습니다.

마가복음은 복음서 중에서도 가장 짧고 간결하며 긴박감이 있습니다. 한마디로 군더더기가 없는 복음입니다. 마태복음은 유대인을 위해 쓴 복음서로, 아브라함과 다윗의 자손으로부터 시작해서 예수까지 이르는 것으로 예수님의 족보를 설명하고 있습니다. 유대인들에게 구약의 족보는 아주 익숙한 것이었습니다.

누가복음은 헬라인을 생각하며 쓴 글입니다. 그래서 예수님의 족보를 예수로부터 시작해 아담과 아담을 지으신 하나님까지 거슬러 올라가며 설명합니다. 그리고 요한복음은 누구를 따로 지칭하지 않고 온 인류를 대상으로 쓴 글로 그 시작부터 특이합니다.

"태초에 말씀이 계셨습니다."

이것은 그 당시 사람이라면 다 알아듣는 말입니다.

그러나 마가복음은 이처럼 족보로 시작하거나, 유대인을 생각하고 쓰거나, 헬라인을 생각하고 쓰거나, 다른 어떤 특정 인물을 대상으로 쓴 것이 아니라서 아주 간결하고 선언적입니다. 즉 모든 것을 생략하고 "하나님의 아들 예수 그리스도에 관한 복음은 이렇게 시작됩니다"라는 말씀으로 시작합니다. 다른 복음서는 모두 설

명이 길게 이어지는데 누가복음과 마가복음만 한 절로 예수님을 설명합니다.

그 이유가 무엇입니까? 예수 그리스도가 바로 복음의 핵심이기 때문입니다. 무슨 일이든지 핵심을 놓치면 아무 소용이 없습니다. 변죽을 울리거나 변두리를 잡아 봐야 아무 소용 없습니다. 핵심이 중요합니다.

[하나님의 아들 예수 그리스도에 관한 복음은 이렇게 시작됩니다.(막 1:1)]

하나님의 아들 예수 그리스도에 관한 복음의 시작, 여기서 시작은 먼저 마가복음 전체의 시작을 말합니다. 둘째는 예수 그리스도에 관한 복음의 시작이라는 뜻을 가지고 있습니다. 셋째는 마가의 복음이 아니라 예수님의 복음의 시작이라는 것입니다. '내가복음'을 쓴 사람이 있다면, 이건 이단입니다. 자기가 생각한 것, 자기가 본 것, 환상을 봤다든지 이런 것을 중심으로 설교하거나 말하는 것은 이단입니다. 우리의 복음은 예수 그리스도의 복음뿐입니다.

그러면 복음이란 무슨 뜻입니까? 물론 복음은 기쁜 소식입니다. 세상에 기쁜 일이 얼마나 많습니까. 하지만 여기서 말하는 것은 그런 기쁨이 아니라 예수 그리스도로 말미암아 생기는 기쁨입니다. 이것은 죽은 기쁨이 아니라 살아 있는 기쁨이며, 뛰고 싶은 기쁨이며, 날고 싶은 그런 생동감 넘치는 기쁨입니다. 동시에 우주적인 기쁨이기도 합니다.

복음이 중요한 것은 예수 그리스도가 복음의 주제이고 저자이고 하나님의 아들이기 때문입니다. 그래서 이 복음은 예수님이 탄생하면서부터 시작되는 것이 아니라 탄생 이전인 아주 오래전부터 시작되었습니다.

[그러나 저는 바로 이날까지 하나님의 도움을 받아 왔기에 여기 서서 높고 낮은 모든 사람들에게 증언하고 있는 것입니다. 저는 모세와 예언자들이 앞으로 일어나리라고 예언한 것 외에는 아무것도 말하지 않았습니다.(행 26:22)]

이 말씀을 통해 모세와 예언자들로부터 이 복음이 예언됐다는 것을 알 수 있습니다. 복음은 순간적으로 내가 말하는 것도, 생각하는 것도 아닙니다. 창세기 때부터 지금까지 계속해서 여러 방법을 통해 표현된 말씀입니다. 사도 바울은 다음 말씀에서 종교개혁을 일으키는 핵심이 바로 복음이라고 말하고 있습니다. 다시 말해 로마 가톨릭은 이 복음을 바로 깨닫지 못하고 어떤 행위를 자꾸 주장해서 진리에 이르지 못했다는 것입니다.

[나는 복음을 부끄러워하지 않습니다. 이 복음은 모든 믿는 사람들에게 구원을 주시는 하나님의 능력이기 때문입니다. 먼저는 유대 사람에게요, 다음으로는 그

리스 사람에게입니다. 복음에는 하나님의 의가 계시돼 믿음으로부터 믿음에 이르게 합니다. 기록되기를 "의인은 믿음으로 살 것이다"라고 한 것과 같습니다.(롬 1:16-17)]

예수 그리스도, 복음의 핵심

마가복음 1장 첫 구절은 "하나님의 아들 예수 그리스도에 관한 복음은 이렇게 시작됩니다"입니다. 그러면 예수는 어떤 분입니까? '하나님의 아들이면서 그 이름은 구원자'라는 뜻입니다. 그리스도는 무슨 뜻입니까? '기름 부은 자 메시아'라는 뜻입니다. 마태는 다음과 같이 말했습니다.

[야곱은 마리아의 남편 요셉을 낳고 마리아에게서 그리스도라 하는 예수께서 태어나셨습니다.(마 1:16)]

옛날 이스라엘 사람들은 국가적으로, 군사적으로, 종교적으로, 개인적으로 아주 광범위하게 메시아를 생각했습니다. 그래서 구약의 사람들은 메시아를 기다리고, 메시아를 의식하고, 메시아의 날을 바랐던 것입니다. 예수의 공식 명칭은 그리스도입니다. 선지자처럼 제사장처럼 왕처럼 '기름 부음을 받은 자'라는 뜻입니다. 이렇게 인간으로 오신 메시아에 대한 최초의 증인이 나타났는데, 바로 세례자 요한입니다.

마가는 1장 1절에서 예수님과 복음에 대해 얘기하고, 2절에서 증인 얘기로 바로 들어갑니다. 그 증인이 바로 세례자 요한입니다.

[예언자 이사야의 글에 "내가 네 앞에 내 심부름꾼을 보낼 것이다. 그가 네 길을 준비할 것이다." "광야에서 외치는 사람의 소리가 있다. '주를 위해 길을 예비하라. 그분을 위해 길을 곧게 하라'"고 기록돼 있는 대로 세례자 요한이 광야에 나타나서 죄 용서를 위한 회개의 세례를 선포했습니다.(막 1:2-4)]

마가복음은 예수 그리스도에 관한 복음의 시작을 말씀하고 있습니다. 그리고 세례자 요한을 등장시켜 이 사람이야말로 유일한 증인이라고 말씀하고 있습니다. 하지만 그는 당시에 태어난 증인이 아니라 이미 오래전 예언자 이사야가 언급한 사람입니다. 미리 예언하고 약속을 성취하는 것이 성경입니다. 성경은 예언과 성취가 짝을 이룹니다.

세례자 요한은 어떤 사람입니까? 첫 번째로 예수님의 심부름꾼, 예비자입니다.

구약의 마지막 장인 말라기에 보면 그에 대한 예언이 나옵니다.

["보라. 내가 내 심부름꾼을 보내 내 앞에 길을 닦게 하겠다. 그러고 나면 너희가 바라는 주께서 갑자기 그 성전에 올 것이다. 너희가 좋아하는 계약의 심부름꾼 말이다. 그가 올 것이다." 만군의 여호와께서 말씀하셨다.(말 3:1)]

신약과 구약의 목적은 복음이라는 한 가지 사건을 가리킵니다. 구약의 끝과 신약의 시작이 복음입니다. 마가복음 1장에 '복음의 시작'이라는 단어를 썼는데, 이는 '복음의 팡파르'와 같습니다. 시작을 알리는 '할렐루야'와 같은 긴장감과 충격을 주는 말씀입니다.

두 번째로 세례자 요한은 어떤 사람입니까? 광야에서 자신의 사역을 시작한 사람입니다. 그는 예루살렘 혹은 유다 한복판에서 태어났거나 일하지 않았습니다. 세례자 요한의 영성은 자기 부인에 있습니다. 유명한 것, 화려한 것이 아닙니다. 살기 어려운 곳, 누구도 가기 싫어하는 곳에서부터 시작합니다. 광야는 일종의 선교지와 같은 곳으로, 누구도 가고 싶어 하지 않습니다. 하나님이 보내셔야 가는 곳입니다.

세 번째로 세례자 요한의 사명은 무엇입니까? 죄 사함을 위한 회개의 세례를 선포하는 것입니다. 이것은 메시아를 맞아들이기 위한 필수 조건입니다. 회개 없는 세례가 없고 회개 없는 구원이 없습니다. 자신의 죄에 대한 애통이 바로 자기 부인입니다.

네 번째로 세례자 요한은 강력한 영향력을 소유했습니다. 광야에 살고, 단순한 음식을 먹으며, 단순한 의복을 입고, 특별한 매력이라곤 없는 사람인데 왜 수많은 사람들이 예루살렘과 유대로부터 그를 보기 위해 몰려왔을까요?

어떤 사람은 이렇게 말합니다. "교회를 잘 운영하려면 길목이 좋아야 한다. 건물이 좋고 화려해야 한다. 그래야 사람들이 편하게 다닐 수 있다." 요즘에는 이렇게 말하는 사람도 있습니다. "아이들을 맡기려면 교회학교 시설이 좋아야 한다." 교회를 유치원으로 생각하기 때문에 이런 말을 한 것입니다.

이것은 옳은 생각이 아닙니다. 험한 곳에서 오래 살아야 성자가 나옵니다. 도시 한복판에는 성자가 없습니다. 그래서 영향력도 없습니다.

[유대 온 지방과 예루살렘 모든 사람들이 요한에게 나아와 자기 죄를 고백하고 요단 강에서 요한에게 세례를 받았습니다.(막 1:5)]

광고한 것도 아니고 누가 초청한 것도 아닙니다. 너무나 거짓말이 많은 세상, 가짜 예언자가 많은 세상에서 사람들은 목말라 했습니다. 홍수에 먹을 물이 없듯이, 이들은 세상이 험할수록 영혼이 메마른다는 것을 알고 있었습니다. 그래서 사람들은 요단 강까지, 광야까지 세례자 요한을 찾아왔던 것입니다.

다섯 번째로 세례자 요한은 자기 부인의 삶, 자기 부정의 삶을 살았습니다. 이것이 그의 영성입니다.

[요한은 낙타털로 만든 옷을 입고 허리에 가죽띠를 두르고 메뚜기와 들꿀을 먹었습니다.(막 1:6)]

요즘 말하면 명품이지만 그 당시에는 사람이 입을 수 없고 먹을 수 없는 것들이었습니다. 세례자 요한은 광야에서 하나님과 동행했고 묵상했으며 조용한 시간을 보냈습니다. 그의 음식과 의복은 간단했습니다. 크리스천의 삶은 복잡한 삶이 아닙니다. 무언가 많이 끼고 사는 삶이 아닙니다. 지식이든 집이든 간에 이런 것을 화려하게 안고 살면 영성이 떨어집니다. 크리스천의 삶은 심플라이프, 즉 단순한 삶입니다. 꼭 중요한 것만 가지고 사는 삶입니다.

세례자 요한은 검소했습니다. 철저한 자기 절제와 단순한 결단력으로 이루어진 삶을 살았습니다. 지금 우리의 삶은 어떻습니까? 그렇다면 세례자 요한의 눈은 어떻게 생겼을까요?

예수님의 눈은 참으로 인자하고 사랑스럽고 그 품에 안기고 싶은 눈이지만, 세례자 요한의 눈은 칼날같이 빛났을 것입니다. 우리는 지금 자기선전 시대에 살고 있습니다. 하지만 예수님은 제자들에게 다음과 같이 말씀했습니다.

[그때에 예수께서 제자들에게 말씀하셨습니다. "누구든지 나를 따르려거든 자기를 부인하고 자기 십자가를 지고 따라야 한다."(마 16:24)]

간혹 인정받지 못해 몸부림치는 사람들을 봅니다. 이들은 다른 사람들이 아무리 인정해 줘도 그 욕심에 끝이 없습니다. 더 인정받고 더 인정을 받아야만 편한 것입니다. 반면에 세례자 요한은 자기 부정의 삶을 살았습니다.

예수님도 자기 부정의 삶을 사셨습니다. '어떻게 하면 숨을까? 어떻게 하면 사람들에게 많이 나타나지 않을까? 어떻게 하면 내가 화제의 주인공이 되지 않을까?'라는 정신으로 사셨습니다. 그런데 이렇게 사는 사람이 더 유명해집니다. 더 유명해질 뿐 아니라 화제의 주인공이 되기도 합니다. 그래서 자꾸 숨는 것입니다. 자기 몸을 감추고 머리를 숙이고 사는 것입니다.

여섯 번째로 세례자 요한은 예수 그리스도만을 선포했습니다.

예수님의 세례, 하늘로부터의 세례

[그리고 요한은 이렇게 선포했습니다. "나보다 더 능력 있는 분이 내 뒤에 오실 텐데 나는 몸을 굽혀 그분의 신발 끈을 풀 자격도 없다. 나는 너희에게 물로 세례를 주지만 그분은 너희에게 성령으로 세례를 주실 것이다."(막 1:7-8)]

여기에서 우리는 두 가지 사실을 발견하게 됩니다. 첫째, 나보다 더 능력 있는 분과 신발 끈을 풀 자격도 없는 나를 비교했다는 것입니다. 이것은 그분의 탁월성과 우리의 무가치성을 얘기하는 것입니다. 우리 인간은 굉장히 잘난 것 같아도 껍질을 벗겨 놓으면 무가치합니다. 하지만 이는 우리 자신이 존귀한 자의 반대라는 뜻은 아닙니다. 인간은 무기력하고, 무가치하며, 신발 끈도 풀 자격이 없는 존재입니다. 반면에 예수 그리스도는 탁월하신 분, 하늘과 땅의 모든 권세를 가지신 분으로 묘사합니다.

둘째, 세례자 요한은 물로 세례를 주는데 이것은 무슨 세례입니까? 바로 회개의 세례입니다. 이는 우리가 받은 세례, 즉 땅의 세례입니다. 하지만 예수님이 주시는 세례는 성령의 세례, 불세례입니다. 이는 하늘의 세례입니다.

성령 세례를 받으면 강물이 내 몸에 부딪히듯, 봇물이 터지듯, 불이 내려오듯, 먹지 않아도 배고프지 않고 황홀하고 놀라운 영적 경험을 하게 됩니다. 크리스천 모두가 성령 세례를 받았으면 합니다. 성령 세례는 그분의 능력입니다. 이 능력을 받으면 누가 우리를 무시해도, 누가 우리를 인정하지 않는다고 해도 전혀 개의치 않을 수 있습니다. 하늘로부터 세례를 받았기 때문입니다.

세례자 요한은 어떤 사람입니까? 그는 예수께 물세례를 준 사람입니다. 참으로 대단한 일을 한 사람입니다. 다음 말씀에 보면 세례자 요한의 생애에 가장 중요한 사역이 소개되고 있습니다.

[그 무렵에 예수께서 갈릴리 나사렛에서 요단 강으로 오셔서 요한에게 세례를 받으셨습니다. 예수께서 물에서 막 나오실 때 하늘이 열리고 성령이 비둘기처럼 자기에게 내려오는 것을 보셨습니다. 그리고 하늘에서 소리가 들려왔습니다. "너는 내가 사랑하는 아들이다. 내가 너를 무척 기뻐한다."(막 1:9-11)]

세례자 요한은 이처럼 예수께 세례를 주었습니다. 어떤 세례입니까? 순서가 뒤바뀐 세례입니다. 예수님이 세례자 요한에게 세례를 주어야 맞는데 세례자 요한이 예수님에게 세례를 주었습니다. 주객이 뒤바뀌었는데, 이는 예수님의 순전한 요구 때문이었습니다. 요한은 그렇게 할 수 없다고, 자신이 어떻게 예수님에게 세례를 줄 수 있겠느냐고 소리 쳤습니다. 하지만 예수님은 "네가 나에게 세례를 주어야 인류의 세례가 시작된다"라고 말씀하며 이를 용납하시지 않았습니다.

세례는 죄 있는 사람이 받는 것입니다. 죄 없는 사람은 세례 받을 필요가 없습니다. 우리 가운데 죄 없는 사람은 세례를 받지 않아도 됩니다. 하지만 죄가 있다고 생각한다면 당장 목사님한테 찾아가서 "다음 주일에 세례를 받겠습니다"라고 얘기하고, 그에 합당한 교육을 받고, 모든 사람이 축복하는 가운데 세례를 받아야 합니다.

여기서 중요한 것은 예수님은 죄가 없는 분임에도 세례를 자청했다는 사실입니다. 하나님임에도 말입니다. 그분의 본질은 하나님이십니다. 그런데 인간한테 세례 받기를 자청하신 것입니다. 여기서 우리는 무엇을 발견해야 합니까? 예수의 겸손, 자기 부정을 발견해야 합니다.

예수님은 모든 인류를 위해 대신 세례를 받으신 것입니다. 왜 예수님은 십자가에 못 박혀 죽으셨습니까? 죄가 있었기 때문입니까? 아닙니다. 그분은 우리의 죄 때문에 세례를 받으셨습니다. 여기서 알 수 있듯이 예수님은 세례 받을 필요가 없었습니다. 우리가 받아야 할 세례를 위해, 우리의 구원을 위해 그분이 대신 세례를 받으신 것입니다.

세례를 받으신 후에 어떤 변화가 일어났습니까? 물에서 막 올라오신 뒤에 하늘이 열렸습니다. 이처럼 겸손은 하늘 문을 열리게 합니다. 하늘이 열렸다는 것은 하나님과 통했다는 뜻입니다. 사람의 길이 아니라 '하나님의 길이 보였다'라는 뜻입니다. 그리고 성령이 비둘기처럼 임했습니다.

우리 모두에게 성령님이 불같이 임하기를 바랍니다. 그래야 펄펄 뛸 수 있습니다. 그리고 성령님이 비둘기처럼 온유하게 소리 없이 이슬비처럼 내리기를 바랍니다. 그러면 우리의 성품이 온유하고 남에게 해를 끼치지 않고 덕을 끼치고 감싸주고 기다리고 사랑하고 허용하는 그런 성격으로 변할 것입니다.

예수님은 하나님이시지만 30세가 될 때까지 인간의 모습으로 사셨습니다. 그런데 어떻게 해서 예수께 신적 권위가 나타난 걸까요? 앉은뱅이를 일으키고 눈 먼 사람을 눈뜨게 하고 듣지 못하는 사람의 귀를 열고 나병 환자를 고치고 귀신을 쫓아내고 물위를 걸어 다니고 죽은 자를 살리고 그분 자신이 죽었지만 다시 부활하는 시점이 어디일까요? 바로 성령 세례입니다. 성령 세례를 받고 나서부터 예수님의 말씀에 능력이 있었습니다. 그래서 30세 이전에는 예수님의 사역과 기적이 나타나지 않았던 것입니다. 바로 세례를, 성령 세례를 받고 난 뒤부터 그런 일이 일어난 것입니다.

목회자와 선교사, 사역자들은 특히 이 말씀을 명심해야 합니다. 왜 사역에 부흥이 일어나지 않고, 왜 사역이 그처럼 피곤하고 힘든지 알고 있습니까? 이는 성령님이 계시지 않기 때문입니다. 신학교를 졸업하고, 아무리 많은 지식을 배웠어도 인간의 경험만으로는 목회를 할 수 없습니다. 전도도 할 수 없습니다. 사역 역시 그저 피곤하게 느껴질 뿐입니다.

인간이 하는 일은 사흘이 지나면 알 수 있습니다. 한 달이 지나면 탈진합니다. 그리고 화가 나서 '이렇게 열심히 했는데 왜 하나님은 나한테 아무런 보상도 해 주지 않는 걸까?'라고 생각할 것입니다.

성령님이 오신 이후에 무슨 일이 일어났습니까? 하나님의 음성이 들렸습니다. 어떤 사람들은 하나님의 음성을 듣고자 굉장히 애를 쓰고 금식하고 산에 가서 기도하며 노력하는데, 그런다고 해서 그분의 음성이 들리는 게 아닙니다. 성령이 임해야만 들립니다. 성령이 비둘기처럼 예수께 임한 이후로 하나님의 음성이 들렸다고 했습니다. 그분의 음성은 족집게 음성이 아닙니다. 하나님의 음성은 우리의 미래를 가르쳐 주는 운명적인 세례, 즉 예언적인 그런 음성이 아닙니다.

하나님의 음성을 듣는 자

그렇다면 하나님의 음성은 무엇입니까?

[그리고 하늘에서 소리가 들려왔습니다. "너는 내가 사랑하는 아들이다. 내가 너를 무척 기뻐한다."(막 1:11)]

예전 성경에는 "너는 내 사랑하는 아들이라 내가 너를 기뻐하노라"고 표현했습니다. 세상에 이 음성만큼 좋고 능력 있고 기름 부은 음성은 없습니다. 아니 "너는 내가 사랑하는 아들이다. 내가 너를 무척 기뻐한다"라는 말을 직접 들었다면 세상 전부를 가진 것보다도 더 좋을 것입니다. 어떤 고난도 어떤 불치병도 어떤 파산도 어떤 억울함도 다 이길 수 있습니다.

"주님 내가 어디로 갈까요?" "동으로 가라." 이런 음성이 아닙니다. "너는 이 대학에 가라!"는 것이 아닙니다. 하나님의 음성은 바로 "내가 너를 사랑한다"라는 것입니다. 우리는 "내가 너를 기뻐한다", "네가 하는 일을 다 좋아한다", "너는 축복

받은 자다", "안심하라. 두려워 마라. 나는 너와 함께 있을 것이다", "나는 너의 하나님이다"라는 하나님의 음성을 들으면 살아납니다.

"내가 너를 부자로 만들어 주겠다", "내가 너의 병을 고쳐 주겠다"라는 것이 아닙니다. 이보다 더 본질적인 "내가 너를 사랑한다. 나는 너를 기뻐한다. 너는 존귀한 자다. 너는 내게 있어서 가장 중요한 사람이다"라는 음성을 들어야 합니다. 그러면 눈물을 흘리다가도 찬송이 나올 것이고, 고통 가운데 있다가도 기도로 바뀔 것입니다.

그렇다면 성령을 받고 나서 무슨 일이 생겼습니까? 성령께서 예수님을 광야로 데려가서 사탄과 만나게 해 줬습니다. 특이한 일이 아닐 수 없습니다. 광야에 내보낸 뒤 40일을 금식하고 사탄한테서 시험을 받게 하다니 말입니다.

[그리고 나서 곧 성령이 예수를 광야로 내보내셨습니다. 예수께서 40일 동안 광야에 계시면서 사탄에게 시험을 받으셨습니다. 그때 예수께서 들짐승들과 함께 계셨는데 천사들이 예수를 시중들었습니다.(막 1:12-13)]

왜 성령께서는 예수님을 사탄한테로 이끌어 갔을까요? 사탄이 사탄에게로 이끌어 갔다면 말이 되는데, 왜 성령께서 그렇게 했을까요? 여기에는 아주 중요한 이유가 있습니다.

그것은 아담과 이브가 에덴동산에서 사탄의 유혹을 받아 패배했기 때문입니다. 선악과를 따 먹었기 때문입니다. 바로 그 사탄입니다. 여기에 나오는 사탄은 창세기에 나오는 바로 그 사탄입니다. 지금도 똑같은 사탄입니다. 지금 우리를 밀 까부르듯 까부르고 우리 믿음을 없게 하고 시험에 들게 하는 사탄이 그 사탄입니다. 그러므로 그 아담과 이브를 패배시켰던 사탄을 발로 밟고 패배시키지 않으면 하나님 나라의 사역은 진행되지 못합니다. 예수님 최초의 사역은 사탄을 발로 밟는 것이었습니다.

아담과 이브는 세 가지 시험을 받았습니다. 예수님도 세 가지 시험을 받았습니다. 그런데 놀라운 사실은 그 시험을 전부 말씀으로 승리하셨다는 것입니다. "돌에게 빵이 되라고 말해 보시오." 40일 금식한 사람에게 이것처럼 큰 유혹은 없습니다. 물질적인 시험입니다. 그러자 예수님은 "사람은 빵으로만 사는 것이 아니라 하나님의 입에서 나오는 말씀으로 사는 것이다"라고 대답함으로써 사탄의 첫 번째 시험을 이기십니다.

이브는 어떻게 했습니까? "이 선악과를 먹어 봐라. 얼마나 먹음직하고 탐스럽고 좋아 보이느냐." 역시 먹는 문제였습니다. 하지만 이브는 사탄의 속임에 빠져 선악과를 먹고 아담한테도 주어 함께 죄를 짓고 말았습니다. 그런데 예수님은 이것을 끊으셨습니다. 사탄의 먹는 것에 대한 유혹을 단호히 끊으셨습니다. 사람의 육체는 빵이 필요하지만 사람의 영혼은 말씀으로 사는 것입니다.

사탄은 "높은 꼭대기, 성전 꼭대기에 올라가서 뛰어내려라. 천사가 너를 받아 줄 거다"라며 또 다른 시험을 했습니다. 그때도 예수님은 사탄을 거절했습니다. "사탄아 물러가라." 어느 때는 사탄이 시키는 것을 하지 않음으로써 이길 수 있고, 또 어느 때는 강도 높은 사탄의 시험이 오면 "사탄아 물러가라"고 소리침으로써 이길 수도 있습니다. 이때는 명령하고 꾸짖어야 합니다.

마지막으로 세상의 모든 권세를 보여 주면서 사탄에게 절하라고 했습니다. 그러자 예수님은 "하나님 외에는 경배할 자가 없다"라고 말씀했습니다.

여기 재미있는 표현이 하나 더 있습니다. 들짐승들이 있었지만 천사가 예수님을 보호했다는 것입니다. 이처럼 하나님을 믿기로 결정하는 순간 하나님의 천사가 우리를 보호해 주실 겁니다. 인도해 주실 겁니다. 우리가 지뢰를 밟으려고 할 때 발을 붙잡아 주실 겁니다. 길을 잘못 들었을 때도 천사가 나타나서 우리를 돌보아 주실 겁니다. 예수님 때도 마찬가지였습니다.

예수님의 복음의 선포

이제 마지막으로 세례자 요한의 메시지가 나옵니다. 이것은 하나님의 복음의 선포였습니다.

[요한이 감옥에 간힌 뒤 예수께서는 갈릴리로 가서서 하나님의 복음을 선포하셨습니다. "때가 찼고 하나님 나라가 가까이 왔으니 회개하고 복음을 믿으라!"(막 1:14-15)]

이는 예수님이 첫 번째로 선언한 복음의 메시지입니다. '때가 찼고'라는 말은 불완전한 때가 아니라 성숙한 때를 의미합니다. 떫은 감을 먹으면 혀가 마비되듯 이상해지므로 단감을 먹어야 하는 것과 마찬가지로 저마다 때가 있습니다. 아기를 일찍 해산하면 엄마도 위험하고 아기도 위험합니다. 열 달을 다 채워야 합니다. 하나님은 우리더러 기다리라고 말씀합니다.

"미리 줄 수도 있고 미리 응답할 수도 있으나 이것은 미성숙한 것이다. 너한테

내가 주는 응답은 완전한 응답, 성숙한 응답을 주는 것이다. 때가 차야만 한다."

힘들지만 기다려야 합니다. 우리 인간처럼 하나님도 시계를 가지고 계십니다. 그런데 우리는 자꾸만 우리 시간에 응답해 달라고 조릅니다. 하지만 하나님의 시간은 우리와 다릅니다. 하나님은 그분의 시간에 응답해 주실 겁니다. 그러니 늦게 응답하는 것에 대해 원망하거나 불평하거나 짜증내서는 안 됩니다. 하나님이 더 좋은 것을 주려고, 그분의 때에 주려고 우리를 기다리게 하시는 겁니다. 그동안 우리는 성숙하고, 우리의 믿음 역시 성숙해야 합니다. 인격이 성숙해지면 보는 눈이 달라집니다. 때가 찼고 예수님이 오실 때가 이미 끝까지 찼습니다. 구약 전체에서 기다리다가 이제 드디어 예수님이 나타나실 때가 되었습니다.

"하나님 나라가 가까이 왔으니"라는 말은 나라나 땅 등 어떤 공간이 아니라 그분의 통치를 의미합니다. 하나님이 지배하는 곳이 바로 그분의 나라입니다. 초막이나 궁궐이나 내 주 예수 모신 곳이 그 어디나 하나님 나라입니다. 그래서 우리는 기뻐하는 것입니다.

"하나님 나라가 가까이 왔다." 오고 있다가 아니라 '왔다'고 말씀하고 있습니다. 예수님이 말씀한 뜻은 "네 앞에 내가 있다"라는 것입니다. "저 멀리 있는 것도 아니고 지금 네가 나하고 말하고 있지 않으냐. 여기 지금 하나님 나라가 있다. 아주 가까이 있다. 네가 손만 내밀면 나는 붙잡을 수 있다. 네가 나를 초청하면 내가 네 안에 들어갈 수 있다"라는 뜻입니다. 그러므로 우리는 "회개하고 복음을 믿어라. 죄를 회개하고 과거를 청산하고 입술의 고백을 하고 예수의 피로 죄를 씻어라. 더러운 채로는 안 된다. 네가 깨끗해야 들어온다"라는 말씀을 명심해야 합니다.

그렇다면 어떻게 해야 깨끗해질 수 있을까요? "네 힘으로는 안 된다." 우리가 우리 죄를 지운다는 건 지우개로 노트를 지우는 것과 마찬가지입니다. 억지로 지우면 종이가 찢어집니다. 볼펜을 지우는 것은 더 어려운 일입니다. 그 위에다 수정액을 칠해도 표시가 납니다. 우리는 스스로 자신의 죄를 씻을 수가 없습니다. 그렇다면 어떻게 해야 우리 죄를 씻을 수 있을까요? 씻김을 받아야 합니다. 보혈의 피로, 우리 입술의 고백으로 죄를 인정해야 합니다.

죄의 고백이 안 되는 것은 스스로 인정하지 않기 때문입니다. 깊은 죄일수록 깊이 숨겨 놓고 열쇠를 스무 개, 서른 개 꽁꽁 잠가 놓습니다. 이렇게 해선 안 됩니다. "주님, 나는 죄인입니다. 지금까지 하나님 없이 내 마음대로 살아 왔습니다. 내 뜻대로 살아 왔습니다. 그걸 인정하겠습니다. 내 과거를 청산하고 싶습니다"라고 회개해야 합니다.

회개한 뒤에는 복음을 믿어야 합니다. 복음은 무엇입니까? 예수입니다. 예수님은 지금 어디에 계십니까? 바로 우리 앞에 계십니다. "내가 문 밖에서 문을 두드리노니 누구든지 내 음성을 듣고 문을 열면 내가 네게로 들어가고 너는 내게로 들어오리라. 같이 먹고 마시자." 이것이 바로 성만찬입니다.

이 얼마나 쉽고 명료한 복음입니까? 주님은 우리에게 불가능한 것을 시키시지 않습니다. 어떤 사람이 아프리카로 보낼까 봐 선교사로 가는 것을 몹시 주저했습니다. 하지만 하나님은 아프리카로 보낼 만한 사람만 보내지 준비가 덜 된 사람은 보내시지 않습니다. 마음의 결심과 믿음의 성숙함이 있는 사람에게 달나라에 가란들 걱정하겠습니까? 땅끝까지 가란들 걱정하겠습니까? 목숨을 걸고 가는 것입니다. 하나님은 이런 사람을 보내시지 바람 한번 불면 훅 넘어질 사람을 보내시지 않습니다.

"복음을 회개하고 하나님 나라가 가까워 여기 있으니 마음의 문을 열고 예수님을 영접하라

. 그러면 내가 네게로 들어가겠다. 너는 내 안으로 들어올 것이다. 그래서 우리가 한 밥상에서 밥을 같이 먹는 것이다." 예수님은 믿는 게 아니고 먹는 것입니다. 피가 되고 살이 되는 것입니다. 혹시 우리 가운데 교회에 열심히 다니면서 머리로는 예수님을 믿었지만, 가슴으로 문을 열고 영접하지 않은 사람이 있다면 이제는 문을 열고 예수님을 영접하기 바랍니다.

입으로는 열었지만, 예수님은 문이 열리지 않아 밖에서 두드리고 계십니다. 2천년 동안 우리를 기다리고 계십니다.

교회에 나온다고 모두 믿음이 있는 것이 아닙니다. 찬양한다고 모두 믿음이 있는 것이 아닙니다. 봉사를 잘한다고 모두 믿음이 있는 것이 아닙니다. 예수를 믿는다는 것은 또 다른 문제입니다.

예수님도 영접하고 봉사도 열심히 하는 그런 사람이 되어야 합니다. 이중생활을 끊고, 주님을 섬겨야 합니다.

Pray

하나님, 우리에게 예수 그리스도를 보내 주셔서 감사합니다. 예수 그리스도만이 참복음임을 고백합니다. 우리도 세례자 요한처럼 이 복된 소식을 증거하는 일에 우리의 몸과 마음, 그리고 일생까지 기꺼이 바치는 삶을 살게 하옵소서. 예수님 이름으로 기도합니다. 아멘.

막 1:16-34

¹⁶ 그리고 예수께서 갈릴리 호숫가를 거닐다가 시몬과 그 동생 안드레가 호수에 그물을 던지는 것을 보셨는데 그들은 어부였습니다. ¹⁷예수께서 말씀하셨습니다. "나를 따르라. 내가 너희를 사람 낚는 어부가 되게 하겠다." ¹⁸시몬과 안드레는 곧 그물을 버려두고 예수를 따랐습니다. ¹⁹예수께서 조금 더 가시다가 세베대의 아들 야고보와 그 동생 요한이 배에서 그물을 깁고 있는 것을 보시고 ²⁰곧 그들을 부르셨습니다. 그러자 그들도 아버지 세베대와 일꾼들을 배에 남겨 두고 곧바로 예수를 따랐습니다. ²¹그들은 가버나움으로 갔습니다. 곧 안식일이 돼 예수께서 회당에 들어가셔서 말씀을 가르치시기 시작하셨습니다. ²²그러자 사람들은 예수의 가르치심에 놀랐습니다. 율법학자들과 달리, 예수께서는 권위 있는 분처럼 가르치셨기 때문입니다. ²³바로 그때, 회당 안에 더러운 귀신 들린 사람 한 명이 울부짖었습니다. ²⁴"나사렛 예수여! 우리가 당신과 무슨 상관이 있습니까? 우리를 망하게 하려고 오셨습니까? 나는 당신이 누구신 줄 압니다. 하나님께서 보내신 거룩한 분이십니다." ²⁵예수께서 귀신을 꾸짖으시며 말씀하셨습니다. "조용히 하여라. 그리고 그 사람에게서 나와라!" ²⁶그러자 더러운 귀신은 그 사람에게 발작을 일으키더니 비명을 지르며 떠나갔습니다. ²⁷사람들은 모두 너무나 놀란 나머지 서로 수군거렸습니다. "이게 무슨 일이지? 권위 있는 새로운 가르침이로군. 저가 더러운 귀신에게 명령까지 하고 귀신도 그에게 복종하니 말이야." ²⁸그래서 예수에 대한 소문이 갈릴리 온 지역으로 삽시간에 퍼졌습니다. ²⁹그들은 회당에서 나와 곧바로 야고보와 요한과 함께 시몬과 안드레의 집으로 갔습니다. ³⁰이때 시몬의 장모가 열병으로 앓아누워 있었습니다. 사람들은 즉시 이 사실을 예수께 말씀드렸습니다. ³¹그래서 예수께서 그 여인에게 다가가셔서 손을 잡고 일으키셨습니다. 그러자 그 즉시 시몬 장모의 열이 떨어졌습니다. 곧바로 그 여인은 그들을 시중들기 시작했습니다. ³²그날 저녁 해 진 후에 사람들이 아픈 사람들과 귀신 들린 사람들을 전부 예수께로 데려왔습니다. ³³온 동네 사람들이 문 앞에 모여들었습니다. ³⁴예수께서는 온갖 병에 걸린 사람들을 많이 고쳐 주셨습니다. 그리고 많은 귀신들도 내쫓아 주셨습니다. 예수께서는 귀신들이 예수가 누구신지 알고 있기 때문에 귀신들이 말하는 것을 허락하지 않으셨습니다.

나를 따르라

내가 이미 결정해 놓고 하나님께 따라오라고 해선 안 됩니다.
하나님이 우리 인생을 어떻게 만드실지 아무도 모릅니다.
아브라함은 갈대아 우르를 떠나갈 바를 알지 못했지만 그냥 따르기로 순종했습니다.

마가복음을 읽다.보면 굉장히 중요한 연관성을 발견하게 되고, 아주 빠른 속도로 진행된다는 것을 알 수 있습니다. 사랑하는 사람은 수천 분의 일 사이에 발견된다고 하는데, 보는 순간 생각하고 알아보고 할 여유도 없이 사랑을 느끼게 된다고 합니다. 마가복음이 바로 그렇습니다. 신앙과 복음은 이해하고 공부하고 깨달음을 통해 알게 되는 것이 아니기 때문에 그렇습니다. 다음에는 예수님의 말씀이 소개되고 있습니다.

["때가 찼고 하나님 나라가 가까이 왔으니 회개하고 복음을 믿으라!"(막 1:15)]

이것은 마가복음 전체를 끌고 가는 말씀입니다. 그러면 두 번째 메시지는 무엇입니까? "나를 따르라"는 것입니다.

[그리고 예수께서 갈릴리 호숫가를 거닐다가 시몬과 그 동생 안드레가 호수에 그물을 던지는 것을 보셨는데 그들은 어부였습니다. 예수께서 말씀하셨습니다.

"나를 따르라. 내가 너희를 사람 낚는 어부가 되게 하겠다."(막 1:16-17)]

고기 잡는 어부를 부르시다

여기서 예수님은 처음으로 제자들을 부르셨는데, 이를 통해 세 가지 사실을 발견하게 됩니다.

첫 번째로 예수님은 얼마든지 혼자 일할 수 있었지만 그러시지 않았다는 것입니다. 하늘과 땅의 권세를 가진 하나님의 아들은 혼자서도 일하실 수 있었습니다. 하지만 예수님의 생각은 우리와 달랐습니다. 예수님은 혼자 일하시지 않고 제자들을 부르고 훈련시키고 동역자로 삼으셨습니다. 그래서 우리 예수 믿는 사람들은 다 동역자요, 하나님 공동체의 사람입니다.

두 번째로 예수님은 제자들을 뽑을 때 어떤 자격을 요구하거나 돈을 받으시지 않았습니다. 요즘 우리 사회는 모든 일을 돈으로 해결하려고 합니다. 회원이 되는 데도 돈이 들어가고, 자격증이나 졸업장이 필요합니다.

그러나 예수님은 평범한 사람을 찾으셨습니다. 예수님의 제자들이 신학자나 성직자도 아니고, 학력을 갖춘 전문직에 종사하는 사람도 아니었다는 사실은 우리에게 놀라움을 줍니다. 바닷가에서 쉽게 만날 수 있는 어부들이 바로 예수님이 찾았던 사람들입니다. 다시 말해 예수님의 제자는 특별한 사람만이 될 수 있는 게 아니라는 뜻입니다.

세 번째로 예수님은 제자들을 부를 때 자격을 논하시지 않고 목적을 말씀했습니다. "나를 따르라. 내가 너희를 사람 낚는 어부가 되게 하겠다." 예수님의 목적은 사람 낚는 어부, 사람을 살리는 사람이었습니다. 돈을 많이 벌게 하거나 기업을 크게 하거나 어떤 조직을 만들거나 군대를 만드는 것이 아니라 사람을 살리는 일이 예수님의 목적입니다. 그래서 사람 낚는 어부가 되게 하겠다고 말씀한 것입니다.

이런 예수님의 부름에 대해 제자들은 어떻게 응답했습니까?

[시몬과 안드레는 곧 그물을 버려두고 예수를 따랐습니다. 예수께서 조금 더 가시다가 세베대의 아들 야고보와 그 동생 요한이 배에서 그물을 깁고 있는 것을 보시고 곧 그들을 부르셨습니다. 그러자 그들도 아버지 세베대와 일꾼들을 배에 남겨 두고 곧바로 예수를 따랐습니다.(막 1:18-20)]

여기 보면 시몬과 안드레는 한참 생각한 뒤에 그물을 버려두고 예수님을 따른 것이 아니라 그분을 본 순간, 그분이 말씀한 순간 바로 모든 가진 것을 놓아 버립니다. 이것이 진정한 따름입니다. 따른다는 것은, 순종한다는 것은 한참 생각하고 행동하는 것이 아닙니다. 예수님을 보는 순간, 말씀을 듣는 순간 자신까지 다 잊어버리는 것입니다. 예수님이 제자들을 만났을 때 그들은 곧 부르심에 응했습니다. 여기에 '곧'이라는 단어가 나옵니다. 야고보와 그 동생 요한도 아버지 세베대와 일꾼들을 배에 그냥 남겨 두고 곧바로 예수님을 따랐습니다.

여기서 세 가지로 정리해 볼 수 있습니다. 첫째 예수님의 부름, 즉 콜링과 순종인 응답입니다. 예수님의 제자들은 그분의 부름에 사랑의 화살을 맞은 듯 즉시 좋은 감정이 생겼습니다. 예수님이 간다면 아버지, 어머니도 버리고 국경 너머까지 따라가겠다는 것입니다. 이런 마음은 저절로 생긴 것입니다. 왜 그런지는 모르지만 그런 마음이 든 것입니다.

제자의 자격은 헌신과 순종입니다. 헌신과 순종에는 이유가 없습니다. 왜 그 사람을 만났는가? 좋아서입니다. 이름만 불러도 좋고, 그 사람과 한 공간에서 숨을 쉰다고 생각만 해도 좋고, 그런 마음으로 편지를 쓰고 쫓아다니다가 뺨을 맞아도 좋습니다.

예수님은 생각이 많고 복잡한 사람을 제자로 부르시지 않습니다. 만약 생각이 많고 마음이 복잡한 사람이 있다면 빨리 정리해야 합니다. 이런 사람들은 인생을 사는 것이 고달픕니다. 예수님은 계산하고 사는 사람을 좋아하시지 않고 제자로 부르시지도 않습니다. 왜냐하면 그들은 죽을 때 못 죽고 따라갈 때 못 따라가는 사람이기 때문입니다. 문제가 주어졌지만 생각이 많아서 쉽게 결정을 내리지 못합니다. 예수님이 원하는 사람은 행동하는 사람입니다.

둘째 예수님이 부르신다면 그들은 자기 모습이나 능력을 고민하지 않는 사람입니다. 우리는 무슨 일을 하든지 '내가 자격이 있을까'라고 생각합니다. 겉으로 아무리 좋게 포장한다고 해도 자기 자신을 알고 있기 때문에 해야 하는 줄 알면서도 결정을 내리지 못한 채 자꾸 뒤로 물러서는 것입니다. 게다가 예수님은 "나를 따라오려거든 자기를 부인하고 자기 십자가도 지어야 할 것이다. 아버지나 어머니나 집도 생각하지 말라"고 말씀합니다.

예수님의 제자들은 그분의 부름 앞에 자신들의 관심과 소유물 등 모든 것을 내려놓았습니다. 그리고 곧바로 주님을 따라갔습니다. 아버지 세베대와 동료들이 배에 함께 타고 있었는데, 아버지도 눈에 안 보이고 친구도 눈에 안 보이고 그냥 배에서 내려 예수님을 따라간 것입니다.

그렇다면 예수님의 제자들은 그분에 대해 잘 알고 있었던 걸까요? 아니, 몰랐습니다. 훈련을 받았던 걸까요? 그런 것도 아닙니다. 사람들은 언제 감동을 받습니까? 모든 것을 포기하고 희생할 때입니다. 움켜쥐고 있는 사람한테는 감동이 없습니다. 돈 많은 재벌한테 감동을 받은 적이 있습니까? 그 이름이 유명할 뿐이지 우리는 그들한테서 삶의 감동을 받지 못합니다. 유명한 대학이라고 해서 감동을 받습니까? 그렇지 않습니다.

사랑도 사랑 나름입니다. 어떤 사랑에 감동을 받습니까? 모든 것을 포기하고 희생할 때 감동을 받습니다. 사랑 받을 만한 가치가 없는데도 사랑해 줄 때 우리는 감동을 받아 눈물을 흘립니다. 이것이 치유입니다. 왜 우리 사랑에는 감동이 없는 걸까요? 그렇게 애써서 결혼했는데 십 년쯤 지나면 얼굴 표정이 차가워지고 마음에 짜증이 일기 시작합니다. 왜 그럴까요? 상대방을 사랑하지 않은 게 아니라 이기적인 사랑을 했기 때문입니다.

상대방한테 나를 따르라고, 내가 좋아하는 것을 좋아하고, 내가 가고 싶은 데로 오라고 말했기 때문입니다. 그 사람을 위한 사랑을 했다면 남자든 여자든 상대방의 사랑에 감동했을 것입니다. 사랑은 조종하면 끝나고 맙니다. 절대 조종하려고 해선 안 됩니다. 그냥 포기하고 순종해야 합니다. 진정한 사랑을 받은 사람은 죽기까지 따라가지만, 상대방이 자신을 조종하거나 이용한다는 생각이 들면 따라가지 않습니다.

우리 사랑에 감동이 없는 또 한 가지 이유는 바로 준 만큼 받으려고 하기 때문입니다. '내가 당신한테 이만큼 했는데 당신도 나한테 이 정도는 해야 하지 않겠어'라고 생각한다면 사랑은 원망으로 변해 버리고 맙니다. 예수님을 따르려면 모든 것을 버리고 포기할 때, 목숨까지 내놓을 때 감동이 있습니다.

셋째 예수님의 제자들은 미리 훈련 받지 않았다는 것입니다. 우리는 훈련 받은 사람만이 일할 수 있다고 생각합니다. 하지만 예수님은 그들을 만난 순간부터 훈련시키십니다. 훈련은 강의실이 아니라 삶의 현장에서 시작됩니다. 그래서 예수님은 강의가 아닌 실제의 삶을 통해 가르치시기 시작합니다.

귀신 들린 사람을 고치시다

첫 번째로 예수님은 제자들에게 하나님 말씀을 어떻게 가르쳐야 하는지 보여 주셨습니다.

[그들은 가버나움으로 갔습니다. 곧 안식일이 돼 예수께서 회당에 들어가셔서

말씀을 가르치시기 시작하셨습니다. 그러자 사람들은 예수의 가르치심에 놀랐습니다. 율법학자들과 달리, 예수께서는 권위 있는 분처럼 가르치셨기 때문입니다.(막 1:21-22)]

재미있는 것은 예수님이 회당에 들어가셔서 안식일에 성경을 가르치셨다는 것입니다. 회당은 교회가 생기기 전 유대인의 모임 장소입니다. 그렇다고 구약에 나오는 성전도 아닙니다. 회당은 성전처럼 거룩하거나 권위 있는 장소가 아닙니다. 랍비들이 말씀을 가르치는 장소가 회당이었고, 교육과 결혼과 장례식이 이루어지는 생활공간도 회당이었습니다. 예수님은 안식일에 이곳에서 하나님의 복음을 가르치셨습니다.

특이한 점은 이 말씀을 듣고 사람들이 깜짝 놀랐다는 것인데, 유대인 랍비나 율법 전문가들이 말하는 것과 비슷하긴 한데 뭔가 달랐기 때문입니다. 비슷한 말을 하시는데 예수님의 말씀에는 반전이 있었습니다. 한 번도 들어 보지 못한, 생각해 보지 못한 말씀이 예수님의 입에서 흘러나왔습니다.

예수님의 말씀에는 신비스러운 하늘의 권위가 있었습니다. 그래서 모든 사람이 그분께 빨려 들어갔습니다. 이는 예수님이 제자들한테 처음으로 가르치시는 모습을 보인 것입니다. 사람들은 한 번에 모든 것을 배우지 못합니다. 한 직장에 오래 다녔다든지, 그 사람과 오래 같이 살았다든지 그랬을 때 서로 배우게 됩니다.

예를 들어 한경직 목사님 밑에서 훈련 받은 목사님들은 대부분 한 목사님과 비슷하게 닮아갑니다. "감사합니다, 고맙습니다"가 한 목사님의 특기인데, 특히 이런 점이 많이 닮았습니다. 배우는 과정에 있어 완성된 작품을 볼 수 없지만, 예수님의 제자들은 삼 년 동안 끊임없이 실수하고 반복하면서 그분의 가르치는 모습을 배우게 됩니다.

두 번째로 예수님은 그분을 따르고자 하는, 그분을 따르고 싶어 하는 제자들한테 귀신에 관해 가르치고 그 일을 보여 주셨습니다. 예수님이 직접 귀신 쫓는 모습을 보여 주신 것입니다.

[바로 그때, 회당 안에 더러운 귀신 들린 사람 한 명이 울부짖었습니다. "나사렛 예수여! 우리가 당신과 무슨 상관이 있습니까? 우리를 망하게 하려고 오셨습니까? 나는 당신이 누구신 줄 압니다. 하나님께서 보내신 거룩한 분이십니다." 예수께서 귀신을 꾸짖으시며 말씀하셨습니다. "조용히 하여라. 그리고 그 사람에게서 나와라!" 그러자 더러운 귀신은 그 사람에게 발작을 일으키더니 비명을 지르며 떠

나갔습니다.(막 1:23-26)]

여기서 우리는 귀신에 대한 몇 가지 정보를 발견하게 됩니다. 먼저 회당 안에 귀신이 있었다는 것입니다. 연예인 교회에서 사역하던 때 한 권사님이 "목사님, 저는 성경책을 꼭 가지고 다닙니다. 외출할 때는 핸드백에 넣어 다니고, 잠잘 때는 머리 맡에 두고 잡니다"라고 말했습니다. 그런다고 귀신이 나갑니까? 성경을 읽어야 나가는 것이지 성경책을 마냥 붙잡는다고 귀신이 공격을 안 합니까?

어느 교회의 목회자가 자꾸 스캔들에 휘말려 교회가 깨지고 무너지는데, 나중에 알고 봤더니 그 교회 안에 음란의 귀신이 있었습니다. 그래서 교인들 사이에서 성 스캔들이 자꾸 일어난 겁니다. 그 안이 성전이라도 귀신은 있습니다.

전도사 시절 어느 교회에서 담임목사님을 도와 목회를 했는데, 교인들 사이에 자주 다툼이 있었습니다. 이런 다툼에도 상식이 존재합니다. 지나치게 싸운다든지 하면 뭔가 이상한 겁니다. 가만히 얘기를 들어 보면 별로 싸울 일도 아닌데 자존심 싸움을 하거나 그냥 목숨을 걸고 싸우는 사람이 많았습니다.

그래서 기도원에 들어가 기도를 하는데 교회 천장에 귀신이 꽉 차 있는 게 보이는 겁니다. 너무 놀라서 소리 지르며 기도했더니 귀신들이 가자고 하곤 가 버리는 것이었습니다. 기도를 마치고 교회로 돌아왔는데, 그 사건이 해결되어 있었습니다. 이처럼 교회 안에도 귀신이 있을 수 있습니다.

성경 말씀을 보면 회당 안에도 더러운 귀신 들린 사람이 있습니다. 여기서 무엇을 알 수 있습니까? 귀신은 사람 안에 살고 있다는 것입니다. 물론 어떤 지역이나 우상 숭배하는 나무, 우상 숭배하는 조각에도 귀신이 있긴 하지만 대부분 사람 안에 있습니다.

어떤 사람들은 마음이 무척 사납습니다. 어떤 사람들은 비판적이고 시니컬하고 남을 헐뜯고 화를 잘 내기도 합니다. 어떤 사람들은 그러면 안 된다고 스스로 다짐하지만 자기 안에 음란한 영이 들어오면 음란해집니다. "안 된다, 안 된다"라고 하면서도 자꾸 음란한 비디오를 보고 음란한 책을 읽고 음란한 그림을 봅니다.

어디서 왔을까요? 누가 그렇게 시켰을까요? 귀신의 별명은 더러운 귀신입니다. 더럽게 사는 사람은 귀신이 그 안에 있습니다. 귀신의 특징은 별명에서 알 수 있듯 아주 더럽다는 것입니다.

유명한 연예인을 만나 전도한 적이 있는데, 이 사람은 욕이 없으면 말을 하지 못할 정도였습니다. 같은 연예인끼리는 그런 사실을 다 알고 있을 정도였습니다. 그래서 모두 "저 사람은 욕쟁이니까"라며 묵인해 주었습니다. 그 사람과 만나면서 별의별 욕을 다 들어 봤습니다. 어느 날 왜 그렇게 욕을 하는지 물었더니 욕을 섞어야만 말하는 맛이 난다는 것입니다. 욕을 하지 않으면 말하는 재미가 없다고 합니다. 이것은 바로 귀신 때문입니다.

상식에서 벗어날 정도로 지나치게 화를 내거나, 자주 화를 내는 것도 귀신 때문입니다. 평소 화를 잘 내는 사람은 거울 앞에 서서 "내 안에 있는 화를 내는 귀신아, 떠나갈지어다"라고 한번 외쳐 보길 권합니다. 그러면 화가 쑥 가라앉습니다.

귀신은 나갈 때 소리를 지르고 발작을 일으키고 비명을 지릅니다. 예수의 이름으로 귀신을 쫓을 때 곱게 나가는 귀신은 하나도 없습니다. 넘어지든지, 거품을 물든지, 소리를 지르고 난 뒤에야 떠납니다.

예수님과 귀신은 상관이 있습니다. 귀신이 뭐라고 말했습니까? 귀신이 "우리가 당신과 무슨 상관이 있습니까? 우리를 망하게 하려고 왔습니까?"라고 말한 것에는 두 가지 뜻이 있습니다. 귀신은 예수님을 보면 떠나게 되어 있습니다. 그리고 예수님은 귀신을 망하게 하려고 오셨습니다.

귀신은 예수님을 잘 안다고 말했는데, 그분이 '하나님께서 보내신 거룩한 자'인 것을 알고 있습니다. 그런데 귀신만도 못한 사람이 많습니다. 수많은 무신론자들과 하나님을 믿지 않는 자들은 예수님이 누구신지 모르니 말입니다. 반면에 귀신들은 예수님을 금방 알아봅니다.

귀신은 이론이 아닙니다. 동화책에 나오는 상상 속의 존재도 아닙니다. 실제로 존재합니다. 우리 눈에 안 보일 뿐입니다. 그래서 인간은 자주 귀신의 조종을 받습니다. 예수님도 베드로에게 "귀신이 너를 밀 까부르듯 까불려고 한다"라고 말씀하지 않았습니까! 또 가룟 유다한테도 들어가 예수님을 팔아먹도록 했습니다.

이런 발작을 일으키고 귀신이 떠났을 때 사람들의 반응은 다음과 같습니다.

[사람들은 모두 너무나 놀란 나머지 서로 수군거렸습니다. "이게 무슨 일이지? 권위 있는 새로운 가르침이로군. 저가 더러운 귀신에게 명령까지 하고 귀신도 그에게 복종하니 말이야." 그래서 예수에 대한 소문이 갈릴리 온 지역으로 삽시간에 퍼졌습니다.(막 1:27-28)]

그 당시 사람들은 귀신 들린 사람과 발작하는 사람, 무덤에서 방황하는 사람을 자주 봤습니다. 하지만 귀신이 떠나가는 것을 본 적은 없습니다. 그런데 예수님의 말씀으로 말미암아 귀신이 떠나간 것입니다. 귀신은 어떻게 해야 떠나갑니까? 예수님은 "조용히 하여라. 그리고 그 사람에게서 나와라"고 귀신을 꾸짖었습니다. 귀신한테는 절대 부탁하면 안 됩니다. 명령을 내려야 합니다. 귀신은 환영하면 안 됩니다. 귀신이 왜 들어갑니까? 환영했기 때문에 들어간 겁니다.

너무 직설적인 말이지만 똥이 있는 곳에 똥파리가 모입니다. "왜 귀신이 들어올까? 내가 똥이니까, 더러우니까, 더러운 생각을 하니까"라는 것을 꼭 기억하기 바랍니다. 표현하지 않으면 아무도 모릅니다. 하지만 귀신은 다 압니다. 누군가 사기를 쳤거나 간음했거나 하면 귀신은 금방 알아차립니다. 그리고 "저기가 내 집이군"이라고 하면서 쑥 들어갑니다. 이렇게 되면 자신도 모르게 이상한 사람으로 변해 가는 겁니다.

예수님은 귀신에게 어떻게 하셨습니까? 꾸짖었습니다. 폭풍과 파도 치는 바다를 향해 예수님은 어떻게 하셨습니까? 꾸짖었습니다. 절대 귀신을 환영해선 안 됩니다. 귀신이 들어올 만한 환경을 만들어서도 안 됩니다. 똥파리가 와서 미끄러져 나가도록, 너무 깨끗해서 귀신이 한 길로 왔다가 일곱 길로 도망가게 해야 합니다. 마르틴 루터는 "내 머리 위로 새가 날아가는 것은 할 수 없는 일이지만, 내 머리에 둥지를 치게 만드는 것은 내 책임이다"라고 말했습니다.

귀신이 접근하지 못하도록 막아야 합니다. 화가 났을 때도 방긋 웃을 수 있도록 노력해야 합니다. 분노와 미움이 가득 찼을 때 감사와 찬송을 해야 귀신이 들어올 자리가 없어집니다. 뭔가 걸려야 하는데 그 걸릴 것을 다 치워 버리면 사탄은 우리에게 들어올 수가 없습니다. 그 당시 사람들은 이런 사실을 몰랐습니다. 예수님의 제자들도 몰랐기 때문에 깜짝 놀란 것입니다. 예수님만 귀신을 쫓으실 수 있는 것이 아닙니다. 예수님은 우리한테도, 제자들한테도 귀신 쫓는 능력을 주셨습니다. 성경은 "믿는 사람들에게는 이런 표적이 따를 것이다. 그들은 내 이름으로 귀신을 내쫓고"라고 말씀합니다.

예수를 믿는다는 것은 이런 특권을 누린다는 의미입니다. 자기 안에 있는 귀신을 발견하면 그 즉시 "나는 네가 싫다. 나는 너를 환영하지 않는다. 내게서 떠나라"고 꾸짖어야 합니다. 귀신은 하나님 말씀을 절대 거역하지 못합니다.

요즘 크리스천들이 왜 능력이 없는지 아십니까? 그 당시 사람들과 똑같기 때문입니다. 교회에 나오고 설교도 듣고 성경공부도 하고 예수님도 믿지만 능력이 없습니다. 똑같이 괴로워하고 똑같이 짜증내고 얼굴에 기쁨이 사라진 이유가 무엇입니까? 우리 안에 자리한 더러운 귀신이 영향을 미치기 때문입니다.

그러므로 귀신을 내쫓아야 합니다. 우리 안을 청소해야 합니다. 경건의 모양은 있으나 경건의 능력이 없어 귀신에게 농락당하거나 공격 받지 말고 예수님 권세의 이름으로 귀신을 내쫓길 바랍니다.

하나님 말씀을 보면 가짜가 보입니다. 이것이 바로 느헤미야의 개혁이 아니겠습니까! 성경을 읽고 사람들은 자기 모습을 본 것입니다. 그래서 깜짝 놀라 눈물을 흘리고 회개하고 금식한 것입니다.

성경을 보면 우리 자신이 얼마나 잘못되어 있는지를 깨닫게 됩니다. 그러므로 성경을 받아들여야 합니다. 성경을 받아들일 수 없는 사람들은 이것을 자꾸 바꾸려고 합니다. 그래선 안 됩니다. 우리가 먼저 변해야 합니다. 그때 하나님의 성령이 우리한테 임하게 되고, 그 능력이 더러운 귀신을 내쫓는 것입니다.

병든 사람을 긍휼히 여기시다

세 번째로 예수님은 제자들에게 병든 사람에 대한 긍휼과 병든 사람을 고치는 것을 보여 주셨습니다.

[그들은 회당에서 나와 곧바로 야고보와 요한과 함께 시몬과 안드레의 집으로 갔습니다. 이때 시몬의 장모가 열병으로 앓아누워 있었습니다. 사람들은 즉시 이 사실을 예수께 말씀드렸습니다. 그래서 예수께서 그 여인에게 다가가셔서 손을 잡고 일으키셨습니다. 그러자 그 즉시 시몬 장모의 열이 떨어졌습니다. 곧바로 그 여인은 그들을 시중들기 시작했습니다. (막 1:29-31)]

예수님의 마음은 언제나 긍휼로 가득 차 있습니다. 그래서 선한 사마리아 사람의 이야기를 하신 것입니다. 이 긍휼을 신학적으로 표현하면 바로 아가페 사랑입니다. 성경을 보면 자신이 선택한 제자들의 집을 심방하는 예수님의 모습을 볼 수 있습니다. 이처럼 그분은 자신이 택한 사람을 사랑하고 보호하고 관리하십니다. 요즘 윗사람이 부하직원들의 집을 방문하는 일은 별로 없을 겁니다.

여기서 우리는 심방의 원리를 발견하게 됩니다. 베드로의 장모가 열병으로 앓아누워 곧 죽게 됐는데 예수님이 그 사실을 알게 되셨습니다. 이는 심방하시지 않았다면 몰랐을 일입니다.

예수님은 여인의 손을 잡아 일으키셨습니다. 예수님의 손이 닿는 순간, 이 여인의 열병은 사라졌습니다. 여인은 순식간에 몸의 열이 다 없어져 즉시 방문한 사람들의 시중을 들었습니다. 은혜를 받고 기적을 체험하면 대접하고 시중을 들고 싶어집니다.

이제 제자들을 위한 사역 훈련이 시작된 것입니다. 제자들은 나병 환자를 고치고 귀신을 쫓아내고 바람을 잠잠케 하고 앉은뱅이를 일으키고 눈먼 사람의 눈을 뜨게 하고 귀머거리의 귀를 열게 하는 등 예수님이 행하시는 기적과 같은 일을 목격하게 됩니다. 이로써 제자들은 충격과 함께 영적 진리에 눈을 뜨게 됩니다. 그 후로 어떤 일이 일어났습니까?

[그날 저녁 해 진 후에 사람들이 아픈 사람들과 귀신 들린 사람들을 전부 예수께로 데려왔습니다. 온 동네 사람들이 문 앞에 모여들었습니다. 예수께서는 온갖 병에 걸린 사람들을 많이 고쳐 주셨습니다. 그리고 많은 귀신들도 내쫓아 주셨습니다. 예수께서는 귀신들이 예수가 누구신지 알고 있기 때문에 귀신들이 말하는 것을 허락하지 않으셨습니다.(막 1:32-34)]

실로 놀라운 광경이 아닐 수 없습니다. 예수님의 소문을 듣게 된 사람들 가운데 귀신 들린 아들 혹은 귀신 들린 딸이 있는 사람은 이 말이 복음으로 들렸을 겁니다. 온 동네의 병든 사람들과 귀신 들린 사람들이 다 예수께 모여들었습니다.

여기서 조심할 것이 한 가지 있는데, 예수님을 믿으면 복도 받고 귀신도 나가고 병 고침을 받는 것이 사실입니다. 하지만 중요한 것은 복을 받고 병을 고치고 귀신을 쫓기 위해 예수님을 믿는 게 아니라는 것입니다.

오늘날 교회가 타락한 이유는 복을 받고 병을 고치고 귀신을 내쫓기 위해 겉만 쫓아다니는 사람이 많기 때문입니다. 우리 믿는 사람들은 예언을 너무 좋아해선 안 됩니다. 사람이 하는 일이다 보니 실수를 하기가 쉽습니다. 병이 낫고 기적이 일어나는 것도 너무 좋아해선 안 됩니다. 그래 봐야 백 년 지나면 다 죽습니다.

만약 복을 받는 것이 목적이라면 우리 신앙은 기복주의로 흘러갈 것입니다. 병고치는 것이 목적이라면 우리 신앙은 신비주의로 흘러갈 것입니다. 귀신 쫓는 것이 목적이라면 우리 신앙은 무당 신앙으로 전락하고 말 것입니다.

기독교는 이처럼 값싼 종교가 아닙니다. 이익을 얻기 위해, 병을 고치기 위해, 복을 받기 위해, 진급하기 위해, 아들을 좋은 학교에 보내기 위해 기도하는 것이 기독교가 아닙니다. 물론 하나님은 우리에게 그런 축복을 주십니다. 하지만 그것이 목적이 될 수는 없습니다.

그렇다면 예수님은 왜 기적을 일으키셨을까요? 이것은 하나님 나라의 사인입니다. 하나님 나라가 이 땅에 들어오는, 침략해 오는 하나의 증표입니다. 우리는 자신의 영광을 위해 하나님을 사용해선 안 됩니다. 교회를 사용해선 안 됩니다. 믿음을 수단으로 만들어선 안 됩니다.

우리 신앙의 근본은 하나님 말씀입니다. 이 말씀에서 벗어나면 우리는 다 죽습니다. 이단에 빠지고 귀신의 밥이 되고 신비주의에 빠지고 맙니다. 기독교는 신비스러운 종교지만 신비주의는 아닙니다. 예수를 믿으면 복을 받지만 우리 신앙은 기복 신앙이 아닙니다.

주님은 지금 이 시간에도 우리를 부르십니다. "나를 따르라. 나를 따르라." 이 말씀을 듣고 크리스천들이 헌신하기를 바랍니다. 그렇다면 무엇을 해야 할까요? 어디로 가야 할까요? 이것은 우리의 소관이 아닙니다. 부르신 분이 내는 문제입니다.

이미 결정해 놓고 하나님께 따라오라고 해선 안 됩니다. 하나님이 우리 인생을 어떻게 만드실지 아무도 모릅니다. 아브라함은 갈대아 우르를 떠나갈 바를 알지 못했지만 그냥 따르기로 순종했습니다.

지금 하나님이 어디로 보내든지 무엇을 시키든지 주님을 따르기로 서약하겠습니까?

Pray

> 하나님, 우리는 아직 미숙한 사람들입니다. 그래서 시험이 오면 두렵고 무섭습니다. 하지만 예수님이 우리를 부르시기에 할 수 있는지 없는지 묻지 않고, 갈 수 있는지 없는지 묻지 않고 주님을 따르기를 원합니다. 주여, 용기를 주시옵소서. 강하고 담대하게 하여 주옵소서. 예수님 이름으로 기도합니다. 아멘.

막 1:35-45

[35]매우 이른 새벽 아직 어둑어둑할 때 예수께서 일어나 외딴 곳으로 가셔서 기도하셨습니다. [36]시몬과 그 일행들이 예수를 찾아 나섰습니다. [37]그들이 마침내 예수를 만나자 소리쳐 말했습니다. "모든 사람들이 선생님을 찾고 있습니다." [38]예수께서 대답하셨습니다. "가까운 이웃 마을들에 가서도 말씀을 전파하도록 하자. 내가 이 일을 하러 왔다." [39]그리하여 예수께서는 갈릴리에 두루 다니시며 여러 회당에서 가르치시고 귀신들을 쫓아내셨습니다. [40]어떤 나병 환자가 예수께 다가와 무릎을 꿇고 애원했습니다. "선생님께서 원하시기만 하면 저를 깨끗하게 해 주실 수 있습니다." [41]예수께서 불쌍히 여기시고 손을 내밀어 그를 만지시며 말씀하셨습니다. "내가 원한다. 자, 깨끗이 나아라!" [42]그러자 나병이 순식간에 사라지고 그가 깨끗이 나았습니다. [43]예수께서는 곧바로 그를 보내시며 단단히 당부하셨습니다. [44]"이 일에 대해 아무에게도 아무 말도 하지 마라. 다만 제사장에게 가서 네 몸을 보이고 네가 깨끗이 나은 것에 대해 모세가 명령한 대로 예물을 드려 사람들에게 증거를 삼아라." [45]그러나 그 사람은 나가서 이 일을 마구 널리 퍼뜨렸습니다. 그 결과 예수께서는 더 이상 드러나게 마을 안으로 들어가지 못하고 마을 밖 외딴 곳에 머물러 계셨습니다. 그래도 사람들은 여전히 사방에서 예수께로 모여들었습니다.

매우 이른 새벽 아침

말을 많이 하고 이 말을 하고 저 말을 하고
이 사람을 찾아가고 저 사람을 찾아가도 남는 것이 없습니다.
허전하고 외로울 뿐입니다. 그런데 하나님을 만나면 그 외로움이 싹 사라집니다.
고독이 사라집니다. 당황할 일이 없어집니다.

다음 말씀을 보면 예수님은 아침이 밝기 전 아직 어둑어둑한 새벽에 일어나 한적한 곳으로 가서 기도하셨다는 것을 알 수 있습니다.

[매우 이른 새벽 아직 어둑어둑할 때 예수께서 일어나 외딴 곳으로 가서서 기도하셨습니다.(막 1:35)]

이 한 절에도 우리가 줄을 긋고 생각할 부분이 많습니다. 이른 새벽 아직 어두컴컴할 때 예수님은 얼마나 피곤하고 바쁘셨겠습니까? 그럼에도 해가 뜨기 전에 일어나 가장 먼저 하신 것은 하나님을 찾는 일이었습니다. 하나님과 대화하면서 그분의 마음을 깨닫는 그런 시간을 가지셨습니다. 여기서 외딴 곳이란 '홀로'의 뜻을 담고 있습니다.

예수님은 우리를 위해 병도 고쳐 주고 귀신도 쫓아 주고 사람들을 위로해 주시는 등 많은 일을 하셨지만, 정작 자기 자신을 위해서는 하나님과 외딴 곳에서 대면하셨습니다. 여기에 굉장히 중요한 의미가 있습니다. 예수님은 조용한 시간에 홀로 하나님과 대면하셨습니다. 오늘날 성경은 이 대면을 기도라는 말로 대치합니다. 대화를 나누셨다는 것입니다. 하나님의 뜻을 물으셨다는 것입니다. 또한 하나님의 음성을 듣는다는 것입니다.

새벽 미명에 하나님을 만나시다

하나님의 음성을 듣지 않으면 어떻게 됩니까? 자기 뜻대로 하게 됩니다. 자신의 뜻을 하나님의 뜻이라고 착각하기도 합니다. 그러다 보면 나중에 많은 문제가 발생하게 됩니다. 기도를 하지 않는 것도 아니요, 하나님과 대면하지 않는 것도 아니지만 우리는 하나님의 뜻이라고 여긴 채 엉뚱한 짓을 할 때가 참 많습니다.

교회는 해야 할 일이 많습니다. 가만히 생각해 보면 우리 크리스천들이 해야 할 일이 얼마나 많은지 모릅니다. 우리는 예수님을 믿을 때 늘 앞만 보고 따라가는데 옆도 봐야 합니다. 옆만 바라봐도 안 되고 앞만 바라봐도 안 됩니다. 앞을 바라보면서 우리 옆에 있는 사람들이 눈물을 흘리고 있는지, 얼마나 속이 타들어 가는지, 얼마나 괴로워하고 있는지를 보면서 가야 합니다.

우리는 기도로 승부를 봐야 합니다. 감정이 아니고 상황이 아니고 우리가 싫어하는 데서 승부를 봐야 합니다. 기도하는 것이 체질이 된 사람은 감기가 오든 몸이 불편하든 상관없이 늘 새벽부터 하나님 앞에 찾아가서 무릎 꿇고 눈물을 흘리며 그분의 뜻을 찾습니다.

우리 삶에는 꼭 좋은 일만 일어나지 않습니다. 재난이 닥쳤을 때 예수님을 믿지 않는 사람만 죽지 않았습니다. 믿는 사람도 안 믿는 사람도 다 죽게 되어 있습니다. 이처럼 우리 삶은 모든 일이 만사형통하고 편안한 것만은 아닙니다. 자식이 죽고 부모가 죽고 회사가 망하고 이럴 때가 얼마나 많습니까? 하지만 하나님 말씀에 기초해 그분의 음성을 듣게 되고, 그렇게 해서 기도로 하루를 시작하면 우리 삶은 흔들리지 않습니다. 성령 운동도 말씀 아래서 하면 아무렇지도 않습니다.

성경을 많이 읽는 것도 중요하지만 바르게 읽는 것이 더 중요합니다. 모든 이단은 어디서 나옵니까? 계시록을 잘못 해석해서 이단이 나오는 것입니다. 성경 통독을 많이 해야 합니다. 조금씩 나눠 읽는 것도 좋지만 창세기부터 요한계시록까지 통으로 읽어야 합니다. 일일이 하나씩 해석하지 않아도 성경을 통으로 읽으면 하나님 말씀이 폭포수처럼 내려옵니다.

이때 가장 중요한 것은 우리 신앙이 말씀 위에 서야 한다는 사실입니다. 우리 신앙이 기도 위에 서야 한다는 것입니다. 그렇게 되면 좀 극단으로 가더라도, 한 곳으로 향해 가더라도 다시 중심을 잡고 하나님이 기뻐하시는 신앙생활을 할 수 있습니다.

예수님의 초자연적인 능력과 사역은 어디서, 어떻게 나오는 것일까요? 이것은 그분의 신념이나 인기에 편승해 나온 것이 아닙니다. 사람이 많이 모였기 때문에 능력이 있는 거라고 말할 수 있습니까? 아닙니다. 능력이 있기 때문에 사람이 모인 것입니다. 예수님은 드러난 시간보다 숨어 있는 시간이 더 많았습니다. 사람들과의 관계보다는 하나님과의 관계가 더 많았습니다.

그런데 이 드러나지 않는 시간, 하나님과의 깊은 관계의 시간은 성경에 잘 나타나 있지 않습니다. 귀신을 내쫓고 병을 고치고 설교하는 것은 자주 언급되지만 실제로 이런 능력은 어디서 나오는 걸까요? 이는 눈에 보이지 않는 하나님과의 관계에서 나옵니다. 예수님은 그런 기도와 말씀 위에서 사셨기 때문에 십자가를 지실 수 있었습니다. 죽음이 오고 고통이 오고 사람들이 오해하고 돌팔매질을 하더라도 흔들리지 않았던 것입니다.

하나님 말씀에 중심을 두라

우리 신앙이 흔들리지 않고 변함없는 신앙이 되어야 합니다. 환경이나 기분에 따라 바뀌는 것이 아니라 하나님 말씀을 중심으로 우리 신앙의 방향과 기초를 잡고 감정에 따라 신앙생활을 하지 않는 그런 사람들이 되기를 바랍니다.

예수님의 능력은 새벽 미명에 하나님의 관계에서부터 출발했습니다. 아무리 겸손한 사람이라도 인기 앞에서는 쉽게 흔들리고 맙니다. 사람들이 손뼉 치고 환호성을 지르면 자신이 뭐라도 되는 줄 알고 자꾸 그쪽으로 방향을 잡습니다. 이때는 다 되는 것 같지만 그렇지 않습니다. 꼭 넘어집니다. 꼭 쓰러집니다. 위험의 덫에 걸리고 마는 것입니다.

다음 말씀을 보면 예수님의 인기가 절정에 오른 것을 알 수 있습니다.

[그날 저녁 해 진 후에 사람들이 아픈 사람들과 귀신 들린 사람들을 전부 예수께로 데려왔습니다. 온 동네 사람들이 문 앞에 모여들었습니다. 예수께서는 온갖 병에 걸린 사람들을 많이 고쳐 주셨습니다. 그리고 많은 귀신들도 내쫓아 주셨습니다. 예수께서는 귀신들이 예수가 누구신지 알고 있기 때문에 귀신들이 말하는 것을 허락하지 않으셨습니다.(막 1:32-34)]

그 당시에는 의료 시설이 없다 보니 원시적인 방법이나 무당을 불러 병을 고쳤을 겁니다. 이때 예수님이 병을 고쳐 주셨으니 얼마나 많은 사람들이 관심을 보였겠습니까! 집집마다 병들지 않은 사람이 있었겠습니까! 우리도 마찬가지입니다. 병든 가족이 없는 사람이 어디 있습니까. 겉으로 드러내 놓고 아픈 척하지 않아서 그렇지 다 아픕니다.

온 동네 사람들이 문 앞에 모여들었고, 예수님은 온갖 병에 걸린 사람들을 고쳐 주셨습니다. 그리고 귀신들도 내쫓아 주셨습니다. 예수님은 귀신들이 그분의 존재를 알고 있기 때문에 그들이 말하는 것을 허락하시지 않았습니다.

우리 삶은 어떨까요? 대부분 병치레를 하며 삽니다. 모두 나이가 들고 시간이 지나면 병들게 되고 병들면 외롭습니다. 마가복음에는 귀신 들린 사람이 많이 나오긴 해도 군더더기가 없습니다. 핵심만 딱딱 집어 이야기해 주는데 얼마나 많은 사람들이 귀신 들려 제 정신이 아닌지 보여 줍니다.

일본에 가서 한 교회에서 설교를 했는데, 그곳에서 여러 가지 모습으로 사는 사람들을 봤습니다.

설교가 끝나자마자 한 여성이 막 넘어지면서 소리를 질러 대자 사람들이 옆방으로 데려 가서 붙잡고 기도하기 시작했습니다. 그 방으로 들어가서 가만히 놔두라고 말한 뒤 그 여성에게 "일어나시라"고 하니까 조용히 일어났습니다. 그 사람은 옆에서 붙잡으니까 자기를 죽이는 줄 알고 소리를 지른 것입니다. 조용해지고 나서 눈을 보니 정상이었습니다. 이것저것 묻다 보니 남편한테 하도 매를 맞아서 어디 가 있을 곳이 없어 교회를 찾아온 여인이었습니다. 지난주 교회에서 보호를 받았는데, 이번 주에는 멀쩡하게 교회에 왔다는 겁니다.

또한 설교 도중에 귀신 들린 표정의 중년 남성이 있었습니다. 그 사람이 신경 쓰였지만 계속 설교를 했는데 그의 얼굴에서 갑자기 빛이 나기 시작했습니다. 성령님이 그 안에 역사하신 것입니다. 일본 사람이라서 한국말을 몰라 옆 사람한테 "기도해 주세요"라는 말을 물어 그 문장을 외우려고 계속 중얼거렸습니다. 예배가 끝나고 찾아오더니 "기도해 주세요. 기도해 주세요"라고 하면서 기도를 청했습니다. 이처럼 귀신 들린 영혼은 참으로 불쌍합니다. 예수님도 그러셨을 겁니다.

어떤 남자는 말을 하지 못했습니다. 그런데 알고 보니 그의 가족 모두 말을 하지 못한다는 것이었습니다. 그 사람한테 안수하고 기도해 줬더니 갑자기 말을 하기 시작하는데 방언이 쏟아져 나왔습니다. 그러다가 그는 쓰러졌습니다.

사실 전 세계 어느 나라든지 귀신을 섬기지 않는 나라가 없고 무당을 섬기지 않는 나라가 없습니다. 이것은 선진국이든 후진국이든 마찬가지입니다. 그래서 예수님은 불치병 환자나 귀신 들린 사람들을 데려다 위로하고 격려하고 말씀을 해 주시는 겁니다.

귀신들이 떠날 때 꼭 하는 말이 있습니다. "주여, 당신은 하나님의 아들이십니다." 어떤 면에서는 귀신들이 우리보다 낫습니다. 예수님만 보면 무릎을 꿇고 절하며 "주여 당신은 우리하고 무슨 상관이 있어 오셨습니까? 당신은 진정 하나님의 아들 그리스도이십니다"라고 말하니 말입니다. 이처럼 귀신들은 금방 예수님을 알아봅니다. 그런데 많이 배웠다는 사람들, 지성인들이 예수님을 알아보지 못합니다.

복음을 전하러 떠나시다

예수님은 귀신들의 입을 다물게 합니다. 입을 열기 시작하면 사람들이 너무 많이 밀려와서 예수님이 감당하실 수가 없었기 때문입니다. 그분은 십자가 지시는 일이 우선이고, 귀신 쫓고 병을 고치는 것은 그다음 일이었습니다.

[매우 이른 새벽 아직 어둑어둑할 때 예수께서 일어나 외딴 곳으로 가서서 기도하셨습니다.(막 1:35)]

예수님은 사람들과 함께 있을 때도 있었지만 새벽에는 홀로 산 기도를 많이 다니셨습니다. 제자들도 데려가지 않고 혼자서 하나님과 깊은 대화를 나누셨습니다. 그러고 나면 예수님 몸속에서 말씀의 능력이 막 솟아났습니다. 그런 예수님을 보고 귀신들은 겁이 나서 벌벌 떨면서 엎드린 채 도망갔습니다. 병든 사람은 병이 치료되고, 마음이 상한 사람은 마음이 치료됐습니다. 이 근본이 어디서 왔습니까? 새벽 아직 어둑어둑할 때 하나님을 먼저 만났기 때문입니다.

사람들을 만나 수다를 떨고 나면 외로움밖에 남지 않습니다. 말을 많이 하고 이 말을 하고 저 말을 하고 이 사람을 찾아가고 저 사람을 찾아가도 남는 것이 없습니다. 허전하고 외로울 뿐입니다. 그런데 하나님을 만나면 그 외로움이 싹 사라집니다. 고독이 사라집니다. 당황할 일이 없어집니다. 하나님 말씀을 가장 먼저 묵상하고 그분과 교제를 가지면 큰 변화가 생기는데, 자기 인격과 성품의 변화가 먼저 일어납니다.

사나운 사람이나 성질을 많이 부리는 사람은 회개하고 하나님 말씀을 읽어야 합니다. 진짜 크리스천이라면 인격이 변해야 합니다. 성품이 변해야 합니다.

우리나라는 예수 믿는 사람들이 얼마나 사나운지 모릅니다. 교인들이 더 사나울 때가 많다는 얘기입니다. 예수님을 진짜 믿으면 성격이 조용해지고 인격적으로 변합니다. 내면의 삶이 변한다는 뜻입니다. 그래서 남한테 함부로 상처를 주지 않고, 말을 많이 하지 않습니다.

하나님 말씀을 열심히 읽고 기도하면 무슨 일이 생길까요? 꿈이 생깁니다. 하나님의 비전이 곧바로 우리한테 들어옵니다. 그래서 그 비전과 꿈에 따라 살게 됩니다. 고통이나 외로운 것은 중요하지 않습니다. 마음은 하나님의 꿈에 부풀어 있고, 심령은 누구를 만나든 인격적 감동을 주게 됩니다.

한 장로님이 간증을 했습니다. 운영하는 농장에서 내몽고 사람 일곱 명을 일꾼으로 썼는데, 그들한테 교회 가자는 말도 하지 않고 예수 믿자는 말도 하지 않고 늘 하던 식으로 아침에 큐티를 하고 기도했다고 합니다. 그러던 어느 날 일꾼들이 찾아와서 "선생님 혹시 하나님 믿으세요? 선생님이 믿는 하나님을 우리도 믿고 싶어요"라고 말해 그들 모두 세례를 받았다고 합니다.

이 얘기를 하던 장로님의 눈을 아직도 기억합니다. 장로님을 만난 한 목사님이 "목사가 설교를 못 하는 고통을 아십니까? 설교를 하고 싶은데 할 자리가 없습니다"라고 말했다고 합니다. 그러자 의사셨던 그 장로님은 "의사가 병을 고치지 못하는 고통을 아세요?"라고 대답했답니다.

끼리끼리 만난 것입니다. 그들은 침묵을 배운 겁니다. 그런 뒤 자신이 하고 싶은 게 아니라 진짜 하나님이 원하시는 것을 행하려는 그 모습을 보고 사람들이 스스로 찾아와 세례를 받겠다고 청한 것입니다.

예수님은 일어나 외딴 곳으로 가셨습니다. 하나님을 만나는 장소, 여기서 외딴 곳은 아무도 없는 장소지만 아무리 사람이 많아도 마음속에 하나님을 품으면 그곳은 외딴 곳이 됩니다. 하나님만 생각하는 것입니다. 예수님은 영적 능력의 원천이 말씀과 기도라는 것을 아셨습니다.

예수님의 새벽기도를 알게 된 제자들은 뒤늦게 혼자 계시는 데를 찾아갔습니다. [시몬과 그 일행들이 예수를 찾아 나섰습니다. 그들이 마침내 예수를 만나자 소리쳐 말했습니다. "모든 사람들이 선생님을 찾고 있습니다." 예수께서 대답하셨습니다. "가까운 이웃 마을들에 가서도 말씀을 전파하도록 하자. 내가 이 일을 하러

왔다."(막 1:36-38)]

예수님이 세상에 오셔서 하신 일들 가운데 가장 큰일은 말씀을 전하는 것이었습니다. 100여 년 전 한국에 처음으로 선교사들이 왔을 때 말도 통하지 않는데다가 얼마나 문화적 충격이 컸겠습니까! 그래도 그들의 마음은 성령으로 불타올라 미친 사람처럼 전도했을 것입니다. 이것이 한국 교회의 결과입니다.

그 당시 선교사들은 왜 우리나라에 왔을까요? 예수님은 세상에 왜 오셨을까요? 말씀 없는 우리에게 말씀을 가르쳐 주고 구원을 모르는 우리에게 구원을 가르쳐 주기 위해 우리와 똑같은 생활을 하면서 복음을 전했던 것입니다.

나병 환자에게 손을 내미시다

예수님이 복음을 전하는 방법은 세 가지였습니다. 말씀을 가르치는 것과 복음을 전하는 것, 병을 고치고 귀신을 쫓는 것이었습니다. 이 중에서 사람들이 가장 좋아하는 것이 무엇이었을까요? 병을 고치고 귀신을 쫓는 것이었습니다. 앉은뱅이가 일어나면 "와!" 하고 환호성을 지르며 신기하게 생각했을 뿐 깊이 생각하지는 못했을 겁니다. 그냥 그 현상만 보고 깜짝 놀랐을 것입니다. 그런데 병 고치고 귀신 쫓는 것 뒤에 뭐가 있었습니까? 복음이 있었습니다. 말씀이 있었습니다. 하나님 나라가 있었습니다.

[어떤 나병 환자가 예수께 다가와 무릎을 꿇고 애원했습니다. "선생님께서 원하시기만 하면 저를 깨끗하게 해 주실 수 있습니다." 예수께서 불쌍히 여기시고 손을 내밀어 그를 만지시며 말씀하셨습니다. "내가 원한다. 자, 깨끗이 나아라!" 그러자 나병이 순식간에 사라지고 그가 깨끗이 나았습니다.(막 1:40-42)]

예수님은 기도하시면서 육체적으로 피곤해도 요즘으로 치면 이 섬 저 섬을 다니며 사람 사는 곳에 가서 복음을 전하셨습니다. 과연 말이 통했을까요? 문화가 통했을까요? 음식이 통했을까요? 이런 난관을 극복하고 어떻게 복음을 전하셨을까요? 복음이 곧 능력이었습니다.

요즘 '과거 선교사들은 어떻게 복음을 전했을까?'라는 생각을 해 봅니다. 우리말을 잘 몰라서 외워 온 몇 문장으로 이루어진 말씀을 듣고 사람들은 통곡하고 울고 회개했습니다. 어떻게 이런 일이 일어났을까요? 그것은 복음의 핵심을 쳤기 때문입니다. 말이 많으면 복잡해집니다. 말을 잘한다고 전도를 잘할 수 있는 것도 아닙니다. 복음은 하나님 말씀의 핵심을 찔러야 합니다.

"하나님은 사랑이십니다. 우리는 죄인입니다. 예수 그리스도를 믿으십시오. 영접하십시오. 당신 마음에 천국이 이루어집니다."

당시 선교사들이 전하는 복음은 태어나 한 번도 들어 보지 못했던 메시지였습니다.

귀신들은 영물이라서 예수님을 가장 빨리 알아봅니다. 우리 인간들은 아무리 외쳐도 예수님을 모릅니다. 믿지 않으려고 합니다. 그러면서 예수님을 보여 달라고 합니다. 하지만 귀신들은 그러지 않습니다. 그래서 "귀신이네", "귀신 같네"라고 말들 하는 겁니다.

마지막으로 한 가지 좀 더 집중해 들을 말씀은 어떻게 예수님은 나병 환자를 고치셨을까 하는 것입니다.

우선 나병 환자는 예수님 앞에 무릎을 꿇고 애원했습니다. 우리 마음이 외롭고 고독하고 절망해야 예수님을 찾습니다. 마음이 부유하면 하나님을 찾지 않습니다. 그러니 고난은 오히려 축복입니다. 내가 원하는 대로 세상만사가 흘러가 주지 않을 때 바로 그 자리가 하나님을 만나는 곳입니다. 자신이 원하는 대로 되면 하나님이 필요 없다고 생각합니다. 오히려 안 되는 것이 있어야 하나님께 나와서 무릎 꿇고 애원합니다. 자녀가 아프면 열 일 제쳐두고 새벽기도를 나오게 됩니다.

두 번째로 나병 환자는 "선생님께서 원하시기만 하면 저를 깨끗하게 해 주실 수 있습니다"라고 말했습니다. 이는 그에게 믿음이 있었다는 뜻입니다. "주님은 나를 고칠 수 있습니다. 주님은 내 문제를 해결할 수 있습니다"라고 고백했다는 것은 정말 중요한 사실입니다. '고치려면 고치시고 말려면 마시오'라는 방자한 태도가 아니었습니다. 이런 믿음 없는 태도가 아니었습니다. '당신이 나를 고쳐 주지 않으면 나는 죽습니다'라는 애절하고 간절한 마음이 이 나병 환자에게 있었습니다.

나병 환자로 살면서 그는 사람하고 가까이 접촉하지도 못했을 것입니다. 그 당시에는 나병을 천형이라고 생각해 이 병에 걸린 사람들은 거리를 다닐 때 나병 환자이니 자기 가까이 오지 말라고 먼저 소리부터 질러야 했습니다. 그러니 이 사람의 마음이 얼마나 외롭고 고독했겠습니까! 그래서 간절한 마음으로 "당신은 나를 고칠 수 있습니다"라고 믿음을 드러낸 것입니다.

병은 어떻게 낫습니까? 그냥 시키는 대로 하면 낫습니다. 손을 펴라 하면 펴면 되고, 눈을 뜨라 하면 뜨면 됩니다. 귀가 막힌 사람은 귀가 열려라 하면 그냥 열리는 것입니다. 그런데 우리는 의심이 너무 많습니다. 갈등이 너무 많습니다. '에이, 이래 가지고 어떻게 낫겠어'라고 생각합니다. 인간의 이성과 상식이 작동해 하나님의 능력을 무시해 버리는 겁니다. 하지만 우리는 성경대로 살아야 합니다. 시키는 대로 살아야 합니다. 하라는 대로 해야 합니다. 그러면 그냥 그대로 됩니다.

세 번째로 예수님은 나병 환자를 보고 불쌍히 여겨 손을 내밀어 주셨습니다. 우리의 믿음과 예수님의 긍휼히 여기시는 마음이 만나서 기적이 일어나는 것입니다.

예수님은 "내가 원한다. 깨끗함을 받으라"고 말씀했습니다. 그러면 우리는 그냥 받으면 됩니다. 어떻게 낫는지 따질 필요가 없습니다. 예수님을 찾아온 나병 환자는 믿음으로 나병이 순식간에 사라지고 깨끗하게 나았습니다. 우리 안에 많은 치유가 일어나고 있는데, 지금 이 순간에도 일어나고 있습니다.

그런데 우리는 그걸 가로막고 하나님을 제한합니다. 어린아이처럼 믿지 않는 겁니다. 너무 따지는 게 많고 생각하는 게 많고 의심하는 게 많으면 귀신이 많아집니다. 하나님을 믿는 사람은 마음이 단순합니다. 어린아이 같습니다. 믿는 사람 모두가 복잡하게 생각하지 않기를 바랍니다.

복잡한 환경에 있으면 문제를 단순화시켜야 합니다. 문제를 단순화시키는 방법은 따지지 않는 것입니다. 따지지 말고 그냥 사랑하면 됩니다. 받아 주면 됩니다. 따지지 말고 그냥 이해하면 됩니다. 가장 듣기 좋은 말이 있다면 '통과'입니다. 무슨 문제가 생기면 통과, 통과, 다 통과시켜야 합니다. 그걸 시시콜콜 따지면 사건이 일어납니다. 그러니 그냥 눈을 감고 잊어버리고, 하나님만 생각해야 합니다.

그러면 복잡하고 감당하지 못할 문제들이 조용해집니다. 그냥 기도해야 합니다. 어린아이처럼 순수한 마음을 가져야 합니다. 복잡하게 생각하지 말아야 합니다. 그냥 믿어야 합니다. 그때 기적이 일어납니다.

Pray

하나님, 예수님도 조용한 시간에 홀로 하나님과 대면하셨다는 것을 기억합니다. 우리도 하나님을 만나는 시간을 고대하게 하시고, 기도로 나아가게 하옵소서. 복잡하고 어려운 문제 앞에서도 먼저 하나님께 기도하며 나아가는 삶의 자세를 갖도록 인도하옵소서. 예수님 이름으로 기도합니다. 아멘.

막 2:1-12

¹며칠 후 예수께서 가버나움으로 다시 들어가시자 예수께서 집에 계신다는 소식이 퍼졌습니다. ²그러자 얼마나 많은 사람들이 모여들었던지 집 안은 물론 문 밖까지도 발 디딜 틈이 없었습니다. 예수께서는 그들에게 말씀을 전하셨습니다. ³그때 네 사람이 한 중풍 환자를 예수께 데리고 왔습니다. ⁴그러나 사람들이 너무 많아 예수께 가까이 갈 수가 없었습니다. 그래서 그들은 예수께서 계신 곳 바로 위의 지붕을 뚫어 구멍을 내고 중풍 환자를 자리에 눕힌 채 달아 내렸습니다. ⁵예수께서는 그들의 믿음을 보시고 중풍 환자에게 말씀하셨습니다. "얘야. 네 죄가 용서받았다." ⁶거기 앉아 있던 율법학자들은 속으로 생각했습니다. ⁷저 사람이 어떻게 저런 말을 할 수 있단 말인가? 하나님을 모독하고 있구나. 하나님 한 분 말고 누가 죄를 용서할 수 있단 말인가? ⁸예수께서는 이들이 속으로 이렇게 생각하는 것을 마음으로 곧 알아채시고 율법학자들에게 말씀하셨습니다. "왜 그런 생각을 하느냐? ⁹중풍 환자에게 '네 죄가 용서받았다'는 말과 '일어나 자리를 들고 걸어가거라'는 말 중 어떤 말이 더 쉽겠느냐? ¹⁰그러나 인자가 땅에서 죄를 용서하는 권세가 있는 것을 너희에게 알려 주겠다." 그리고 예수께서 중풍 환자에게 말씀하셨습니다. ¹¹"내가 네게 말한다. 일어나 네 자리를 들고 집으로 가거라." ¹²그러자 중풍 환자는 모든 사람들이 보는 앞에서 벌떡 일어나 자리를 들고 밖으로 나갔습니다. 사람들은 모두 크게 놀라 하나님께 영광을 돌리며 "이런 일은 난생 처음 본다!"고 말했습니다.

믿음의 높이와 크기

믿음이란 게 뭡니까? 예수님을 찾아가는 것입니다.
능력 있는 은사자나 예언자, 목사를 찾아가는 게 아닙니다.
우리 마음속의 예수님을 찾아가는 것입니다.
예수님, 예수님, 예수님, 예수께 초점을 모으는 것이 믿음입니다.

마가복음 2장은 한 중풍 환자와 예수님의 만남에 대한 이야기입니다. 이 말씀은 우리에게 믿음이 얼마나 중요한지 그 가치와 위대성을 보여 줍니다.

사실 이 세상에 믿음 없이 사는 사람이 어디 있겠습니까? 알고 보면 모든 것이 믿음에 기초하고 있습니다. 교회 건물이 무너지지 않으리라는 믿음이 있어 교회에 나오는 겁니다. 교회 건물을 보고 믿는 것이 아닙니다. 봤기 때문에 믿는 것이 아니라 경험을 통해 믿고, 알기 때문에 믿는 것이 아니라 지식과 이성을 통해 믿고 살아온 것입니다. 인간관계도, 비즈니스도 서로 믿지 않으면 이어질 수가 없습니다.

우리 사회가 가장 먼저 풀어야 하는 부분이 서로 믿지 않는 것입니다. 정치도 믿지 않고 다른 사람의 말도 믿지 않기 때문에 얼마나 많은 대가를 치러야 하는지 모릅니다. 사람 하나를 고용해도 언제 사기를 치고 도망갈지 몰라서 그 뒤에 그를 관리하는 사람을 또 두는 것입니다. 그런데 그 관리자를 믿을 수 없고 배달에도 문제가 생기면 그 뒤에다 관리하는 사람을 또다시 붙이는 겁니다. 믿으면 간단하게 해결될 문제인데 믿지 못해 그런 것입니다.

이런 모습은 가정에서도 볼 수 있습니다. 남편을 믿지 못하고 아내를 믿지 못하고 자녀를 믿지 못해 서로 불안하다 보니 얼마나 많은 비용이 드는지 모릅니다. 세상에서 가장 돈 안 드는 사회는 신용 사회입니다. 말이 신용이 되어야 하고 말이 수표가 되어야 합니다.

믿음의 가치와 위대성

사실 우리는 믿음으로 이 세상을 살아가고 있는데, 예수님이 말씀하는 믿음과 무슨 차이가 있을까요? 이는 우리가 가진 믿음과 예수님이 가진 믿음이라는 단어를 똑같이 쓰기 때문에 혼돈이 생기는 것입니다. 우리가 생각하는 믿음이라는 것은 신념과 같은 겁니다. 자기 나름대로 경험에 의지해 만들어진 확신입니다. 자신이 가진 지식이나 이성, 합리성 때문에 철석같이 믿고 사는 것입니다. "저 사람은 날 배신하지 않겠지", "하나 더하기 하나는 둘이다"라고 굳게 믿고 사는 겁니다.

예수님은 성경 말씀을 통해 믿음이 어떤 것인가를 여섯 가지 정도로 설명해 주십니다.

[며칠 후 예수께서 가버나움으로 다시 들어가시자 예수께서 집에 계신다는 소식이 퍼졌습니다. 그러자 얼마나 많은 사람들이 모여들었던지 집 안은 물론 문 밖까지도 발 디딜 틈이 없었습니다. 예수께서는 그들에게 말씀을 전하셨습니다. 그때 네 사람이 한 중풍 환자를 예수께 데리고 왔습니다.(막 2:1-3)]

예수님의 병 고치는 모습, 귀신 쫓는 모습이 중요한 것이 아니고 그 자체가 믿음도 아닙니다. 하지만 예수님은 자신이 하나님의 아들이라는 것을 보여 주기 위해 병도 고치고 귀신도 쫓아 주셨습니다. 그러자 사람들은 이 사실이 너무 신기해서 혹시 자신도 병을 고칠 수 있지 않을까 해서 발 디딜 틈 없이 모인 것입니다. 믿음으로 모인 것이 아니라 소문으로 듣고 사람들이 모였다는 얘기입니다.

그 많은 사람들 가운데 한 중풍 환자가 있었습니다. 이 사람은 혼자 걸을 수 없고 말할 수도 없었습니다. 그래서 네 사람이 메고 왔습니다. 여기서 중요한 믿음의 사실 하나를 발견하게 됩니다. 예수님은 종종 "네 믿음이 너를 구원할 것이다. 귀신을 쫓지 못하는 건 네가 기도하지 않고 믿음이 없기 때문이다"라고 말씀합니다. 이처럼 예수님은 우리 자신의 믿음을 요구하셨습니다. 그런데 이 말씀을 보니 중풍 환자를 데리고 온 네 사람의 믿음, 즉 중풍 환자의 믿음이 아니라 그 친구들의 믿음을 보고 병을 고쳐 주셨다는 겁니다.

여기서 네 친구는 가족일 수도 있고 진짜 친구일 수도 있습니다. 병을 고치려고 온 사람들은 분명 아닙니다. 이 말씀에서 우리가 발견하게 된 첫 번째 사실은 네 믿음이 아니라 네 친구의 믿음이라 할지라도 하나님은 그 믿음을 보고 병을 고쳐 주신다는 겁니다. 우리 기도가 얼마나 중요한지 여기서 알 수 있습니다. 꼭 자신이나 내 가족을 위한 것뿐 아니라 북한을 위한 기도, 일본을 향한 기도, 세상을 향한 기도도 우리 믿음과 똑같이 중요하다는 것입니다.

참 믿음은 나를 위한 것이 아니고 타자를 위한 것입니다. 그런데 우리 기도나 믿음 가운데 대부분은 자신의 문제입니다. 얼마나 이기적인지 모릅니다. 교회에 다니는 우리 역시 얼마나 이기적인 믿음, 자신만을 위한 믿음을 지녔는지 모릅니다. 자신의 병을 고쳐 주고, 자신의 사업이 잘되게 해 주고, 자신의 가정을 좋게 해 달라는 철저히 이기적인 그런 믿음을 가졌다는 말입니다.

그런데 이 말씀에서 발견한 것은 이기적인 믿음이 아닙니다. 친구의 믿음이었습니다. 예수님은 "이 사람을 예수께 데려가면 병을 고칠 수 있겠다"라는 친구의 믿음을 높이 평가하셨습니다. "소자를 향하여 가난한 자를 향하여 어려운 사람을 향하여 내가 베푸는 말 한마디 내가 베푸는 믿음 이것은 내 믿음보다도 더 큰 기적을 만들어 줄 수 있다"라는 말씀은 우리가 일반적으로 생각했던 믿음의 잘못된 개념을 깨는 겁니다.

신앙이라는 게 뭡니까? 기존의 잘못된 우리 생각을 바꾸는 겁니다. 우리는 자신도 모르는 사이에 늘 그렇게 살아왔습니다. 하지만 예수님을 가만히 살펴보면 우리 생각을 뒤집어 놓으십니다. 그리고 예수님을 따라가면 기적이 일어납니다. 자신을 위해 사는 삶이 아니라 중풍 걸린 친구를 위해 사는 삶입니다. 이것이 믿음이라는 겁니다.

두 번째 사실은 중풍 환자를 예수께로 데려왔다는 것입니다. 중풍 환자도, 그의 친구들도 예수님 앞에 가면 병을 고칠 수 있다는 소문을 들었을 겁니다. 그래서 이들은 예수께 찾아온 것입니다. 믿음이란 게 뭡니까? 예수님을 찾아가는 것입니다. 능력 있는 은사자나 예언자, 목사를 찾아가는 게 아닙니다. 우리 마음속의 예수님을 찾아가는 것입니다. 예수님, 예수님, 예수님, 예수께 초점을 모으는 것이 믿음입니다.

요즘 우리는 정의를 위해 산다고들 말합니다. 그런데 정의가 뭡니까? 정의를 위해 사는 것이 믿음입니까? 아닙니다. 요즘 우리나라는 교육에 문제가 많습니다. 이를 비롯해 우리 사회는 많은 문제를 갖고 있습니다. 이런저런 문제를 따라가다 보면 어디로 가는지 방향을 잃어버리고 맙니다. 그러므로 예수님을 따라가야 합니다. 예수님이 원하는 것을 우리가 하는 겁니다.

병든 친구를 보았을 때 그의 친구들은 "예수께 가자"라고 했습니다. 이게 바로 믿음입니다. 우리 마음속에 문제가 생기면 "새벽기도에 가자", "교회에 가자", "목사님한테 기도 받으러 가자"라고 말해야 합니다. 이렇게 생각해야 합니다. 이렇게 말하는 것 자체가 예수님을 찾는 것입니다. 이것이 믿음입니다. 여기에 참믿음과 거짓 믿음의 차이가 있습니다. 어떻게 기도하느냐가 중요한 것이 아니라 누구에게 기도하느냐 하는 것이 중요합니다.

네 명의 친구에게는 예수님을 찾아가는 믿음이 있었습니다. 또한 그들은 자신의 문제가 아니라 친구의 문제를 가지고 예수님을 찾아왔습니다.

그러면 다음 말씀을 통해 세 번째로 발견한 사실은 믿음을 가지면 반드시 장애물이 생긴다는 것입니다. 항상 일사천리로 일이 진행되지는 않습니다. 불가능한 일이 있고 벽이 있고 포기하고 싶은 일들이 있다는 겁니다. 이는 믿음의 속성 중 하나입니다.

[그러나 사람들이 너무 많아 예수께 가까이 갈 수가 없었습니다. 그래서 그들은 예수께서 계신 곳 바로 위의 지붕을 뚫어 구멍을 내고 중풍 환자를 자리에 눕힌 채 달아 내렸습니다.(막 2:4)]

이게 믿음입니다. 사람들이 너무 많아서 뚫고 들어갈 수가 없다고 포기했다면, 뒤돌아섰다면, 그만두었다면 이것은 믿음이 아닙니다. 믿음은 불가능을 뚫고 나아가는 겁니다. 안 되는 것을 되게 하는 겁니다. 아무리 생각해 봐도 갈 길이 없으면 하나님이 발상 자체를 바꿔 주십니다. 생각지 못했던 것을 생각하게 해 주십니다.

친구들의 믿음을 보시고 중풍 환자를 고치시다

믿음의 목표를 생각했으면 할 수 있느냐 없느냐 하는 것을 생각해선 안 됩니다. 하나님의 뜻인가 아닌가 하는 것만 생각해야 합니다. 하나님의 뜻이면 벽도 뚫고 공기도 뚫고 가야 합니다. 보고 바라는 것들의 실상이고, 보이지 않는 것의 증거가 바로 믿음입니다.

믿음은 불가능도 뚫고 가고, 절망도 헤쳐 나가게 해 줍니다. "주여 나에게 믿음을 주옵소서"라고 하면 하늘에서 불이 내려와 우리에게 믿음을 줄까요? 그렇지 않습니다. 우리 스스로 뚫고 가야 합니다. 길이 없습니까? 예수님을 직접 볼 수 있는 방법이 없자 이 친구들은 뭘 생각했습니까? '지붕을 뜯자'라는 기발한 생각을 해 냈습니다. 믿음을 가지면 창의적이고 독창적인 생각이 나옵니다. 한 번도 해 보지 않았던 일이라도 막 뚫고 가는 겁니다.

25년 목회하는 동안 예전에 한 번이라도 해 본 적 있는 일이 없었습니다. 모두 처음 해 보는 일이었습니다. 누가 시켜서 한 것도 아니고 누가 했기 때문에 따라 한 것도 아니었습니다. 날마다 기도하며 '이것을 어떻게 뚫고 나가나, 어떻게 이 문제를 해결해 나가나'라고 고민했습니다.

목회하는 교회는 공간보다 사람이 더 많아서 옷을 지어 입으면 금방 작아졌습니다. 6개월도 입지 못하고 벗어야 했습니다. 왜입니까? 몸집이 커졌기 때문입니다. '옷에다가 몸을 맞출 거냐? 몸에다 옷을 맞출 거냐?'라는 문제로 고민했던 적이 있습니다. 그런데 하나님은 참 신비스러운 분입니다. 아무리 어렵고 힘들어도 믿음으로 뚫으면 뚫어집니다. 불가능이 가능해지고 없는 것이 생기고 안 되는 것이 되는 것이 바로 믿음입니다.

꿈이 없는 게 문제입니다. 비전이 없는 게 문제입니다. 꿈과 비전이 있으면 믿음은 바위도 뚫고 쇠도 뚫고 안 되는 것을 되게 하고 없는 것을 있게 합니다. 이 성경 말씀을 보면서 혼자 "참 유머러스하다. 참 코미디다. 이 사람들 어떻게 이런 발상을 했을까?"라며 많이 웃었습니다. 지붕에 올라가서 서까래를 뜯고 밧줄을 이용해 중풍 환자를 예수님이 설교하고 계신 곳 앞에다 내려놨습니다. 이 얼마나 무모하고 몰상식한 일입니까! 그러나 그들은 그렇게 했습니다. 그러니까 길이 뚫렸습니다. 이처럼 옆으로 못 가면 위에서부터 뚫으면 됩니다.

우리의 믿음 역시 지붕을 뚫어야 합니다. 없는 길을 만들어야 합니다. 못하는 것을 해내야 합니다. "내가 못하니까 내가 힘이 없으니까 내가 돈이 없으니까 안 할 거냐?" 아닙니다. "나이가 많이 들었으니까 병들었으니까 안 할 거냐?" 아닙니다. '이것만 가지고 뭘 한다는 말이냐'라고 생각하다가도 '아니다, 난 할 수 있다. 난 뚫고 갈 거다. 교회를 세울 거다. 세계선교를 할 거다'라고 다시 생각합니다.

요즘 좀 속상한 일이 있다면 선교 헌신자들 가운데 청년이 거의 없다는 겁니다. 비전을 위해 나의 20대, 30대를 하나님께 드린 뒤 보따리를 싸들고 아프리카로 가고 남미로 가고 중앙아시아로 가는 것이 믿음입니다. 이 세상에 안전한 믿음이 있습니까? 없습니다. 안전한 믿음, 장애물 없는 믿음은 믿음이 아닙니다. 우리가 뚫고 나가야 합니다. 이런 믿음을 갖게 되기를 바랍니다. 장애물이 있다고 포기하거나 뒤돌아서서는 안 됩니다. 하나님이 주실 것을 믿고 당당하게 나아가야 합니다.

개인적으로 믿음은 헌신이라고 생각합니다. 현대 한국 교회의 문제가 뭐냐고 물으면 교회에 나오는 사람은 많은데 헌신하는 사람이 없다고 대답하겠습니다. 헌신하자고 하면 모두 몸을 사립니다. 그리고 말만 많이 합니다. 한 가지 깨달은 사실이 있습니다. 말 많은 사람은 헌금을 하지 않고, 그 대신에 말을 자꾸 합니다. 불평을 늘어놓는 겁니다. 그렇다면 불평한다고 문제가 해결됩니까? 말을 많이 한다고 문제가 해결됩니까? 아닙니다.

믿음이 있어야 합니다. 만약 이도저도 안 된다면 지붕이라도 뚫어야 합니다. 이런 생각과 발상법으로 기적이 일어나는 것이고, 믿음의 열매가 열리는 것입니다. 만약 아이가 없다면 10년, 20년을 기다려야 합니다. 사라와 아브라함은 어떻습니까? 이 부부는 75세에 믿음이 시작됐고 100세에 아이를 낳았습니다. 물론 100세까지 기다리라는 말이 아니라 의심하지 말라는 말입니다. 이것도 붙잡지 못하는 사람이 무슨 믿음을 가졌다고 말하겠습니까!

바람이 불고 태풍이 불면 이리 흔들리고 저리 흔들리고 고난이 닥쳐도 누군가 "이틀까지 안 굶어요. 기껏 굶어야 하루 굶을 테니 걱정하지 마세요. 아무 걱정하지 마세요"라고 말했듯이 이겨내야 합니다.

어떤 사람은 아프면 자기 병을 얼마나 존경하는지 모릅니다. 그러면서 자신은 안 된다고 말합니다. 그런데 뭐가 안 된다는 건가요? 손을 펴야 합니다. 일어나야 합니다. 눈을 떠야 합니다. 그러면 기적이 일어납니다. 많은 사람들이 병에 눌려 삽니다. 환경에 눌려 삽니다. 불가능에 눌려 삽니다. 점점 비겁한 사람이 되고 용기 없는 사람이 되고 마는 겁니다.

문제는 포기하지 않고 어떻게 불가능의 병을 뚫고 나아가느냐 하는 것입니다. 믿음의 시금석이 여기 있습니다. 네 명의 친구는 이 중풍 환자를 포기할 수가 없어, 그냥 돌아갈 수가 없어 지붕을 뚫기로 결정한 것입니다. 그리고 결정한 뒤에는 곧장 지붕을 뚫었습니다. 생각해 보면 예수님도 참으로 난감하셨을 겁니다. 설교하고 있는데 갑자기 우두둑 우두둑 소리가 나면서 뭐가 떨어지니 거기 모인 사람들도 얼마나 놀랐겠습니까. 이처럼 사람들의 체면을 뚫고 나가야 합니다. "사람들이 뭐라고 말할까?" "뭐라고 생각할까?" "저 사람 이상한 사람 아니야?" 이것을 뚫고 나아가야 합니다.

[예수께서는 그들의 믿음을 보시고 중풍 환자에게 말씀하셨습니다. "얘야, 네 죄가 용서받았다."(막 2:5)]

우리는 예수님의 반응을 통해 믿음의 또 다른 새로운 모습과 새로운 증인을 발견하게 됩니다. 그것은 중풍 환자의 믿음을 보고 고쳐 주신 것이 아니라 친구들의 믿음을 보고 중풍 환자를 고쳐 주셨다는 겁니다. 당신의 믿음을 보시고 당신 부모님이 나을 수 있습니다. 당신의 믿음을 보시고 당신 남편 혹은 아내가 나을 수 있습니다. 그렇습니다. 친구들의 믿음을 보고 중풍 환자를 고쳐 주셨다면 그것은 우리에게 일어난 사건은 아닙니다.

신앙생활에서 갈등하는 것은 항상 우리에게 일어나는 사건을 원하기 때문에 "응답하셨다", "응답하지 않으셨다", "하나님은 왜 이렇게 변덕이 많으시냐"라고 하는 겁니다. 하지만 그렇지 않습니다. 자신을 포기하면 모든 게 간단합니다. 내가 중심이 아니면 일이 쉬워집니다.

예수님은 많은 환자들을 만날 때마다 그들의 믿음을 보시고 "네가 낫고자 하느냐. 네 믿음대로 될지어다"라고 말씀했습니다. 예수님은 다른 사람이 아니라 당신의 믿음을 원하십니다. 그 믿음을 보고 병을 고쳐 주시지 병을 고치고 믿음을 주시지 않습니다.

예수님이 말씀하는 이런 믿음을 우리가 갖게 되기를 바랍니다. 그러므로 두려워해선 안 됩니다. 불가능을 무서워해선 안 됩니다. 장애물은 발로 차 버려야 합니다. 우리를 당장 죽일 것처럼 보여도 함부로 죽이지 못합니다. 1퍼센트의 가능성만 있으면 99퍼센트는 없어지는 겁니다. 우리는 99퍼센트의 불가능만 보고 위축되어 있지만 성경은 그런 뜻으로 해석하지 않습니다. 우리에게 1퍼센트의 믿음만 있으면 겨자씨만 한 믿음이 있으면 이 산을 바다로 던질 수 있습니다.

오래전에 들은 얘기입니다. 어느 고아원에서 아이들이 학교를 다니는데 그 중간에 산이 있어 한 시간을 걸어가야 했습니다. 이 산만 없으면 20분이면 가는데 산이 있어 돌아가야 했습니다. 어느 전도사님의 설교를 듣고 순진한 어린아이가 이렇게 기도했습니다. "하나님, 저 산을 좀 없애 주세요. 그래서 한 시간 걷지 않고 20분만 걷게 해 주세요." 그런데 어느 날 갑자기 불도저가 나타나더니 도시 계획이라고 하면서 그 산을 깎기 시작하더랍니다. 이처럼 하나님은 어떤 명분으로든 간에 우리 기도에 응답하실 겁니다.

한 장로님이 은퇴하신 뒤 성경을 필사하기 시작했습니다. 일본어로 독일어로 영어로 한국어로 말입니다. 그런데 이것으로도 모자라서 그 연세에 또다시 외국어를 공부하는 겁니다. 이제 좀 쉬실 때도 됐는데 참으로 대단하다는 생각이 들었습니다. 그 장로님을 볼 때마다 '와, 저분의 신념과 믿음을 누가 꺾을 수 있겠나'라는 생각이 들어 감동을 받습니다.

지금 병들었다면 고쳐 주실 줄로 믿어야 합니다. 친구의 병도 고쳐 주실 줄로 믿어야 합니다. 그러면 모든 저주와 재앙은 다 떠나갈 겁니다. "이상하게 왜 우리 집은 되는 일이 하나도 없는 거지?"라고 말해선 안 됩니다. 재앙은 떠날 것입니다. 저주는 떠날 것입니다. 이 사실을 믿어야지, 재앙이 오는 걸 믿어선 안 됩니다. '해 봐야 안 된다고. 내가 한두 번 해 봤어? 한두 번 속아 봤어?'라는 생각을 그만두어야 합니다. 그 대신에 "'하실 수 있다면'이 무슨 말이냐? 믿는 사람에게는 모든 일이 가능하다. 불가능은 떠날 거다. 장애물도 떠날 거다"라고 믿어야 합니다.

병을 고치는 것보다 죄를 용서하는 것이 우선이다

예수님은 친구들의 믿음을 보고 중풍 환자에게 "얘야, 네 죄가 용서받았다"라고 말씀했습니다. "네 병이 나았다"라고 말씀했다면 이해하겠는데 "네 죄가 용서를 받았다"라고 전혀 예기치 않던 말씀을 하시니 율법학자들도 놀라고 주변에 있던 사람들이 다 놀랐습니다.

세 번째 사실은 죄와 병에 상관관계가 있다는 것입니다. 물론 죄를 지어 병든 것만은 아닙니다. 그것이 전부는 아닙니다. 하지만 지금 가지고 있는 많은 문제가 우리가 지은 과거의 죄에 대한 결과일 수도 있습니다. 예수님은 "네 죄가 용서받았다"라고 말씀했습니다.

네 번째 사실을 발견하게 됩니다. 죄와 치유에도 상관관계가 있다는 겁니다. 병을 고치는 것보다 죄를 용서하는 것이 우선입니다. 그래서 예수님은 먼저 "네 죄가 용서받았다"라고 말씀한 것입니다. 율법학자들한테는 귀에 거슬리는 얘기일 겁니다. 상식적으로 사는 사람들한테도 그렇습니다.

일본 대지진 때 "일본이 하나님의 경고를 무시해서 저렇게 됐다"라는 말을 많이 했습니다. 그게 맞는 말이기도 하지만 어려움을 겪고 있는 사람들한테 그런 말을 하면 얼마나 힘들겠습니까! 우선 위로하고 격려하고 도와주어야 합니다. 죄를 깨닫는 건 각자가 알아서 깨달아야 합니다.

집안에 왜 문제가 생깁니까? 그건 스스로 알아야 하는 일이지 남이 말해서 되는 게 아닙니다. 가만히 생각해 보니 '내가 맞을 짓을 했지, 그러니 맞아도 할 말이 없어'라고 스스로 느껴야 그걸 고칠 수 있지, 그렇지 않으면 자꾸 원망만 생깁니다. 자신이 아니라 다른 사람 때문에 그렇다고 말입니다.

다섯 번째로 우리가 발견한 사실은 치유 전에 죄의 용서가 먼저라는 것입니다. 사람들은 "아니, 저 사람이 누군데 하나님을 모독하는가?"라고 손가락질을 합니다. 죄의 용서는 하나님만이 하실 수 있는데 말입니다. 그런데 이것이 우리 신앙의 한계이고, 선입관입니다. 또한 우리 신학의 문제점이기도 합니다. 예수님은 신학보다 더 크신 분입니다. 우리 생각보다 훨씬 크신 분입니다. 그러니 우리가 신앙을 정의하는 것이 아니라 하나님이 우리 신앙을 정의하시는 겁니다.

우리는 하나님에 대해 무한한 가능성을 열어 놓아야 합니다. 하나님을 제한해선 안 됩니다. 가끔 "내 방법대로 하시라고요, 하나님 그거 틀렸어요"라고 말할 때가 있습니다. 자신이 원하는 방식대로 하지 않는다는 겁니다. 또한 자신의 때에 하나님이 응답하시라는 겁니다. 이것은 하나님을 조종하는 겁니다. 우리가 하나님의 때에 순종해야지 어떻게 그분을 우리 방법대로, 원하는 시간에 우리 뜻대로 움직일 수 있다는 겁니까?

안 주시면 할 수 없습니다. "넌 좀 더 있어"라고 말씀하면 기다려야 합니다. "이만큼 했는데 언제까지 기다리라는 거예요?"라고 하지 말고 "아, 아직 때가 안 됐구나. 때가 될 때까지 기다리자"라고 하는 것이 믿음의 발상법입니다. 아이가 어머니 배 속에서 석 달 만에 배를 차며 '나 나갈래요, 나갈래요'라고 신호를 주면 내보내 주어야 합니까?

율법학자들은 '저 사람이 어떻게 저런 말을 할 수 있단 말인가? 하나님을 모독하고 있구나. 하나님 한 분 말고 누가 죄를 용서할 수 있단 말인가?'라고 생각했습니다. 그런데 이것은 율법학자들의 신학입니다. 율법학자들의 종교 정의입니다. 그들은 전통적으로 이렇게 믿었던 겁니다.

하지만 우리는 하나님이 크신지, 전통이 큰지 생각해 볼 수 있습니다. 그러고 나서 하나님을 보고 전통 안에 들어가야 합니다.

교회를 생각할 때도 항상 상식선에서 세상 사람들이 다 그렇게 말하니까 하면서 그 말을 똑같이 반복해선 안 됩니다. 일단 기도해야 합니다. 말씀을 읽어야 합니다.

하나님의 뜻을 깨달아야 합니다. 그래야 종교 개혁이 일어나고 교회 개혁이 일어날 수 있습니다.

믿음은 하나님께 영광을 돌리는 것이다

율법학자들은 율법을 전문적으로 연구하는 사람입니다. 그런데 우리는 자기 전공에 자신이 속아선 안 됩니다. '이 분야만큼은 내가 최고다'라고 생각해선 안 됩니다. 뭐가 최고입니까? 하나님이 최고입니다. 같은 분야에서 40년을 일했어도 하나님보다 작습니다. 우리는 언제나 하나님 앞에서 자신을 변화시킬 준비를 해야 합니다.

[예수님은 이들이 속으로 이렇게 생각하는 것을 마음으로 곧 알아채시고 율법학자들에게 말씀하셨습니다. "왜 그런 생각을 하느냐? 중풍 환자에게 '네 죄가 용서받았다'는 말과 '일어나 자리를 들고 걸어가거라'는 말 중 어떤 말이 더 쉽겠느냐? 그러나 인자가 땅에서 죄를 용서하는 권세가 있는 것을 너희에게 알려 주겠다." 그리고 예수께서 중풍 환자에게 말씀하셨습니다. "내가 네게 말한다. 일어나 네 자리를 들고 집으로 가거라." 그러자 중풍 환자는 모든 사람들이 보는 앞에서 벌떡 일어나 자리를 들고 밖으로 나갔습니다. 사람들은 모두 크게 놀라 하나님께 영광을 돌리며 "이런 일은 난생 처음 본다!"고 말했습니다.(막 2:8-12)]

예수님은 율법학자들이 마음속으로 어떤 생각을 하는지 곧 알아채시고 "왜 그런 생각을 하느냐? 중풍 환자에게 '네 죄가 용서받았다'는 말과 '일어나 자리를 들고 걸어가거라'는 말 중 어떤 말이 더 쉽겠느냐?"라고 말씀했습니다. 어떤 말이 더 쉽습니까? 대답하기 곤란할 겁니다. 예수님은 "당신의 신학이 중요하냐? 이 사람이 들고 일어나는 것이, 벌떡 자리를 들고 밖으로 나가는 것이 중요하냐?"라고 말씀한 것입니다.

그러고 나서 예수님은 "네 자리를 들고 집으로 가거라"고 말씀했습니다. "네 자리를 들고 나를 섬겨라"고 말씀하지 않고 "집으로 가라. 네 갈 길로 가라"고 말씀했습니다. 그러자 중풍 환자는 모든 사람이 보는 앞에서 벌떡 일어나더니 자리를 들고 밖으로 나갔습니다. 이 모습을 보고 사람들은 크게 놀라 하나님께 영광을 돌리며 "이런 일은 난생 처음 본다!"고 말했습니다.

여기서 믿음의 마지막이자 가장 중요한 메시지를 알 수 있습니다. 믿음의 결과는 하나님께 영광을 돌리는 것입니다. 병을 고쳐 줬다고 "아멘, 할렐루야" 하고 외치거나 "믿음이 나를 이렇게 했다"라고 말하는 것이 포인트가 아닙니다. 죽었다가 살아나든, 아니 살았다가 죽든 우리는 매 순간 하나님께 영광을 돌려야 합니다.

믿음은 하나님께 영광을 돌리는 것입니다. 살아도 주를 위해 살고 죽어도 주를 위해 죽고, 잘 돼도 하나님께 영광이고 잘못 돼도 하나님께 영광이어야 합니다. 오로지 하나님께 영광을 돌리는 것이 믿음입니다. 이 사건을 보고 사람들은 "와! 하나님이 진짜시구나. 하나님이 진짜시구나"라고 말했습니다. 믿음의 본질은 하나님께 영광을 돌리는 것입니다. 우리도 하나님께 영광을 돌려드려야 합니다.

Pray

하나님, 낫게 해 주시리라는 믿음으로 지붕을 뚫은 중풍 환자의 친구들의 믿음을 배우게 하옵소서. 우리의 믿음이 더욱 견고하게 하옵소서. 그 믿음을 통해서 하나님께 영광을 돌리게 하옵소서. 예수님 이름으로 기도합니다. 아멘.

2부

하나님 나라를
말씀하시는 예수님

예수님은 이 땅에 죄인을 부르러 오셨습니다.
병든 자들을 고치시고, 제자들을 부르시며, 비유를 통해
하나님 나라에 대해 말씀하셨습니다.

막 2:13-17

¹³예수께서는 다시 호숫가로 나가셨습니다. 많은 사람들이 나아오자 예수께서 가르치기 시작하셨습니다. ¹⁴그러고 나서 예수께서는 지나가시다가 세관에 앉아 있는 알패오의 아들 레위를 만나셨습니다. "나를 따라오너라." 예수께서 레위에게 말씀하시자 레위는 일어나 예수를 따랐습니다. ¹⁵예수께서 레위의 집에서 식사를 하시는데 많은 세리와 죄인들이 예수와 그분의 제자들과 함께 음식을 먹고 있었습니다. 이런 사람들이 예수를 많이 따랐기 때문입니다. ¹⁶바리새파 사람인 율법학자들은 예수께서 죄인들과 세리들과 함께 먹는 것을 보고 예수의 제자들에게 물었습니다. "어째서 너희 선생님은 세리들과 죄인들과 함께 어울려 먹느냐?" ¹⁷예수께서 이 말을 들으시고 그들에게 말씀하셨습니다. "건강한 사람에게는 의사가 필요하지 않으나 병든 사람에게는 의사가 필요하다. 나는 의인을 부르러 온 것이 아니라 죄인을 부르러 왔다."

죄인의 친구가 되신
예수님

예수님은 잃어버린 자를 찾아 구원하러 오셨습니다.
무시당하는 사람들, 기억에 남아 있지 않은 사람들,
우리와 상관없다고 생각하기 쉬운 소외된 사람들을 위해 오신 것입니다.
예수님은 그들의 신음을 들으시고 그 절규와 아픔을 아셨습니다.

믿음이 있으면 기적이 일어나는 것이 아니라 믿음으로 행하면 기적이 일어납니다. '죄인의 친구가 되신 예수님'은 아주 평범하고 자주 듣던 얘기입니다. 진리 역시 우리에게 너무 익숙한 것이고 잘 아는 것입니다. 하나 더하기 하나는 둘이라는 사실을 모르는 사람은 없습니다. 하지만 그 단순한 진리를 깊이 생각하고 그 진리에 따라 행하면 능력이 나타납니다. 기적이 나타납니다.

예수님은 참 자유로운 분입니다. 그분에게는 교파도 교리도 이념도 없고 목사나 장로나 권사나 이런 직분도 없습니다. 극단적인 것은 모두 이데올로기적인 성격을 갖고 있습니다. 극단적 보수도 따지고 보면 이데올로기이고, 극단적 자유진보주의도 이데올로기입니다. 사람들은 이런 이데올로기에 미치지 예수님한테는 미치지 않습니다. 자기 주장과 자기 신념에 따라 행동하려고 합니다.

예수님한테서 우리가 발견하는 것은 오직 하나님의 영광뿐입니다. 말씀을 선포하고 가르치고 치유하는 모든 일에 그 어디 하나 예수님 자신에 대해 말씀한 적이 없습니다. 자신을 과시하신 적도 없습니다. 자기 생각과 자기 주장이 옳다고 말씀한 적도 없습니다. 오직 하나님의 영광을 위해 사셨습니다. 따라서 예수님을 한마디로 정의하기가 어렵습니다. 예수님에 대해 "이렇게 살았다, 저렇게 살았다, 예수님은 이런 분이다, 저런 분이다"라고 말하기가 어렵습니다. 너무나 자유로운 분이기 때문에, 자기로부터 자유하기 때문에 정의하기가 어려운 것입니다.

레위를 만나시다

예수님의 관심은 제도나 방법, 형식에 있지 않습니다. 반면 우리는 언제나 제도나 방법, 형식을 가지고 싸웁니다. 예수님의 관심은 사람입니다. 병든 사람, 죽어가는 사람, 외로운 사람, 구원이 필요한 사람을 사랑하는 그 마음뿐입니다. 그래서 예수님이 가시는 곳마다 사람이 구름 떼처럼 모여들었습니다.

[예수께서는 다시 호숫가로 나가셨습니다. 많은 사람들이 나아오자 예수께서 가르치기 시작하셨습니다. 그리고 나서 예수께서는 지나가시다가 세관에 앉아 있는 알패오의 아들 레위를 만나셨습니다. "나를 따라오너라." 예수께서 레위에게 말씀하시자 레위는 일어나 예수를 따랐습니다.(막 2:13-14)]

예수님은 어떻게 보면 방랑자와 같은 모습을 하고 있었습니다. 하지만 목적 없는 방랑자, 하루하루 구름 따라 살아가는 분이 아니었습니다. 그분은 목적이 있었고 의미와 비전을 가진 방랑자였습니다.

예수님은 길거리를 지나시다가 세관에 앉아 있는 세리 레위를 보게 됐습니다. 세리는 왜 거기에 앉아 있었던 걸까요? 생각해 보면 배들이 들락날락하는데 그 배들의 소유자한테 세금을 부과하기 위해 조그만 사무소 같은 장소가 있었을 겁니다. 세리는 어떤 사람입니까? 그 당시 사람들한테 세리는 자기 영혼을 팔아먹은 사람이었고, 그런 취급을 받았습니다. 민족의 반역자, 돈을 위해서는 개처럼 사는 사람이라는 조롱을 받고 살았습니다.

그런데 세리를 본 순간 예수님의 눈은 빛나기 시작했습니다. 아무도 사람 취급을 하지 않는 그를 보고 예수님의 눈은 빛나기 시작했습니다. 죄인이라고 무시당하는 세리가 아니라 앞으로 예수님의 제자로 탄생하게 될, 거듭나서 변화될 사람을 본 것입니다. 이런 이유로 예수님의 시선은 그를 향해 있었습니다.

여기서 우리는 두 가지 질문을 할 수 있습니다. "왜 예수님은 세리 레위에게 관심을 가지셨을까? 그를 보는 순간 '나를 따르라'라고 말씀했을까?" 하는 것이 첫번째 질문입니다. 그리고 두 번째 질문은 "왜 세리 레위는 예수님의 말씀을 듣자마자 묵상하거나 생각할 여유도 없이 '예, 따르겠습니다'라고 대답하며 모든 것을 버리고 즉시 따랐던 걸까?" 하는 것입니다.

첫 번째 질문은 예수님의 관점입니다. 예수님은 세리 레위를 보는 순간 그의 현재를 보지 않고 미래를 보셨습니다. 우리를 보실 때도 예수님은 현재의 우리를 보시지 않습니다. 미래를 보십니다. 미래는 아무도 가 본 사람이 없습니다. 미래에 우리가 어떻게 변할지 누가 알겠습니까? 우리는 언제나 현재만 보고 자신을 판단합니다. 그리고 좋아하고 싫어하고 화내고 분노하고 흥분하곤 합니다. 하지만 예수님은 우리의 현재가 아니라 미래를 보셨습니다.

비록 세리로 돈과 권력을 가진 사람이지만 예수님의 눈에는 앞으로 주님을 따르는 위대한 제자가 될 거라는 미래가 보이신 것입니다. 앞으로 사람들을 만날 때 그들의 미래를 볼 수 있게 되기를 바랍니다. 누구와 만나든 간에 사람을 무시하거나 함부로 대해선 안 됩니다. 그가 얼마나 위대한 사람이 될지 아무도 모릅니다.

예수님은 왜 이 세리 레위를 초청하셨을까요? 아마도 예수님의 마음 혹은 눈에는 레위의 절망과 허무, 자신과 끊임없이 싸우고 있는 얼굴이 보였을 겁니다. 그리고 자기 자신이 싫고, 자신의 직업이 싫은데도 과감히 떨쳐 버릴 수 없는 고통과 번민에 찬 모습을 보셨을 겁니다. 그는 존경을 받지 못할 바에는 돈이나 벌고 권력에 아부나 하고 살자고 결심했지만, 그럴수록 더 큰 고독감과 외로움을 느꼈을 겁니다. 자신이 싫었을 겁니다.

우리는 가끔 이런 사람들을 만납니다. 자신을 좋아하지 않으면서, 싫어하면서, 왜 이렇게 살아야 하는지, 이런 생각을 하면서도 여전히 이렇게 살 수밖에 없는 사람들을 만나곤 합니다. 아마 돈에 팔려 어쩔 수 없이 몸을 파는 일을 하게 된 사람들은 그런 상황에서 벗어나고 싶을 것입니다. 하지만 벗어나기 힘든 현실적인 이유가 있을 것입니다.

세 번째로 예수님은 레위한테서 그가 인생의 끝에 다다랐다는 걸 보셨습니다. 어쩌면 이 사람은 끝에 다다랐기 때문에, 더는 삶의 의미와 목적을 발견하지 못했기 때문에 자살할지도 모를 일이었습니다. 사람들은 왜 절망하고, 왜 자살합니까? 더는 갈 길이 없어서 그렇습니다. 사실 그의 마음속에는 다 버리고 새롭게 살고 싶다는 충동이 있었을 겁니다. 하지만 용기가 없었습니다. 이런 사람이 바로 세리 레위라고 생각됩니다.

레위의 축제에 초청되시다

그러면 레위는 왜 예수님의 초청에 모든 것을 버리고 그 즉시 떠났을까요? 거기에도 또 몇 가지 이유를 생각해 볼 수 있습니다. 우선 예수님의 얼굴을 보는 순간 하늘의 영적 권위를 봤을 겁니다. 예수님은 우리와 같은 사람이 아닙니다. 죄가 없는 분입니다. 죄를 한 번도 지어 본 일이 없는 분입니다. 죄인이 죄 없는 사람의 얼굴을 어찌 상상할 수 있겠습니까! 우리 얼굴은 수없이 변합니다. 우리 마음도 수없이 변합니다.

초대교회의 사람들이 예수님을 보고 그렇게 따라다니고, 설교를 그렇게 듣고 싶어 했던 이유가 여기에 있지 않았을까 생각해 봅니다. 우리와 똑같은 사람이고 비슷한 연령대인데 예수께는 접근할 수 없는 어떤 신비감과 빨려드는 매력이 있었을 겁니다.

우리도 가끔 '저 사람하고 사귀고 싶다, 만나고 싶다'라며 빨려드는 사람을 봅니다. 아무 말도 하지 않았는데 그런 생각이 드는 사람이 있습니다. 그 얼굴을 보면 모든 걸 이해하고 나를 안아 주고 부드럽고 무슨 말을 해도 다 들어 줄 것처럼 느껴지는 사람이 있습니다. 이런 마음이 들지 않았다면 무조건 따라가지 못했을 겁니다. 아마도 세리만큼 다른 사람을 의심의 눈으로 바라보는 사람은 없을 겁니다. 그러니 레위도 돈 외에는 무슨 말을 해도 믿지 않았을 겁니다.

둘째로 레위의 마음에 '저 사람을 따라가면 내 인생에 무슨 변화가 있을 것 같다'라는 느낌이 있었을 겁니다. 이는 절망하고 고독한 경험을 해 본 사람만이 느끼는 심정입니다. '저 사람이 나를 불러 준다면 어디든 모든 걸 포기하고 따라가겠다'라는 생각이 들었을 겁니다.

셋째로 레위는 자기도 모르는 사이에 벌떡 일어났습니다. 교회에서 전도 집회를 할 때 "오늘 예수 믿기를 원하는 사람은 손을 드세요, 일어나세요"라고 말하면 쑥스러워 잘 일어나지 않습니다. 생각이 많아서, 누가 볼까 봐, 오늘 예수님을 믿겠다고 말해 놓고 내일 배신할까 봐 등 복잡한 생각으로 일어서지 못합니다.

한 여성의 얘기입니다. 그녀의 아들은 근육이 말라가는 치유가 불가능한 병에 걸렸다고 합니다. 그녀는 미친 듯이 이 기도원 저 기도원으로 돌아다녔습니다. 병을 고치는 능력을 가졌다는 사람들을 쫓아다니며 문을 두드려 봤지만 아무 일도 일어나지 않았습니다. 그러던 중 어느 부흥회에 한번 가 보라는 얘기를 듣고 병을 고칠 목적이 아니라 아무 생각 없이 그곳에 갔습니다. 천막을 치고 하는 옛날 미국식 부흥회였습니다.

설교를 다 마치고 부흥회를 이끈 사람이 예수님을 믿기로 결심한 사람은 앞으로 나오라고 했습니다. 그 순간 나갈 마음이 전혀 없었는데 누군가 자기를 확 떠밀었다고 합니다. 누가 밀었나 하고 뒤를 돌아보니 아무도 없었습니다. 그때 이 사람의 눈에서 눈물이 나기 시작했습니다. '성령님이 나를 밀었구나. 성령님이 나를 일으켰구나'라는 생각이 든 것입니다. 그래서 앞으로 나가 무릎을 꿇고 기도했는데, 바로 그 시간에 아들도 치료가 되기 시작했다고 합니다.

그녀는 그때 큰 원 안에 벌레가 가득 차 있는 환상을 봤다고 합니다. 빛이 점점 다가오더니 벌레가 다 죽는 참으로 이상한 환상이었습니다. 그리고 집에 왔더니 아이가 움직이기 시작했습니다. 그녀는 자신도 모르게 벌떡 일어났다고 합니다. 얼마나 기쁘고 얼마나 영광스러운 순간이었을까요! 인간 예수가 부른 것이 아니라 하나님의 아들인 예수 그리스도가 우리를 그렇게 부르셨다면 누가 감히 거절하겠습니까! 무엇이 아깝겠습니까! 그 순간 그녀는 헌신한 것입니다.

사람들은 왜 헌신하지 못합니까? 자신이 가지고 있는 게 대단하다고 생각하기 때문에 헌신하지 못하는 겁니다. 하지만 우리 인간은 하나님 앞에서는 별것 아닙니다. 좋은 대학, 좋은 직장을 부러워하지만 하나님의 영광 앞에서는 모두 쓸데없는 것입니다.

아마도 세리 레위의 마음에는 혁명이 일어났을 겁니다. 벌떡 일어나서 "예, 내가 주님을 따르겠습니다"라고 말하는 순간 그의 마음속에는 자신을 이겨낸, 절망을 이겨낸, 허무와 불안을 이겨낸 승리감이 있었을 겁니다.

그러고 나서 세리 레위는 무엇을 했습니까? 잔치를 베풀었습니다. 축제를 연 것입니다. 평소 함께 어울리던 사람도 불렀습니다. 세리 친구들 말입니다. 레위가 부인한테 말을 했는지 안 했는지 모르겠지만, 친구들을 자기 집으로 오라고 초청했습니다. 사람들이 너도나도 몰려들기 시작했습니다. 그중에는 예수님을 따라다녔던 죄인, 범죄자, 거지들도 있었을 것이고, 신사와 지성인도 있었을 것이고, 개중에는 냄새 나는 사람도 있었을 겁니다.

이 잔치의 주인인 레위의 얼굴에는 형용할 수 없는 기쁨이 담겨 있었습니다. 잔치를 열 때 주인의 얼굴에 기쁨이 있어야지 잔치를 베풀어 놓고 주인이 죽을상을 하고 있으면 되겠습니까! 그러면 잔치를 망치고 맙니다. 레위의 초청에는 축제가 있었으며, 여기에 참여한 사람들에게 축제는 천국처럼 느껴지고 이상적인 교회처럼 보였습니다. 우리는 너무나 많은 상처를 입었기 때문에 이처럼 멋지고 아름답고 이상적인 교회를 상상해 본 적이 없습니다.

사람들이 교회를 왜 가는 줄 압니까? 참으려고 갑니다. 더는 화를 내지 않으려고 말입니다. 그러니 기쁨이 있을 수가 없습니다. 무슨 교파인지, 어떤 건물인지 상관없이 지금 다니고 있는 교회가 이런 아름다운 교회가 되었으면 좋겠습니다. 기쁨이 있는 교회, 감동이 있는 교회, 가진 것을 다 내놓고 싶은 교회, 그래서 천국을 경험하는 교회가 되었으면 합니다.

축제에 참석한 사람들 가운데 소위 종교적인 사람, 율법에 정통한 사람, 종교적인 지식을 가진 사람이 모인 그룹이 있었습니다. 이들은 도무지 기뻐할 수가 없었습니다. 자기 이론에 갇혀, 자기 이데올로기에 갇혀 마음이 편안하지 않았습니다. 누군가 자기보다 실력이 있고, 누군가 자기보다 더 좋은 학위를 받으면 시기가 나기 때문입니다. 그런 것이 우리에게 평안을 가져다 주지 않는데도 말입니다. 이런 율법학자들이 그 장면을 다 지켜보고 있었습니다. 그런데 똑같은 장면을 보고도 한 사람은 기뻐할 수 있고, 다른 사람은 화가 날 수도 있습니다.

[예수께서 레위의 집에서 식사를 하시는데 많은 세리와 죄인들이 예수와 그분의 제자들과 함께 음식을 먹고 있었습니다. 이런 사람들이 예수를 많이 따랐기 때문입니다. 바리새파 사람인 율법학자들은 예수께서 죄인들과 세리들과 함께 먹는 것을 보고 예수의 제자들에게 물었습니다. "어째서 너희 선생님은 세리들과 죄인들과 함께 어울려 먹느냐?" 예수께서 이 말을 들으시고 그들에게 말씀하셨습니다. "건강한 사람에게는 의사가 필요하지 않으나 병든 사람에게는 의사가 필요하다. 나는 의인을 부르러 온 것이 아니라 죄인을 부르러 왔다."(막 2:15-17)]

"예수께서 레위의 집에서 식사를 하시는데 많은 세리와 죄인들이 예수와 그분의 제자들과 함께 음식을 먹고 있었습니다. 이런 사람들이 예수를 많이 따랐기 때문입니다." 사실은 이것이 천국의 모습이고, 교회의 모습입니다. 탈북자들과 외국인 근로자들, 직업이 없어 끼니를 잇기 어려운 사람들이 다 함께 모여 주님을 찬양했으면 좋겠습니다.

"바리새파 사람인 율법학자들은 예수께서 죄인들과 세리들과 함께 먹는 것을 보고 예수의 제자들에게 물었습니다. '어째서 너희 선생님은 세리들과 죄인들과 함께 어울려 먹느냐?'" 이 말씀에서 예수님의 행동을 보고 사람들이 갈등했다는 것을 알 수 있습니다. 그냥 좋은 건 좋은 거고 나쁜 건 나쁜 거 이렇게 생각하면 간단한데, 자신의 이데올로기 때문에 갈등했다는 겁니다. 싫으면 가면 될 텐데 율법학자들은 가지 않고 함께 먹는 것을 구경했습니다.

이 말을 들으신 예수님은 "건강한 사람에게는 의사가 필요하지 않으나 병든 사람에게는 의사가 필요하다. 나는 의인을 부르러 온 것이 아니라 죄인을 부르러 왔다"라고 말씀했습니다. 레위의 집에서 일어난 천국 잔치를 본 사람들은 두 그룹으로 나뉘었습니다. 하나는 그 천국 잔치에 참여해 함께 기뻐하는 사람들, 또 하나는 그것을 보고 비판하는 사람들이었습니다.

세상에 오신 이유를 묻다

율법학자들은 예수님께 직접 질문하기가 어려웠는지 제자들한테 "어째서 너희 선생님은 세리들과 죄인들과 함께 어울려 먹느냐?"라고 물었습니다. 그러자 이 말씀을 알아차리시고 예수님은 여기서 복음의 핵심에 대해 말씀했습니다. 가장 어려운 갈등과 질문이 우리에게는 복음을 깨닫는 결정적 계기가 되기도 합니다.

이것을 다른 말로 하면 "예수님은 왜 이 세상에 오셨습니까?"라는 질문입니다. 먼저 예수님은 죄인을 구원하러 오셨습니다. 병든 자에게 의사가 필요하듯 죄인에게는 예수님이 필요합니다. 예수님의 생애를 보면 이것을 알 수 있습니다.

예수님은 이 세상에 태어날 때 성령으로 태어났고, 사역을 시작하면서 기적과 표적, 능력이 나타났습니다. 예수님이 십자가에 못 박혀 돌아가실 때 고난이 있었습니다. 예수님이 부활하셨을 때 영광이 있었습니다. 예수님이 십자가에서 승천하시고, 하늘에서 승천하고 다시 돌아오시겠다는 말씀에는 하나님의 영원한 영광적인 승리를 볼 수 있습니다. 탄생에서부터 그분의 재림까지 예수님의 생애는 죄인을 위해 오셨습니다.

둘째로 예수님이 세상에 오신 것은 사람을 섬기기 위해서 오셨다는 것입니다. 처음부터 목적 자체가 섬기기 위해서였기 때문에 섬겨야 되느냐, 섬기지 않아도 되느냐 하는 갈등이 없었습니다. 처음부터 헌신하겠다고 결심하셨기 때문에 헌신해야 되느냐 헌신하지 않아야 되느냐는 고민은 더 이상 할 필요가 없었습니다. 그분은 섬김을 받으러 오신 것이 아니라 섬기러 오셨습니다. 이는 사역 곳곳에서 나타납니다. 그분은 제자들의 발을 씻어 주셨는데, 그분의 섬김 가운데 클라이맥스는 십자가였습니다.

셋째로 예수님은 왜 이 세상에 오셨을까요? 잃어버린 자를 찾아 구원하러 오셨습니다. 그 대표적 인물이 삭개오입니다. 뽕나무에 올라갔던 삭개오는 "내려오라"는 예수님의 한마디에 그냥 정신이 확 돌아왔습니다. '와! 저분이 나를 부르시다니' 하며 주저 없이 내려왔습니다. 그리고 자기 재산 가운데 4분의 1을 가난한 사람들한테 나눠 줬습니다. 남의 재산을 착취한 일이 있다면 그것도 다 갚았습니다. 왜일까요? 기쁨을 이기지 못해서입니다. 이것이 바로 구원입니다.

수가성의 여인은 인생이 목마른 여인이었고 남편이 다섯 명이나 있었습니다. 그렇게 살 수밖에 없었던 그녀의 영혼은 얼마나 외로웠을까요? 그런데 예수님이 그 여인을 만나 주셨습니다. 영원한 생수를 소개해 주셨습니다.

간음하다가 현장에서 붙잡힌 여자를 기억합니까? 그녀는 얼마나 수치스러웠겠습니까! 아마 죽고 싶었을 겁니다. 하지만 감히 죽을 수도 없었습니다. 사람들이 돌맹이를 들고 때려죽이려고 했을 때 그 여자는 얼마나 두려웠겠습니까! 예수님은 그녀를 향해 아무런 말씀도 하지 않으셨습니다. 다만 분노하는 사람들한테 "너희 가운데 죄 없는 사람이 먼저 이 여인에게 돌을 던지라"고 말씀했습니다. 그러자 모두 도망갔습니다.

이 여자와 단 둘이 남았을 때 예수님은 "여인아, 그들은 어디 있느냐? 너를 정죄한 사람이 한 사람도 없느냐?"라고 물으셨습니다. 그러자 여자는 "없습니다"라고 대답했습니다. 이에 예수님은 "이제부터 다시는 죄를 짓지 마라"고 말씀했습니다. 이 말을 듣고 예수 곁을 떠났던 여자는 돌아가면서 얼마나 울었을까요?

이처럼 예수님은 잃어버린 자를 찾아 구원하러 오셨습니다. 무시당하는 사람들, 기억에 남아 있지 않은 사람들, 우리와 상관없다고 생각하기 쉬운 소외된 사람들을 위해 오신 것입니다. 예수님은 그들의 신음을 들으시고 그 절규와 아픔을 아셨습니다.

요즘 들어 반성하고 회개하는 것이 있다면 그동안 너무 앞만 보고 달려왔다는 사실입니다. 하나님의 영광을 위하여, 교회만을 위하여 앞만 보느라 미처 옆을 보지 못했습니다. 배고픈 사람들, 억울하게 고통을 겪는 사람들의 신음이 나와 아무 상관이 없다는 듯한 태도로 살아왔습니다. '가난이 자기 죄지 뭐 내 죄인가?'라고 생각하며 살아왔습니다.

그런데 요즘 주변에서 아우성치는 소리가 자꾸 크게 들립니다. 그중에는 일본도 있습니다. 물론 그 사람들의 죄라고 말할 수 있지만, 그들이 절박한 상황에서 내는 아우성 소리가 들립니다. 주님 없이 지옥을 향해 가는 사람들, 아직도 하나님을 믿지 못하는 사람들 말입니다. 예수님은 우리에게 풍성한 삶을 주기 위해 오셨습니다. 예수님을 만난 사람은 누구를 막론하고 인생의 의미와 풍요로움을 깨닫게 됩니다.

요즘에는 빚쟁이 사장이 많습니다. 사장이라고 불리는데 항상 돈에 쪼들리며 살고 있습니다. 반면에 가난한 부자도 많습니다. 받는 월급이 적어 수입은 얼마 되지 않지만 마음은 언제나 넉넉합니다. 그래서 그 사람은 부자입니다. 예수님을 만났을 때 우리는 참부자가 될 수 있습니다.

병든 사람에게는 의사가 필요합니다. 지금 자신이 암에 걸려 죽게 됐는데, 오늘 저녁에 너무 아파서 잠을 잘 수가 없는데 의사가 필요 없다고 할 사람이 어디 있겠습니까! "약 좀 주세요", "이 고통을 멈추게 해 주세요"라고 하소연할 겁니다. 우리 같은 죄인한테는 예수님이 꼭 필요합니다. 예수님이 반드시 있어야 합니다. 예수님이 손을 내밀면 우리는 그분의 손을 붙잡아야 합니다. 그래야 우리 인생이 달라집니다. 풍요로워집니다. 죽을 때도 눈물을 흘리며 죽을 수 있습니다. 죄인한테는 예수님이 꼭 필요합니다.

Pray

하나님, 죄인을 찾아오신 예수님, 섬기러 오신 예수님, 우리에게 풍성한 삶의 의미와 목표를 가르쳐 주신 예수님. 이 자리에 앉아 있는 모든 사람이 이런 예수님을 만나게 해 주옵소서. 예수님 이름으로 기도합니다. 아멘.

막 2:18-28

[18]요한의 제자들과 바리새파 사람들이 금식하고 있었습니다. 몇몇 사람들이 와서 예수께 물었습니다. "요한의 제자들과 바리새파 사람의 제자들은 금식을 하는데 왜 당신의 제자들은 금식하지 않습니까?" [19]예수께서 대답하셨습니다. "신랑이 함께 있는데 어떻게 결혼 잔치에 초대받은 사람들이 금식을 할 수 있겠느냐? 신랑이 자기들과 함께 있는 한 금식할 수 없다. [20]그러나 신랑을 빼앗길 날이 올 텐데 그날에는 그들이 금식할 것이다. [21]낡은 옷에 새 천조각을 대고 깁는 사람은 없다. 그렇게 하면 새 천조각이 낡은 옷을 잡아당겨 더 찢어지게 된다. [22]또한 새 포도주를 낡은 가죽부대에 담는 사람도 없다. 그렇게 하면 포도주가 부대를 터뜨려 포도주와 부대 모두를 버리게 되기 때문이다. 새 포도주는 새 부대에 담아야 하는 법이다." [23]안식일에 예수께서 밀밭 사이를 지나가시는데 함께 가던 제자들이 길을 내며 이삭을 자르기 시작했습니다. [24]바리새파 사람들이 예수께 말했습니다. "보십시오. 어째서 저들이 안식일에 해서는 안 될 일을 하는 것입니까?" [25]예수께서 대답하셨습니다. "다윗과 그 일행이 배가 고파 먹을 것이 필요했을 때 다윗이 어떻게 했는지 읽어 보지 못했느냐? [26]아비아달 대제사장 때에 다윗이 하나님의 집에 들어가 제사장만 먹게 돼 있는 진설병을 다윗이 먹고 자기 일행에게도 나눠 주지 않았느냐?" [27]그러고 나서 예수께서 바리새파 사람들에게 말씀하셨습니다. "안식일은 사람을 위해 만들어진 것이지 사람이 안식일을 위해 있는 것이 아니다. [28]그러므로 인자는 안식일에도 주인이다."

잘못된 신앙

자신을 깨야 합니다. 낡은 사고에서 벗어나야 합니다. 자신의 생각을 바꿔야 합니다.
이기적인 사고방식과 전통적 사고방식, 과거에 해 왔던 일들에서 빨리 벗어나야 합니다.
새 집이 뭡니까? 헌 집을 무너뜨려야 새 집을 지을 수 있습니다.

새 포도주는 새 부대에 담아야

신앙에는 두 가지가 있습니다. 진짜 신앙이 있고, 가짜 신앙이 있습니다. 예수님을 잘 믿는 것 같은데 몸만 왔다 갔다 하고, 형식은 있는데 내용은 없고, 하나님을 만난 경험도 없는 사람들이 크리스천이라는 이름으로 일합니다. 그렇다 보니 우리 사회에 이런저런 문제들이 발생하고 있습니다. 교회 규모도 커지고 교인도 많아졌지만, 교회가 점점 세상을 향한 영향력을 잃어 가는 위기에 처해 있습니다. 왜 그럴까요? 가짜는 아무 능력이 없습니다. 능력은 진짜에게 있습니다.

신약 시대에 교회는 어떤 곳이었습니까? '크리스천이 어떤 존재인가'라는 표시가 있었습니다. 예수님이 말씀하고 신약성서 전체에서 말씀한 것이 서너 가지 있습니다. 건강한 신앙, 참된 그리스도인의 표시, 배지를 달듯이 눈에 보이지 않는 표시가 있습니다.

그 표시의 첫 번째는 사랑과 용서입니다. "네 이웃을 네 몸처럼 사랑하라." 이 첫 번째 계명은 하나님을 사랑하라는 것이고, 두 번째 계명은 사람을 사랑하라는 것입니다. 그래서 선한 사마리아 사람의 얘기도 있고, 많은 얘기가 사람을 용서하고 사랑하는 내용입니다. 만약 교회에서 사랑을 발견할 수 없다면, 사랑의 냄새를 맡을 수 없다면 그곳은 비석에 불과하고 박물관에 불과합니다. 첫 번째 크리스천의 표시는 사랑입니다. 이는 우리의 얼굴에서, 우리의 말에서 사랑을 느끼고 하나님을 경험할 수 있다는 말입니다.

신약에서 또 하나의 표시가 있다면 성령을 받고 전도하는 것입니다. 예수님은 "내 뒤에 성령님이 오신다"고 말씀했습니다. 성령 충만하라고 말씀했습니다. 성령을 받고 모든 족속으로 제자 삼으라고 말씀했습니다. 많은 말씀이 있지만 핵심적인 말은 "서로 사랑하라. 서로 사랑하라. 원수까지 사랑하고 성령을 받고 전도하라"는 것입니다.

또 한 가지를 얘기한다면 신약의 표시는 공동체입니다. 신앙은 개인이 생활하는 것이 아닙니다. 다른 사람을 만나 도와주고 서로 격려하고 새로운 하나님 나라를 만들어 가는 것입니다.

교회는 건물이 아닙니다. 많은 선교사를 보내고 사역하는 일을 하는 곳만도 아닙니다. 사랑입니다. 약자들이 살 수 있는 곳, 병든 자들이 위로 받을 수 있는 곳이 바로 교회입니다.

구약에는 어땠을까요? 구약 시대에는 진정으로 하나님을 믿는 사람, 신앙을 가진 사람들을 어떻게 구분했을까요? 두 가지가 있었습니다. 유대인들의 관점에서 보면 첫 번째는 금식하는 것이고, 두 번째는 안식일을 지키는 것입니다. 신약 시대에 와서는 많이 달라졌지만 구약 시대에는 어떻게 금식 생활을 하는가, 어떻게 안식일을 잘 지키는가 하는 것이 그 사람의 신앙을 재는 바로미터였습니다.

앞서 읽은 성경은 구약에서 신앙의 기준이 되었던 금식과 안식일에 대해 말씀하고 있습니다. 그런데 유감스럽게도 구약 시대 사람들은 금식을 지키긴 했지만 형식적으로 지켰고 율법적으로 지켰고 문자적으로 지켰습니다. 형식은 갖췄지만 정신이나 내용이 없었다는 뜻입니다.

이 얘기를 예수님이 하고 계신 것입니다. 예수님이 생각하는 안식일과 구약 시대 사람들이 생각하는 안식일에 어떤 차이가 있을까요? 만약 안식일을 제대로 지키지 못하고 잘못된 금식을 하고 있다면 그것은 세상에 어떤 영향력도 미치지 못하는 종교 생활에 불과합니다. 종교 생활이 자기만족에 그치고 마는 것입니다.

참신앙생활은 하나님이 만족하시는 것입니다. 그런데 대부분의 사람은 자신이 만족하고자 합니다. 예수님이 생각하는 금식과 바리새파 사람들이나 요한의 제자들이 생각하는 금식에는 너무나 큰 차이가 있었습니다. 똑같은 금식인데 정신이 다르고, 내용이 달랐습니다.

[요한의 제자들과 바리새파 사람들이 금식하고 있었습니다. 몇몇 사람들이 와서 예수께 물었습니다. "요한의 제자들과 바리새파 사람의 제자들은 금식을 하는데 왜 당신의 제자들은 금식하지 않습니까?" 예수께서 대답하셨습니다. "신랑이 함께 있는데 어떻게 결혼 잔치에 초대받은 사람들이 금식을 할 수 있겠느냐? 신랑이 자기들과 함께 있는 한 금식할 수 없다. 그러나 신랑을 빼앗길 날이 올 텐데 그날에는 그들이 금식할 것이다. 낡은 옷에 새 천조각을 대고 깁는 사람은 없다. 그렇게 하면 새 천조각이 낡은 옷을 잡아당겨 더 찢어지게 된다. 또한 새 포도주를 낡은 가죽부대에 담는 사람도 없다. 그렇게 하면 포도주가 부대를 터뜨려 포도주와 부대 모두를 버리게 되기 때문이다. 새 포도주는 새 부대에 담아야 하는 법이다."(막 2:18-22)]

당시 요한의 제자들과 바리새파 사람들은 금식하는 방법이나 원리를 동일하게 생각했습니다. 그런데 예수님의 제자들은 그렇게 하지 않았습니다. 일종의 종교적 혁명이었습니다. 이 말에 전통적으로 신앙을 지켜 왔던 사람들은 당황스러웠을 것입니다. 이는 금식에 대한 율법적 해석이냐 은혜의 해석이냐의 문제입니다. 율법적으로 날짜를 지키고 때를 지키고 형식을 지켜야 하는 것이 금식입니까? 금식하는 목적이 무엇입니까? 그들은 목적은 생각하지 않고 방법만 생각했던 것입니다. 우리 신앙의 위기도 여기에 있습니다.

예수님을 믿고 찬송가도 부르고 교회도 나오고 설교도 듣고 다 하는데 변하지 않는 사람이 있습니다. 10년이 지나도 변하지 않는 사람, 20년이 지났는데도 '내가 변하나 봐라'고 하면서 자기 고집대로 자기 생각대로 남을 정죄하고, 자신이 세운 기준대로 믿는 사람이 있습니다. 하지만 그래선 안 됩니다. 예수님을 믿는다는 것은 새로운 사람이 되는 겁니다. 새로운 피조물이 되는 겁니다. 성격도 변하고 생각도 변하고 인생도 변해야 합니다.

왜 전통적인 교회가 되어 가는 걸까요? 변하지 않으니까 그런 겁니다. 교회도 변하지 않고 예배 순서도 변하지 않고 사람도 변하지 않고 그냥 전통을 지킬 뿐입니다. 이런 의미에서 봤을 때 교회는 굉장히 보수적입니다. 이 말씀을 들은 예수님은 요한의 제자들과 바리새파 사람들의 금식 그리고 자신을 따르는 제자들의 금식이 다른 이유가 무엇인가를 설명하셨습니다. 이는 금식에 대한 율법적 해석이냐 은혜의 해석이냐 하는 것을 넘어 성경 전체를 율법으로 보느냐 은혜로 보느냐 하는 문제에까지 도달합니다.

구약 시대는 율법의 시대였습니다. 문자 그대로 해석했습니다. 마음속으로 무슨 생각을 하든 형식만 지키면 됐던 것입니다. 마음속으로 어떤 음란한 생각을 하더라도 겉으로 드러난 간음을 하지 않으면 된다고 생각했습니다. 마음속에 미움과 분노가 있어도 그걸 잘 감추면 그것으로 족하다고 생각했습니다. 그리고 실제로도 형식적인 것만 지키면 별 문제가 없었습니다. 대부분의 사람들이 이런 종교 생활을 했습니다.

그러나 신약 시대에 예수님이 오시면서 모든 것이 달라졌습니다. 율법이 아니라 은혜가 우선시되고, 값없이 베풀어 주신 구원의 은혜에 감격하고 기뻐하고 감사하는 마음이 우선시되었습니다.

감사하면 사람이 변합니다. 기뻐하면 사람이 변합니다. 불평하고 원망하면 사람은 절대 변하지 않습니다. 그래서 불평과 원망을 하지 말라는 것입니다. 불평할 만해도 원망할 만해도 하지 말라는 것입니다. 그러면 당신은 죽습니다. 병들고 맙니다. 신앙생활이 망가집니다. 아무리 힘들고 어려워도 불평하지 말고 감사하라는 말씀입니다. 신앙은 원망과 불평을 배우는 것이 아니라 감사와 기쁨과 찬양을 배우는 것입니다.

구약 시대에는 문자 그대로 해석했지만, 신약 시대에 와서는 문자로 해석하는 것이 아니라 영으로 해석한 것입니다. 예수님은 "신랑이 함께 있는데 어떻게 결혼 잔치에 초대받은 사람들이 금식을 할 수 있겠느냐? 신랑이 자기들과 함께 있는 한 금식할 수 없다. 그러나 신랑을 빼앗길 날이 올 텐데 그날에는 그들이 금식할 것이다"라고 말씀했습니다. 다시 말하면 금식은 꼭 날짜를 지켜서 하는 게 아니라 금식할 때가 있고 금식해선 안 되는 때가 따로 있다는 것입니다.

결혼식은 축제입니다. 축제가 벌어지고 있는데 장례식을 치르지 말라는 겁니다. 결혼식 하객으로 참석하면서 "아이고, 아이고"라고 중얼거리며 상복을 입고 오면 되겠습니까! 기뻐하고 손뼉치고 축하하고 입이 찢어질 만큼 함께 웃어 주는 것이 결혼 잔치에 참석한 사람이 해야 하는 일이 아닙니까! 밖에서 싸웠다고 해도 결혼식장에 들어와서는 싸우지 않습니다. 이러한 예를 예수님이 드신 겁니다.

참율법이 참신앙이라고 생각했던 사람들은 이 말에 큰 충격을 받았습니다. 금식의 본뜻을 알지 못하고 자신들이 생각한 형식대로 방법대로 하지 않는다고 화를 낸 겁니다.

요즘 어딜 가든지 사람들이 화내는 이유를 들어 보면 자신이 말한 방법대로 하지 않았기 때문이라고 말합니다. 자신처럼 생각하지 않는다는 겁니다. 그래서 죽일 놈이고 못된 놈이고 잘못된 사람이라고 서로를 비판하다가 어디까지 가는 줄 압니까? 하나님 자리까지 갑니다.

비판한다는 말은 자신이 하나님이라는 뜻입니다. 하지만 비판은 하나님만이 하실 수 있습니다. 사람이 어떻게 사람을 비판합니까? 일점일획도 틀림이 없는 완벽한 사람일 때 남을 비판할 수 있습니다.

진심으로 금식해야 할 때가 있습니다. 그건 신랑을 빼앗길 때입니다. 예수님이 십자가에 못 박혀 죽으실 때, 고난을 겪으실 때 우리도 함께 금식해야 합니다. 유감스럽게 베드로는 예수님이 십자가에 못 박히셨을 때 단잠을 잤습니다. 이처럼 순서에 맞지 않게 사는 사람이 참 많습니다.

예수님은 우리에게 황금 같은 비유를 들어 주셨습니다. 낡은 옷과 새 천조각의 비유입니다. 낡은 옷에 새 천조각을 깁는 사람은 없습니다. 만약 그렇게 한다면 그 새 천조각이 낡은 조각을 잡아당겨 다 망가뜨리고 말 것입니다.

다른 비유를 한 가지 더 들어 주셨습니다. 그것은 낡은 가죽 부대와 새 포도주의 얘기입니다. 새 포도주, 새 술은 새 부대에 담아야 합니다. 새 포도주를 낡은 가죽 부대에 담으면 포도주가 발효해 가죽이 찢어지고 맙니다. 결국에는 가죽과 포도주를 다 버리게 됩니다. 새 술은 새 부대에 담아야 하고, 헌 옷에 새 조각을 붙이면 안 됩니다.

그렇다면 여기서 낡은 옷과 낡은 포도주 부대는 무엇을 의미합니까? 그것은 율법적 사고요, 낡은 사고요, 과거의 사고입니다. 구태의연하게 늘 해 오던 식으로 사는 것입니다.

과거에 사업하던 사람들은 구태의연하게 죄의식도 없이 분식회계를 하고, 그러고 나서도 죄라고 생각하지 않았습니다. 왜냐하면 늘 그렇게 해 왔기 때문입니다. 그걸 당연한 것으로 여기고 회사가 빈털터리가 되고 재정에 구멍이 나도 수치상으로는 흑자 상태로 있는 것입니다. 그럼 흑자가 계속될까요? 숫자를 바꿨다고 흑자가 될까요? 아닙니다. 시간이 지나면 큰 구멍이 되고 맙니다.

우리 인생도 마찬가지입니다. 신앙생활도 마찬가지입니다. 우리가 변지 않으면 세상도 변하지 않습니다. 그리고 이기적인 사고방식과 자기중심적인 사고로 홀러갈 것입니다. 사람은 쉽게 변하지 않는데, 그중에서도 성격이 가장 변하기 어렵습니다.

어렸을 때 남을 괴롭히고 호령하던 사람은 나이가 들어 결혼해서도 그 못된 성질을 버리지 못합니다. 섬기는 법을 모르기 때문입니다. 섬김의 기쁨이 얼마나 큰지 모르기 때문입니다. 이들은 야단하고 호령하고 무섭게 해야만 권위가 있는 줄로 압니다. 이런 사람의 마음에는 평생 평화가 없습니다. 분노만 가득할 뿐입니다. 왜 자기 말을 듣지 않느냐고 화를 냅니다. 무엇이 옳고, 어떤 것이 진리인가를 찾아보지 않고 자기 말을 듣지 않는다고 다른 사람들을 원망합니다. 왜 자기 생각대로 하지 않느냐는 겁니다. 그래서 화를 내고 싸우는 겁니다. 이것이 낡은 생각입니다.

그리고 자신의 생각을 기준이라고 우깁니다. 자기 마음에 맞으면 옳은 것이고 자기 마음과 맞지 않으면 틀린 겁니다. 오랫동안 그렇게 살아서 자신한테 무슨 문제가 있는지, 뭐가 잘못된 것인지를 모릅니다. 이것이 낡은 옷과 낡은 가죽 부대입니다. 이제 표현하고 싶고, 새로워지고 싶고, 바꾸고 싶은데 이 포도주 부대는 그만 터지고 맙니다. 낡은 천이 새 천에 붙잡혀 더 낡아진다는 겁니다.

과연 이 말은 무슨 뜻일까요? 옛날의 사고방식, 자기중심적 사고방식, 이기적인 사고방식으로는 세상도 변하지 않고 우리 자신도 변하지 않는다는 뜻입니다. 오히려 시간이 갈수록, 나이가 들수록 더 화만 나고 세상이 마음에 안 드는 것입니다. 또한 다른 사람들도 마음에 안 드는 것입니다.

이런 사람을 만족시키려면 어떻게 해야 할까요? 모든 사람이 그의 종이 되어야 합니다. 그 사람 앞에 고개를 숙이고 "당신 말이 맞습니다"라고 얘기해 줘야만 만족시킬 수 있습니다.

성경은 새 술은 새 부대에 담아야 한다고 말씀합니다. 자신을 깨야 합니다. 낡은 사고에서 벗어나야 합니다. 자신의 생각을 바꿔야 합니다. 이기적인 사고방식과 전통적 사고방식, 과거에 해 왔던 일들에서 빨리 벗어나야 합니다. 새 집이 뭡니까? 헌 집을 무너뜨려야 새 집을 지을 수 있습니다. 그런데 옛날에 자신이 살던 집에 미련이 있어 버리지 못합니다. 그러면 새 집에 들어갈 수가 없습니다.

지금 우리 사회가 겪고 있는 진통은 바로 이런 전통적인 사고방식을 어떻게 탈피해 나가느냐에 달려 있습니다. 어느 날 한 남성이 아버지학교를 갔다 오더니 눈물을 흘렸습니다. 그리고 부인의 발을 씻겨 주기 시작했습니다. 처음에 부인은 남편이 바보 같다고 생각했습니다. 남자답지가 않았던 것입니다. 그런데 시간이 갈수록 부인의 눈에도 눈물이 고였습니다. 왜일까요? 자신을 진짜로 사랑한다는 사실을 깨달았던 것입니다.

새 천조각, 새 포도주는 무슨 뜻일까요? 혁신적이고 창의적인 사고방식입니다. 율법이 아니라 은혜의 신앙, 문자가 아니라 영의 신앙을 의미합니다.

믿음 위에 자유하라

또 한 가지 예가 있는데, 안식일을 지키는 문제입니다. 금식과 안식일의 문제는 다음 말씀처럼 구약 시대 사람들에게 생명과 같은 일이었습니다.

[안식일에 예수께서 밀밭 사이를 지나가시는데 함께 가던 제자들이 길을 내며 이삭을 자르기 시작했습니다. 바리새파 사람들이 예수께 말했습니다. "보십시오. 어째서 저들이 안식일에 해서는 안 될 일을 하는 것입니까?"(막 2:23-24)]

안식일에 해서는 안 되는 일이라는 건 율법을 뜻합니다. 이게 바로 형식입니다. 이것이 우리를 노예로 만듭니다. 법을 만들어 놓고 그것을 다 지키라는 겁니다. 법 대로 순종하라는 겁니다. 이때 예수님은 이 안식일의 문제에 대해 다음과 같이 새로운 해석을 해 주셨습니다.

[예수께서 대답하셨습니다. "다윗과 그 일행이 배가 고파 먹을 것이 필요했을 때 다윗이 어떻게 했는지 읽어 보지 못했느냐? 아비아달 대제사장 때에 다윗이 하나님의 집에 들어가 제사장만 먹게 돼 있는 진설병을 다윗이 먹고 자기 일행에게도 나눠 주지 않았느냐?" 그리고 나서 예수께서 바리새파 사람들에게 말씀하셨습니다. "안식일은 사람을 위해 만들어진 것이지 사람이 안식일을 위해 있는 것이 아니다. 그러므로 인자는 안식일에도 주인이다."(막 2:25-28)]

요즘 사람들은 진설병이 무엇인지 모를 겁니다. 제사떡, 오병이어라고도 합니다. 그리고 예수님은 아주 중요한 결정적인 말씀을 합니다. 이것은 종교의 본질이고 신앙의 본질이고 우리 삶의 본질입니다.

우리는 "안식일은 사람을 위해 만들어진 것이 아니다"라는 말씀을 제대로 알아들어야 합니다. 이는 우리가 신앙생활을 하면서 왜곡하기 쉬운 아주 결정적인 말입니다. 예수님은 안식일이 사람을 위해 만들어진 것이지 사람이 안식일을 위해 있는 것이 아니라고 말씀했습니다. 그리고 결론을 내리셨습니다. "그러므로 인자는 안식일에도 주인이다." 이게 무슨 뜻일까요? 이는 종교적인 속박과 전통으로부터 우리를 풀어 주는 말씀입니다.

전 세계 어디나 무당과 귀신이 없는 데가 없습니다. 이것에 얽매여 절하고 물건과 떡, 돈을 갖다 바칩니다. 그런데 진짜 신앙이라면 얽매일 필요가 없습니다. 우리 역시 종교에 얽매였습니다. 이런 이유로 레닌이 "종교는 아편이다"라고 말한 것입니다. 종교의 이름으로 너무 속박하니까, 너무 제도화하니까, 인간성을 말살하니까, 인간의 자유와 인권과 인간 됨을 너무나 무시하니까 종교가 불편했던 것입니다. 지금 우리가 이단이라고 말하는 사람들이 다 이런 모습을 하고 있습니다.

안식일이 사람을 위해 만들어진 것이지 사람이 안식일을 위해 있는 것이 아니라고 설명하면서 예수님은 다윗의 예를 드셨습니다. 유대인들은 다윗의 얘기를 하면 꼼짝 못하기 때문입니다. 아브라함과 다윗을 언급하면 조용해집니다. 그 사람들의 기준이기 때문입니다. 아브라함이 이렇게 했다, 다윗이 이렇게 했다고 하면 더는 설명할 필요가 없습니다. 다윗과 그의 일행이 배고팠을 때 제사장만 먹을 수 있는 진설병을 먹었던 것입니다. 율법에 따르면 그것을 먹으면 안 되는 사람들이 먹은 것입니다.

신앙생활을 할 때 신앙이 또 하나의 노예가 되면 안 됩니다. 만약 예수님을 진짜 믿는다면, 하나님을 믿는다면 자유해야 됩니다. 어느 누구도 우리를 억압할 수 없습니다. 우리 인권을 무시할 수 없습니다. 우리의 자유를 억압할 수 없습니다. 하나님이 창조하신 그 본래의 사람으로 돌아가는 것이 금식이요, 안식일입니다.

구약 시대 사람들과 예수님의 생각에 얼마나 큰 괴리가 있었는지 알 수 있습니다. 똑같은 문제인데 제사떡을 이렇게 놓을 거냐, 저렇게 놓을 거냐 하는 걸 갖고 매일 싸우는 겁니다. 제사떡을 이렇게 놓든 저렇게 놓든 그게 무슨 상관입니까! 이는 귀신이나 좋아할 일입니다.

예수님의 결론은 다음과 같습니다. 안식일은 인자가 주인입니다. 예수님이 안식일의 주인입니다. 따라서 예수님을 믿는 사람들은 신앙생활, 종교생활이 자유로워야 합니다. 기쁨이 충만해야 합니다. 누군가를 억압해선 안 됩니다. 안식일이나 금식은 문자의 문제가 아니고 영의 문제입니다. 영적으로 자유롭게 되는 것입니다.

[내가 받고 싶은 금식은 이런 것들이 아니냐? 부당하게 묶인 사슬을 끌러 주고 멍에의 줄을 풀어 주는 것, 압제받는 사람을 자유롭게 놓아주고 모든 멍에를 부숴 버리는 것이 아니냐? 너희가 굶주린 사람에게 먹을 것을 나눠 주고 가난한 노숙자를 집에 맞아들이는 것이 아니냐? 헐벗은 사람을 보면 옷을 입혀 주고 네 혈육을

못 본 체하지 않는 것이 아니냐?(사 58:6-7)]

이것이 바로 금식입니다. 금식의 본래 뜻입니다. "헐벗은 사람을 보면 옷을 입혀 주고 네 혈육을 못 본 체하지 않는 것이 아니냐?" 이런 일은 하나도 하지 않으면서 굶기만 한다고 금식일까요? 굶으면 배만 고프지 뭐가 있겠습니까? 나 자신이 변해야 합니다. 자신이 변하고, 삶이 변해야 합니다.

가족들을 전도하는 방법은 간단합니다. 집안에서 당신이 변하면 됩니다. 당신이 변하면 다른 가족들은 마음속으로 놀랄 것입니다. 드러내지 않고 마음속으로 놀라다가 나중에 교회까지 옵니다. 변화는 우리 자신이 먼저 변할 때 찾아옵니다.

["주의 영이 내게 내리셨다. 이는 하나님께서 내게 기름을 부으셔서 가난한 사람들에게 복음을 전파하도록 하기 위해서다. 하나님께서는 포로 된 사람들에게 자유를, 못 보는 사람들에게 다시 볼 수 있음을, 억눌린 사람들에게 해방을 선포하기 위해 나를 보내셨다. 주의 은혜의 해를 선포하도록 하기 위함이다."(눅 4:18-19)]

이 말씀은 예수님이 오신 이유를 설명하고 있습니다. 예수님은 교주가 되기 위해 오시지 않았습니다. 예수님이 모든 사람한테 자신을 섬기라고 말하기 위해 오시지 않았습니다. 예수님은 약한 자, 병든 자, 가난한 자, 소외된 자, 사람 취급을 못 받고 사는 사람들의 친구가 되어 그들을 쓰셨습니다. 이것이 참 신앙입니다.

예수님이 우리를 구원하십니다. 예수님이 우리를 변화시키는 겁니다. 이것이 바로 예수님이 하신 말씀입니다. 쇼를 해선 안 됩니다. 예수님을 잘 믿는 척해선 안 됩니다. 그렇게 하다가 예수님을 잘 믿으면 좋겠는데 그렇지가 않습니다. 잘 믿는 척할 때마다 더 믿지 못하게 됩니다. 쇼를 할 때마다 우리 스스로 더 큰 위선을 만드는 것입니다. 참된 신앙의 소유자가 되어야 합니다.

Pray

하나님, 우리가 진짜 신앙인이 되게 하옵소서. 우리의 인생과 신앙생활이 변하여 세상을 향해 선한 영향력을 끼치는 믿음의 사람들 되게 하옵소서. 새 술은 새 부대에 담아야 한다고 하신 말씀을 기억하며, 주 안에서 자유롭고 새롭게 살아가도록 하옵소서. 예수님 이름으로 기도합니다. 아멘.

막 3:1-19

[1]예수께서 다시 회당으로 들어가셨는데 그곳에 한쪽 손이 오그라든 사람이 있었습니다. [2]몇몇 사람들이 혹시 예수께서 안식일에 그 사람을 고치지나 않을까 하며 예수를 고소할 구실을 찾으려고 가까이에서 지켜보고 있었습니다. [3]예수께서 손이 오그라든 사람에게 말씀하셨습니다. "일어나 앞으로 나오너라." [4]그리고 예수께서 그들에게 물으셨습니다. "안식일에 무슨 일을 하는 것이 옳겠느냐? 선한 일이냐, 악한 일이냐? 생명을 구하는 것이냐, 죽이는 것이냐?" 그러자 그들은 말없이 잠자코 있었습니다. [5]예수께서 노하셔서 그들을 둘러보시고 그들의 마음이 완악한 것을 마음 깊이 슬퍼하시며 그 사람에게 말씀하셨습니다. "손을 펴 보아라." 그가 손을 쭉 내밀자 그 손이 완전하게 회복됐습니다. [6]그러자 바리새파 사람들은 그 길로 나가 헤롯 당원들과 함께 어떻게 하면 예수를 죽일까 음모를 꾸미기 시작했습니다. [7]예수께서 제자들을 데리고 호숫가로 물러가시자 갈릴리에서 많은 사람들이 예수를 따라왔습니다. [8]예수께서 행하신 일을 다 듣고 유대, 예루살렘, 이두매, 요단 강 건너편, 두로와 시돈 지방에서 많은 사람들이 몰려왔습니다. [9]사람들이 너무 많아서 예수께서는 제자들에게 작은 배 하나를 마련하라고 말씀하셨습니다. 무리가 자기에게 몰려드는 것을 막으려는 것이었습니다. [10]예수께서 전에 많은 사람들을 고쳐 주셨기 때문에 온갖 병에 걸린 사람들이 예수를 만지기 위해 몰려들었던 것입니다. [11]더러운 귀신들은 예수를 보기만 하면 그 앞에 엎드려 "당신은 하나님의 아들이십니다"라고 소리쳤습니다. [12]그러나 예수께서는 자기가 누구인지 말하지 말라고 엄하게 꾸짖으셨습니다. [13]예수께서 산으로 올라가셔서 원하는 사람들을 불러 모으셨습니다. 그러자 그들이 예수께로 나아왔습니다. [14]예수께서는 12명을 따로 뽑아(이들을 사도라 부르시고) 자기와 함께 있게 하셨습니다. 그리고 그들을 내보내셔서 전도도 하게 하시며 [15]그들에게 귀신을 쫓는 권세도 주셨습니다. [16]예수께서 세우신 12사람들은 베드로라 이름 지어 준 시몬, [17]'우레의 아들들'이라는 뜻으로 '보아너게'라 이름 지어 준 세베대의 아들 야고보와 그 동생 요한, [18]안드레, 빌립, 바돌로매, 마태, 도마, 알패오의 아들 야고보, 다대오, 열심당원 시몬과[19]예수를 배반한 가룟 유다였습니다.

사람을 향한 사랑

자신의 자존심과 관점을 바꾸지 않으면 진리를 죽이고 예수님도 죽이게 됩니다.
우리 마음속에 성령님이 충만하기를 바랍니다.
예수님이 충만하기를 바랍니다.
하늘의 영광이 우리 가슴속에서 빛나기를 바랍니다.

마가복음 3장은 예수님이 병을 고치고 열두 제자를 부르시는 얘기입니다. 예수님의 사역 가운데 병을 고치고 귀신을 쫓으시는 얘기가 의외로 많이 나옵니다. 이때 예수님은 고상한 말만 하시지 않았습니다. 병들고, 냄새나고, 버림받은 사람들 있는 깊은 그곳으로 직접 찾아가서 그들을 치료해 주셨습니다.

왜 예수님은 병을 고치고 귀신을 많이 쫓으셨을까요? 우리의 일상생활이 이렇기 때문입니다. 여기 멀쩡히 앉아 있어도 아프지 않은 사람이 한 명도 없습니다. 몸이 아프든 마음이 아프든 간에 병으로 돈을 쓰고 병으로 보낸 시간이 얼마나 많은지 모릅니다. 육체는 버린다고 버려지는 것도 아닙니다. 그 당시에도 불치병이 너무 많았습니다. 하지만 요즘에는 옛날에 없던 희한한 병이 더 많아졌습니다.

또 하나 귀신 들린 사람이 정말 많았습니다. 그런데 귀신 들렸다는 사실을 모른채 자기는 아주 멀쩡하다고 생각하는 겁니다. "내가 뭐가 씌었지"라는 말이 맞습니다. 이상한 말을 하고 화를 내고 잠을 자지 못하니 말입니다. 현대인 가운데 이런 사람이 너무나 많습니다. 하지만 해결할 방법을 모릅니다. 수면제를 먹는다고 불면증이 다 해결되면 왜 안 먹겠습니까? 수면제를 먹어도 잠이 제대로 오지 않습니다. 근심과 걱정이 많아서 마음속으로 울고 있습니다.

그럼에도 털어놓고 말을 하지 못합니다. 자식들한테도 말하지 못하고, 부부 사이에도 말하지 못할 때가 많습니다. 사실 우리는 중병을 앓고 있습니다. 이게 인생이 가지고 있는 일반적인 현상입니다. 예수님은 이러한 사실을 알고 계셨습니다. 그래서 사람을 만나면 병든 자를 고쳐 주시고 귀신 들린 자를 쫓아 주셨습니다.

[예수께서 다시 회당으로 들어가셨는데 그곳에 한쪽 손이 오그라든 사람이 있었습니다.(막 3:1)]

회당에 말씀을 가르치러 간 예수님은 손이 오그라든 사람을 만나셨습니다. 이처럼 어떤 사람은 다리를 절기도 했고, 어떤 사람은 손이 오그라져서 펴지지가 않았습니다. 그러니 그 인생이 얼마나 불편했겠습니까.

손이 오그라든 사람을 고치시다

호주의 닉 부이치치는 두 팔이 없고 두 다리가 없습니다. 몇 번이나 자살을 시도했습니다. 그러던 어느 날 목사의 아들이었던 그가 예수님을 만났습니다. 그리고 희망을 갖게 되었습니다. 닉 부이치치가 가장 잘하는 게 뭔지 압니까? 중고등부 학생들한테 가서 얘기하면 자살하려던 아이들이 눈물을 흘리며 그의 가슴에 안겨 운다고 합니다. 그리고 다시 용기를 얻는다고 합니다.

예수님은 손이 오그라든 사람을 회당에서 만나셨습니다. 그를 본 순간 예수님의 마음에는 고쳐 주고 싶다는 마음이 들었을 겁니다. 당장 고쳐 주고 싶으셨을 겁니다. 그런데 그날이 유감스럽게도 안식일이었습니다. 전통적으로 하나님을 믿는 사람, 교리적으로 하나님을 믿는 사람, 구약 율법으로 하나님을 문자 그대로 믿는 사람들에게 예수님을 고발할 구실이 생긴 것입니다. 예수님이 병을 고치는지 고치지 않는지, 안식일을 범하는지 범하지 않는지를 지켜보고 있는 겁니다.

사람은 한 가지 사건을 볼 때 관심 가는 부분이 저마다 다릅니다. 당시 예수님의 관심은 그 병든 사람이었습니다. '저 사람이 얼마나 고생스러울까? 얼마나 마음이 아플까? 얼마나 마음이 가난할까?'를 보셨습니다. 반면에 바리새파 사람들과 율법학자들은 예수님이 안식일에 병을 고치는지 여부를 유심히 지켜보고 있었습니다.

우리나라에도 수많은 사람이 살고 있는데, 저마다 보는 관점이 다 다릅니다. 한쪽은 우파로 보고 한쪽은 좌파로 봅니다. 그런데 중요한 것은 바로 사람입니다. 병든 사람, 배고픈 사람, 죽어 가는 사람, 희망이 없는 사람입니다. 사람에 대해 불쌍히 여기는 마음이 중요합니다. 그 사람이 어느 당파에 속해 있느냐, 그 사람이 어떤 생각을 하느냐 하는 것은 그리 중요하지 않습니다.

최근에 탈북자들을 위한 프로그램을 내보냈습니다. 끝까지 본 뒤에 '남과 북이 이렇게 다를까?'라는 생각이 들었습니다. 같은 민족인데 탈북자들이 한국에 와서 느낀 것은 남한 사람들과 같은 생각이 들지 않는다는 겁니다. 남한에 살고 있는 한 탈북자는 자동차로 밥을 먹으러 가면서 가장 먼저 드는 생각이 기름 값이 아깝다는 거라고 합니다. '이 돈이면 다른 사람 밥을 사 줄 수 있는데'라는 생각부터 든다고 합니다. 남한 사람들이 돈을 함부로 쓰고 아끼지 않는 걸 보면 화가 난다고 합니다.

우리는 돈을 아끼거나 저축하겠다는 마음이 없습니다. 고생하지 않았기 때문입니다. 남과 북으로 분단되어 오랜 시간이 흘러 우리의 마음은 천리만리 멀어져 있습니다. 우리는 북한 사람을 절대 이해하지 못합니다. 북한 사람은 남한 사람을 절대 이해하지 못합니다. 그럼에도 우리는 통일이라는 노래를 부릅니다.

[몇몇 사람들이 혹시 예수께서 안식일에 그 사람을 고치지나 않을까 하며 예수를 고소할 구실을 찾으려고 가까이에서 지켜보고 있었습니다.(막 3:2)]

이 사람들은 분명히 손이 오그라진 사람의 얼굴 표정을 보지 않았을 겁니다. 하지만 예수님은 사람들의 마음을 먼저 보셨습니다. 그리고 손이 오그라진 사람에게 이렇게 말씀했습니다. "일어나 앞으로 나오너라." 그도 주변에서 예수님을 비판하려는 사람들도 다 놀랐을 겁니다. 예수님은 이 병든 자를 고쳐 주는 동시에 사람들이 위선의 옷을 벗기를 원하셨습니다.

우리가 왜 잘못 보는지 압니까? 잘못 생각하고, 위선의 옷을 입고 있어서 그런 겁니다. 지식이라든지 전통이라든지 위선이라든지……. 사람들이 가장 싫어하는 것은 부끄러움입니다. '나를 어떻게 볼까? 사람들이 나를 뭐라고 말할까?'라는 사실만 신경 쓸 뿐이지 자기중심의 진실은 감추어져 있습니다.

[그리고 예수께서 그들에게 물으셨습니다. "안식일에 무슨 일을 하는 것이 옳겠느냐? 선한 일이냐, 악한 일이냐? 생명을 구하는 것이냐, 죽이는 것이냐?" 그러자 그들은 말없이 잠자코 있었습니다.(막 3:4)]

예수님은 "안식일이 뭐냐? 무슨 뜻이냐? 선한 일을 하는 게 안식일이냐? 악한 일을 하는 게 안식일이냐? 사람을 구하는 것이 안식일이냐? 사람을 죽이는 것이 안식일이냐?"라고 의외의 질문을 하셨습니다. 이 질문에 사람들은 침묵했습니다.

[예수께서 노하셔서 그들을 둘러보시고 그들의 마음이 완악한 것을 마음 깊이 슬퍼하시며 그 사람에게 말씀하셨습니다. "손을 펴 보아라." 그가 손을 쭉 내밀자 그 손이 완전하게 회복됐습니다.(막 3:5)]

이런 사람들의 모습을 조심해야 합니다. 위선의 껍질을 뒤집어쓰고 잘난척하는 사람들, 마음속은 불의로 가득 차 있으면서 말만 정의롭게 하는 사람들, 말 많은 사람들을 항상 경계해야 합니다. 소리 지르는 사람들, 불의하다고 말하는 사람들은 그 자신이 더 불의한 이들입니다. 모두 위선입니다. 목사나 교인만 위선을 떠는 게 아닙니다. 모든 인간은 위선의 껍질을 뒤집어쓰고 있습니다.

예수님은 그곳에 모인 사람들을 어떻게 평가하셨습니까? 그들을 보고 노하셨다고 그랬습니다. 그들의 마음에서 완악함을 보셨다고 했습니다. 그들을 보고 마음이 슬프셨다고 했습니다. 안식일에 대한 잘못된 오해가 이처럼 예수님의 마음을 슬프시게 하고, 그분의 마음을 노하시게 했던 것입니다.

우리가 무슨 죄를 짓고 나쁜 짓을 해서 예수님이 슬퍼하시고 노하시는 게 아닙니다. 간음하다가 현장에서 붙잡힌 여자를 보고 예수님은 노하시거나 슬퍼하시지 않았습니다. 그 사람을 향하여 돌을 던지려는 사람들, 정죄하는 사람들, 비판하는 사람들, 자기만 옳다고 주장하는 사람들의 완악함에 노하시고 슬퍼하셨다고 했습니다.

차라리 죄를 짓는 것은 솔직한 겁니다. 배고파서 훔쳐 먹고, 없어서 남의 것을 가져간 것입니다. 하지만 우리는 배고픈 것도 아니고 뭔가 부족한 것도 아닌데 얼마나 사기를 많이 칩니까. 이걸 보고 예수님은 노하시고 슬퍼하셨습니다.

예수님은 그 사람에게 "손을 펴 보아라"고 말씀했습니다. 그리고 그가 즉시 손을 내밀자 손이 펴졌습니다. 간단한 얘기인데 여기에 우리가 배워야 할 아주 중요한 메시지가 있습니다. 예수님이 오그라진 손을 펴라고 했을 때 그 남자가 몸부림을 쳤습니까? 소리를 질렀습니까? 어떤 이상한 행동을 했습니까? 하지 않았습니다. 그냥 손을 폈습니다. 왜입니까? 펴라고 말씀하니까 폈을 뿐입니다. 이것이 믿음입니다. 믿음은 이렇게 단순한 것입니다. 의심하고 회의하고 생각해 보는 게 아닙니다.

우리의 문제는 다른 것이 아니라 하나님을 제대로 믿지 않는다는 것입니다. 의심이 많아서, 생각이 많아서 그런 것인데 절대로 그래선 안 됩니다. 그냥 손을 펴라 하면 펴고, 앉으라 하면 앉고, 일어서라 하면 일어서면 되는 겁니다. 안수하고 뭐 방언하고 소리 지르고 그래야 병이 낫는 게 아닙니다. 그냥 말씀대로 순종하면 됩니다. 되지 않아도 상관없습니다.

손이 오그라진 이 사람에게 있어 치유는 간단합니다. 예수님이 손을 펴라고 하시니까 그냥 편 것입니다. 거기에 다른 의심이 없었습니다. 어린아이처럼 따른 것입니다. 아이들을 가르칠 때 "짝짜꿍, 짝짜꿍" 하면 그대로 따라 합니다. 짝짜꿍을 하는 아이들은 '저 사람이 나한테 해를 끼치려고 그러나'라는 생각 같은 건 하지 않습니다.

높은 책상에 올라간 아이한테 "뛰어내려, 뛰어내려"라고 말하면 그 아이는 뛰어내리면서 '엄마가 옆으로 피하면 난 어떻게 되나?'라는 생각을 하지 않습니다. 아무 무서움이나 두려움 없이 엄마 품으로 뛰어내립니다. 그게 어린아이입니다. 반면 우리의 믿음에는 너무나 생각이 많습니다. 손을 펴라 하면 펴고, 눈을 뜨라 하면 뜨고, 걸어라 하면 걸으면 됩니다. 따지거나 의심하지 말아야 합니다.

마음이 복잡한 바리새파 사람들이나 율법학자들은 자신의 굴레를 벗어나지 못하고 오랜 사고방식을 바꾸지 않았습니다. 병원에서 투석하고 있을 때 평소 사람들로부터 존경 받는 연예계 종사자 한 사람이 찾아왔습니다. 오랫동안 전도하려고 그렇게 애를 썼는데 번번이 실패했던 사람입니다. 믿을 듯 믿을 듯하다가, 믿고 은혜 받을 듯하다가 미국으로 가서 몇 개월 동안 서로 만나지 못했습니다. 그런데 그도 치료 받으러 병원에 왔다가 내가 있다는 말을 듣고 그냥 뛰어왔던 것입니다.

만나자마자 눈물을 펑펑 쏟아 너무 놀랐습니다. 자신이 처한 상황을 생각하면 통곡하고 싶을 만큼 눈물이 났을 텐데, 그는 그 와중에 예수님을 만났습니다. 성령 체험을 했습니다. 그 입술에서 계속 찬송이 나왔습니다. 입만 열면 전도하고 싶다고 했습니다. "목사님, 내가 미쳤나 봐요"라고 말하며 울다가 웃고, 웃다가 울곤 했습니다. 그런 그의 얼굴은 예전 얼굴이 아니었습니다. 과거에 알던 사람이 아니었습니다. 진짜 성령 충만한 얼굴이었습니다. 그 사람은 방까지 따라와서 예수님에 관한 얘기를 했습니다.

그때 깨달은 사실 하나가 있습니다. 20대에 성령 받을 때 내 모습과 똑같았습니다. 다른 사람들은 이해하지 못할 겁니다. '성령 충만이 이런 거구나. 나이와 상관없구나. 시대와 상관이 없구나. 그런데 어떻게 맹목적으로 아무 감동 없이 예수님을 믿고 살 수가 있을까?'라는 생각이 들었습니다.

예수님을 만난 사람들은 성경에 나온 인물들하고 똑같습니다. 손이 오그라진 사람은 그 손이 펴졌을 때 무슨 느낌을 받았을까요? 목마른 여인은 무슨 느낌을 받았을까요? 앞을 못 보던 사람이 눈을 떴을 때 그 사람의 생각은 얼마나 변했을까요? 인생을 다시 살고 싶다는 의욕이 생겼을 겁니다. 눈이 반짝거리는 것은 나이와 아무 상관이 없습니다. 삶의 경력과도 아무 상관이 없습니다.

예수님을 믿으면 들뜨고 흥분된 모습을 보여 줍니다. 예수님을 만난 뒤에는 그분이 주시는 기쁨과 그분이 주시는 찬송, 그분이 주시는 기도로 말미암아 아무 때고 아무 데서나 기도합니다. 우리는 기도하려면 눈치를 보고 앞뒤를 살펴보고 기도합니다. 하지만 그것은 성령 충만한 사람의 태도가 아닙니다. 그것은 이성으로 믿고, 습관으로 믿는 겁니다. 진짜 성령님이 임하면 기존에 가졌던 개념과 생각, 가치관이 다 바뀌어 일대 혼란이 일어납니다. 그래서 어렵고 힘든 사람들을 도와주게 됩니다.

목사님들 가운데 한 분이 겨울에 털외투를 입고 나갔다고 합니다. 그런데 하나님이 옆에서 한 가난한 사람한테 털외투를 벗어 주라고 하시더랍니다. 순간 '이 말을 들어야 하나? 안 들어야 하나? 날도 이렇게 추운데'라고 고민하다가 얼른 그 사람한테 옷을 벗어 주고 목사님은 뛰었다고 합니다. 예수님을 만났기에 가능한 일입니다.

과거 이화여자대학교의 덴만 박사는 사람들이 찾아오면 옷을 벗어 주곤 했습니다. 새 옷을 사면 다른 사람들한테 줘 버려 항상 같은 옷을 입었습니다. 예수님을 만나면 이렇게 됩니다. 성령 체험을 하면 예수님 얘기에 흥분이 되어 백 살에도 춤을 춥니다. 오그라진 손을 편 사람도 그랬을 겁니다. 어느 누구도 그 사람의 마음을 이해하지 못하고 오히려 미쳤다고 손가락질을 했을지도 모릅니다.

[그러자 바리새파 사람들은 그 길로 나가 헤롯 당원들과 함께 어떻게 하면 예수를 죽일까 음모를 꾸미기 시작했습니다.(막 3:6)]

자존심과 관점을 바꾸지 않으면 진리를 죽이고 예수님도 죽이게 됩니다. 서서히 죽이는 것입니다. 우리 마음속에 성령님이 충만하기를 바랍니다. 예수님이 충만하기를 바랍니다. 하늘의 영광이 우리 가슴 속에서 빛나기를 바랍니다. 짧게 살아도, 병들어 있어도 그것이 있으면 산 사람입니다. 아무리 건강하고, 아무리 오래 살아도 그런 예수님을 만나지 못하고 성령님을 체험할 마음이 없으면 죽은 사람입니다.

제자훈련을 시작하시다

가는 곳마다 예수님을 보려는 사람들로 인산인해를 이루었습니다. 그분이 하신 일들을 전해 듣고 다른 지역에서 사람들이 무작정 달려왔습니다. 너무나 많은 사람들이 몰려오자 예수님은 작은 배를 타고 무리에서 잠깐 떠날 수밖에 없었습니다. 온갖 병든 사람들과 귀신 들린 사람들이 몰려들었던 것입니다. 귀신 들린 사람이 자신이 귀신 들린 사실을 모르듯이, 죄 짓는 사람은 자신이 죄 짓는 것을 모릅니다. 그리고 자꾸 이상한 말을 하고 이상한 행동을 합니다.

자신도 모르게 말이 툭툭 튀어나오는 겁니다. 그런데 마가복음을 쭉 읽어 보면 귀신들의 공통된 특징이 있습니다. 예수님을 빨리 알아본다는 겁니다. 예수님의 냄새만 맡아도, 그분의 얼굴만 봐도 그대로 무릎을 꿇고 "당신은 하나님의 아들이십니다. 어찌하여 나를 내쫓으려고 오셨습니까"라고 말합니다. 이게 귀신들의 첫 반응입니다.

귀신들은 예수님을 빨리 알아챕니다. 그런데 똑똑한 사람들은 예수님을 모릅니다. 아무리 설명해 줘도 모르고 몇 달을 얘기해 줘도 모릅니다.

바리새파 사람들은 예수님을 죽이려고 음모를 꾸미기 시작했습니다.

[예수께서 제자들을 데리고 호숫가로 물러가시자 갈릴리에서 많은 사람들이 예수를 따라왔습니다. 예수께서 행하신 일을 다 듣고 유대, 예루살렘, 이두매, 요단강 건너편, 두로와 시돈 지방에서 많은 사람들이 몰려왔습니다. 사람들이 너무 많아서 예수께서는 제자들에게 작은 배 하나를 마련하라고 말씀하셨습니다. 무리가 자기에게 몰려드는 것을 막으려는 것이었습니다. 예수께서 전에 많은 사람들을 고쳐 주셨기 때문에 온갖 병에 걸린 사람들이 예수를 만지기 위해 밀려들었던 것입니다. 더러운 귀신들은 예수를 보기만 하면 그 앞에 엎드려 "당신은 하나님의 아들이십니다"라고 소리쳤습니다. 그러나 예수께서는 자기가 누구인지 말하지 말라고 엄하게 꾸짖으셨습니다.(막 3:7-12)]

예수님은 병을 고치신 뒤 가서 사람들에게 이야기하지 말라고 하셨습니다. 왜냐하면 이런 결과가 올 줄 알았기 때문입니다. 사람들이 각지에서 몰려들자 예수님은 일을 하실 수가 없었습니다. 병을 고치는 일만이 아니라 말씀을 전하고 복음을 전하는 일이 예수님의 사명인데 그 일을 하지 못하고 병 고치는 일만 하게 됐으니 말입니다.

예전에 40일 금식기도를 하고 산에서 내려와 신유의 은사를 맡은 권사님을 만났습니다. 이런저런 얘기를 하던 중에 이런 말을 했습니다. "목사님, 신유의 은사를 받은 게 얼마나 피곤한지 아세요? 병을 고치고 싶을 때만 고치고, 싫으면 안 고치는 것은 은사가 아니에요. 낮이건 밤이건 아픈 사람이 찾아오면 꼭 안수를 해야 해요." 그 권사님은 안수를 안 하면 하나님이 병 고치는 은사를 가져가 버리시기 때문에 한 달에 일주일씩 꼭 금식을 한다는 것입니다. 그래야 그 안수를 유지할 수 있다고 했습니다.

기도하다가 하나님께 "병 고치는 은사를 주셔서 우리 교회의 아픈 사람들을 안수해 낫게 해 주십시오"라고 말할 뻔한 적이 있습니다. 은사는 자신이 하고 싶다고 해서 하고, 하기 싫으면 안 하는 것이 아닙니다. 내가 원하든 원하지 않든 간에 해야 하는 것입니다. 하나님의 뜻이기 때문입니다.

예수님은 인기에 연연해하시지 않았습니다. 인기에 연연해하지 않는다는 건 굉장히 어려운 일입니다. 아무리 좋은 사람이라도 다른 사람들이 비판하면 싫어하고 칭찬하면 좋아합니다. 그리고 자기를 칭찬하는 사람들의 말만 듣지 비판하는 사람들의 말은 듣지 않습니다.

예수님은 사람들을 피해 제자들을 따로 부르셨습니다. 예수님은 왜 12제자를 선택하셨을까요? 이것이 온 인류를 구원하는 방법이었기 때문입니다. 예수님 혼자서 모든 것을 하실 수는 없습니다. 그래서 제자를 삼아 그들을 작은 예수로 만드신 것입니다. 그들에게 예수님의 일을 위탁하신 것입니다. 예수님의 제자들이 가장 잘하는 일은 귀신 쫓고 병을 고치고 전도하는 것입니다. 이게 제자훈련의 핵심입니다.

[예수께서 산으로 올라가셔서 원하는 사람들을 불러 모으셨습니다. 그러자 그들이 예수께로 나아왔습니다. 예수께서는 12명을 따로 뽑아 (이들을 사도라 부르시고) 자기와 함께 있게 하셨습니다. 그리고 그들을 내보내셔서 전도도 하게 하시며 그들에게 귀신을 쫓는 권세도 주셨습니다. 예수께서 세우신 12사람들은 베드로라 이름 지어 준 시몬, '우레의 아들들'이라는 뜻으로 '보아너게'라 이름 지어 준 세베대의 아들 야고보와 그 동생 요한, 안드레, 빌립, 바돌로매, 마태, 도마, 알패오의 아들 야고보, 다대오, 열심당원 시몬과 예수를 배반한 가룟 유다였습니다.(막 3:13-19)]

예수님은 그분을 따르는 수천 명을 다 제자로 삼으셨습니까? 아닙니다. 그중 하나님을 위해 목숨을 바칠 사람을 찾으셨습니다. 제자들 가운데 사도 요한만 밧모 섬에서 아흔 살 넘게까지 살았습니다. 가룟 유다는 자살했습니다. 나머지 열 명은 다 살해당했습니다. 성전 구덩이에서 떠밀려 죽기도 하고, 안드레는 십자가에 엑스 자로 달려 죽었습니다. 사도 바울은 감옥에서 참혹하게 죽었습니다.

여기서 제자가 되고 싶으냐고 물으면 대부분 제자까지는 아니라고 말할 것입니다. 하지만 예수님은 12제자를 통해 세상을 변화시키셨습니다. 가끔 스스로한테 '너 죽는 게 무섭니? 예수 믿고 모든 일이 잘 돼야 하니?'라는 질문을 던집니다. 그리고 마음속으로 '아니요. 저는 잘못돼도 괜찮아요. 병들어 죽어도 괜찮아요. 주님이 어디로 보내시든 간에 저는 갈 거예요'라고 대답합니다.

예수님은 우리를 위해 목숨을 바치셨는데 그분을 위하여 목숨을 버리는 게 뭐가 무섭습니까! 당연한 거 아닙니까! 그런 각오로 살아야 합니다. 우리를 건강케 하고 우리를 부유하게 하고 우리를 승진시키고 우리 자녀들을 잘 되게 하기 위해서만 예수님을 믿는 게 아닙니다. 그런 생각은 다 버려야 합니다. 예수님을 위해 삶을 포기해야 합니다.

예수님의 제자들은 성격이 다르고 출신도, 인성도, 지식도, 직업도 다양했습니다. 그런데 재미있는 것은 소위 빵빵한 학벌을 가진 사람이 없었습니다. 그 당시에는 명문학교도 없었지만 말입니다. 하지만 이들에게서 발견되는 공통점은 충성스러운 사람이었다는 겁니다. 헌신적이고 진실한 사람이었다는 겁니다.

이 세상을 누가 어떻게 변화시켰습니까? 제자들입니다. 누가 가야 합니까? 제자들이 가야 합니다. 우리가 가야 합니다.

Pray

하나님, 아프고 병든 사람들의 마음을 먼저 보신 예수님의 마음을 닮아가게 하소서. 사람을 향한 그 사랑을 배우도록 하소서. 또한 예수님의 제자로서 전심으로 믿고, 목숨까지 다해 복음을 전하는 참제자 되게 하옵소서. 예수님 이름으로 기도합니다. 아멘.

막 3:20-35

²⁰ 예수께서 집으로 들어가시니 또다시 사람들이 몰려들어 예수와 제자들은 음식 먹을 겨를조차 없었습니다. ²¹ 예수의 가족들은 "예수가 미쳤다"는 소문을 듣고서 예수를 붙잡으러 찾아다녔습니다. ²² 그래서 예루살렘에서 내려온 율법학자들이 말했습니다. "예수가 바알세불에게 사로잡혀 있다. 그가 귀신들의 우두머리의 힘을 빌려 귀신을 쫓아내는 것이다." ²³ 그러자 예수께서 그들을 불러 놓고 비유로 말씀하셨습니다. "사탄이 어떻게 사탄을 쫓아낼 수 있느냐? ²⁴ 만일 한 나라가 서로 갈라져 싸우면 그 나라가 제대로 서 있을 수 없고 ²⁵ 만일 한 가정이 서로 갈라져 싸우면 그 가정이 제대로 서 있을 수 없다. ²⁶ 만일 사탄이 스스로 반란을 일으켜 갈라진다면 제대로 서지 못하고 스스로 망할 것이다. ²⁷ 먼저 힘센 사람을 묶어 놓지 않고 그 집에 들어가 물건을 훔치는 사람은 아무도 없다. 묶고 나서야 그 집을 털 수 있는 것이다. ²⁸ 내가 너희에게 진실로 말한다. 사람이 어떤 죄를 짓든지 어떤 비방의 말을 하든지 그것은 모두 용서받을 수 있다. ²⁹ 그러나 누구든지 성령을 모독하는 사람은 결코 용서받을 수 없다. 그것은 영원한 죄다." ³⁰ 예수께서 이 말씀을 하신 것은 사람들이 "그가 악한 귀신이 들렸다"라고 말했기 때문입니다. ³¹ 그때 예수의 어머니와 형제들이 찾아왔습니다. 그들은 밖에 서서 사람을 시켜 예수를 불렀습니다. ³² 많은 사람들이 예수 곁에 둘러앉아 있었는데 그들이 예수께 말했습니다. "보십시오. 선생님의 어머니와 형제들이 밖에서 선생님을 찾고 계십니다." ³³ 예수께서 그들에게 물으셨습니다. "누가 내 어머니고 내 형제들이냐?" ³⁴ 그러고는 곁에 둘러앉은 그들을 보며 말씀하셨습니다. "보라. 내 어머니와 내 형제들이다. ³⁵ 누구든지 하나님의 뜻을 행하는 사람이 바로 내 형제요, 자매요, 어머니다."

결코 모독할 수 없는
존재

진실을 인정하면 모든 문제가 간단하게 풀리지만
진실을 인정하지 않으면 일이 복잡하고 꼬이게 되어 있습니다.
기분이 나빠도 사실은 사실입니다. 진실은 진실입니다.

'성령 모독죄'가 무엇입니까? 가는 곳마다 예수님을 보려는 사람들로 인산인해를 이루었습니다. 예수님과 제자들은 음식 먹을 겨를조차 없었다고 했습니다. 예수님은 사람들의 인기를 원하신 것이 아니었습니다. 그래서 병을 고쳐 주시거나 귀신을 쫓아 주시고 난 다음 꼭 "다른 데 가서 얘기하지 말라"고 부탁까지 하셨습니다. 그 이유는 이런 일이 일어날 것을 미리 아셨기 때문입니다.

소문이 나면 사람들이 구름 떼처럼 모이게 될 것이고, 구름 떼처럼 모이면 예수님은 하나님의 복음, 천국의 말씀을 전하지 못하게 됩니다. 그래서 가능하면 피하고 싶으셨는데 결국 사람들이 구름 떼처럼 모여들었습니다.

그리고 예수님의 가족들이 있었는데, 그들의 귀에까지 '예수가 미쳤다'라는 소문이 들어갔습니다. 혹시 "저 사람 예수 믿다가 미쳤대"라는 소리를 들어 본 적이 있습니까? 예수님도 그랬습니다. 그런데 가장 이상한 사람은 마리아입니다. 마리아는 성령으로 예수님을 잉태해 그분이 하나님의 아들이라는 것을 누구보다 잘 아는데, 사람들의 소문에 마리아가 흔들린 것입니다. 결국 온 가족이 수소문해서 예수님을 잡으러 온 것입니다.

[예수께서 집으로 들어가시니 또다시 사람들이 몰려들어 예수와 제자들은 음식 먹을 겨를조차 없었습니다. 예수의 가족들은 "예수가 미쳤다"는 소문을 듣고서 예수를 붙잡으러 찾아다녔습니다.(막 3:20-21)]

여기서 두 가지 사실을 알 수 있습니다. 첫째 예수님은 음식 먹을 겨를조차 없었다는 것입니다. 둘째 예수님이 미쳤다는 소문을 들었다는 것입니다. 혹시 음식을 못 먹을 정도로 바빠 본 적이 있습니까? 모두 끼니는 챙겨 먹고 있을 것입니다. 그런데 예수님은 식사할 겨를조차 없이 사람들한테 밀려 다녔습니다. 게다가 예수님이 행하신 기적이 이해되지 않는다고 예수님이 미쳤다고 소문을 내고 다니는 사람들이 있었습니다. 사람들은 자기가 이해할 수 없으면 상대방을 미쳤다고 말합니다.

이 말을 듣고 예수님은 얼마나 억울하셨을까요? 하나님을 위한 길은 밥 먹을 겨를도 없고, 하나님 위해 사는 것은 미쳤다는 소리도 들어야 합니다. 그러면 하나님의 일은 무엇일까요? 하늘의 일은 무엇일까요?

우리는 땅의 일에 대해서는 굉장히 잘 압니다. 대학에 가서 전공을 열심히 공부해 박사 학위까지 받는 사람이 있습니다. 세상 방법은 너무나 잘 압니다. 회사도 잘 운영합니다. 하지만 그것은 하나님의 방법이 아닙니다. 그러니 교회에서는 세상 식으로 일하려고 해선 안 됩니다. 하나님의 일은 하나님의 방법으로 해야지 세상의 방법으로는 절대로 이루어지지 않습니다.

사탄이 즐겨 사용하는 도구

특별히 하나님에 관한 일들 가운데 사람들이 제대로 모르는 것이 있다면 사탄의 세계입니다. 잘 알기도 하고 잘 모르기도 합니다. 어떤 사람은 너무 지나치게 사탄 콤플렉스에 빠져 있고, 어떤 사람은 "아니, 오늘 같은 과학문명시대에 무슨 사탄이 있다는 거야?"라고 말합니다. 그런데 둘 다 위험합니다. 사탄을 지나치게 강조해도 문제가 되고 사탄을 무시해도 영적 사건이 발생합니다. 성경은 우리한테 "사탄에게 틈을 주지 마라"고 말씀합니다. 왜일까요?

사탄은 눈에 보이지 않습니다. 한편 사람은 육신이기 때문에 눈에 보입니다. 목소리도 들리고 움직이는 것도 보입니다. 또한 사람은 시간과 공간에 제한을 받기 때문에 나이가 들면 죽을 수밖에 없고, 이 자리에 있으면 다른 자리에는 존재할 수가 없습니다. 반면 하나님은 시간과 공간을 초월하신 분입니다. 우리는 사탄이 눈에 보이지 않아서 자기 안에 들어와 있는지 어떤지 잘 모릅니다. 사탄이 우리를 조종해도 자신이 조종당하고 있는지조차 모릅니다.

어떤 사람이 막 화를 냅니다. 얘기를 들어 보면 정의를 지키기 위해 화를 낸다고 말합니다. 그런데 그것은 귀신이 들어간 겁니다. 상처 주고 때려 부수고 하지만 모릅니다. 사탄의 존재를 모르니까 자신이 의롭다고 생각하는 겁니다. 그러면서 말을 함부로 합니다. 욕을 그렇게 잘할 수가 없습니다.

예수님은 마귀를 대적하라고 말씀합니다. 마귀를 환영해선 안 됩니다. 자기 안에 마귀가 있는지 없는지 살펴봐야 합니다. 뭔가 느낌이 오면 "노 땡큐!"라고 외치며 들어오지 말라고 거절해야 합니다. 그런데 사탄이 왜 들어갔을까요? 환영했으니까 들어간 겁니다. 똥이 있는 곳에 파리들이 모이게 되어 있습니다. 깨끗하게 청소해 놓으면 파리들이 왔다가 미끄러져 도망갑니다.

지금 사탄은 전 세계를 지배하고 공격하고 있습니다. 계시록에 나오는 두 짐승이 그들입니다. 두 짐승이란 하나는 경제를 지배하고 있는 짐승이고, 또 하나는 정치를 지배하고 있는 짐승입니다. 돈을 벌지 않는 사람은 없습니다. 그런데 우리가 살고 있는 이 경제 구조를 밑바닥까지 살펴보면 사탄이 있습니다. 우리는 권력을 추구합니다. 정치를 하는 것입니다. 그런데 아무리 입바른 소리를 해도 정치의 밑바닥에 가 보면 사탄이 있습니다. 이게 두 짐승입니다.

이 두 짐승 위에 타고 있는 여자가 있습니다. 음녀입니다. 창녀 말입니다. 그들은 이 세상을 전부 음란하게 만들어 버립니다. 결국 두 짐승이 죽고 음녀도 죽고 마지막에 하나님 나라가 임하게 됩니다. 우리가 사탄의 늪 안에 살고 있다는 것을 매일 깨달아야 합니다. 또한 깨어 있어야 하고, 기도해야 합니다. 그래야 사탄에 걸려들지 않습니다.

"시험에 들지 말게 하옵시고 다만 악에서 구하옵소서."

주기도문에 이 기도가 왜 두 번이나 나오는지 압니까? 이런 일이 실제로 있으니까 그런 것입니다. 돼지 머리든 뭐든 간에 사람들은 여러 가지 형태로 귀신을 섬깁니다. 어느 때 보면 무덤에다 술도 뿌리고 밥도 갖다 놓고 과일도 깎아 놓습니다. 과일을 놓을 때 윗부분은 잘라야 한다고 합니다. 조상 귀신이 와서 먹어야 하기 때문입니다.

사탄은 이 세상에 다음 세 가지를 통해 영향력을 미칩니다. 첫 번째는 돈입니다.

돈에 굴복하지 않을 사람이 몇 명이나 되겠습니까? 하나님 다음으로 힘이 센 것이 돈입니다. 아니, 하나님만큼 힘이 센 것이 돈입니다. 믿음이 있다고 말하는 사람도 결국 돈 앞에 머리를 숙이곤 합니다. 그리고 돈 문제가 생기면 움츠러들게 됩니다.

그만큼 돈은 사탄이 쉽게 자주 이용하는 도구입니다. 돈을 잘 써야지 돈에 이용당하면 안 됩니다. 돈은 누가 쥐고 있습니까? 사탄이 쥐고 있습니다. 이처럼 사탄은 우리를 부자로 만들기도 하고 가난하게 만들 수도 있는 능력을 가졌습니다.

두 번째가 권력입니다. 인간은 권력을 추구하는 존재입니다. 왜 그토록 수많은 사람들이 정치에 목숨을 거는 걸까요? 선거철에는 참으로 인사를 잘합니다. 보통 때 그렇게 인사하면 얼마나 좋겠습니까. 선거철에는 허리를 90도까지 숙이고 인사합니다. 그리고 불리한 얘기는 절대 하지 않습니다. 왜일까요? 인간은 권력의 종이기 때문입니다. 권력은 누가 가지고 있습니까? 사탄이 가지고 있습니다. 공중권세 잡은 자입니다.

세 번째로 사탄이 우리를 붙잡고 있는 것은 쾌락입니다. 인간은 쾌락의 노예가 되어 있습니다. 심지어 교인들도 이런 영적인 일에 대해 무지합니다. 잘 모릅니다. 귀신을 어떻게 압니까? 귀신 들려 본 사람은 압니다. 사탄의 특징은 거짓말과 속임수입니다. 얼마나 기가 막히게 우리를 속이는지 모릅니다. 아담과 이브도 사탄의 속임수에 넘어갔습니다. 뱀이 그랬습니다. 만약 뱀인 것을 알았으면 따라갔겠습니까? 따라가지 않았을 겁니다.

귀신이 뿔 달리고 까만 망토를 입고 립스틱을 칠한 채 "나는 귀신이다" 하면 다 도망갑니다. 그 옆에 누가 있겠습니까. 귀신은 양의 탈을 쓴 이리입니다. 말도 멋지고 그럴 듯하게 하는 게 이단입니다. 이단들이 교회까지 들어왔습니다. 어쩌면 지금 와 있는지도 모릅니다. 처음에는 간까지 모두 빼 줍니다. 그리고 서서히 자신의 정체를 드러냅니다.

예수 믿는 사람은 신실해야 한다

사람한테서 가장 중요한 것은 신실성입니다. 처음과 끝이 항상 똑같아야 합니다. 영어로 믿음은 'faith'입니다. 신실한 사람을 'faithful'하다고 말합니다. 예수 믿는 사람의 특징은 기적을 행하고 능력을 행하고 안수를 하는 것이 아닙니다. 신실한 것입니다. 인격을 갖추고 신실하고 믿을 만한 사람입니다.

예수님이 기적을 베풀자 예루살렘에서 조사가 나왔습니다. 바로 율법학자들입니다. 그것이 사실인지 알아보려고 조사를 나온 것입니다.

[그래서 예루살렘에서 내려온 율법학자들이 말했습니다. "예수가 바알세불에게 사로잡혀 있다. 그가 귀신들의 우두머리의 힘을 빌려 귀신을 쫓아내는 것이다." 그러자 예수께서 그들을 불러 놓고 비유로 말씀하셨습니다. "사탄이 어떻게 사탄을 쫓아낼 수 있느냐? 만일 한 나라가 서로 갈라져 싸우면 그 나라가 제대로 서 있을 수 없고 만일 한 가정이 서로 갈라져 싸우면 그 가정이 제대로 서 있을 수 없다. 만일 사탄이 스스로 반란을 일으켜 갈라진다면 제대로 서지 못하고 스스로 망할 것이다. 먼저 힘센 사람을 묶어 놓지 않고 그 집에 들어가 물건을 훔치는 사람은 아무도 없다. 묶고 나서야 그 집을 털 수 있는 것이다."(막3:22-27)]

예수님은 초자연적인 능력을 행하셨고, 불치병을 고치셨고, 귀신을 쫓으셨고, 바람을 잠잠케 하셨고, 물 위를 걸으셨습니다. 이런 초자연적인 기적을 행하자 전통 율법학자들은 어찌 된 일인지 알 수가 없었습니다. 그래서 조사를 나온 겁니다.

여기서 분명한 몇 가지 사실이 있습니다. 먼저 예수님은 초자연적인 능력을 행하셨다는 사실입니다. 이는 예수님을 믿는 사람이나 예수님을 믿지 않는 사람이나 부인할 수 없는 사실입니다. 그렇다면 예수님은 둘 중 하나입니다. 하나님의 아들이든, 하나님의 아들이 아니라면 귀신의 힘을 빌려 그 능력을 행하는 사람이든 둘 중 하나일 것입니다. 논리는 그 이상 진행될 수가 없습니다.

진실을 인정하면 모든 문제가 간단하게 풀리지만 진실을 인정하지 않으면 일이 복잡하고 꼬이게 되어 있습니다. 기분이 나빠도 사실은 사실입니다. 진실은 진실입니다. 우리가 기분 나쁘다고 그걸 거부하거나 이데올로기 또는 어떤 교리적 이유 때문에 거부한다면 그다음부터 하나가 꼬이면 열 개가 꼬이게 되어 있습니다.

율법학자들의 결론은 무엇입니까? 예수님이 하나님의 아들이라고 말할 수는 없고 귀신에 사로잡혔다고 말할 수밖에 없자 바알세불을 들먹입니다. 이 바알세불의 원래 뜻은 '똥파리'입니다. 바알세불의 힘을 빌려 귀신들을 쫓아내는 것이라고 억지 해석을 한 것입니다. 뭔가 자연스럽지가 않습니다.

이때 예수님은 그 사람들이 알아들을 수 있는 비유를 들었습니다. "사탄이 어떻게 사탄을 쫓아낼 수 있느냐?"라고 말씀하면서 "한 나라가 서로 싸우면 망하지 않느냐? 가정도 서로 싸우면 흩어지지 않느냐? 사탄도 서로 반란을 일으켜 자기끼리 싸우면 사탄의 나라는 스스로 망하는 것이 아니냐?"라고 반론을 제기하십니다.

그러면서 다음과 같이 아주 중요한 말씀을 하셨습니다.

["내가 너희에게 진실로 말한다. 사람이 어떤 죄를 짓든지 어떤 비방의 말을 하든지 그것은 모두 용서받을 수 있다. 그러나 누구든지 성령을 모독하는 사람은 결코 용서받을 수 없다. 그것은 영원한 죄다." 예수께서 이 말씀을 하신 것은 사람들이 "그가 악한 귀신이 들렸다"라고 말했기 때문입니다.(막 3:28-30)]

예수님의 말씀처럼 어떤 죄도, 우리의 어떤 실수도 회개하면 다 용서받을 수 있습니다. 우리가 어떤 비방을 했어도 다 용서받을 수 있습니다. 그러나 누구든지 성령을 모독하는 사람은 결코 용서받을 수 없습니다. 그것은 영원한 죄입니다.

성령 모독죄가 왜 이렇게 중합니까? 모든 죄는 짓다가도 그만둘 수도 있고, 우리가 변할 수도 있습니다. 그래서 하나님은 항상 문을 열어 놓고 계신 것입니다. 하지만 성령을 모독하는 것은 영원한 죄입니다. 용서받을 수가 없습니다. 이 말은 무슨 뜻입니까? 해석이 필요합니다. 왜 영원한 죄라고 말했을까요? 성령을 부인하면 예수를 믿을 길이 없기 때문에 그렇습니다. 다음 성경에도 성령이 아니고서는 예수 그리스도를 주라 시인할 수 없다고 말씀합니다.

[그러므로 나는 여러분에게 알려 드립니다. 하나님의 영으로 말하는 사람은 아무도 "예수는 저주받은 사람이다"라고 할 수 없고 또 성령으로 말미암지 않고는 "예수는 주이시다"라고 할 수 없습니다.(고전 12:3)]

우리가 예수님을 믿고 싶고, 교회에 오고 싶고, 우연히 만난 사람의 얘기가 자꾸 생각나고, 사고가 났는데 죽지 않고 살았다는 것은 다 성령이 역사한 것입니다. 다만 그것이 성령인 줄 몰라서 말하지 못하는 것뿐입니다. 교회에 왜 앉아 있습니까? 성령이 계시니까 와서 앉아 있는 것입니다. 성령이 없으면 한 사람도 앉아 있지 못합니다. 성령이 없는 사람은 10분 예배드리면 소리 지르고 고함치고 시끄럽게 굴다가 도망갑니다. 교회에 있을 수가 없습니다.

성령을 받았기 때문에 말씀도 듣고 기도도 하고 찬양도 하는 겁니다. 이것이 바로 성령의 역사입니다. 성령을 거부하면 구원의 길을 막아 버리는 것입니다. 지옥으로 가는 것입니다. 그러므로 다른 것은 거절해도 다 용서받을 수 있지만 성령만은 거절해선 안 됩니다. 지금 성령을 느끼지 못한다고 해도 괜찮습니다. 죽기 전에 성령님을 받아들이면 됩니다. 성령님이 오시면 바로 예수님을 알 수 있습니다. 천국이 열립니다.

성령을 끝까지 거부하면 길이 없습니다. 천국에 갈 길도 없고 예수님을 만날 길도 없고 모든 것이 끝입니다. 온전한 인간은 없습니다. 모두 실수를 저지르고 죄도 짓고 하지만 성령은 인정해야 합니다. 성령의 역사에 순종해야 합니다. "성령을 모독하지 마라. 성령을 거역하지 마라"는 말씀을 꼭 기억하기 바랍니다.

가끔 하나님한테 욕을 하고 하나님의 이름으로 장난하는 용감한 사람들이 있습니다. 거짓말하고 세상 사람들과 싸우는 것은 그럴 수 있지만, 하나님을 상대로 사기 치는 사람이 있습니다. 참으로 무서운 사람들입니다.

지금 우리에게 성령이 임했다는 것을 믿어야 합니다. 그래서 여기 있는 겁니다. 성령을 받을 때 두 종류의 사람이 있는데, 미숙한 사람인가 성숙한 사람인가 그 차이일 뿐입니다. 어떤 사람은 성령을 받고 예수님을 믿는 데 미숙하고 철이 좀 없어 보입니다. 분별력이 없습니다. 이런 사람이 있는 반면 어떤 사람은 굉장히 성숙하고 덕까지 세웁니다. 하지만 이 문제로 걱정할 필요는 없습니다. 계속해서 말씀을 듣고 기도하고 성령 안에 있으면 성령의 아홉 가지 열매가 맺히듯 우리 인생에 열매가 맺어지고 사람이 성숙해집니다.

영적으로 한 가족이 되어라

[그때 예수의 어머니와 형제들이 찾아왔습니다. 그들은 밖에 서서 사람을 시켜 예수를 불렀습니다. 많은 사람들이 예수 곁에 둘러앉아 있었는데 그들이 예수께 말했습니다. "보십시오. 선생님의 어머니와 형제들이 밖에서 선생님을 찾고 계십니다." 예수께서 그들에게 물으셨습니다. "누가 내 어머니고 내 형제들이냐?" 그러고는 곁에 둘러앉은 그들을 보며 말씀하셨습니다. "보라. 내 어머니와 내 형제들이다. 누구든지 하나님의 뜻을 행하는 사람이 바로 내 형제요, 자매요, 어머니다."(막 3:31-35)]

예수님의 어머니와 형제들이 찾아와 밖에 서서 사람을 시켜 예수님을 불렀습니다. 곁에 둘러앉아 있던 사람들이 예수께 "보십시오. 선생님의 어머니와 형제들이 밖에서 선생님을 찾고 계십니다"라고 말했습니다. 이런 일은 얼마든지 일어날 수 있습니다. 우리에게 가장 약한 부분이 무엇입니까? 가족입니다. 가족은 국가나 나라보다 우선합니다. 가족은 인류 생존의 본능입니다. 동물도 모성애가 있습니다.

그런데 유별나게 혈육에 대해 집착하는 사람들이 있습니다. 자기 가족을 건드렸다면 난리가 납니다. 그러면 "당신 가족만 중요하고 남의 가족은 중요하지 않은 건가?"라는 문제가 생깁니다. 이 문제에 대해 이들은 "그건 나와 상관없는 일이고 나는 내 가족만 지키면 된다"고 대답합니다.

우리 세상은 가족 중심의 공동체입니다. 이는 좋은 것으로 고향 같은 따뜻함을 가져다 줍니다. 우리는 가족의 품에서 태어났고, 자랐고, 성장했습니다. 이것이 자신을 낳은 어머니, 기른 어머니를 잊지 못하는 이유입니다.

이 세상을 사는 동안 가장 강한 힘이 있다면 가족입니다. '보트피플'은 나라를 잃었어도 배 한 척을 타고 가족이 탈출하는 것입니다. 6·25전쟁이 터졌을 때 새벽 4시에 아버지는 급히 어머니와 자녀들을 이끌고 남쪽으로 탈출했습니다. 먹을 것과 입을 것도 챙기지 못하고 정처 없이 고향을 떠난 것입니다. 그래도 그 힘든 시간을 견뎌 낸 것은 가족이 있었기 때문입니다.

예수님도 이것을 잘 아실 텐데, 예수님의 말이 우리 귀에 좀 거슬린다고 표현할 수 있는지 모르겠지만 우리 마음을 좀 불편하게 만듭니다. 어머니와 형제가 찾아왔으니 잠깐 기다리라고 말한 뒤 만나면 될 텐데 예수님은 냉정하게 "누가 내 어머니고 내 형제들이냐?"라고 말씀합니다. 그러니 모두 깜짝 놀랐습니다. 그러고 나서 주변 사람들에게 "누구든지 하나님의 뜻을 행하는 사람이 바로 내 형제요, 자매요, 어머니다"라고 말씀합니다.

피가 섞였기 때문에, 혈육의 정 때문에 가족이 구성된 게 아니라 아버지의 뜻대로 행해 한 형제요, 한 자매요, 한 가족이 되었다는 것입니다. 가족에 대한 새로운 해석이라고 할 수 있습니다. 예수님이 가족도 버리고 친척도 버리고 자신을 따르라고 하신 말씀은 이런 뜻입니다.

우리는 여기서 중요한 영적 진리 하나를 배우게 됩니다. 부모가 병들도록 고생하며 일하는 건 무슨 이유 때문입니까? 자녀한테 뭐 좀 남겨 주려고 그러는 거 아닙니까? 유산을 남겨 주려고 말입니다. 이처럼 우리는 자녀를 소중히 생각합니다. 아직 철모르는 아이가 부모 없이 어떻게 살겠느냐고 걱정합니다.

우리가 보통 생각하는 가족은 혈육의 가족입니다. 피가 섞인 관계입니다. 우리에게는 조상이 있고, 그 위의 조상이 있고, 또 그 위의 조상이 있습니다. 내 존재의 근원은 내 조상입니다. 그래서 조상 숭배가 생긴 것입니다.

그런데 예수님은 그렇게 생각하시지 않았습니다. "우리 아버지는 하늘에 계신 아버지시다. 영으로 난 자는 다 한 가족이다. 육으로 낳았다고 가족이 아니다. 영으로 낳아야 가족이다. 육신의 가정은 때가 되면 다 죽는다. 아무리 발버둥 쳐도 죽는다. 그러나 영적인 가정은 영원히 산다. 우리 모두는 영적인 한 가족이다."

이것이 교회입니다. 이것이 기독교입니다. 이것이 예수님의 정신입니다. 우리는 주님 안에서 한 가족입니다.

Pray

하나님, 우리가 세상 일이 아닌 하늘의 일에 관심을 갖게 하옵소서. 하나님의 방법으로 하나님의 일을 하는 신앙인 되게 하옵소서. 사탄이 전 세계를 지배하고 공격하라는 이 때에, 돈과 권력과 쾌락의 노예가 되지 않도록 인도하여 주옵소서. 신실한 하나님의 사람이 되게 하옵소서. 예수님 이름으로 기도합니다. 아멘.

막 4:1-20

¹예수께서 다시 호숫가에서 가르치기 시작하셨습니다. 수많은 사람이 예수 주위에 모여들었기 때문에 예수께서는 호수에 배를 띄우고 배에 올라앉으셨습니다. 사람들은 모두 호숫가를 따라 앉아 있었습니다. ²예수께서 비유를 들어 그들에게 여러 가지를 가르치셨습니다. 그러면서 이렇게 말씀하셨습니다. ³"잘 들으라. 어떤 농부가 씨를 뿌리러 나갔다. ⁴그가 씨를 뿌리고 있는데 어떤 씨는 길가에 떨어져 새들이 와서 모두 쪼아 먹었다. ⁵어떤 씨는 흙이 많지 않은 돌밭에 떨어졌는데 흙이 얕아 싹이 금방 돋았지만 ⁶해가 뜨자 그 싹은 말랐고 뿌리가 없어서 시들어 버렸다. ⁷다른 씨는 가시덤불 속에 떨어졌는데 가시덤불이 무성해져 그 기운을 막는 바람에 제대로 열매를 맺지 못했다. ⁸또 다른 씨는 좋은 땅에 떨어져 싹이 나고 잘 자라서 30배, 60배, 100배의 열매들을 맺었다." ⁹그리고 예수께서 말씀하셨습니다. "들을 귀 있는 사람은 들으라!" ¹⁰예수께서 혼자 계실 때 열두 제자들과 그 곁에 있던 사람들이 그 비유가 무슨 뜻인지 물었습니다. ¹¹예수께서 대답하셨습니다. "너희에게는 하나님 나라의 비밀을 아는 것이 허락됐으나 다른 사람들에게는 모든 것을 비유로 말한다. ¹²이것은 '그들이 보기는 보아도 알지 못하고 듣기는 들어도 깨닫지 못하게 해 그들이 돌아와서 용서를 받지 못하게 하시려는' 것이다." ¹³그리고 예수께서 그들에게 말씀하셨습니다. "이 비유를 알아듣지 못하겠느냐? 그렇다면 다른 비유는 어떻게 알아듣겠느냐? ¹⁴씨를 뿌리는 농부는 말씀을 뿌리는 사람이다. ¹⁵말씀이 길가에 뿌려졌다는 것은 이런 사람을 두고 하는 말이다. 그들은 말씀을 듣기는 하지만 곧 사탄이 와서 그들 안에 뿌려진 말씀을 가로채 간다. ¹⁶이와 마찬가지로 말씀이 돌밭에 떨어졌다는 것은 이런 사람을 두고 하는 말이다. 그들은 말씀을 듣고 기뻐하며 즉시 받아들이지만 ¹⁷뿌리가 없어서 오래가지 못하고 그 말씀 때문에 고난이나 핍박이 오면 곧 넘어진다. ¹⁸또 다른 사람들은 말씀이 가시밭에 떨어진 것과 같아서 그들은 말씀을 듣기는 하지만 ¹⁹이 세상의 걱정, 돈의 유혹, 그 밖에 다른 많은 욕심이 들어와 말씀의 기운을 막고 열매를 맺지 못하게 한다. ²⁰그러나 말씀이 좋은 땅에 떨어진 것과 같은 사람들은 말씀을 듣고 받아들여 30배, 60배, 100배의 열매를 맺는다."

부활과 씨 뿌리는 비유

사랑한다는 말을 듣고 '저 사랑이 진짜일까? 가짜일까? 속임수일까?'라고 의심합니다.
너무 속아서 계속 갈등하는 겁니다. 그러다 보니 사랑이 없습니다.
생기지 못하는 것입니다. 부활이 그렇습니다. 그러니 그냥 믿어야 합니다.
의심하지 말아야 합니다. 말씀을 그냥 받아들여야 합니다.

부활은 2,000년 동안 기독교가 지켜 온 승리의 축제입니다. 부활은 과거의 모든 슬픔과 절망과 패배를 넘어서서 기쁨과 희망과 승리를 안겨 주는 사건일 뿐 아니라 앞으로 영원토록 지켜질 승리의 아이콘입니다. 무신론자들의 아이콘이 있다면 진화일 것입니다. 하지만 신앙인에게 있어 아이콘은 '부활'입니다.

부활은 어디서부터 시작되는 것입니까? 생명입니다. 생명이 존재하기 때문에 부활이 일어난 것입니다. 생명이 없었다면 부활은 존재하지 않을 것입니다. 생명의 세계에는 죽음의 세계가 없고 빛의 세계에는 어둠이 없습니다. 이 부활의 세계를 가장 잘 표현해 주는 것이 '씨 뿌리는 비유'입니다.

["잘 들으라. 어떤 농부가 씨를 뿌리러 나갔다. 그가 씨를 뿌리고 있는데 어떤 씨는 길가에 떨어져 새들이 와서 모두 쪼아 먹었다. 어떤 씨는 흙이 많지 않은 돌밭에 떨어졌는데 흙이 얕아 싹이 금방 돋았지만 해가 뜨자 그 싹은 말랐고 뿌리가 없어서 시들어 버렸다. 다른 씨는 가시덤불 속에 떨어졌는데 가시덤불이 무성해져 그 기운을 막는 바람에 제대로 열매를 맺지 못했다. 또 다른 씨는 좋은 땅에 떨어져 싹이 나고 잘 자라서 30배, 60배, 100배의 열매들을 맺었다." 그리고 예수께서 말씀

하셨습니다. "들을 귀 있는 사람은 들으라!"(막 4:3-9)]

부활은 마치 농부가 씨를 뿌리러 밖으로 나가는 것과 같다고 했습니다. 여기서 문제는 씨가 문제가 아니라 씨가 떨어진 밭이 문제라는 것입니다. 씨는 생명입니다. 생명은 밭에 뿌려지면 반드시 싹이 나오게 되어 있습니다. 한 알의 밀이 땅에 떨어져 썩으면 열매를 맺는 것과 같습니다. 하지만 뿌려진 씨가 어떤 밭에 뿌려졌느냐에 따라 그 결과는 달라집니다.

예수님은 네 가지 종류의 밭이 있다고 말씀합니다. 첫째는 길가입니다. 길가는 씨가 땅속으로 들어갈 수 없는 신작로와 같은 곳입니다. 사람이 다니고 우마차나 짐승이 다니는 곳입니다. 그래서 땅이 단단해진 곳이 길가입니다. 길가에 씨를 뿌렸지만 그 단단히 땅을 뚫고 안으로 들어갈 방법이 없습니다. 씨는 결국 길가에서 이리 뒹굴 저리 뒹굴 하다가 새한테 쪼아 먹힌다는 것입니다.

둘째는 흙이 많지 않은 돌밭입니다. 밭은 밭이지만 흙이 거의 없습니다. 돌밭은 돌 조각만 가득 차 있는 곳이다 보니 농사짓는 것이 거의 불가능한 땅입니다. 씨를 뿌리면 싹이 나지만 뿌리를 내리지 못해 해가 뜨자 쉽게 말라 버립니다.

셋째는 가시덤불입니다. 흙은 좋은데 그 위에 아주 무성한 가시덤불이 있습니다. 씨가 뿌리를 내리고 성장해야 하는데 그럴 수가 없습니다. 햇볕을 가리고 새싹이 성장할 공간이 없어 열매를 맺을 수가 없습니다.

넷째는 좋은 땅, 바로 옥토입니다. 싹이 나고 잘 자라서 30배, 60배, 100배의 열매를 맺게 되었다는 것입니다. 옥토는 길가도 아니고 돌밭도 아닙니다. 가시덤불도 없습니다. 옥토는 씨를 받아들이기에 아주 적절한 조건을 가지고 있습니다.

말씀을 뿌리는 자가 되어라

다음을 읽어 보면 예수님이 왜 이런 말씀을 하셨는가를 이해할 수 있습니다.

[그리고 예수께서 말씀하셨습니다. "들을 귀 있는 사람은 들으라!" 예수께서 혼자 계실 때 열두 제자들과 그 곁에 있던 사람들이 그 비유가 무슨 뜻인지 물었습니다. 예수께서 대답하셨습니다. "너희에게는 하나님 나라의 비밀을 아는 것이 허락됐으나 다른 사람들에게는 모든 것을 비유로 말한다. 이것은 '그들이 보기는 보아도 알지 못하고 듣기는 들어도 깨닫지 못하게 해 그들이 돌아와서 용서를 받지 못하게 하시려는' 것이다."(막 4:9-12)]

예수님은 "들을 귀 있는 사람은 들으라!"고 말씀했습니다. 모든 사람이 부활을 믿는 것은 아닙니다. 들을 귀가 있는 사람만 듣는 겁니다. 예수님이 부활하셨다고 2,000년 동안 외쳐도 들을 귀가 있는 사람만 들을 뿐입니다.

예수님이 혼자 계실 때 12제자들과 그 곁에 있던 사람들이 그 비유가 무슨 뜻인지 묻자 "너희에게는 하나님 나라의 비밀을 아는 것이 허락됐으나 다른 사람들에게는 모든 것을 비유로 말한다. 이것은 '그들이 보기는 보아도 알지 못하고 듣기는 들어도 깨닫지 못하게 해 그들이 돌아와서 용서를 받지 못하게 하시려는' 것이다" 라고 말씀했습니다.

이사야에도 비슷한 말씀이 나오는데, 진리라고 다 듣는 것이 아닙니다. 부활이라고 다 알아듣는 것이 아닙니다. 알아듣지 못하니까 능력이 없는 겁니다. 진리를 모르니까 자유가 없는 겁니다. 그래서 그처럼 진리 곁에 있으면서도, 부활의 옆에 있으면서도 부활을 모르고 진리도 모르는 것입니다.

그저 예전처럼 살아가기 때문에 매일 신경질을 내고 울었다가 웃었다가 세상을 다 얻은 것처럼 소리를 지르다가 코가 석 자나 빠진 것처럼 사는 것입니다. 왜일까요? 진리를 몰라서입니다. 왜일까요? 부활을 몰라서입니다.

예수님은 제자들에게 좀 더 알아듣기 쉽게 비유를 설명해 주셨습니다.

["씨를 뿌리는 농부는 말씀을 뿌리는 사람이다. 말씀이 길가에 뿌려졌다는 것은 이런 사람을 두고 하는 말이다. 그들은 말씀을 듣기는 하지만 곧 사탄이 와서 그들 안에 뿌려진 말씀을 가로채 간다. 이와 마찬가지로 말씀이 돌밭에 떨어졌다는 것은 이런 사람을 두고 하는 말이다. 그들은 말씀을 듣고 기뻐하며 즉시 받아들이지만 뿌리가 없어서 오래가지 못하고 그 말씀 때문에 고난이나 핍박이 오면 곧 넘어진다. 또 다른 사람들은 말씀이 가시밭에 떨어진 것과 같아서 그들은 말씀을 듣기는 하지만 이 세상의 걱정, 돈의 유혹, 그 밖에 다른 많은 욕심이 들어와 말씀의 기운을 막고 열매를 맺지 못하게 한다. 그러나 말씀이 좋은 땅에 떨어진 것과 같은 사람들은 말씀을 듣고 받아들여 30배, 60배, 100배의 열매를 맺는다." (막 4:14-20)]

씨를 뿌리는 자는 말씀을 뿌리는 자와 같다고 말씀합니다. 말씀을 뿌려야 합니다. 생각을 뿌리는 것이 아니고, 철학과 이론을 뿌리는 것이 아니고, 생명의 말씀을 뿌려야 한다는 것입니다. "말씀이 길가에 뿌려졌다는 것은 이런 사람을 두고 하는 말이다. 그들은 말씀을 듣기는 하지만" 그 말씀을 받아들이기도 전에, 뿌리를 내리기도 전에 "곧 사탄이 와서 그들 안에 뿌려진 말씀을 가로채 간다"라고 말씀했습니다.

교회에 열심히 나오고 말씀을 듣고 진리에 접근해 보려고 하지만, 마음이 너무 단단해 그게 들어갈 틈도 없는데 사탄이 와서 씨를 쪼아 먹어 버린 겁니다. 이런 사람에게는 믿음이 생길 수가 없습니다. 아무리 봐도 이런 사람은 믿음이 없습니다. 믿음의 말도 할 줄 모르고 믿음의 생각도 할 줄 모르고 믿음의 기적도 일으킬 수 없습니다. 자기 감정과 자기 생각, 자기 환경에 따라 그냥 살아가는 겁니다. 이들은 너무 좋아서 춤을 추지만 문제는 뿌리가 없다는 겁니다. 그래서 오래 가지 못하고 그 말씀 때문에 뿌리를 내리기 전에 고난이 오고 시험이 오고 핍박이 오면 쉽게 넘어집니다. 뿌리가 있어야 오래 버틸 수 있습니다. 왜 믿음이 오래 가지 못하는지 압니까? 시험이 오면 왜 흔들리는지 압니까?

뿌리가 없다 보니 지탱할 힘이 없어 바람이 불면 흩어지고 맙니다. 꽃이 피기 위해서는 뿌리에서 충분한 영양분을 받아야 하기 때문입니다.

"또 다른 사람들은 말씀이 가시밭에 떨어진 것과 같아서 그들은 말씀을 듣기는 하지만 이 세상의 걱정, 돈의 유혹, 그 밖에 다른 많은 욕심이 들어와 말씀의 기운을 막고 열매를 맺지 못하는" 사람이 있습니다. 분명히 씨도 떨어졌고 흙도 있는데 그 위를 무성한 가시덤불이 덮고 있어서 이것을 뚫고 나가지 못하는 것입니다. 그래서 햇빛을 볼 수가 없는 것입니다.

이것이 무엇입니까? 돈의 유혹 다음에 여러 가지 욕심과 세상적인 걱정들이 주위를 맴돌고 있다는 말입니다. 이런 사람들 속에서는 믿음이 자랄 방법이 없습니다. 믿음이 올라오다가 입으로만 가면 욕을 하고 부정적인 말을 하니까, 의심의 말을 해 버리니까, 진리보다는 자기 감정을 더 중요하게 생각하니까 하나님 말씀이 태양을 향해 뻗쳐 나가듯 성장할 기회가 없다는 말입니다.

그러니 항상 입조심을 해야 합니다. 이는 입으로 다 까먹는 것입니다. 말씀과 믿음을 다 까먹는 것입니다. 또한 부정적인 생각을 하지 말아야 합니다. 이것이 우리의 믿음을 다 깎아 먹습니다.

마지막으로 말씀이 좋은 땅, 옥토에 떨어진 경우가 있습니다. 이것은 하나님의 말씀을 듣고 기쁘게 받아들였기 때문에 겨울이 언제 지나갔는지도 모르게 봄이 오듯 인생에 많은 열매를 맺게 되는 것입니다. 현실을 보면 절망적이지만 고개를 들어 보면 열매가 보입니다. 이제 열매를 주렁주렁 맺게 됩니다. 희망이 보이기 시작합니다. 이게 옥토입니다. 30배, 60배, 100배의 열매를 맺게 되었다는 것입니다.

두 가지를 적용해 볼 수 있습니다. 첫째 부활은 말씀을 믿고 받아들이고 의지하는 것입니다. 이 부활 하나만 가지고도 크나큰 의심을 가질 수 있습니다. "에이, 사실인가?" "아니다! 그렇다!" 그래서 부활을 믿기까지 숱한 방황을 하는 것입니다. 그냥 믿으면 될 텐데 말입니다. 사랑한다는 말을 듣고 '저 사랑이 진짜일까? 가짜일까? 속임수일까?'라고 의심합니다. 너무 속아서 계속 갈등하는 겁니다.

그러다 보니 사랑이 없습니다. 생기지 못하는 것입니다. 부활이 그렇습니다. 그러니 그냥 믿어야 합니다. 의심하지 말아야 합니다. 말씀을 그냥 받아들여야 합니다. 그래야 뿌리를 내리고 가지를 치고 기운이 솟고 열매를 맺을 수 있습니다.

둘째 이 부활 신앙은 곱빼기 장사를 하는 것이 아닙니다. 30배, 60배, 100배 장사를 하는 것입니다. 하나님 나라에서의 장사는 곱빼기 정도가 아닙니다. 그걸 어떻게 알 수 있느냐고요? 여러 가지로 알 수 있습니다. 우리 자녀들을 통해서도 알 수 있고, 우리의 사업을 통해서도 알 수 있습니다. 우리가 하는 모든 일 속에서 알 수 있습니다.

어떤 사람들은 크게 힘들지 않은데도 일이 잘 풀립니다. 포도나무가 열릴 때 애쓰고 자라는 거 봤습니까? 애쓰지 않습니다. 가지에 잘 붙어 있기만 하면 저절로 포도는 단맛을 내면서 성장합니다. 믿음도 애쓴다고 잘 자랍니까? 아닙니다. 말씀 안에 있으면, 부활에만 있으면 포도송이가 열리듯 우리 인생에 이런 열매가 30배, 60배, 100배 열립니다. 곱빼기 장사가 아닙니다. 우리가 알 수 없는 방법으로, 우리가 알 수 없는 때에 엄청나게 열립니다.

우리가 필요한 것이 좋겠습니까? 하나님이 필요하신 것이 좋겠습니까? 하나님이 필요하셔야 합니다. 우리가 필요한 것은 별것 아닙니다. 기껏해야 돈 몇 푼, 건강 몇 조각, 좋은 옷, 좋은 사람을 만나는 것 정도입니다. 그런데 하나님이 준비하신 것은 우리가 상상할 수 없는 귀한 다이아몬드 같은 것입니다. 아름다운 것, 꼭 당신에게 필요한 것을 준비하십니다. 이것이 바로 부활입니다.

Pray

하나님, 우리가 옥토가 되게 하옵소서. 말씀의 뿌리를 깊게 내려 30배, 60배, 100배 열매 맺는 삶을 살게 하옵소서. 예수님 이름으로 기도합니다. 아멘.

막 4:21-34

²¹예수께서 그들에게 말씀하셨습니다. "사람이 등불을 가져와 그릇 아래 두거나 침대 밑에 숨겨 놓겠느냐? 등잔대 위에 놓지 않겠느냐? ²²무엇이든 숨겨진 것은 드러나고 무엇이든 감추어진 것은 나타나기 마련이다. ²³들을 귀 있는 사람은 들으라." ²⁴또 예수께서 그들에게 말씀하셨습니다. "너희는 듣는 말을 새겨들으라. 너희가 헤아려 주는 만큼 너희가 헤아림을 받을 것이요, 또 덤으로 더 헤아려 받을 것이다. ²⁵누구든지 가진 사람은 더 받을 것이요, 가지지 못한 사람은 그 있는 것마저도 빼앗길 것이다." ²⁶예수께서 또 말씀하셨습니다. "하나님 나라는 이런 모습이다. 어떤 사람이 땅에 씨를 뿌리면 ²⁷씨는 그 사람이 자고 있든 깨어 있든 밤낮없이 싹이 트고 자라난다. 그러나 그는 씨가 어떻게 해서 그렇게 되는지 알지 못한다. ²⁸땅이 스스로 곡식을 길러 내는 것이다. 처음에는 줄기가 자라고 다음에는 이삭이 패고 그다음에는 이삭에 알곡이 맺힌다. ²⁹그리고 곡식이 익는 대로 곧 농부가 낫을 댄다. 이제 추수할 때가 됐기 때문이다." ³⁰예수께서 또 말씀하셨습니다. "하나님 나라를 무엇에 비교할 수 있을까? 어떤 비유로 설명할 수 있을까? ³¹하나님 나라는 한 알의 겨자씨와 같다. 그 씨는 땅에 심는 것 가운데 제일 작은 씨지만 ³²일단 심어 놓으면 자라나 어떤 식물보다 더 큰 가지들을 뻗어 그 그늘에 공중의 새들이 깃들 수 있게 된다." ³³예수께서는 제자들과 그 곁에 있던 사람들이 잘 알아들을 수 있게 여러 가지 비유로 그들에게 말씀을 전하셨습니다. ³⁴예수께서는 비유가 아니면 말씀하지 않으셨으나 제자들에게는 따로 모든 것을 일일이 설명해 주셨습니다.

하나님 나라는
한 알의 겨자씨와 같다

아무리 거대해도 마귀가 심어 놓은 씨앗은 악마적이고 세상적이고 사람을 타락시키고 망가뜨립니다.
하지만 크기가 작아도 하나님이 심어 놓으신 씨는 자라나게 됩니다. 생명력을 갖게 됩니다.
사람을 편안하게 만들어 줍니다. 새들이 찾아들만큼 큰 나뭇가지로 자라게 됩니다.

진리는 감춰지지 않습니다. 빛이 있으면 어둠은 물러나게 되어 있습니다. 태양을 생각해 봅시다. 태양을 가리려고 누가 도전하겠습니까? 태양을 막아서면 그 뒤에 그림자만 생길 뿐입니다. 태양은 모든 생명을 지켜 줍니다. 말씀은 진리와 같고 태양과 같습니다. 진리와 말씀을 가려선 안 됩니다. 또한 스스로 어둠에 갇히지 말아야 합니다. 빛이 비추는데 뒤돌아서면 어둠에 갇히게 됩니다. 숨어 버리면 어둠에 갇히게 됩니다.

헤아려 주는 만큼 헤아림을 받을 것이다

자신만의 문을 활짝 열고 하나님의 태양 앞에 우리를 비추게 해야 합니다. 진리 앞에, 말씀 앞에 우리를 내놓아야 합니다. 그러면 모든 어둠의 세력과 죽음의 세력이 소리 없이 사라집니다.

[예수께서 그들에게 말씀하셨습니다. "사람이 등불을 가져와 그릇 아래 두거나 침대 밑에 숨겨 놓겠느냐? 등잔대 위에 놓지 않겠느냐?"(막 4:21)]

예수님은 "등불은 왜 켜겠느냐?"라며 아주 상식적인 질문을 하셨습니다. 예전에는 호롱불이 있었고 요즘에는 전깃불을 켭니다. "불을 왜 켜겠느냐? 호롱불을 가지고 왜 방에 들어가겠느냐?" 말할 것도 없이 침실을 환하게 하려고 그러는 것 아닙니까. 호롱불을 켜서 발 아래쪽에 두거나 침대 밑에 두는 사람은 없습니다.

그와 마찬가지입니다. 진리라는 것은 드러나야 합니다. 빛은 드러나야 합니다. 우리 안에는 항상 부정적인 생각과 숨으려는 생각, 겁을 내며 도전하지 못하고 포기하도록 만드는 생각이 우리를 짓누르고 있습니다. 마음 한쪽에는 '해 볼까?'라고 하다가 마음 저편에서 '네가 뭘 할 수 있느냐?'라고 말하면 주저앉아 문을 닫아 버립니다. '할 수 없다'는 생각이 끊임없이 드는 겁니다. 조금 건강하면 팔짝팔짝 뛰다가 조금 아프면 기운이 빠져서 "난 아무것도 못해"라고 말하기도 합니다.

예수님의 다음 말씀을 새겨들어야 합니다.

[또 예수께서 그들에게 말씀하셨습니다. "너희는 듣는 말을 새겨들으라. 너희가 헤아려 주는 만큼 너희가 헤아림을 받을 것이요, 또 덤으로 더 헤아려 받을 것이다."(막 4:24)]

헤아려 주는 만큼 헤아림을 받는다는 뜻은 우리가 상상하지 못하는 은혜를 남겨 두셨다는 뜻입니다. 이 말을 좀 더 분명하게 하면 30배, 60배, 100배의 열매를 맺는다는 것입니다. 하나님의 농사법입니다. 천국의 원리는 곱빼기 정도가 아닙니다. 30배, 60배, 100배의 열매를 맺는 것입니다. 아브라함에게 "네 자손이 하늘의 별처럼 바다의 모래알처럼 많아질 것이다"라고 말씀했는데, 이런 뜻이 있는지 그가 상상이나 했겠습니까! 우리에게도 30배, 60배, 100배의 열매가 맺어질 것입니다. 그게 자손이든 비즈니스든 우리가 하려는 모든 것에서 그런 엄청난 결과를 이끌어 낸다는 것입니다.

"너희가 헤아려 주는 만큼 너희가 헤아림을 받을 것이요, 또 덤으로 더 헤아려 받을 것이다"라는 표현이 나옵니다. 신앙생활은 덤으로 은혜를 받는 것입니다. 우리가 노력한 만큼 은혜를 받는 건 율법입니다. '고생한 만큼, 공부한 만큼 성적이 나온다'는 것도 은혜입니다. 하지만 성경을 보면 우리가 헤아려 주는 만큼 헤아림을 받을 것이고, 그다음에는 덤으로 헤아림을 받을 것이라고 말씀합니다.

가만 생각해 보면 인생은 덤으로 사는 것입니다. 돌이켜 보면 죽을 뻔했는데, 망할 뻔했는데, 끝날 뻔했는데 기적같이 살아나서 다시 일어나곤 합니다. 주위에서 이런 사람들을 많이 봤습니다.

나이 많은 사람이 교통사고로 엉덩이가 상하고 뼈가 부러지는 등 몸이 너무 안 좋아서 장례식을 치르려고 준비했더니, 며칠 뒤에 살아나 10년을 더 살았습니다. 이것은 덤으로 사는 겁니다. 바닷속에 빠져 죽을 뻔했고, 교통사고로 죽을 뻔했는데 기적처럼 살아나 덤으로 살게 된 겁니다.

은혜 받을 때 은혜는 물론 공짜입니다. 하나님이 주시는 은혜이기 때문입니다. 그런데 그것 말고 덤으로 받는 은혜가 있습니다. 십일조 생활, 봉사 생활, 구제 생활, 헌신 생활 등을 하다 보면 주머니는 빈털터리가 될 것 같습니다. 그리고 부질없는 일에 시간을 써 버린 것 같기도 합니다. 직장일은 언제 하고 공부는 언제 하고 연애는 언제 하고 이런 압박감을 갖게 됩니다.

그러나 십일조를 하고 구제하고 봉사하고 희생하고 헌신하면 우리가 계산하지 않았던 덤으로 받는 은혜가 있습니다. '어, 이건 내가 어렵게 번 돈이 아닌데……' 라는 생각이 들 때가 있습니다. 살면서 덤으로 받는 돈이 있기를 바랍니다. 계산한 돈이 아니라 하나님이 여벌로 주시는 것이 있습니다. 하나님의 은혜는 참으로 놀랍습니다. 우리에게 은혜를 베푸실 때 그 뒤에 덤으로 주시는 은혜가 또 있습니다.

["누구든지 가진 사람은 더 받을 것이요, 가지지 못한 사람은 그 있는 것마저도 빼앗길 것이다."(막 4:25)]

이 말씀을 보면 기독교는 민주주의도 공산주의도 아닙니다. 또한 공의로운 사회를 만드는 것도 아닙니다. 가진 사람은 더 받고 가지지 못한 사람은 다 뺏깁니다. 이게 세상 원리에서는 통하지 않는데도 말입니다. 하지만 영적인 원리에서는 이게 맞는 것입니다. 영적인 원리에서는 믿음을 가진 사람은 앞으로 더 있을 것이고, 믿음을 갖지 못한 사람은 계속 더 없을 겁니다. 괜히 믿음이 없는 척하면 다 뺏기고 맙니다. 그러므로 기어서라도 교회에 나오고 기도해야 합니다. 그래야 살 수 있습니다.

천국은 겨자씨와 같다

[예수께서 또 말씀하셨습니다. "하나님 나라는 이런 모습이다. 어떤 사람이 땅에 씨를 뿌리면 씨는 그 사람이 자고 있든 깨어 있든 밤낮없이 싹이 트고 자라난다. 그러나 그는 씨가 어떻게 해서 그렇게 되는지 알지 못한다. 땅이 스스로 곡식을 길러 내는 것이다. 처음에는 줄기가 자라고 다음에는 이삭이 패고 그다음에는 이삭

에 알곡이 맺힌다. 그리고 곡식이 익는 대로 곧 농부가 낫을 댄다. 이제 추수할 때가 됐기 때문이다."(막 4:26-29)]

하나님 나라는 씨 뿌리는 것과 같다는 말씀입니다. 일단 씨가 뿌려지면 밤낮 없이 스스로 자랍니다. 하나님 나라는 우리가 복음을 받아들이면, 말씀을 받아들이면 스스로 자랍니다. 우리가 알든 모르든 자라고 있습니다. 처음에는 줄기가 자라고 다음에는 이삭이 패고 그다음에는 이삭에 알곡이 맺히고 추수할 때는 농부가 낫을 대어 추수를 한다는 것입니다.

결론적으로 예수님은 하나님 나라는 한 알의 겨자씨와 같다고 말씀합니다.

[예수께서 또 말씀하셨습니다. "하나님 나라를 무엇에 비교할 수 있을까? 어떤 비유로 설명할 수 있을까? 하나님 나라는 한 알의 겨자씨와 같다. 그 씨는 땅에 심는 것 가운데 제일 작은 씨지만 일단 심어 놓으면 자라나 어떤 식물보다 더 큰 가지들을 뻗어 그 그늘에 공중의 새들이 깃들 수 있게 된다." 예수께서는 제자들과 그 곁에 있던 사람들이 잘 알아들을 수 있게 여러 가지 비유로 그들에게 말씀을 전하셨습니다. 예수께서는 비유가 아니면 말씀하지 않으셨으나 제자들에게는 따로 모든 것을 일일이 설명해 주셨습니다.(막 4:30-34)]

천국은 겨자씨와 같다는 뜻입니다. 겨자씨는 겨우 보일 듯 말 듯합니다. 하지만 일단 심어 놓으면 식물 중에서 가장 큰 가지가 되어 뻗어 나가서 새가 날아올 만큼 커진다는 것입니다. 이것은 무슨 뜻일까요? 하나님 나라는 크다거나 작다거나 그런 공간의 개념이 아닙니다. 눈에 보이는 것도 아니고 어떤 형식으로 자라는 것도 아닙니다. 끝없이 스스로 자라고 성장하고 확장된다는 뜻입니다.

하나님 나라는 하나님이 주인이시고 지배하시는 나라입니다. 천국은 어떤 사람이나 공간 안에 있지 않습니다.

하나님은 왜 겨자씨와 같다고 말씀했을까요? 첫째로 천국은 보이지 않을 만큼 작기 때문입니다. 그래서 잘 보이지가 않습니다. 둘째는 그럼에도 일단 한번 심어지기만 하면 아주 큰 가지를 뻗고 새가 날아들 만큼 자라기 때문입니다.

이게 무슨 뜻일까요? 첫째 "하나님 나라는 크다"라는 것입니다. 눈에 보이는 것도 아니고 어떤 형식으로 자라는 것도 아니지만 끝없이 확장되어 갑니다. 이런 나라가 바로 하나님 나라입니다. 둘째는 "하나님 나라의 주인은 하나님이시다"라는 것입니다. 이것은 어떤 공간적인 개념이 아니라 "하나님께서 지배하시는 나라다"라는 뜻입니다.

하나님 나라는 물질의 세계가 아닙니다. 하나님 나라는 영적인 세계입니다. 빛의 세계요, 생명 자체의 세계입니다. 하나님의 영광이 임하시는 곳이 바로 하나님 나라요, 하나님께서 호흡하시는 곳입니다. 이곳이 바로 하나님 나라입니다.

특별히 죄가 들어오기 이전의 에덴동산을 생각해 보기 바랍니다. 죄로 타락한 에덴동산이 아니라 죄가 들어오기 전의 에덴동산, 그 가운데 살고 있던 아담과 이브는 얼마나 선하고 아름다웠겠습니까! 예수 그리스도를 만나게 되면 죄로 타락하기 이전의 에덴동산과 타락하기 이전의 아담과 이브 모습을 경험하게 된다는 것입니다.

[하늘에서 내려온 사람, 곧 인자 외에는 하늘로 올라간 사람이 없다. 모세가 광야에서 뱀을 들어 올린 것같이 인자도 들려야 한다. 그것은 그를 믿는 사람마다 영생을 얻게 하려는 것이다. 하나님께서 세상을 이처럼 사랑하셔서 독생자를 주셨으니 이는 그를 믿는 사람마다 멸망하지 않고 영생을 얻게 하려는 것이다. 하나님께서 자신의 아들을 세상에 보내신 것은 세상을 심판하시려는 것이 아니라 그 아들을 통해 세상을 구원하시려는 것이다. 아들을 믿는 사람은 심판을 받지 않는다. 그러나 믿지 않는 사람은 이미 심판을 받았다. 하나님의 독생자의 이름을 믿지 않았기 때문이다.(요 3:13-18)]

이 땅에 심겨진 한 알의 밀알은 누구입니까? 이 세상 가운데 심겨진 한 알의 겨자씨는 누구입니까? 바로 예수 그리스도이십니다. 눈에 보이지 않지만 2,000년 전 마구간에서 태어나셨습니다. 세상 사람은 주목하지 않았지만, 세상의 왕도 주목하지 않았고 세상의 권세 있는 사람도 주목하지 않았지만 한 알의 겨자씨처럼 이 땅 가운데 심겨진 예수 그리스도 그분이 바로 하나님 나라입니다. 그분을 통해 생명과 빛의 세계가 이 땅 가운데 확장되어 가고 있습니다.

그렇다면 가정에 심겨진 한 알의 겨자씨는 누구입니까? 바로 당신입니다. 모든 가족이 동시에 다 예수님을 믿는 것도 기막힌 방법이지만, 하나님의 구원 법칙은 겨자씨처럼 한 사람을 어느 가정 가운데 심어 놓고 그 사람을 통해 마치 그 겨자씨가 자라 새들이 날아드는 나무가 되는 것처럼 거대한 기독교 가문으로, 아주 아름다운 기독교 가문으로 성장하게 하는 것입니다. 당신이 바로 겨자씨입니다.

겨자씨와 같은 비전을 가져라

하나님은 모두 뜻을 가지고 우리 한 사람, 한 사람을 그 가문 가운데 심어 놓으셨습니다. 가정도 마찬가지고, 국가도 마찬가지입니다.

[그분이 세상에 계셨고 그분이 세상을 지으셨지만 세상은 그분을 알아보지 못했습니다. 그분이 자기 땅에 오셨지만 그분의 백성들이 그분을 받아들이지 않았습니다. 그러나 그분을 영접한 사람들, 곧 그분의 이름을 믿는 사람들에게는 하나님의 자녀가 될 권세를 주셨습니다.(요 1:10-12)]

예수님이 오셨을 때 모든 사람이 그분을 영접했습니까? 아닙니다. 세상 사람들은 예수님을 영접하지 않았습니다. 하지만 영접한 몇 사람들을 통해 하나님 나라가 확장되어 갑니다. 세상 모든 사람이 다 예수님을 영접하는 것은 아니지만 고개를 들어 주님을 영접한 한 사람, 한 사람을 통해 하나님 나라가 확장됩니다. 그렇게 심겨진 선교사 한 사람, 그렇게 심겨진 학원의 간사님 한 사람, 그렇게 심겨진 어느 집안의 크리스천 한 명을 통해 하나님 나라는 확장되어 갑니다.

그러므로 자신이 작다고 실망해선 안 됩니다. 눈을 들어 새들이 날아올 것 같은 큰 가지를 바라보아야 합니다. 혼자밖에 없다고 낙심할 필요가 없습니다. 하나님은 당신을 겨자씨처럼 심어 놓으셨고, 그분이 심어 놓고 뿌려 놓은 겨자씨라면 반드시 자라서 새들이 날아올 만큼의 큰 거목으로 자라나게 하실 것입니다.

사탄은 우리에게 "너는 작다. 너는 보잘것없다. 너를 봐라. 아주 작지 않으냐"라고 속입니다. 겨자씨는 눈에 보이지 않습니다. 어딘가 숨으면 찾을 수도 없습니다. 하지만 반드시 있다는 것을 기억해야 합니다.

성령님은 "하나님께서 심어 놓은 겨자씨라면 자라나게 될 것이다"라고 말씀했습니다. 겨자씨가 크고 작은 것은 그리 중요하지 않습니다. 생명력이 있다는 것이 중요합니다. 작지만 생명력이 있어야 겨자씨이고, 그런 겨자씨가 될 때 새들이 날아들 만큼의 큰 나무로 자라게 됩니다. 하나님 나라도 이와 같습니다.

우리는 크면 교만하고 작으면 비굴하고 실망하게 됩니다. 그러나 크고 작은 것의 문제가 아니라 "생명력이 있느냐, 없느냐? 하나님께서 심어 놓으신 씨냐, 마귀가 뿌려 놓은 씨냐?" 하는 것이 중요합니다.

아무리 거대해도 마귀가 심어 놓은 씨앗은 악마적이고 세상적이고 사람을 타락시키고 망가뜨립니다. 하지만 크기가 작아도 하나님이 심어 놓으신 씨는 자라나게 됩니다. 생명력을 갖게 됩니다. 사람을 편안하게 만들어 줍니다. 새들이 찾아들 만큼 큰 나무로 자라게 됩니다.

겨자씨와 같은 비전이 생기기 바랍니다. 당신의 가정 가운데 당신이 겨자씨처럼 심겼으니 당신을 통해 놀라운 역사가 일어나리라고 믿습니다. 북녘 땅에 있는 성도, 지하교회에서 활동하는 성도들 역시 겨자씨입니다. 언더우드처럼, 아펜젤러처럼 이 땅에 와서 겨자씨처럼 심기면 바로 1,000만 명 크리스천이 자라나서 하나님을 경배하는 나라가 될 것입니다. 우리나라는 세계 선교의 겨자씨입니다. 인생도 마찬가지입니다. 인생을 살 때도 어떤 사람을 만나든지, 어떤 일을 만나든지, 어떤 경우에든지 하나님을 든든히 믿고 승리할 수 있기를 주의 이름으로 선포해야 합니다. 하나님은 우리 곁에 계십니다.

Pray

하나님, 우리 모두가 하나의 겨자씨가 되게 하옵소서. 이 땅의 심겨진 한 알의 밀알이신 예수 그리스도를 닮아가게 하옵소서. 우리 모두가 각 가정과 사회, 나라의 한 알의 겨자씨가 되게 하옵소서. 예수님 이름으로 기도합니다. 아멘.

막 4:35-41

³⁵ 그날 저녁이 되자 예수께서는 제자들에게 말씀하셨습니다. "호수 저편으로 건너가자." ³⁶ 제자들은 사람들을 뒤로하고 예수를 배 안에 계신 그대로 모시고 갔습니다. 그러자 다른 배들도 함께 따라갔습니다. ³⁷ 그때 매우 강한 바람이 불어와 파도가 배 안으로 들이쳐 배가 물에 잠기기 직전이었습니다. ³⁸ 예수께서는 배 뒷부분에서 베개를 베고 주무시고 계셨습니다. 제자들이 예수를 깨우며 말했습니다. "선생님! 저희가 빠져 죽게 됐는데 모른 척하십니까?" ³⁹ 예수께서 일어나셔서 바람을 꾸짖으시고 파도에게 명령하셨습니다. "고요하라! 잠잠하라!" 그러자 바람이 멈추고 호수가 잔잔해졌습니다. ⁴⁰ 예수께서 제자들에게 말씀하셨습니다. "왜 그렇게 무서워하느냐? 아직도 믿음이 없느냐?" ⁴¹ 제자들은 크게 두려워하면서 서로 수군거렸습니다. "도대체 이분이 누구시기에 바람과 파도까지도 복종하는가?"

위기의 순간에
주를 보라

이 세상에서 살면서 신앙생활을 할 때는 자연현상과 사탄의 계획과
궤계와 유혹을 구분할 줄 아는 영적 능력이 필요합니다.
사탄은 우상을 이용하고 미신을 이용하고 인간의 종교심을 이용합니다.
게다가 이 세상의 권력과 정사, 권세, 돈, 쾌락, 온갖 무신론, 거짓 사상, 질병 등으로
우리를 공격하고 있다는 사실도 알아야 합니다.

인생의 항로에서 생각지도 못하게 만나게 되는 광풍이 있습니다. 사업이 위기에
몰렸다든지 불치병에 걸렸다든지 사랑하는 가족을 잃었다든지 등 생각지 못한 일
들이 갑자기 인생에 끼어들 때가 있습니다.

[그날 저녁이 되자 예수께서는 제자들에게 말씀하셨습니다. "호수 저편으로 건
너가자." 제자들은 사람들을 뒤로하고 예수를 배 안에 계신 그대로 모시고 갔습니
다. 그러자 다른 배들도 함께 따라갔습니다.(막 4:35-36)]

저녁이 되자 예수님은 호수 건너편으로 가자고 말씀했습니다. 예수님은 바닷가
에 모인 청중한테 배 안에서 설교하셨기 때문에 그냥 그 배를 타고 호수 건너편으
로 떠나게 되었습니다. 그때 다른 배들이 따라왔습니다.

그런데 갑자기 갈릴리 특유의 강한 바람이 불었습니다.

[그때 매우 강한 바람이 불어와 파도가 배 안으로 들이쳐 배가 물에 잠기기 직전
이었습니다.(막 4:37)]

바람을 꾸짖고 바다에 명령을 내리시다

강한 바람은 큰 파도를 만들었습니다. 배는 호수 한가운데 있었습니다. 파도가 너무 거세서 배 안까지 물이 들이닥쳤습니다. 제자들은 당황했습니다. 배가 호수에 가라앉기 직전까지 갔습니다. 구약에서 욥이 당한 경우와 같았습니다. 이유 없이 왜 이런 일이 벌어지게 되었는지 설명도 없이 당한 고난입니다.

아마도 제자들 나름대로 최선의 방법을 찾아보았을 것입니다. 노를 저어 본다든지 닻을 내려 본다든지 키를 조정해 본다든지 난간을 붙잡아 본다든지 돛을 내려 본다든지 여러 가지로 애를 썼을 겁니다. 하지만 이 거센 돌풍을 막을 방법이 없어 배 안으로 물이 자꾸 들이친 겁니다.

제자들이 강한 바람과 싸우고 있는 동안 예수님은 어떻게 하고 계셨습니까? [예수께서는 배 뒷부분에서 베개를 베고 주무시고 계셨습니다. 제자들이 예수를 깨우며 말했습니다. "선생님! 저희가 빠져 죽게 됐는데 모른 척하십니까?"(막 4:38)]

여기서 발견한 것은 무엇입니까? 첫.번째 예수님이 배 안에 계셨다는 것입니다. 위기가 닥쳤을 때 우리는 혼자라고 생각합니다. 그래서 외롭고 두렵고 힘들고 고생스럽다고 생각합니다. 누가 옆에 있다면 그렇게 외롭지 않을 것입니다. 혼자라고 생각하니까 외로운 것입니다. 제자들은 예수님이 한 배에 탔지만 왜 그 사실을 까맣게 잊어버렸을까요? 혼자라고 생각했기 때문입니다.

두 번째 예수님이 옆에 계셨지만 위기의 순간에 그분이 주무시는 것처럼 느껴졌다는 것입니다. 분명히 예수님은 여기 계십니다. 우리와 상관없고, 주무시는 것같이 생각될 수도 있습니다. 계시지 않는 것처럼 느껴질 수도 있습니다. 하지만 강한 바람이 일어났을 때 예수님은 배 뒤편에서 주무시고 계셨습니다.

여기서 우리는 또 하나 중요한 사실을 발견하게 됩니다. 위기가 닥쳤을 때 왜 제자들은 혼비백산했고, 예수님은 배 뒤편에서 주무시고 있었을까요? 똑같은 상황인데 행동이 어쩌면 그렇게 달랐을까요? 그 이유는 제자들에게 이 강한 바람 혹은 위기 상황은 절망을 의미했기 때문에 죽을 거라고 생각했습니다. 반면에 예수님은 이 강한 바람이나 위기는 지나가는 거라고 생각하셨습니다. 그래서 주무실 수 있었던 것입니다.

물에 빠진다면, 배가 물에 빠진다면 제자들만 빠지겠습니까? 제자들은 왜 예수님도 빠진다는 생각을 하지 못했을까요? 예수님만 물에 동동 떠 계시고 자기들만 빠질까요? 당신은 절망을 어떻게 생각합니까? 당신의 인생에 갑자기 끼어든 해석할 수 없는 위기 상황을 뭐라고 생각합니까? 어떻게 대처합니까?

여기서 세 번째로 중요한 사실을 발견하게 됩니다. 한계에 부딪힌 제자들이 드디어 예수님을 찾았다는 것입니다. 왜 제자들은 깨우지 않아도 주님이 다 아실 거라는 생각을 하지 못했을까요? 이게 우리 믿음의 한계일까요? 인내의 한계일까요?

지금도 마찬가지입니다. 주님은 꼭 주무시는 것 같습니다. 나하고 상관없는 것 같습니다. 나 역시 오래 기다리고 인내해 보려고 하지만 이 경계선에 서 있습니다. 그래서 믿음에 실족하기도 하고 믿음에 승리하기도 합니다.

[예수께서 일어나서서 바람을 꾸짖으시고 파도에게 명령하셨습니다. "고요하라! 잠잠하라!" 그러자 바람이 멈추고 호수가 잔잔해졌습니다.(막 4:39)]

위기의 순간 예수님은 어떻게 하셨습니까? 즉시 바람을 꾸짖고 "고요하라! 잠잠하라!"고 명령을 내리셨습니다. 예수님은 왜 바람을 꾸짖고 파도에 명령을 내리셨을까요? 단순한 자연현상이 아니고 예수님의 제자들을 시험한 사탄의 계획인 것을 알았기 때문입니다. 갑자기 나무를 향해 "이 책상아, 나쁜 놈아"라고 할 필요가 있겠습니까? 이 바닥에 욕을 할 필요가 있겠습니까? 지나가는 바람에 소리 지를 필요가 있겠습니까?

예수님이 왜 바람을 꾸짖고 파도에 명령을 내리셨을까 생각해 보기 바랍니다. 그것은 단순한 자연현상이 아니라 배 위의 제자들을 시험하려는 사탄의 세력이 있는 것을 예수님이 보셨기 때문입니다.

이 세상에서 살면서 신앙생활을 할 때는 자연현상과 사탄의 계획과 궤계와 유혹을 구분할 줄 아는 영적 능력이 필요합니다. 창세기를 보면 사탄은 뱀을 이용하고 선악과라는 나무를 이용해 사람을 공격했습니다. 지금도 사탄은 우상을 이용하고 미신을 이용하고 인간의 종교심을 이용합니다. 게다가 이 세상의 권력과 정사, 권세, 돈, 쾌락, 온갖 무신론, 거짓 사상, 질병 등으로 우리를 공격하고 있다는 사실도 알아야 합니다.

우리는 두 가지 세계를 혼동하고 있습니다. 사탄이 우리를 공격하고 있는지, 우리 신앙의 뿌리를 흔들려고 하는지 자연현상인지를 혼동하고 있습니다.

믿음과 온전한 사랑은 두려움을 물리친다

요즘 세상에서 일어나고 있는 자연 재앙이나 사회운동, 정치적 현실을 보면서도 영적 분별력이 없어 혼돈 가운데 빠질 때가 한두 번이 아닙니다. 우리는 신문 읽기를 다시 하며 뉴스 보기를 다시 해야 합니다. 신문을 보면서 빨간 볼펜으로 동그라미를 치고 그다음 여기는 성경 몇 장 몇 절과 관련이 있는지, 사건마다 줄을 쳐 가며 자꾸 성경을 갖다 대는 겁니다. 뉴스를 보고 성경으로 해석해야 합니다. 정치인들의 말을 성경으로 해석해야 합니다. 그냥 생각 없이 듣다가는 우리 영혼이 파괴되고 맙니다. 왜 이런 일이 일어났는지, 이것이 무슨 뜻인지 알아야 합니다. 영적으로 분별해야 두려움도 없고 걱정도 없고 무서움도 없습니다.

그러나 제자들은 그 사실을 몰랐습니다. 나중이 돼서야 제자들은 "저희가 빠져 죽게 됐는데 왜 모른 척하십니까?"라고 나온 겁니다. 이 시대에 승리하려면 영적으로 무장해야 합니다. 기도하고 성경 읽고 성령 충만해야 합니다.

[예수께서 제자들에게 말씀하셨습니다. "왜 그렇게 무서워하느냐? 아직도 믿음이 없느냐?"(막 4:40)]

예수님이 제자들에게 하신 말씀은 무엇입니까? "왜 그렇게 무서워하느냐?" "왜 그렇게 흔들리느냐?" "교회에 나온 지 얼마나 됐는데, 예수 믿은 지 얼마나 됐는데 아직도 그런 문제를 갖고 흔들리느냐?" 무서워한다는 말은 무슨 뜻입니까? 두려워한다는 것입니다. 마귀가 우리 마음속에 심어 놓은 것이 뭡니까? 두려움입니다.

여러 가지 일을 생각하다 보면, 교회 일과 주변의 일을 생각하다 보면 갑자기 두려움에 사로잡힐 때가 있습니다. 두려운 생각이 들면 자는 혼자 화장실로 들어갑니다. 그리고 거기서 기도합니다. 두려움이 밀려오면 찬송을 부르고 기도하며 그 두려움에서 벗어나려고 합니다. 그리고 다시 돌아와서 잡니다. 택한 자라고 할지라도 마귀는 시시때때로 두려움으로 공격해 옵니다. 두려움이 오면 꼼짝할 수가 없습니다. 손발을 움직일 수가 없습니다.

두려움의 정체는 무엇입니까? 첫 번째로 믿음이 없으면 두려움이 생깁니다. 예수님은 "왜 두려워하느냐? 아직도 믿음이 없느냐? 네 앞에 나를 두고도 못 믿느냐?"라고 말씀합니다. 참 이상합니다. 예수님을 보고도 못 믿고, 만지고도 못 믿고, 바로 앞에 두고도 못 믿습니다. 그래서 예수님은 "왜 두려워하느냐?"라고 말씀한 것입니다.

왜 두려워합니까? 우리 옆에 예수님이 계시는데, 우리 안에 예수님이 계시는데, 이미 계시는데 말입니다. 그런데 안 계신 것 같고, 주무시는 것 같고, 멀리 외출한 것 같아서 두려운 것 아닐까요? 우리 얘기를 들어 주시지 않는 거 같으니까 두려워하는 것 아닙니까? 우리 눈앞에 예수님이 계십니다. 마음속에 예수님이 계십니다. 손을 뻗으면 계시고, 말하면 들으시고, 기도하면 응답하십니다.

두 번째, 일반적으로 사람들은 사랑을 잃어버리면 두려워합니다.

[사랑에는 두려움이 없습니다. 온전한 사랑은 두려움을 내쫓습니다. 두려움은 징벌과 관련이 있기 때문입니다. 두려워하는 사람은 아직 사랑 안에서 온전케 되지 못한 사람입니다.(요일 4:18)]

이상하게도 미움이 생기기 시작하는 순간부터 두려움이 찾아옵니다. 그러므로 사랑해야 합니다. 그러면 두려움이 떠나게 됩니다.

[오 내 영혼아, 왜 그렇게 풀이 죽어 있느냐? 왜 이렇게 내 속에서 불안해하느냐? 너는 하나님을 바라라. 그 도와주시는 얼굴을 보아라. 내가 오히려 그분을 찬양하리라.(시 42:5)]

하나님을 바라보는 것을 포기하면 영혼이 불안해지기 시작합니다. 희망을 잃어버리면 불안이 찾아옵니다. 이상합니다. 하나님을 믿다가도 순식간에 마음속 비전이 사라지고 희망이 사라지고 하나님의 끈을 놓치면 허공 속에 빠지는 겁니다.

[제자들은 크게 두려워하면서 서로 수군거렸습니다. "도대체 이분이 누구시기에 바람과 파도까지도 복종하는가?"(막 4:41)]

"누구시기에, 도대체 이분이 누구시기에?"라는 질문을 스스로 하고 싶지 않습니까? 지금껏 믿었던 예수님 이분은 누구시기에, 배 뒤편에서 베개 베고 잠자고 계시는 예수님 이분이 누구시기에 이 위기를 잠재우고 파도에 명령을 내리시는 걸까요? 그분께 가야 합니다. 그분을 깨워야 합니다. 그분으로부터 말씀을 들어야 합니다. 그분의 음성을 들어야 합니다. 그러면 우리 안에 있는 모든 두려움이 순식간에 사라질 것입니다. 바람도 잠잠케 될 것이고 넘실거리는 파도도 없어질 것입니다.

Pray

하나님, 힘들고 어려울 때, 위기가 닥쳤을 때에 언제나 우리와 함께 배에 타고 계신 예수님을 기억하게 하옵소서. 믿음이 없어서, 사랑을 잃어서 두려워하는 세상 사람들과 구별되게 하옵소서. 또한 그들을 따뜻하게 안전한 주님의 울타리 안으로 인도하게 하옵소서. 예수님 이름으로 기도합니다. 아멘.

막 5:1-20

¹예수와 제자들은 호수 건너편 거라사 지방으로 갔습니다. ²예수께서 배에서 내리시자 더러운 귀신 들린 사람이 무덤 사이에서 나와 예수와 마주치게 됐습니다. ³그 사람은 무덤 사이에서 살았는데 아무도 그를 잡아맬 사람이 없었습니다. 쇠사슬도 소용없었습니다. ⁴그는 여러 번 쇠사슬로 손발이 묶이기도 했지만 번번이 사슬을 끊고 발에 찬 쇠고랑도 깨뜨렸습니다. 아무도 그를 당해 낼 수 없었습니다. ⁵그는 밤낮으로 무덤들과 언덕을 돌아다니며 소리를 지르고 돌로 자기 몸을 찢곤 했습니다. ⁶그런데 그가 멀리서 예수를 보더니 달려가 그 앞에 엎드려 절을 했습니다. ⁷그러고는 찢어질 듯 큰 소리로 외쳤습니다. "지극히 높으신 하나님의 아들 예수여, 제가 당신과 무슨 상관이 있습니까? 제발 저를 괴롭히지 마십시오." ⁸그것은 앞서 예수께서 그에게 "더러운 귀신아, 그 사람에게서 나와라!" 고 하셨기 때문입니다. ⁹그때 예수께서 물으셨습니다. "네 이름이 무엇이냐?" 그가 대답했습니다. "내 이름은 군대입니다. 우리 수가 많기 때문에 붙여진 이름입니다." ¹⁰그리고 예수께 자기들은 이 지방에서 쫓아내지 말아 달라고 간청했습니다. ¹¹마침 큰 돼지 떼가 거기 비탈진 언덕에서 먹이를 먹고 있었습니다. ¹²더러운 귀신들이 예수께 애원했습니다. "우리를 저 돼지들 속으로 보내 주십시오. 그 속으로 들어가게 해 주십시오." ¹³예수께서 허락하시자 더러운 귀신들이 나와서 돼지들에게로 들어 갔습니다. 그러자 2,000마리 정도 되는 돼지 떼가 비탈진 둑을 내리달아 호수에 빠져 죽었습니다. ¹⁴돼지를 치던 사람들이 마을과 그 일대로 달려가서 이 사실을 알렸습니다. 사람들은 무슨 일이 일어났는지 구경하러 달려 나왔습니다. ¹⁵그들이 예수께 와서 군대 귀신 들렸던 그 사람이 옷을 입고 제 정신이 들어 거기 앉아 있는 것을 보았습니다. 그들은 덜컥 겁이 났습니다. ¹⁶이 일을 본 사람들은 귀신 들렸던 사람에게 무슨 일이 일어났으며 돼지들은 어떻게 됐는지 그들에게 이야기해 주었습니다. ¹⁷그러자 사람들은 예수께 제발 이 지방에서 떠나 달라고 부탁했습니다. ¹⁸예수께서 배에 오르시려는데 귀신 들렸던 그 사람이 따라가겠다고 간청했습니다. ¹⁹예수께서는 허락하시지 않고 이렇게 말씀하셨습니다. "집으로 돌아가 주께서 네게 얼마나 큰일을 해 주셨는지, 어떻게 자비를 베푸셨는지 가족들에게 말해 주어라." ²⁰그리하여 그 사람은 데가볼리로 가서 예수께서 자기를 위해 얼마나 큰일을 베푸셨는지 말하고 다녔습니다. 그러자 이 말을 들은 사람들마다 모두 놀랐습니다.

세상을
변화시키는 방법

우리 인생에서 물질적 손해를 본다고 할지라도
가족이 살고 사람이 살고 사람이 제정신으로 돌아왔다면 그걸로 감사해야 합니다.
돈이라는 것은 없다가도 생기는 것이고, 생겼다가도 잃어버리는 것 아니겠습니까!

예수님은 쉴 틈 없이 바쁘셨습니다. 호수에서 바람과 파도를 잠잠케 하시고 곧바로 게네사렛 호수로 가셨습니다. 바쁘다는 것과 피곤하다는 것은 다릅니다. 자기가 좋아서 하는 일은 아무리 바쁘고 피곤하고 밤을 새도 기쁘기만 합니다. 땀을 흘리면서 흥얼대며 일합니다. 하지만 억지로 하는 일, 의무적으로 하는 일들은 작은 일에도 피곤하고 쉽게 짜증이 나게 마련입니다.

예수님은 음식 먹을 겨를도 없고 바쁘고 지칠 만큼 피곤하셨지만 그분한테서 그런 모습을 발견할 수가 없었습니다. 기쁨과 땀 흘리는 감사가 예수께 있었다는 말입니다. 열심히 일하는 사람들은 참 보기 좋습니다. 억지로 하는 게 아니라 기쁘게 일하는 사람들의 얼굴에는 행복한 미소가 있습니다.

[예수와 제자들은 호수 건너편 거라사 지방으로 갔습니다.(막 5:1)]

그런데 배에서 내리자마자 더러운 귀신 들린 사람이 기다리고 있었습니다.

[예수께서 배에서 내리시자 더러운 귀신 들린 사람이 무덤 사이에서 나와 예수와 마주치게 됐습니다. 그 사람은 무덤 사이에서 살았는데 아무도 그를 잡아맬 사람이 없었습니다. 쇠사슬도 소용없었습니다.(막 5:2-3)]

귀신 들린 사람의 특징

여기서 우리는 귀신 들린 사람들에 대한 몇 가지 정보와 특징을 알게 됩니다. 첫 번째로 더럽다는 것입니다. 귀신 들린 사람의 특징은 더럽습니다. 옷차림도 더럽고 생각도 더럽고 마음도 더럽습니다. 더러운 말을 하고 더러운 생각을 합니다. 그리고 더러운 짓만 골라 하는 것이 귀신 들린 사람의 특징입니다. 성경은 귀신 들린 더러운 사람이라고 했습니다.

깨끗하게 사는 것만 해도 귀신하고 이별할 수 있습니다. 집도 깨끗하고 옷도 깨끗하고 생각도 깨끗하고 마음도 깨끗한 사람은 귀신이 왔다가 있을 자리가 없어 그냥 갑니다. 우리의 생각도 마음도 몸도 깨끗하기를 축원합니다.

두 번째로 이 귀신 들린 사람은 무덤에서 살고 있었습니다. 무덤은 죽음을 상징하는 곳이요, 생명이 끝나는 곳입니다. 죽은 시체가 누워 있는 곳이 무덤입니다. 무덤은 살아 있는 곳이 아니며, 사람들이 가고 싶어 하는 곳도 아닙니다. 귀신들이 살고 있는 곳이 바로 무덤입니다.

세 번째로 이 귀신 들린 사람의 특징은 사람들이 붙잡아도 감당할 수 없을 만큼 힘이 세다는 것입니다. 쇠사슬로 묶어 놓아도 쇠사슬을 끊어 버립니다. 이상한 초자연적인 힘이 그에게 있습니다. 열 사람이 달라붙어도 감당할 수가 없습니다. 또한 잠을 자지 않습니다. 이런 사람이 귀신 들린 사람입니다.

[그는 여러 번 쇠사슬로 손발이 묶이기도 했지만 번번이 사슬을 끊고 발에 찬 쇠고랑도 깨뜨렸습니다. 아무도 그를 당해 낼 수 없었습니다. 그는 밤낮으로 무덤들과 언덕을 돌아다니며 소리를 지르고 돌로 자기 몸을 찢곤 했습니다.(막 5:4-5)]

네 번째로 귀신들에게 발견되는 특징은 "밤낮으로 무덤과 언덕을 돌아다니며"라는 것입니다. 귀신 들린 사람들은 잠을 자지 않고 집 밖으로 나가 방황하며 돌아다닙니다. 그러므로 저녁이 되면 집에 가서 자야 합니다. 밤늦게까지 1차, 2차, 3차 외치며 돌아다녀선 안 됩니다.

귀신 들리지 않은 멀쩡한 사람도 2차, 3차 다니면 귀신 들릴 수 있습니다. 잠을 자지 못합니다. 밤만 되면 정신이 예민해집니다. 몸이 쉬지를 못합니다. 눈을 감아도 잠을 자기가 어렵습니다. 밤낮에 상관없이 무덤 사이로, 언덕으로 뛰어다닙니다. 불면증이 심할 때면 너무 잠이 안 오니까 새벽 2시에 나가 막 걸어 다닙니다. 몸을 피곤하게 만들려고 말입니다. 그런 뒤 들어와 잠을 청해도 잠이 오지 않습니다.

그리고 귀신 들린 사람은 돌로 자기 몸을 자해합니다. 머리를 그냥 벽에 박고 옷을 찢고 자기 몸을 칼로 긁고 그럽니다. 이런 사람들을 주변에서 종종 봤을 겁니다. 목적도 방향도 의미도 없이 살아가는 사람들입니다. 술에 취해 살아가는 사람들, 나방처럼 살아가는 사람들, 방황하며 살아가는 세대들이 그런 사람들 아니겠습니까?

정반대로 살아가는 사람들도 있습니다. 타락하고 불법을 행하는 사람들, 도덕도 윤리도 양심도 다 팽개친 사람들, 용돈을 주지 않는다고 아버지를 죽이고 어머니를 죽이는 패륜아들, 이들은 기준을 잃어버렸고 정신을 잃어버린 사람들입니다. 순간순간 감정대로 사는 사람들, 일을 저질러 놓고 후회하는 사람들입니다.

후회한들 무슨 소용이 있습니까! 이처럼 인간되기를 포기한 사람들은 귀신 들린 사람하고 똑같습니다. 이런 세대를 가리켜 성경은 악하고 음란한 세대라고 말했습니다.

[그런데 그가 멀리서 예수를 보더니 달려가 그 앞에 엎드려 절을 했습니다. 그러고는 찢어질 듯 큰 소리로 외쳤습니다. "지극히 높으신 하나님의 아들 예수여, 제가 당신과 무슨 상관이 있습니까? 제발 저를 괴롭히지 마십시오."(막 5:6-7)]

그런데 놀라운 사실이 있습니다. 이 더러운 귀신 들린 사람이 멀리서 예수를 보고 달려왔습니다. 귀신 들린 사람은 예수 냄새를 잘 맡습니다. 멀리서 보고도 알아봅니다. 귀신들은 교회 냄새를 잘 맡습니다. 귀신들은 예수님을 잘 믿는 성령 충만한 사람들의 냄새를 잘 맡습니다. 멀리서 보고도 금방 눈치챕니다.

여기서 성령 충만한 성도의 역할이 얼마나 중요한지 모릅니다. 성령 충만한 기도하는 성도가 한 명 존재한다는 사실이 그 주변의 귀신 들린 사람들에게 충격을 주는 것입니다. 달려와서 예수께 무릎을 꿇었습니다. "제발 나를 좀 살려 주십시오. 나를 괴롭게 하지 마십시오." 이것이 귀신 들린 사람들의 외마디입니다.

더러운 귀신 들린 사람들이 가장 무서워하는 사람이 예수 그리스도입니다. 예수 그리스도는 더러운 귀신 들린 사람들을 살리실 수 있는 유일한 분입니다. 이 더럽고 음란하고 악한 세대를 청소할 수 있고 구원하실 수 있는 유일한 분입니다.

우리 대학생들이 홍대 술집에서 전도하고 예배드린 적이 있습니다. 일부러 홍대 나이트클럽과 계약하고 들어가서 아침 6시부터 저녁 나이트클럽이 시작하는 5시까지 두 번 예배를 드렸습니다. 아침 6시에 가면 술을 토하고 난장판이 된 곳을 한두 시간 청소합니다. 그리고 그 시간에는 손님이 없으니까 400~500명이 들어가서 찬양하고 예배를 드립니다.

나이트클럽은 보통 소리가 밖으로 나오지 않게 해 놓았습니다. 그리고 어두컴 컴합니다. 아무리 소리를 질러도 모릅니다. 죽을힘을 다해 찬양하고 기도하고 통 성하고 예배를 드렸습니다. 밤새도록 춤추는 귀신들을 다 내쫓은 겁니다. 그리고 2~3시까지 두 번 예배를 드리고 거기를 빠져나오면 또다시 춤추는 귀신 들린 젊 은 사람들이 거기에 모입니다. 이 일을 몇 달 동안 했는데, 도시 속으로 파고들자는 취지였습니다.

더러운 귀신 들린 사람들은 예수님을 무서워합니다. 예수 믿는 사람들을 두려워 합니다. 그러니 자신감을 가지고 세상 속으로 들어가야 합니다. 세상 사람들은 우 리를 무서워합니다. 두려워합니다. 앞선 말씀에서 세 가지를 발견할 수 있습니다. 멀리서도 알아봤다는 것입니다. 달려와서 엎드려 절했다는 것입니다. 엎드려 살려 달라고 애원했다는 것입니다.

귀신 들린 세대, 악하고 음란한 세대, 도덕도 양심도 윤리도 저버린 세대를 누가 구원하겠습니까? 오직 예수 그리스도 한 분입니다. 그러면 요즘에는 왜 그런 일들 이 일어나지 않습니까? 예수 믿는 사람이 자신감을 잃어버렸기 때문입니다. 명심 해야 합니다. 우리는 귀신을 쫓을 수 있습니다. 우리한테는 예수 그리스도의 이름 이라는 능력이 있습니다. 그러니 자신감을 가져야 합니다. 우리에게 능력이 있는 것이 아니라 예수께 능력이 있는 것입니다.

귀신이 멀리서 보고 달려와서 무릎을 꿇었던 이유는 이미 예수께서 그 귀신을 보고 꾸짖으셨기 때문입니다. "더러운 귀신아 그 사람에게서 나오라"고 명령을 내 리셨기 때문입니다. 예수님은 그 귀신에게 "네 이름이 무엇이냐?"라고 물으셨습 니다.

귀신을 쫓을 때는 "너 언제 들어왔느냐? 네 이름이 뭐냐? 너 어떻게 들어왔느 냐?"라고 질문합니다. 그러면 처음에는 거짓말을 하다가 나중에는 실토를 합니다. "나갈 거냐? 안 나갈 거냐?"라고 물으면 "안 나갈 거예요"라고 대답합니다. 그래서 "너는 나갈 수밖에 없다"라고 해도 귀신은 나가지 않으려고 합니다. 절대로 나가 려고 하지 않습니다.

그리고 사람 안에 숨어 귀신 문화를 만듭니다. 게으르고 더럽고 나쁜 습관을 자 꾸 만들어 냅니다. 그야말로 귀신의 집입니다. 그런데 우리 영혼을 깨끗하게 하고 마음을 깨끗하게 하고 믿음과 성령으로 충만하면 귀신이 있을 수가 없습니다.

[그는 밤낮으로 무덤들과 언덕을 돌아다니며 소리를 지르고 돌로 자기 몸을 찢

곤 했습니다. 그런데 그가 멀리서 예수를 보더니 달려가 그 앞에 엎드려 절을 했습니다. 그러고는 찢어질 듯 큰 소리로 외쳤습니다. "지극히 높으신 하나님의 아들 예수여, 제가 당신과 무슨 상관이 있습니까? 제발 저를 괴롭히지 마십시오." 그것은 앞서 예수께서 그에게 "더러운 귀신아, 그 사람에게서 나와라!"고 하셨기 때문입니다. 그때 예수께서 물으셨습니다. "네 이름이 무엇이냐?" 그가 대답했습니다. "내 이름은 군대입니다. 우리 수가 많기 때문에 붙여진 이름입니다." 그리고 예수께 자기들은 이 지방에서 쫓아내지 말아 달라고 간청했습니다.(막 5:5-10)]

귀신의 다섯 번째 특징입니다. 귀신은 군대 집단으로 존재합니다. 물론 귀신이 독립적으로 들어올 수도 있습니다. 하지만 일반적으로 귀신의 존재 형태는 집단적입니다. 오늘날 우리 세상을 보면 모든 일에 집단으로 데모하고, 집단으로 깃발을 듭니다. 다 집단의 이름으로 행동합니다. 이는 귀신의 영향입니다.

군대 귀신이란 무엇일까요? 전쟁 귀신이라는 뜻입니다. 군대라는 말 자체가 정신의 귀신, 전쟁의 귀신, 집단의 귀신입니다. 집단적으로 행동하므로 대중에는 개인이 없습니다. 모두 대중 속으로 숨어 버립니다. 대중은 이런 식으로 움직입니다. 사람들은 이것을 여론이라고 말합니다. 민심이라고 말합니다. 그러니 조심해야 합니다. 귀신은 군대 귀신입니다. 그들의 속성은 자꾸 투쟁하고 전쟁하는 것입니다.

[마침 큰 돼지 떼가 거기 비탈진 언덕에서 먹이를 먹고 있었습니다. 더러운 귀신들이 예수께 애원했습니다. "우리를 저 돼지들 속으로 보내 주십시오. 그 속으로 들어가게 해 주십시오." 예수께서 허락하시자 더러운 귀신들이 나와서 돼지들에게로 들어갔습니다. 그러자 2,000마리 정도 되는 돼지 떼가 비탈진 둑을 내리달아 호수에 빠져 죽었습니다. 돼지를 치던 사람들이 마을과 그 일대로 달려가서 이 사실을 알렸습니다. 사람들은 무슨 일이 일어났는지 구경하러 달려 나왔습니다. 그들이 예수께 와서, 군대 귀신 들렸던 그 사람이 옷을 입고 제정신이 들어 거기 앉아 있는 것을 보았습니다. 그들은 덜컥 겁이 났습니다.(막 5:11-15)]

모든 것을 집단적으로, 경쟁적으로 결정하곤 하는데 절대 정치적으로 결정해선 안 됩니다. 전문가들이 꼭 필요한 결정을 내리도록 해야 합니다. 그리고 존경해줘야 됩니다. 더러운 귀신 떼는 집단적으로 그 사람들한테서 빠져 나와 비탈진 언덕에 있던 돼지 2,000마리 속으로 들어갔습니다. 그러고 나선 돼지 떼가 비탈진 둑을 내리달아 죽고 말았습니다. 돼지 치던 사람들은 순간 얼마나 황당하고 놀랐겠습니까!

이중생활에서 벗어나라

여기서 중요한 것은 물질적인 손해를 봤지만 사람은 살아났다는 것입니다. 사람을 살리려면 물질적 손해가 좀 있더라도 감수해야 합니다. 물질적 손해가 있어도 귀신 들린 사람이 낫는 게 더 중요합니다. 그런데 요즘은 이런 생각을 가진 사람을 찾아보기 어렵습니다. 우리는 사람 한 명 죽어가도 물질적 손해를 피하는 것을 더 중요하게 생각합니다.

우리 인생에서 물질적 손해를 본다고 할지라도 가족이 살고 사람이 살고 사람이 제정신으로 돌아왔다면 그걸로 감사해야 합니다. 돈이라는 것은 없다가도 생기는 것이고, 생겼다가도 잃어버리는 것 아니겠습니까! 우리 시대에 급한 것은 귀신 들린 사람들이 제정신으로 돌아와서 다시 정상적인 삶을 사는 것입니다.

그러므로 우리 모두 정신을 똑바로 차리고 살아야 합니다. 물질적 손해를 좀 보더라도 그것을 감수해야 합니다. 돼지 떼 2,000마리가 죽는다고 해도 한 명의 사람이 살아난다면 그걸 선택해야 합니다.

귀신에 끌려다니며 살지 말아야 합니다. 술에 취하지 말아야 합니다. 이중생활에서 벗어나야 합니다. 혹시 이런 생활을 하고 있다면 오늘 당장 끊어야 합니다. 모두 귀신에 끌려서 하는 겁니다. 더럽게 살아선 안 됩니다. 양심과 도덕, 윤리를 버리고 살아선 안 됩니다. 가난해도 깨끗하게 살아야 합니다.

[이 일을 본 사람들은 귀신 들렸던 사람에게 무슨 일이 일어났으며 돼지들은 어떻게 됐는지 그들에게 이야기해 주었습니다. 그러자 사람들은 예수께 제발 이 지방에서 떠나 달라고 부탁했습니다. 예수께서 배에 오르시려는데 귀신 들렸던 그 사람이 따라가겠다고 간청했습니다. 예수께서는 허락하시지 않고 이렇게 말씀하셨습니다. "집으로 돌아가 주께서 네게 얼마나 큰일을 해 주셨는지, 어떻게 자비를 베푸셨는지 가족들에게 말해 주어라." 그리하여 그 사람은 데가볼리로 가서 예수께서 자기를 위해 얼마나 큰일을 베푸셨는지 말하고 다녔습니다. 그러자 이 말을 들은 사람들마다 모두 놀랐습니다.(막 4:16-20)]

이처럼 사람들은 물질적 손해를 두려워합니다. 물질에 대해 예민합니다. 그래서 자신들이 사는 동네를 떠나 달라고 부탁한 것입니다. 돼지 2,000마리를 치는 사람들은 그렇겠지만 귀신 들렸다가 제정신이 돌아온 사람들의 태도는 달랐습니다. 귀신 들렸다가 제정신으로 돌아온 사람은 "나도 예수님을 따라가겠습니다"라고 요청했습니다. 하지만 예수님은 허락하시지 않았습니다. 예수님은 어떤 사람들은 제자로 부르시고, 어떤 사람은 따라다니지 말고 네 집으로 가라고 말씀했습니다. 예수님이 "집으로 돌아가서 네 가족들을 구원해라. 가족들을 섬겨라. 직장에 있는 동료들을 섬겨라"고 말씀한 것입니다. 그리고 그들에게 네가 당한 일들을 다 간증하라고 말씀합니다.

예수님의 일행으로 따라가지는 못할망정 이제 우리 모두는 집으로 돌아가서 예수님의 증인으로 살아가야 합니다. 이것이 세상을 변화시키는 방법입니다. 당신의 가정을 구원하십시오.

Pray

하나님, 이 땅에 만연한 귀신 문화에서 크리스천 문화의 중심을 잡아 가는 신앙인들 되게 하옵소서. 교회 안에서의 삶과 교회 밖에서의 삶이 다른 이중생활에서 벗어나 예수님의 증인으로 살아가도록 인도하여 주옵소서. 예수님 이름으로 기도합니다. 아멘.

막 5:21-43

²¹ 예수께서 배를 타고 다시 호수 건너편으로 가셨습니다. 예수께서 호숫가에 계시는 동안 많은 사람들이 예수께로 모여들었습니다. ²² 그때 야이로라 불리는 회당장이 예수께 와서 예수를 보고 그 발 앞에 엎드려 ²³ 간절히 애원했습니다. "제 어린 딸이 죽어갑니다. 제발 오셔서 그 아이에게 손을 얹어 주십시오. 그러면 그 아이가 병이 낫고 살아날 것입니다." ²⁴ 그러자 예수께서 그와 함께 가셨습니다. 많은 사람들이 따라가면서 예수를 둘러싸고 밀어댔습니다. ²⁵ 그 가운데는 혈루병으로 12년 동안 앓고 있던 여인도 있었습니다. ²⁶ 이 여인은 여러 의사들에게 치료를 받으며 고생도 많이 하고 재산도 다 잃었지만 병이 낫기는커녕 악화될 뿐이었습니다. ²⁷ 그러던 중 예수의 소문을 듣고 뒤에서 무리들 틈에 끼어들어 와서 예수의 옷자락에 손을 댔습니다. ²⁸ '예수의 옷자락만 닿아도 내 병이 나을 것이다'라고 생각한 것입니다. ²⁹ 그러자 곧 출혈의 근원이 마르면서 이 여인은 자신의 병이 나은 것을 몸으로 느낄 수 있었습니다. ³⁰ 동시에 예수께서도 자신의 몸에서 능력이 나간 것을 알아차리셨습니다. 예수께서 사람들을 돌아보며 물으셨습니다. "누가 내 옷자락에 손을 대었느냐?" ³¹ 제자들이 대답했습니다. "이렇게 많은 사람들이 밀어 대는 것을 보시면서 '누가 손을 대었느냐'고 물으십니까?" ³² 그러나 예수께서는 누가 옷을 만졌는지 알아보려고 둘러보셨습니다. ³³ 그러자 자기에게 일어난 일을 알고 있는 이 여인이 와서 예수의 발 앞에 엎드려 두려움에 떨면서 사실대로 말했습니다. ³⁴ 예수께서 여인에게 말씀하셨습니다. "딸아, 네 믿음이 너를 구원했다. 이제 안심하고 가거라. 그리고 병에서 해방돼 건강하여라." ³⁵ 예수의 말씀이 채 끝나기도 전에 야이로 회당장의 집에서 사람들이 와서 말했습니다. "따님이 죽었습니다. 선생님께 더 이상 폐 끼칠 게 뭐가 있겠습니까?" ³⁶ 예수께서 그 말에 아랑곳하지 않으시고 회당장에게 말씀하셨습니다. "두려워하지 말고 믿기만 하여라." ³⁷ 그리고 예수께서 베드로와 야고보와 야고보의 동생 요한 외에는 아무도 따라오지 못하게 하셨습니다. ³⁸ 회당장의 집에 이르자 예수께서 많은 사람들이 울며 통곡하며 소란스러운 것을 보시고는 ³⁹ 집 안으로 들어가 그들에게 말씀하셨습니다. "어째서 소란하며 울고 있느냐? 아이는 죽은 것이 아니라 그냥 자고 있는 것이다." ⁴⁰ 그러자 사람들이 예수를 비웃었습니다. 예수께서 사람들을 모두 밖으로 내보내시고 아이의 부모와 함께 있는 제자들만 데리고 아이가 있는 방으로 들어가셨습니다. ⁴¹ 예수께서 그 아이의 손을 잡고는 아이에게 "달리다굼!" 하셨습니다. 이 말은 "소녀야. 내가 네게 말한다. 일어나거라."는 뜻입니다. ⁴² 그러자 곧 아이가 일어나더니 걸어 다녔습니다. 이 소녀는 열두 살이었습니다. 이 일을 본 사람들은 몹시 놀랐습니다. ⁴³ 예수께서 이 일을 아무에게도 알리지 말라고 엄하게 말씀하셨습니다. 그리고 "아이에게 먹을 것을 주라"고 말씀하셨습니다.

절망에서도 빛은 빛난다

예수님은 바쁘신 가운데서도 절망에 빠진 사람들, 희망을 잃어버린 사람들,
인생을 포기한 사람들에게 희망이 되셨습니다.
인생의 끝이라고 생각했던 사람에게
예수님은 희망이 되어 주셨습니다. 길을 열어 주셨습니다.

이 말씀을 보면 예수님은 절망적인 상황에 있는 사람들을 구원해 주셨습니다. 야이로라는 회당장이 있었습니다. 그에게는 열두 살 된 어린 딸이 있는데 이 아이가 죽을병에 걸렸습니다. 이 죽을병이라고 해도 그 병을 알면 그나마 위로가 됩니다. 치료를 해 보고 죽으면 그래도 위로가 됩니다. 그런데 병명도 알지 못하고 죽을 때, 치료도 제대로 해 보지 못하고 죽을 때 그 부모의 가슴은 찢어집니다. 회당장의 어린 딸이 죽게 됐는데, 이 얼마나 절망적인 상황이겠습니까. 또한 한 사람이 나타나는데 12년 동안 피가 멈추지 않고 계속 흐르는 혈루병을 앓는 여인이었습니다.

[예수께서 배를 타고 다시 호수 건너편으로 가셨습니다. 예수께서 호숫가에 계시는 동안 많은 사람들이 예수께로 모여들었습니다. 그때 야이로라 불리는 회당장이 예수께 와서 예수를 보고 그 발 앞에 엎드려 간절히 애원했습니다. "제 어린 딸이 죽어갑니다. 제발 오셔서 그 아이에게 손을 얹어 주십시오. 그러면 그 아이가 병이 낫고 살아날 것입니다."(막 5:21-23)]

예수님은 참 바쁘셨습니다. 쉴 틈이 없으셨습니다. 호수 건너편으로 자리를 옮겼을 때 야이로라 불리는 회당장, 종교인이 기다리고 있었습니다. 이 사람은 종교

지도자였지만, 자기의 딸이 알 수 없는 병에 걸려 죽게 될 지경에 처한 절망적인 상황이었습니다. 그는 예수님의 발 앞에 엎드려 간절히 애원했습니다. "제 어린 딸이 죽어가고 있습니다. 제발 오셔서 이 어린아이에게 손을 얹어 주십시오. 그러면 이 아이가 낫고 살 것입니다." 이처럼 이 회당장에게는 예수님에 대한 믿음이 있었습니다.

딸을 살린 야이로의 믿음

종교인이 아니라도 어린 자식이 죽어가는데 고통스럽지 않은 아버지가 어디 있겠습니까. 이런 상황에 처한 사람을 여러 번 봤습니다. 아이가 죽어갈 때 아버지는 자신이 대신 죽었으면 좋겠다는 심정이 됩니다. 다음 말씀에서 예수님이 어떻게 반응하셨는지를 볼 수 있습니다.

[그러자 예수께서 그와 함께 가셨습니다. 많은 사람들이 따라가면서 예수를 둘러싸고 밀어댔습니다.(막 5:24)]

예수님은 말없이 그와 함께 가셨습니다. 말없이 그냥 따라가셨습니다. 예수님은 때로는 우리의 기도를 말없이 들어 주십니다. "고쳐 주겠다", "네 집에 가겠다"라는 말을 하시지 않았지만, 이미 예수님의 발걸음은 우리를 향하고 있다는 것입니다. 예수님은 우리의 절망 속으로 들어오고 계십니다. 그분은 우리에게 말없이 조용히 다가오고 계십니다.

사람들이 주변에 몰려들기 시작했습니다. 이 사람들 가운데 생각지도 못했던 한 여인이 예수님을 따라오고 있었습니다. 이 여인은 12년 동안 혈루병으로 고생했습니다. 성경은 이 여인이 자기 병을 고치기 위해 수없이 애썼다고 말씀합니다. 많은 의사를 찾아다녔고 그러다 보니 가지고 있는 재산을 다 썼다고 말씀합니다. 병은 나아지기는커녕 갈수록 악화됐다고 말씀합니다.

[그 가운데는 혈루병으로 12년 동안 앓고 있던 여인도 있었습니다. 이 여인은 여러 의사들에게 치료를 받으며 고생도 많이 하고 재산도 다 잃었지만 병이 낫기는커녕 악화될 뿐이었습니다.(막 5:25-26)]

이런 사람들이 우리 주변에 참 많습니다. 애를 쓰면 쓸수록 덫에 빠진 것처럼 더 나빠지는 것입니다. 이런 절망적인 상태에서 빠져나가고 싶지 않은 사람이 어디 있겠습니까! 어디 병뿐이겠습니까? 우리 인생사는 여러 가지 일에 한번 얽히면 낡시 바늘에 꿰인 것처럼 몸부림칠수록 더 어려워지는 경우가 많습니다. 이 여인의 심정이 어떠할지 한번 생각해 보기 바랍니다. 아마 죽지 못해 살고 있을 것입니다.

이 여인은 돈이 다 떨어져서 새 옷을 갈아입을 형편도 못 될 것이고 빨래도 제대로 하지 못했을 것이고 몸에서 냄새도 났을 것입니다. 게다가 얼굴은 빈혈로 아프다는 사실을 숨기기 어려웠을 것입니다. 그녀를 지켜 줄 사람은 아무도 없었습니다. 어쩌면 부모도 포기했는지 모릅니다. 여인에게는 지켜 줄 가족도 없었습니다.

사람이 혼자 살아야 한다는 것은 고통이요, 외로움입니다. 그 당시 이 여인은 나병 환자와 똑같은 취급을 받았을 것입니다. 하지만 그녀에게는 예수님이라는 희망이 있었습니다. 이 여인도 다른 사람과 똑같이 예수님에 대한 소문을 들었을 것입니다. 마음속으로 수없이 '그분을 한번 만나고 싶다'라면서 예수의 이름을 불러 보았을 것입니다.

자신과 같은 천한 존재가 예수님을 만날 수는 없겠지만 마음속으로 그분의 이름을 수없이 불렀을 겁니다. 눈물을 흘리면서 예수님의 이름을 불렀을 겁니다. 그런데 어느 날 예수님이 자기 동네에 오셨다는 소식을 들었습니다. 이 여인은 흥분을 감추지 못하고 사람들이 뭐라고 하든 예수님의 얼굴이라도 보고 싶다는 생각에 사람들 틈에 끼었을 것입니다.

앞서 말한 대로 여인의 몸에는 악취가 났을 것이고 사람들은 인상을 썼을 것입니다. 좀처럼 자리를 내어 주지 않았을 것입니다. 그럼에도 이 여인의 마음속에는 예수님을 만나고 싶다는 열정, 예수님의 얼굴을 보고 싶다는 강한 열정이 있어 사람들의 방해를 무릅쓰고 끼어들게 되었습니다. 그리고 '내가 예수의 옷자락을 만지기만 해도 내 병이 나을 텐데'라는 마음이 생겼습니다.

우리에게도 이런 마음이 생기기를 바랍니다. 예수님의 이름을 마음속으로 부르면서 예수님을 직접 만질 수는 없지만 가까이 가서 그분의 옷자락이라도 만지면 나을 거 같다고 생각해야 합니다.

[그러던 중 예수의 소문을 듣고 뒤에서 무리들 틈에 끼어들어 와서 예수의 옷자락에 손을 댔습니다. '예수의 옷자락만 닿아도 내 병이 나을 것이다'라고 생각한 것입니다.(막 5:27-28)]

이것이 믿음입니다. 예수님의 이름을 부르는 마음, 이게 믿음입니다. 예수님을 찾는 것, 예수님을 생각하는 것이 믿음의 시작입니다. 예수님의 옷자락이라도 만지면 나을 것 같다는 생각이 믿음입니다. 이것이 과학적 사실이겠습니까, 지성적

논리겠습니까? 아닙니다. 그냥 생각입니다.

이렇게 해서 예수님 가까이 가서 옷자락을 만지는 순간 흐르던 피가 멈췄습니다. 이 얼마나 놀라운 사실입니까! 이 여인은 자기에게 변화가 온 것을 알았습니다. 피가 멈춘 사실을 알았습니다. 여인도 알았고 예수님도 알았습니다.

[그러자 곧 출혈의 근원이 마르면서 이 여인은 자신의 병이 나은 것을 몸으로 느낄 수 있었습니다. 동시에 예수께서도 자신의 몸에서 능력이 나간 것을 알아차리셨습니다. 예수께서 사람들을 돌아보며 물으셨습니다. "누가 내 옷자락에 손을 대었느냐?" 제자들이 대답했습니다. "이렇게 많은 사람들이 밀어 대는 것을 보시면서 '누가 손을 대었느냐'고 물으십니까?" 그러나 예수께서는 누가 옷을 만졌는지 알아보려고 둘러보셨습니다. 그러자 자기에게 일어난 일을 알고 있는 이 여인이 와서 예수의 발 앞에 엎드려 두려움에 떨면서 사실대로 말했습니다. 예수께서 여인에게 말씀하셨습니다. "딸아, 네 믿음이 너를 구원했다. 이제 안심하고 가거라. 그리고 병에서 해방돼 건강하여라."(막 5:29-34)]

제자들은 이 사건을 이해하지 못했습니다. 때로는 설교를 들으면서도 이해하지 못할 때가 있습니다. '예수님이 괜한 말씀을 하시는군'이라고 생각하는 것입니다. 하지만 당사자인 이 여인은 알았습니다. 자기 몸에 이상한 변화가 일어났기 때문입니다. 그래서 두려움에 떨면서 예수님의 발 앞에 엎드려 사실을 고백했습니다.

이것이 진짜 크리스천과 가짜 크리스천의 차이입니다. 교회를 나와도 설교를 들어도 말씀을 읽어도 뭐가 뭔지 느껴지지 않는 것입니다. 글자를 모르겠습니까? 뜻을 모르겠습니까? 그런데 느낄 수가 없습니다. 자신과 상관없다는 생각이 드는 겁니다. 예수님이 괜히 쓸데없는 말씀을 하신다고 생각하는 겁니다.

그러나 어떤 사람한테는 하나님 말씀이 마음속으로 들어와 변화를 이끌어 냅니다. 갑자기 마음이 울렁거리고 기쁨이 솟아나고 생명이 꿈틀거리는 것을 느낀다는 말입니다. '어, 내 마음속에 변화가 일어나고 있네.' 이 여인은 자기 안에서 변화가 일어났다는 사실을 고백했습니다. 우리 역시 마음속에서 일어나는 변화를 예수께 고백해야 합니다. "주님, 내게 변화가 일어났어요. 내 몸에 변화가 일어났어요. 내 마음에 변화가 일어났어요"라고 말입니다.

그러자 예수님의 반응이 어땠습니까? 세 가지 반응이 있었습니다. 우선 예수님은 "네 믿음이 너를 구원했다"라고 더 큰 축복의 말씀을 해 주셨습니다. "네 믿음이 너를 치료했다"라고 하지 않고 "네 믿음이 너를 구원했다"라고 말씀했습니다.

불치병의 치료보다도 절망의 치료보다도 더 놀라운 치료는 당신의 구원입니다. "너는 구원받았다." 이 얼마나 희망적이고 영원하고 강력한 축복입니까! 우리는 구원받은 것입니다. 작은 문제들이 해결되지 않았을지라도 인생의 본질적인 문제에 "당신은 구원받았다"라는 말을 하나님으로부터, 예수님으로부터 들었다면 이 얼마나 값진 축복입니까!

다음은 "이제 안심하고 가거라"입니다. "두려움을 떨쳐버리고 절망을 떨쳐버리고 자신을 얽매고 있는 모든 족쇄를 풀어버리고 너는 자유하라. 너를 묶어 놓을 수 있는 것은 이 세상에 아무것도 없다. 돈도 세상의 인연도 모든 꼬인 것도 다 풀렸다. 이제 복역의 때가 끝났다. 그러니 가거라. 너는 보석이다. 너는 자유다." 이는 예수님의 선언입니다.

기억해야 합니다. 우리는 자유입니다. 병이 우리를 묶어 놓을 수 없습니다. 세상 그 어떤 것도 우리를 묶어 놓을 수는 없습니다. 우리 발에는 무엇도 채울 수가 없습니다. 우리는 자유입니다. 이것이 주님의 두 번째 축복입니다.

세 번째 축복은 "병에서 해방되어 건강하여라"입니다. 병든 자에게 예수님 말씀은 얼마나 큰 축복이겠습니까! "당신은 이제 아프지 않다. 당신은 이제 병마에서 해방되었다. 일어날 것이다. 걸어갈 것이다. 건강해질 것이다. 당신은 병에서 자유를 얻었다."

절망에 빠진 사람들에게 길을 열어 주시다

볼품없는 이 여인에게 예수님은 이처럼 세 가지 축복의 말씀을 해 주셨습니다. 이것은 곧 우리에게 주시는 축복의 말씀입니다. 그러니 받아야 합니다. 우리 것으로 받아야 합니다. 이 축복을 오늘 받아야 합니다.

[예수의 말씀이 채 끝나기도 전에 야이로 회당장의 집에서 사람들이 와서 말했습니다. "따님이 죽었습니다. 선생님께 더 이상 폐 끼칠 게 뭐가 있겠습니까?" 예수께서 그 말에 아랑곳하지 않으시고 회당장에게 말씀하셨습니다. "두려워하지 말고 믿기만 하여라."(막 5:35-36)]

회당장이 예수님을 찾아온 사이에 딸이 죽었습니다. 이야기의 시작은 회당장이 자신의 죽어가는 어린 딸을 위해 기도해 달라고 부탁하는 것으로 시작했습니다. 그런데 12년 동안 혈루증을 앓아 온 여인이 끼어들었고, 이 문제를 해결하는 동안 회당장의 딸이 죽었습니다. 사람들의 반응은 어땠을까요? 울며불며 통곡했을 겁니다. 이때 예수님의 반응은 어땠습니까? 이렇게 말했습니다. "두려워하지 말고 믿기만 하여라." 반응이 전혀 다릅니다.

[그리고 예수께서 베드로와 야고보와 야고보의 동생 요한 외에는 아무도 따라오지 못하게 하셨습니다. 회당장의 집에 이르자 예수께서 많은 사람들이 울며 통곡하며 소란스러운 것을 보시고는 집 안으로 들어가 그들에게 말씀하셨습니다. "어째서 소란하며 울고 있느냐? 아이는 죽은 것이 아니라 그냥 자고 있는 것이다."(막 5:37-39)]

예수님은 "아이는 죽은 것이 아니라 그냥 자고 있는 것이다"라고 말씀했습니다. 죽는다는 것과 잔다는 것의 차이는 무엇입니까? 죽는다는 것은 다시 깨어나지 않는다는 의미이고, 잔다는 것은 다시 깨어난다는 의미입니다.

우리는 다시 깨어날 것입니다. 우리도 언젠가 죽을 터인데 죽고 나면 하늘나라에서, 천국에서 다시 깨어날 것입니다. 그래서 우리는 죽음에 대한 두려움이 없습니다. 죽음은 천국을 향해 가는 문입니다. 그뿐입니다. 죽음은 종말, 우리 인생의 끝이 아닙니다. 영혼을 여는 시작에 불과합니다.

[그러자 사람들이 예수를 비웃었습니다. 예수께서 사람들을 모두 밖으로 내보내시고 아이의 부모와 함께 있는 제자들만 데리고 아이가 있는 방으로 들어가셨습니다. 예수께서 그 아이의 손을 잡고는 아이에게 "달리다굼!" 하셨습니다. 이 말은 "소녀야, 내가 네게 말한다. 일어나거라!"는 뜻입니다. 그러자 곧 아이가 일어나더니 걸어 다녔습니다. 이 소녀는 열두 살이었습니다. 이 일을 본 사람들은 몹시 놀랐습니다. 예수께서 이 일을 아무에게도 알리지 말라고 엄하게 말씀하셨습니다. 그리고 "아이에게 먹을 것을 주라"고 말씀하셨습니다.(막 5:40-43)]

주님은 이 어린아이가 잔다고 해석했습니다. 그러자 그곳에 모인 사람들이 비웃었습니다. 말이 안 된다고 수군거렸습니다. 이때 예수님이 이 어린아이의 손을 붙잡고 "달리다굼(소녀여, 일어나라)"이라고 말씀하자 아이가 일어났습니다. 그리고 걸어 다녔습니다. 사람들은 깜짝 놀랐습니다. 예수님은 이 일을 많은 사람들에게 알리지 말라고 하면서 "아이에게 먹을 것을 주라"고 말씀했습니다.

예수님은 바쁘신 가운데서도 절망에 빠진 사람들, 희망을 잃어버린 사람들, 인생을 포기한 사람들에게 희망이 되셨습니다. 인생의 끝이라고 생각했던 사람에게 예수님은 희망이 되어 주셨습니다. 길을 열어 주셨습니다. 죽은 사람에게 생명을 주셨습니다. 죽은 자가 살아나고 병든 자가 일어났습니다.

모든 사람에게 동일한 일이 일어나는 것은 아니라고 해도 우리가 꼭 기억해야 할 말씀이 있습니다. 예수님은 어떤 경우라도 우리의 희망이시라는 것입니다. 모든 절망을 뒤로하고 우리에게 희망을 주십니다. 십자가를 뒤로하고 우리에게 부활의 영광을 주시는 분임을 믿어야 합니다. 받아들여야 합니다. 그리고 그분께 영광을 올려 드려야 합니다.

의사 선생님이 안 좋은 진단을 내렸다고 해도, 이제 3개월밖에 살 시간이 없다고 말해도 그 사실을 부인하는 게 아니라 그 말은 그냥 들어야 합니다. 단 마음에 희망의 꽃을 피워야 합니다. 믿음의 꽃을 피워야 합니다. 우리는 다시 살아날 것이며, 우리에게는 하나님이 희망의 길을 열어 주실 것입니다.

Pray

하나님, 예수님을 만나고 싶다는 열정, 예수님을 보고 싶다는 강한 열정에 사로잡힌 삶을 살 수 있도록 인도하여 주옵소서. 주님이 주신 열정을 통해 기쁨과 즐거움이 늘 샘솟는 삶을 살게 하옵소서. 예수님 이름으로 기도합니다. 아멘.

3부

사랑의 기적을
베푸시는 예수님

예수님은 갈릴리 전 지역을 두루 다니시며 가난하고
병든 자들의 친구가 되셨습니다.
그들에게 사랑의 기적을 베푸셨습니다.

막 6:1-13

¹ 예수께서 그곳을 떠나 고향으로 가셨습니다. 예수의 제자들도 동행했습니다. ² 안식일이 되자 예수께서는 회당에서 말씀을 가르치기 시작하셨습니다. 많은 사람들이 그분의 말씀을 듣고 놀라며 물었습니다. "저 사람이 이런 것들을 어디서 배웠는가? 저런 지혜를 도대체 어디서 받았는가? 기적까지 일으키고 있지 않은가? ³ 저 사람은 한낱 목수가 아닌가? 마리아의 아들이고 야고보, 요셉, 유다, 시몬과 형제가 아닌가? 그 누이들도 여기 우리와 함께 있지 않은가?" 그러면서 사람들은 예수를 배척했습니다. ⁴ 예수께서 그들에게 말씀하셨습니다. "예언자는 자기 고향과 자기 친척과 자기 집에서는 배척당하는 법이다." ⁵ 예수께서는 그저 아픈 사람들 몇 명만 안수해 고쳐 주셨을 뿐 거기서 다른 기적은 일으키실 수 없었습니다. ⁶ 그리고 예수께서는 그들이 믿지 않는 것에 놀라셨습니다. 그 후 예수께서 여러 마을을 두루 다니시며 말씀을 전하셨습니다. ⁷ 예수께서는 열두 제자를 불러 둘씩 짝지어 보내시며 더러운 귀신을 제어할 권세를 주셨습니다. ⁸ 그리고 이렇게 당부하셨습니다. "여행길에 지팡이 외에는 아무것도 가져가지 말라. 먹을 것이나 자루도 챙기지 말고 전대에 돈도 넣어 가지 말라. ⁹ 신발만 신고 옷도 두 벌씩 가져가지 말라. ¹⁰ 어느 집에 들어가든지 그 마을을 떠나기 전까지는 그 집에 머물라. ¹¹ 어느 집이든지 너희를 반기지 않거나 너희 말에 귀 기울이지 않으면 떠나면서 경고의 표시로 발에 붙은 먼지를 떨어 버리라." ¹² 제자들은 나가서 사람들에게 회개하라고 전파했습니다. ¹³ 그들은 많은 귀신들을 쫓아내고 수많은 환자들에게 기름 부어 병을 고쳐 주었습니다.

외면당하시는
예수님

받지 않는데 어떻게 줍니까? 사랑을 받지 않는데 어떻게 사랑을 줍니까?
사랑은 받아야만 줄 수 있습니다. 우리는 예수님이 가까이 오시면 환영해야 합니다.
성령님이 오시면 받아들여야 합니다. 그게 낮일지 밤일지는 모릅니다. 나이와도 상관없습니다.

많은 사역을 하신 예수님은 고향으로 발걸음을 옮기셨습니다.

[예수께서 그곳을 떠나 고향으로 가셨습니다. 예수의 제자들도 동행했습니다.(막 6:1)]

참으로 인간적인 모습을 볼 수 있습니다. 예수님이 고향을 찾으셨는데, 제자들도 동행했습니다. 고향이란 어떤 곳입니까? 어머니의 품처럼 따뜻한 곳입니다. 그래서 고향은 어머니와 같은 의미로 사용되기도 합니다. 쉴 수 있고 위로받을 수 있는 곳입니다. 이런 이유로 설날이나 추석이 되면 먼 곳에 있어도, 교통대란으로 고속도로에서 오랜 시간을 보내고 파죽음이 돼도 아이들을 데리고 고향으로 가는 것입니다.

고향은 뿌리와 같습니다. 부모님이 계시고 조상들의 묘가 있는 곳입니다. 타향살이가 고달플 때 사람들의 마음에는 언제나 고향에 대한 그리움, 어린 시절에 대한 그리움이 있습니다. 예수님도 고향으로 가셨는데, 예수님의 행보는 조금 특이했습니다.

고향에서 배척당하시다

고향에 가셔서 가장 먼저 찾은 곳은 회당이었습니다. 회당에 가셔서 하나님 말씀을 가르치신 것입니다.

[안식일이 되자 예수께서는 회당에서 말씀을 가르치기 시작하셨습니다. 많은 사람들이 그분의 말씀을 듣고 놀라며 물었습니다. "저 사람이 이런 것들을 어디서 배웠는가? 저런 지혜를 도대체 어디서 받았는가? 기적까지 일으키고 있지 않은가?"(막 6:2)]

예수님의 활동을 본 고향 사람들은 깜짝 놀랐습니다. 옛날에 자신들이 알고 있던 예수가 아니었기 때문에 그런 것입니다. 그들은 세 가지 이유로 놀랐습니다.

먼저 예수님이 가르치시는 것을 보고 "어떻게 저렇게 가르칠 수가 있을까?"라며 굉장히 놀랐습니다. 예수님이 기적을 행하실 때나 가르치실 때나 많은 사람들이 놀랐습니다. 보통 사람과 같지 않았기 때문입니다. 그 가르치심이 특이하다기보다는 가르치시는 모습에 우리가 상상할 수 없는 어떤 영적 권위가 있었다는 얘기입니다. 그럴 수밖에 없는 것이 예수님은 최초로 하나님이 창조하신 모습 그대로 오셨기 때문입니다. 우리는 이미 죄를 지은 모습입니다. 하지만 예수님은 죄를 짓지 않은 천진난만한 모습이 그 속에 있었습니다.

두 번째로 사람들이 놀란 것은 "우리가 그의 공부한 것과 배운 것을 빤히 아는데 도대체 언제 어디서 배운 거지? 지금 가르치는 지혜는 어디서 온 것이지?"라는 것입니다.

세 번째로 이러한 기적을 어떻게 설명할 수가 없다는 것입니다. 동네 사람들, 예수님의 성장을 지켜 본 사람들은 이런 질문을 했습니다.

["저 사람은 한낱 목수가 아닌가? 마리아의 아들이고 야고보, 요셉, 유다, 시몬과 형제가 아닌가? 그 누이들도 여기 우리와 함께 있지 않은가?" 그러면서 사람들은 예수를 배척했습니다.(막 6:3)]

다음은 고향 사람들이 알고 있던 예수님의 인적사항입니다. 직업은 목수이고 어머니는 마리아이며 형제들은 야고보와 요셉, 유다, 시몬이고 누이는 자기들과 한 지역에 사는 사람이었습니다. 이것은 분명한 사실입니다. 등잔 밑이 어둡다는 격으로 가장 가깝게 지낸 고향 사람들은 예수님이 하나님의 아들 되심을 알지 못하고, 자기들과 같은 평범한 사람이라고 생각한 것입니다.

사람은 누구든 자기를 알아봐 주지 못하거나 자신의 정체성을 인정받지 못할 때 굉장히 속이 상하고 답답합니다. 또한 사람들은 일반적으로 선입관에서 쉽게 벗어나지 못합니다. 그 사람이 얼마나 변했는지, 그 사람이 얼마나 새 사람이 됐는지 보지 못합니다. "어, 내가 저 사람 잘 아는데." "어, 학교 다닐 때 꼴찌였는데." "어, 저 사람 망나니였는데."

그런데 어느 날 그 사람이 완전히 변해 나타났다면 새로운 모습을 쉽게 인정하지 않습니다. 예수님은 고향 사람들의 이러한 반응에 대해 어떻게 생각하셨을까요?

[예수께서 그들에게 말씀하셨습니다. "예언자는 자기 고향과 자기 친척과 자기 집에서는 배척당하는 법이다."(막 6:4)]

이 말은 무슨 뜻일까요? 예수님은 이미 알고 있었다는 것입니다. 알고 있으면 상처를 덜 받습니다. 자신이 사람들에게 이해될 수 없다는 것을 아셨던 것입니다. 우리 신앙도 마찬가지입니다. 성령을 받지 못한 사람들은 성령 받은 사람을 이해하지 못합니다.

어느 날 어떤 사람이 눈물을 흘리며 성령님을 체험했습니다. 성령님이 그 안에 들어오셨습니다. 가슴이 울렁거리고 설명할 수 없는 어떤 분이 그냥 안에 들어오셨습니다. 자신도 놀랐고 주변 사람도 놀랐습니다. 머리가 갑자기 회전하더니 사고방식이 변하고 마음이 변하고 인생이 변해 가는 걸 스스로 느낍니다. 하지만 왜 그런지 설명할 수가 없습니다.

예수님을 믿고 있었는데 어느 날 갑자기 성령이 불처럼 임하신 것입니다. 그리고 이 사람은 변하기 시작합니다. 불같이 화내던 성격이 없어지고, 만사를 거칠게 대하고 소리 지르던 성격이 없어지고, 하나님에 대해 조용해지고 긍정적이 되고 찬송가를 부르게 됩니다. 인생의 모든 결정이 달라집니다. 그렇다고 오랜 시간에 걸쳐 천천히 변하는 것도 아닙니다. 모든 사람에게 이런 성령의 큰 영적 경험이 있기를 바랍니다.

하루하루를 그저 그렇게 살아선 안 됩니다. 평소 존경하는 어느 목사님이 영국에서 13년 동안 목회를 했습니다. 어느 날 서재에 앉아 설교 준비를 하려고 펜을 들었는데, 그날따라 이상한 전율에 사로잡혔습니다. 기도하고 설교를 준비하는데 누군가 자기를 찾아온 겁니다. 처음으로 이게 뭔가 하는 생각이 들었지만 설교 준비를 계속했습니다. 그러다가 갑자기 견딜 수가 없었습니다. 가슴이 울렁거리고 글을 쓸 수가 없었습니다. 갑자기 눈물이 나고 말씀에 감동이 오고 또다시 눈물이 났습니다.

성령께서 역사한 것입니다. 그 목사님은 온종일 성령에 취해 어쩔 줄을 몰랐습니다. 그러더니 주일에 설교를 하는데 불을 쏟아 낸 것입니다. 설교하던 도중에 귀신이 나가 쓰러져 버렸습니다. 그 교회가 발칵 뒤집혔습니다.

목사가 성령 받을 때 이런 일이 일어나듯 한 평신도가 성령 받을 때는 집안이 발칵 뒤집힙니다. 싸늘하던 집안에 평화가 오고 자신을 다스리지 못해 구타하던 부인한테 용서를 구하고 사람이 완전히 변하게 됩니다. 그걸 누가 이해하겠습니까? 그걸 어떻게 설명하겠습니까? 성령 받은 사람만이 성령 받은 사람을 압니다. 은혜 받은 사람만이 은혜 받은 사람을 압니다.

고향 사람들은 예수님을 알아보지 못했습니다. '우리가 잘 아는 사람인데, 왜 저러지? 예수가 왜 저러지? 어떻게 기적을 행하지? 어떻게 저런 지혜로운 말을 하지?'라고 생각한 것입니다. 그 사람이 하나님의 아들 예수라고 하는 사실을 가장 몰라봤던 사람들은 가족이고 친척이고 고향 사람들이었습니다.

우리 주변에 있는 사람들이 언제 어떻게 변할지 모르니 조심스럽게 관찰해야 합니다. 아내가 언제 변할지, 남편이 언제 변해 돌아올지 모릅니다. 그런 일이 있기를 바랍니다. 하나님이 우리를 쓰기 원하신다면 성령님을 부어 주실 것입니다. 아침일지 저녁일지 새벽일지 밤중일지 모르지만 말입니다.

잠을 자다가 왜 깨는 줄 압니까? 하나님이 깨우시는 겁니다. 얘기 좀 하자고 말입니다. 하나님은 우리를 지금도 기억하고 계시고, 밤중에도 기억하고 계시고, 위기 속에서도 기억하고 계십니다. 믿지 않으면 기적도 능력도 나타나지 않습니다. 믿지도 않고 의지하지도 않기 때문입니다. 믿지 않는 곳에는 기적도 능력도 나타나지 않습니다.

예수님은 고향에서 기적을 일으키실 수가 없었습니다. 악한 도시에서는 기적을 일으키셨지만 그분이 가장 사랑하시는 고향에서는 기적을 일으키시지 않았습니다.

[예수께서는 그저 아픈 사람들 몇 명만 안수해 고쳐 주셨을 뿐 거기서 다른 기적은 일으키실 수 없었습니다. 그리고 예수께서는 그들이 믿지 않는 것에 놀라셨습니다. 그 후 예수께서 여러 마을을 두루 다니시며 말씀을 전하셨습니다.(막 6:5-6)]

예수님이 우리를 보고 놀라시지 않기를 바랍니다. "교회를 저렇게 오래 다녔는데, 저렇게 잘생겼는데, 그럴듯하게 보였는데 들어가 보니 믿음이 꽝이네, 아무것도 없네. 아니, 믿음이 있어야 베풀지." 예수님이 우리를 축복하고 우리에게 기적을 베풀기 위해서는 우리 마음속에 그분이 기적을 일으킬 만한 무언가가 있어야 합니다. 이것이 없으면 예수님이 주고 싶어도 주실 수가 없습니다. 믿음이 없으면 기적을 베푸실 수가 없습니다.

불신앙은 최소한의 기적만을 만듭니다. 그래서 예수님은 자기 고향에서 최소한의 사람만 안수하고 기적을 베풀고 돌아오셨습니다. 이 얼마나 불행한 일입니까! 사도 바울도 자기 민족만큼은 전도하고 싶었는데, 예수님을 전하자 그에게 돌아온 것은 돌무덤이었습니다. 돌을 던져 죽이려고 했습니다. 받아들이지 않았던 것입니다.

받지 않는데 어떻게 줍니까? 사랑을 받지 않는데 어떻게 사랑을 줍니까? 사랑은 받아야만 줄 수 있습니다. 고향 사람들은 예수님의 말씀을 받지 않고 거절하고 배척했습니다.

우리는 그래선 안 됩니다. 예수님이 가까이 오시면 환영해야 합니다. 성령님이 오시면 받아들여야 합니다. 그게 낮일지 밤일지는 모릅니다. 나이와도 상관없습니다. 어느 날 성령님이 우리 인생에 찾아오실 것입니다. 껍질을 벗기고 찾아오셔서 우리 안의 주인이 되실 겁니다. 발걸음이 달라지고 눈동자가 달라지고 말이 달라질 것입니다.

예수님의 일곱 가지 전도 원리

사람들이 이해하든, 이해하지 않든 예수님은 계속 전도하셨습니다. 말씀에 대한 열정이 있었습니다. 그 열정이 열심히 전도하도록 만들었습니다.

[예수께서는 열두 제자를 불러 둘씩 짝지어 보내시며 더러운 귀신을 제어할 권세를 주셨습니다. 그리고 이렇게 당부하셨습니다. "여행길에 지팡이 외에는 아무것도 가져가지 말라. 먹을 것이나 자루도 챙기지 말고 전대에 돈도 넣어 가지 말라. 신발만 신고 옷도 두 벌씩 가져가지 말라. 어느 집에 들어가든지 그 마을을 떠나기 전까지는 그 집에 머물라. 어느 집이든지 너희를 반기지 않거나 너희 말에 귀 기울이지 않으면 떠나면서 경고의 표시로 발에 붙은 먼지를 떨어 버리라." 제자들은 나가서 사람들에게 회개하라고 전파했습니다.(막 6:7-12)]

우리는 여기서 예수님의 일곱 가지 전도 원리를 발견합니다. 대학생 때 거지전도라는 걸 했습니다. 멘토인 김준곤 목사님이 대학생 수백 명을 모아놓고 두 명씩 짝을 지어 전도를 내보냈습니다. 일주일 동안 조건은 딱 하나였는데, 돈을 모두 뺏는 것이었습니다. 기차표 딱 한 장만 주고, 하나님이 어떻게 하시는지 보라고 했습니다.

처음에는 황당했습니다. 처음에는 어디 가서 전도해야 하는지 막막했지만 훈련을 받았기 때문에 기차표 하나만 달랑 들고 떠났습니다. 강원도로 제주도로 흩어졌습니다.

그런데 이상한 것은 가는 곳마다 하나님의 천사들이 나타나서 먹을 것을 주고 돈을 주어 전도를 할 수 있었다는 것입니다. 비가 오면 잠잘 데가 없어 처마 밑에서 비를 피하기도 하고, 하룻밤만 재워 달라고 부탁하기도 했습니다. 심지어는 절에 들어가 자기도 했습니다. 이렇게 전도했는데 어느 때보다 강력하게 성령이 역사하셔서 기다렸다는 듯이 사람들이 예수님을 받아들였습니다. 참으로 놀라운 경험이었습니다.

이런 경험을 한번 하고 나니까 막 힘이 생기는 겁니다. 그래서 이를 적용해 선교지에 가서도 훈련을 했습니다. 두 명씩 짝을 지어 주고 비행기와 기차 값만 주고서 온종일 돌아다니며 오라고 했습니다. 처음에는 말도 안 된다고 했습니다. 돈도 없고 황당할 따름이었습니다. 이 훈련의 목적은 하나님을 의지해 보라는 겁니다. 성령을 의지해 보라는 겁니다.

예수님이 제자들을 보내실 때 일곱 가지 정도의 원리를 말씀했습니다. 첫 번째로 전도할 때는 혼자서 하지 말라는 겁니다. 두 명씩 짝을 지어 나가야 하는데, 왜 그랬을까요? 전도는 영적 전쟁이므로 혼자서 하면 공격을 받기 쉽다는 겁니다. 두 사람이 다 전도하는 게 아니고 한 사람이 전도하면 다른 한 사람은 뒤에서 기도해야 합니다.

이런 경험을 여러 번 했는데, 기도할 때 소리 내어 기도하거나 다 알게 기도하면 안 됩니다. 숨어서 몰래 눈뜨고 기도하면서 응원해 주는 것입니다. 그러면 전도하는 사람들이 힘을 얻습니다. 사실 전도하려고 하면 괜히 두려운 마음이 듭니다. '저 사람은 안 믿을 거야. 저 사람은 내 말을 거부할 거야.' 해 보지도 않고 이런 생각부터 드는 겁니다.

전도할 때는 두 명씩 짝을 지어 가는 것이 참 중요합니다. 예수님도 제자들을 둘씩 짝 지어 보내셨습니다.

두 번째로 전도할 때 귀신을 제어하는 능력을 갖자는 것입니다. 마귀에 대적하는 능력만 있으면 두려움이 없어집니다. 무당을 만나도 두려움이 없고, 어떤 귀신을 만나도 두려움이 없습니다. 칠성귀신, 무슨 귀신 해도 예수님이 우리 안에 계시면 두려움이 사라집니다. 아니 귀신이 떨어야지 우리가 떨어야 할 이유가 뭡니까? 귀신을 제어할 수 있는 능력을 갖게 되기를 축원합니다.

예수님은 제자들에게 이 능력을 주시겠다고 약속했습니다. 그러니 우리한테도 귀신 쫓을 능력이 있습니다. 다만 쓰지 않아서 모를 뿐입니다. "악한 귀신아, 떠나갈지어다"라고 명령만 내리면 됩니다.

세 번째는 돈을 의지해 전도하지 말라는 것입니다. 전도는 돈으로 하는 것이 아닙니다. 지팡이 하나면 됩니다. 먹을거리나 자루, 전대에 돈을 가져가지 말라는 뜻은 돈에 의지하지 말고 하나님만 의지한 채 전도하라는 것입니다. 전도는 성령님이 하시는 것이지 지위나 인격으로 하는 것이 아닙니다. 내 지위나 능력으로 하는 것이 아니라는 뜻입니다. 신발만 신고 옷도 두 벌씩 가져 가지 말라는 뜻도 똑같습니다.

네 번째는 하나님을 의지하고 전도하라는 것입니다. 실력 없는 사람이 자꾸 사람들을 끌고 다니고, 돈을 많이 가지고 다니고, 명함을 두툼하게 가지고 다닙니다. 다른 게 아니라 얼굴이 우리의 명함이 되어야 합니다. 인격이 우리의 명함이 되어야 합니다.

다섯 번째는 어느 집에 가든지 한 곳에 머물러야 한다는 것입니다. 왔다 갔다 하지 말라는 겁니다. 여섯 번째는 환영하지 않으면 그냥 떠나라는 것입니다. 일곱 번째는 전도의 핵심 메시지로 회개를 가르치라는 것입니다. 예수님은 직접 귀신 들린 사람들과 병든 사람들을 고쳐 주셨습니다.

[그들은 많은 귀신들을 쫓아내고 수많은 환자들에게 기름 부어 병을 고쳐 주었습니다.(막 6:13)]

예수님이 복음을 전하실 때 항상 따라다녔던 두 가지 사실은 귀신을 쫓고 병을 고치셨다는 것입니다. 그런데 현대 교회에는 귀신 쫓고 병 고치는 일이 점점 없어지고 있습니다. 갈수록 냉랭한 교회가 되어가고 회의하는 교회가 되어가고 연설하는 교회가 되고 말았습니다. 아무런 능력이 없습니다.

예수님 당시에는 "은과 금은 내게 없으나 내게 있는 것을 당신에게 주겠소. 나사렛 예수 그리스도의 이름으로 일어나 걸으시오."(행 3:6) 하는 능력이 있었지만 현대 교회는 "내게 은과 금은 있다. 건물도 있다. 사람도 있다. 하지만 능력이 없다"

고 말합니다. 이처럼 우리에게는 능력이 없습니다. 영적 능력이 없습니다.

이 사실을 통해 현대 교회가 가지고 있는 두 가지 문제를 살펴보겠습니다. 첫째는 지나치게 귀신을 쫓고 지나치게 병만 고치려는 교회입니다. 이것은 위험합니다. 귀신 쫓기로 유명한 교회가 있습니다. 그 교회에 가면 귀신을 잘 쫓는다고 합니다. 그 교회에 가면 병을 잘 고친다고 합니다.

그러나 예수님을 전하는 것이 우리의 일이지 귀신 쫓는 게 우리의 일은 아닙니다. 예수님을 믿으니까 귀신도 나가고 병도 고치는 것이지 귀신 쫓고 병 고치는 것만을 목적으로 하면 안 됩니다. 그러므로 항상 조심해야 합니다. 그걸 지나치게 강조하면 교회가 병들게 됩니다. 교회가 극단으로 간다는 말입니다.

성경은 예언을 무시하지 말라고 했지만 예언만 하면 큰 사고가 납니다. 귀신만 쫓는 교회를 조심해야 합니다. 병만 고치는 교회를 조심해야 합니다. 이런 것이 복음의 전부가 아닙니다.

둘째는 현대 교회의 병이 또 하나 있는데, 지나치게 귀신을 쫓고 병 고치는 것을 무시하는 사람들입니다. "그런 건 없다. 귀신 쫓고 병 고치는 게 무슨 교회냐? 교회는 구제하고 봉사하고 사회참여하고 착한 일을 하고 남을 도와주는 것이 교회이지 그런 일을 왜 하느냐"라고 말하는 교회들입니다.

이는 아주 위험한, 더 위험한 교회입니다. 그러면 교회는 무엇 때문에 존재하는 걸까요? 그러면 교회가 학교나 병원과 다른 점이 뭐가 있을까요? 교회는 교회입니다.

결론적으로 복음의 능력을 무시하지 않으면서 동시에 지나치게 한쪽으로 치우치지 않아야 합니다. 오직 하나님께 영광을 돌리면서 주께 찬양을 돌리는 교회가 되어야 합니다. 귀신 쫓는 것도 인정하고 병 고치는 것도 인정하지만, 동시에 지나치지 말라는 것입니다. 그쪽으로만, 극단으로만 가지 말라는 것입니다.

이단이 무슨 말인지 압니까? 다를 이(異), 끝 단(端) 자를 씁니다. 99퍼센트가 같지만 끝에 가서 마지막 하나가 다릅니다. 이게 이단입니다. 이단들은 자주 "우리는 너희와 같다"라고 말하곤 합니다. "기독교와 같다. 우리는 이단이 아니다. 우리도 너희와 같은 말을 하지 않느냐"라고 하지만 마지막에 가서, 끝에 가서 완전히 달라집니다.

가톨릭의 성지를 많이 다녀봤고, 가톨릭 훈련도 여러 번 받아 봤는데 재미있었습니다. 다 비슷한데 마지막에 가서 마리아를 내놓는 겁니다. 그것만 내놓지 않았다면 참 좋았을 텐데 말입니다. 다 비슷한데 몇 가지를 싹싹 넣는 것이 이단입니다.

우리가 하나님을 믿을 때 병을 고치고 귀신을 쫓는 것이 사실입니다. 그런 일도 있습니다. 하지만 지나치면 안 됩니다. 신앙의 인격과 사랑을 더 강조해야 합니다. 인격을 잊어선 안 됩니다. 균형을 잃어선 안 됩니다. 사랑을 잃어버려선 안 됩니다. 하나님이 기뻐하시는 능력 있고 건강한 성도가 될 줄로 믿습니다.

Pray

> 하나님, 예수님도 자라나신 고향에서 배척당하신 일을 기억합니다. 우리 삶 속에서 어느 순간이라도 주님을 배척하는 일이 없도록 하여 주시옵소서. 오직 하나님께 영광 돌리며 오직 하나님을 찬양하는 삶이 되게 하옵소서. 예수님 이름으로 기도합니다. 아멘.

막 6:14-29

¹⁴예수의 이름이 널리 알려지자 헤롯 왕도 그 소문을 듣게 됐습니다. 어떤 사람들은 "세례자 요한이 죽은 사람 가운데서 살아났다. 그래서 그런 기적을 일으키는 능력이 그 사람 안에서 역사하는 것이다"라고 말했습니다. ¹⁵또 "그는 엘리야다" 하는 사람도 있었고 어떤 사람들은 "그는 예언자다. 옛 예언자들 가운데 한 사람과 같은 사람이다"라고 말하기도 했습니다. ¹⁶이런 이야기를 듣고 헤롯이 말했습니다. "내가 목 자른 요한이 죽은 사람 가운데서 살아났나 보다!" ¹⁷헤롯은 전에 요한을 체포하라는 명령을 직접 내렸고 결국 요한을 잡아다가 감옥에 가둔 적이 있었습니다. 헤롯이 자기 동생 빌립의 아내 헤로디아와 결혼한 것 때문에 ¹⁸요한이 헤롯에게 "동생의 아내를 데려간 것은 옳지 않다"고 말해 왔기 때문입니다. ¹⁹그래서 헤로디아는 원한을 품고 요한을 죽이려 했습니다. 그러나 그렇게 할 수 없었습니다. ²⁰그것은 요한이 의롭고 거룩한 사람임을 헤롯이 알고 그를 두려워하며 보호해 주었기 때문입니다. 헤롯이 요한의 말을 듣고 있으면 마음이 몹시 괴로웠지만 그럼에도 그의 말을 달게 듣곤 했습니다. ²¹그런데 때마침 좋은 기회가 왔습니다. 헤롯은 자기 생일에 고관들과 천부장들과 갈릴리의 인사들을 초청해 만찬을 베풀었습니다. ²²그때 헤로디아의 딸이 들어와 춤을 춰 헤롯과 손님들을 즐겁게 해 주었습니다. 왕이 그 소녀에게 말했습니다. "무엇이든 네가 원하는 것을 말해 보아라. 내가 다 들어주겠다." ²³헤롯은 그 소녀에게 맹세까지 하면서 약속했습니다. "네 소원이 무엇인지 말해 보아라. 내 나라의 절반이라도 떼어 주겠다." ²⁴소녀는 나가서 자기 어머니에게 물었습니다. "무엇을 달라고 할까요?" 그 어머니가 대답했습니다. "세례자 요한의 머리를 달라고 해라." ²⁵소녀가 곧장 왕에게 달려가 요구했습니다. "지금 곧 세례자 요한의 머리를 쟁반에 담아 제게 주십시오." ²⁶왕은 몹시 난감했습니다. 그러나 자기가 맹세한 것도 있고 손님들도 보고 있어서 그 요구를 도저히 거절할 수 없었습니다. ²⁷그래서 왕은 곧 호위병을 보내 요한의 목을 베어 오라고 명령했습니다. 호위병은 가서 감옥에 있는 요한의 목을 베어 ²⁸그 머리를 쟁반에 담아 가지고 돌아와 소녀에게 주었습니다. 그 소녀는 그것을 자기 어머니에게 갖다 주었습니다. ²⁹요한의 제자들이 이 소식을 듣자마자 달려와 시신을 가져다가 무덤에 안치했습니다.

주의 길을
예비하라

세례자 요한은 참으로 외로운 사람이고, 고독한 외침을 외치던 사람이었습니다.
참진리를 아는 사람은 외로울 수밖에 없습니다.
다른 사람들이 못 알아들으니 말입니다.

예수님과 세례자 요한의 관계에 대해 알아보려고 합니다. 예수님에 관한 소문이 널리 퍼져 헤롯 왕의 귀에까지 들어가게 되었습니다. 종교가 정치와 연결되는 대목입니다. 그 당시 헤롯 왕은 아주 방탕하고 못된 왕이었습니다. 왕들 가운데 좋은 왕도 있고 나쁜 왕도 있습니다. 좋은 왕을 만나면 백성이 편하고 나쁜 왕을 만나면 백성이 고생합니다.

헤롯 왕은 당시 동생인 빌립의 아내 헤로디아와 결혼했습니다. 그래서 의로운 사람 요한은 헤롯을 공개적으로 비판해 목 베임을 당했습니다. 여기서 우리는 불의를 보면 참지 못하는 요한의 모습을 발견하게 됩니다. 어떤 면에서는 예수님과 흡사한 부분이 있습니다.

세례자 요한이 죽다

예수님은 성전에서 장사하는 무리를 보시고 채찍을 만들어 내리치신 적이 있습니다. 그래서 어떤 사람들은 세례자 요한이 다시 살아난 것이 아니냐고 말하기도

했으며, 불의 사자 엘리야가 다시 살아난 것 아니냐고도 말했습니다. 또한 어떤 사람들은 예언자가 다시 왔다고 말했습니다. 이런 얘기들을 종합해 보면 세례자 요한이 그 당시 종교사회와 역사에 준 충격이 굉장히 컸던 것 같습니다.

[예수의 이름이 널리 알려지자 헤롯 왕도 그 소문을 듣게 됐습니다. 어떤 사람들은 "세례자 요한이 죽은 사람 가운데에서 살아났다. 그래서 그런 기적을 일으키는 능력이 그 사람 안에서 역사하는 것이다"라고 말했습니다. 또 "그는 엘리야다" 하는 사람도 있었고 어떤 사람들은 "그는 예언자다. 옛 예언자들 가운데 한 사람과 같은 사람이다"라고 말하기도 했습니다.(막 6:14-15)]

어쨌든 세례자 요한은 그 당시 종교지도자나 사회지도층, 백성에게 굉장한 도전과 충격을 준 것으로 보입니다. 사실 우리 사회에도 이런 사람들이 꼭 필요합니다. 이런 뜬소문은 겁쟁이인 헤롯 왕을 두렵게 만들었고 동시에 궁금증을 더하게 했습니다. 두려움이란 항상 궁금증을 동반합니다. 두려우면서도 보고 싶은 겁니다. "어떤 사람일까? 과연 내가 목 베어 죽인 그 사람일까?"라며 예수님을 보고 싶었을 겁니다.

헤롯 왕은 예수님에 대한 소문을 듣고 과거에 자신이 죽였던 세례자 요한을 생각했습니다. 의로운 사람인 세례자 요한을 목 베어 죽였던 것이 자기 인생에 가장 큰 실수였다고 심적으로 부담을 가지고 있었던 것입니다.

[이런 이야기를 듣고 헤롯이 말했습니다. "내가 목 자른 요한이 죽은 사람 가운데서 살아났나 보다!" 헤롯은 전에 요한을 체포하라는 명령을 직접 내렸고 결국 요한을 잡아다가 감옥에 가둔 적이 있었습니다. 헤롯이 자기 동생 빌립의 아내 헤로디아와 결혼한 것 때문에 요한이 헤롯에게 "동생의 아내를 데려간 것은 옳지 않다"고 말해 왔기 때문입니다.(막 6:16-18)]

사실 세례자 요한을 죽인 것은 헤롯 왕이 아니라 그의 부인이자 자기 동생의 부인인 요부 헤로디아였습니다. 헤롯 왕은 허수아비 역할을 한 겁니다. 성경은 그 내용을 좀 더 자세히 설명하고 있습니다.

[그래서 헤로디아는 원한을 품고 요한을 죽이려 했습니다. 그러나 그렇게 할 수 없었습니다. 그것은 요한이 의롭고 거룩한 사람임을 헤롯이 알고 그를 두려워하며 보호해 주었기 때문입니다. 헤롯이 요한의 말을 듣고 있으면 마음이 몹시 괴로웠지만 그럼에도 그의 말을 달게 듣곤 했습니다. 그런데 때마침 좋은 기회가 왔습니다. 헤롯은 자기 생일에 고관들과 천부장들과 갈릴리의 인사들을 초청해 만찬을

베풀었습니다. 그때 헤로디아의 딸이 들어와 춤을 춰 헤롯과 손님들을 즐겁게 해 주었습니다. 왕이 그 소녀에게 말했습니다. "무엇이든 네가 원하는 것을 말해 보아라. 내가 다 들어주겠다." 헤롯은 그 소녀에게 맹세까지 하면서 약속했습니다. "네 소원이 무엇인지 말해 보아라. 내 나라의 절반이라도 떼어 주겠다." 소녀는 나가서 자기 어머니에게 물었습니다. "무엇을 달라고 할까요?" 그 어머니가 대답했습니다. "세례자 요한의 머리를 달라고 해라."(막 6:19-24)]

헤로디아는 수단과 방법을 가리지 않고 죽이고 싶을 만큼 세례자 요한이 싫었습니다. 자신의 치부를 온 세상에 떠벌리고 다녔기 때문입니다. 자신의 치부를 소문 내고 다니는 사람을 좋아할 수는 없습니다. 제거해 버리고 싶었을 겁니다. 요즘말로 말하면 괘씸죄에 걸린 것입니다. 하지만 자신의 힘으로는 요셉을 죽일 수가 없었습니다. 이로 말미암아 헤로디아의 마음속에는 요한에 대한 원한이 더 깊어졌을 것입니다.

헤롯 왕은 어떻습니까? 죽일 수도 없고 살릴 수도 없는 그런 입장이었습니다. 사실 헤롯은 세례자 요한이 의롭고 거룩한 사람이라는 사실을 알기에 죽이기가 참 어려웠습니다. 마음은 불편했지만 그의 말을 들으면 마음에 찔림이 있었고, 그의 비판을 듣기가 어려웠지만 죽일 수는 없었습니다. 그의 말을 듣기 싫지만 달게 받아들였습니다. 이런 것을 보면 헤롯이 그 부분에 대해서는 양심이 좀 있지 않았나 하는 생각이 듭니다.

그런데 헤롯이 생일잔치 때 실수를 하고 말았습니다. 헤로디아의 딸이 춤을 너무 잘 추자 나라의 절반이라도 떼어 줄 수 있다고 실언을 하고 만 것입니다. 아무리 권력자라도 할 말이 있고 해서는 안 될 말이 있는데, 헤롯은 이 경계선을 넘어간 것입니다. 아무리 좋아도 나라의 절반을 떼어 주겠다는 약속을 함부로 해선 안 되는 것이었습니다.

바로 이때 교활한 헤로디아는 자기 딸을 시켜 세례자 요한의 목을 달라고 말합니다. 헤로디아는 돈이나 권력에 관심이 있기보다는 그저 요한 한 사람을 죽이면 여한이 없겠다고 생각한 것입니다.

왕에게 간 소녀는 어머니의 말대로 세례자 요한의 목을 요구했고 왕은 자신이 내뱉은 말이고 주변에 사람들도 있고 해서 체면을 구길 수 없어 요한의 목을 쳐서 죽이게 됩니다. 마치 빌라도 같습니다. 예수님은 십자가에 못 박혀서는 안 되는 사람인데, 못 박아 죽일 수밖에 없는 상황에 처한 것입니다. 이렇게 해서 한 의인의 생명이 어리석은 한 여자의 원한과 어리석은 왕의 판단으로 말미암아 스러지고 말았습니다.

[소녀가 곧장 왕에게 달려가 요구했습니다. "지금 곧 세례자 요한의 머리를 쟁반에 담아 제게 주십시오." 왕은 몹시 난감했습니다. 그러나 자기가 맹세한 것도 있고 손님들도 보고 있어서 그 요구를 도저히 거절할 수 없었습니다. 그래서 왕은 곧 호위병을 보내 요한의 목을 베어 오라고 명령했습니다. 호위병은 가서 감옥에 있는 요한의 목을 베어 그 머리를 쟁반에 담아 가지고 돌아와 소녀에게 주었습니다. 그 소녀는 그것을 자기 어머니에게 갖다 주었습니다. 요한의 제자들이 이 소식을 듣자마자 달려와 시신을 가져다가 무덤에 안치했습니다.(막 6:25-29)]

이렇게 해서 의로운 한 사람이 죽었습니다. 예수님은 33세에 죽었지만 세례자 요한은 30세에 죽었습니다.

예수님이 오시는 길을 예비한 세례자 요한

세례자 요한에 대해 생각해 봅시다. 이처럼 30대의 젊은 피를 아낌없이 예수님을 위해 뿌리고 짧은 삶을 살다 간 사람의 생애는 무슨 의미가 있을까요? 30세를 살든 60세를 살든 100세를 살든 인생을 살아나가는 데 있어, 예수님을 믿는 데 있어 세례자 요한은 지금 우리에게 무슨 의미로 남아 있을까요? 여기에 초점을 맞춰 봅시다.

세례자 요한의 생애를 정리해 보겠습니다. 하나님의 아들 예수 그리스도께서 이 세상에 오실 때 인류의 그 어떤 누구도 그분을 맞이할 준비를 하지 않았습니다. 하나님이 인간이 되어 오신다는데도 말입니다. 심방을 받은 적이 있습니까? 심방의 원리가 뭡니까? 하나님이 인간을 심방한 게 예수님입니다.

목사가 교인 집을 심방해도 집 청소를 하고 차도 내오고 음식도 장만합니다. 그런데 하나님이 오셨는데 아무도 반기지 않고, 아무 준비도 하지 않았습니다. 오히려 그분을 배척했습니다. 예수님이 세상에 태어나신 날 인간은 방 하나도 내어 주지 않았습니다. 사관 하나가 없었습니다. 빈 방이 없었습니다. 그래서 예수님은 말구유에서 태어나실 수밖에 없었습니다.

오히려 태어나자마자 예수님은 살해 위협에 직면했습니다. 두 살 된 어린아이를 다 죽이라는 명령이 떨어진 것입니다. 그래서 애굽으로 피신했습니다. 예수님이 세상에 오셨다는데 아무도 그분을 환영하거나 준비하거나 맞아들이지 않은 것입니다.

그런데 의로운 사람 요한은 하나님의 아들 예수가 인간을 구원하기 위해 오신다고 하니까 예언자 이사야의 말대로 예수의 오시는 길을 닦는 청소 같은 일을 했습니다. 첫 번째, 그는 메시아의 길을 예비했습니다. 두 번째, 이사야 선지자가 예언한 것처럼 그는 광야에서 외치는 사람의 소리였습니다. 성경에는 이렇게 기록하고 있습니다.

[세례자 요한은 바로 예언자 이사야가 말했던 그 사람입니다. "광야에서 외치는 사람의 소리가 있다. '주를 위해 길을 예비하라. 주의 길을 곧게 하라.' "(마 3:3)]

이것은 예언자의 책에 기록된 것과 같습니다. 다음 말씀을 보면 세례자 요한이 존재하는 이유가 나옵니다.

[이것은 예언자 이사야의 책에 기록된 것과 같습니다. "광야에서 외치는 소리가 있다. '주의 길을 예비하라. 그분의 길을 곧게 하라. 모든 골짜기는 메워지고 모든 산과 언덕은 낮아질 것이며 굽은 길은 곧아지고 험한 길은 평탄해질 것이다. 그리고 모든 사람들이 하나님의 구원을 보게 될 것이다.' "(눅 3:4-6)]

이는 세례자 요한의 사명이요, 그의 인생이 가진 목적이었습니다. 높은 산은 낮게 만들고 낮은 골짜기는 높게 만들고 굽은 길은 곧게 만들어 하나님이 오시는 길을 평탄케 만들었다는 것입니다. 누구도 그렇게 하지 않았지만 세례자 요한이 그 일을 한 겁니다.

예수님이 십자가를 지고 골고다 언덕을 올라가다 너무 힘들어 쓰러지시자 로마 군병이 건장한 청년을 잡아서 "네가 대신 져"라고 시켰습니다. 구레네 시몬은 '죄수가 지는 이 십자가를 오늘 일진이 나빠서 내가 대신 지게 됐구나'라고 생각하며 본의 아니게 십자가를 졌습니다. 하지만 나중에 그분이 메시아라는 사실을 알고 자신이 조금이라도 대신 질 수 있었다는 것을 영광스러워했을 겁니다. 그의 인생에서 그 시간만큼 자랑스러운 시간은 없었을 겁니다.

세례자 요한은 그 사명 때문에 세상에 왔습니다. 사람들에게 예수님은 영접하기에 너무 높은 산이요, 너무 낮은 골짜기입니다. 예수님이 오시는 길에는 너무나 많은 굽은 길들이 있었는데, 세례자 요한은 그것을 평탄한 길로 만들었습니다.

세 번째, 세례자 요한은 어떤 사람입니까? 그의 메시지를 들어 보면 하나님이 이 땅에 오시는 데 인간이 준비해야 하는 것이 무엇인지 알 수 있습니다. 그것은 '회개하라'는 것입니다. 하나님 나라가 가까이 왔다고 하는 것입니다. 예수님 자신이 하나님 나라입니다. 하나님 나라를 받기 위해서는, 천국을 받기 위해서는 회개해야 합니다. 하나님 나라가 지금 여기 오고 있으니 회개하라는 겁니다. 하지만 그 말을 알아듣는 사람이 아무도 없었습니다.

그런 의미에서 세례자 요한은 참으로 외로운 사람이고, 고독한 외침을 외치던 사람이었습니다. 참 진리를 아는 사람은 외로울 수밖에 없습니다. 다른 사람들이 못 알아들으니 말입니다. 같이 알아들으면 좋을 텐데 알아듣지를 못합니다. 전도할 때도 마찬가지입니다. 자신이 만난 예수님을 전해 주고 싶어 울면서 얘기하고, 통사정하며 얘기하고, 쫓아다니며 얘기해도 알아듣지를 못합니다. 그때 그 마음이 얼마나 외롭겠습니까!

네 번째, 세례자 요한이 세상에 온 것은 요단강 전역을 두루 다니면서 세례 베푸는 일을 하기 위해서입니다.

[세례를 받으려고 찾아온 사람들에게 요한이 말했습니다. "독사의 자식들아! 누가 너희에게 다가올 진노를 피하라고 하더냐? 회개에 알맞은 열매를 맺으라. 속으로 '아브라함이 우리 조상이다'라고 말하지 말라. 내가 너희에게 말해 두는데 하나님께서는 이 돌들로도 아브라함의 자손을 만드실 수 있다. 도끼가 이미 나무뿌리에 놓여 있다. 그러므로 좋은 열매를 맺지 않는 나무는 모조리 잘려 불 속에 던져질 것이다."(눅 3:7-9)]

세례자 요한의 이 메시지는 너무나 직설적이고 우리 폐부를 아프게 찌릅니다. 그럼에도 이 말을 들으려고 사람들이 구름 떼처럼 몰려들었습니다. 왜일까요? 그 당시에는 설교자도 많고 예언자도 많았는데, 사실 들을 만한 설교는 없었던 것입니다.

이는 오늘날과 똑같습니다. 설교가 대단히 많습니다. 옛날에는 부흥회 한번 하면 그 먼 길을 쫓아다녔습니다. 며칠 밤을 새워 사경회에 참석하고 은혜를 받았습니다. 홍수에 먹을 물이 없듯이 진짜 말씀이 그리웠습니다. 지금은 목숨을 걸고 말씀을 전하는 사람, 뺨을 맞고 수모를 당할지라도 진리를 말하는 사람을 찾아보기 어렵습니다. 아부하고 입만 맞추는 그런 얘기들로 가득 차 있습니다.

이것은 집을 지을 때 모래로 짓는 것과 같습니다. 그렇게 해서 교회가 부흥하고 커져 봐야 고난이 오면 다 쓰러집니다. 순교도 하지 못하고, 죽음이 오면 견디지도 못합니다.

먼저 세상의 모범이 되어야 한다

최근 북한에 관한 다큐멘터리를 봤는데 북한의 성도들이 기도하고 예수 믿는 것을 찍었습니다. 그것을 보면서 '이 사람들은 진짜구나'라는 생각이 들었습니다. 어떤 사람은 또 이런 말을 했습니다. 만약 통일이 되면 세계에서 가장 심각한 순교사화는 북한에 다 있어서 순교사를 다시 써야 한다고 말입니다.

어떤 자매님이 탈북했는데 서울에 와서 어머니를 만나니 찬송가를 부르고 있더랍니다. 그때야 어머니가 예수를 믿은 걸 알았다고 합니다. 북한에 있었을 때는 몰래 믿으니까 예수 믿는 것을 전혀 몰랐답니다. 그렇게 믿는 게 진짜 예수 믿는 것입니다.

우리는 지금 무방비 상태로 아무 대가도 치르지 않고 예수님을 믿고 있습니다. 그러다 보니 조금만 손해 보면, 조금만 기분이 나쁘면 돌아섭니다. 어떤 대가도 치르지 않습니다. 그래서 우리 신앙의 뿌리는 너무나 약합니다. 너무나 흔들립니다. 세상에 있는 죄악의 파도를 이기지 못합니다. 돈의 힘에 흔들리고, 권력의 힘에 흔들리고, 음란의 힘에 흔들립니다.

왜입니까? 우리 신앙의 뿌리가 너무 약하기 때문입니다. 달콤한 얘기만 좋아하고, 기분 좋은 얘기만 듣기를 원합니다. "독사의 자식들아"라는 말은 들어 보지 못했을 겁니다. 아마 요즘 식으로 말하면 "이 미친놈들아"라는 말을 들어야 할 겁니다. "너 정신 똑똑히 차려라. 이게 예수 믿는 거냐? 예수 믿는다고 교회에 나오는데 이게 무슨 꼴이냐."

이는 세례자 요한의 말하는 스타일로, 그 당시에 그는 폐부를 찌르는 말을 했습니다. 사람들은 세례자 요한의 설교를 듣고 '어, 예언자가 아닌가?'라고 생각했을 것입니다. 400년 동안 예언이 없었습니다. 하나님의 음성이 없었습니다. 그래서 그가 하나님의 말씀을 한다는 소식을 듣고 사람들이 구름 떼처럼 몰려왔던 것입니다.

[요한은 낙타털로 옷을 지어 입고 허리에는 가죽띠를 둘렀습니다. 그리고 메뚜기와 들꿀을 먹고 살았습니다.(마 3:4)]

다섯 번째, 세례자 요한은 낙타털 옷을 입고 허리에 가죽띠를 두르고 메뚜기와 들꿀을 먹고 살았습니다. 요즘으로 말하면 웰빙식품만 먹고, 모피 옷을 입은 것입니까? 그게 아닙니다. 가장 험한 음식을 먹고 험한 옷을 입었습니다.

아직도 친구의 말이 귀에 생생하게 남아 있습니다. 어느 날 방성기 목사가 나를 찾아와서 "강남 지역 교회들에 다니는 크리스천들이 나서서 사교육만 못하도록 해도 우리나라 교육을 바로잡을 수 있을 겁니다"라고 말한 적이 있습니다. 크리스천들이 먼저 나서고, 교회의 결단이 있어야 우리나라 교육을 바로잡을 수 있다고 했습니다.

사실입니다. 부동산이건 사교육이건 현재 우리나라가 가지고 있는 여러 가지 문제점을 교인들만이라도 고치려고 한다면 사회를 바꿀 수 있습니다. 그런데 우리 교인들도 세상 사람과 똑같이, 아니 더 심하게 합니다. 혼수를 장만하는 것도 그렇습니다. 우리는 할 말이 없습니다. 할 것을 다하기 때문입니다. 우리가 먼저 세상의 모범이 되어야 하는데도 말입니다.

세례자 요한은 30세에, 그것도 목이 잘려 쟁반에 놓인 채 죽었습니다. 예수님은 그에 대해 "여인이 낳은 자 중에 세례자 요한보다 더 큰 이가 없다"라는 평가를 내리셨습니다. 짧은 생애를 살았지만 예수님을 위해 가장 값진 삶을 산 사람입니다.

옛날에는 33세 이상 살면 부끄럽다고 생각했는데, 세례자 요한을 보면서 서른 살만 살아도 부끄럽다는 생각이 들었습니다. 예수님과 그와의 관계가 이렇다면 예수님과 우리의 관계는 어떤 것일까요? 예수님을 믿고 교회에 나오지만 우리 생애와 삶이 그분과 어떤 관계가 있을까요? 무엇을 하기 위해 이 세상에 태어난 것일까요? 우리 인생의 목적은 무엇일까요? 세례자 요한을 보면서 그런 생각을 하지 않을 수가 없습니다.

예수님과 우리는 무슨 관계일까요? 우리는 예수님을 위해 어떻게 살아야 할까요? 하나님은 우리 각자에게 질문하고 계십니다.

Pray

하나님, 세례자 요한처럼 하나님이 오시는 길을 평탄케 하는 삶을 살게 하옵소서. 오직 우리의 삶을 통해 하나님의 지경을 넓히는 삶, 주님을 기쁘시게 하는 삶을 살게 하옵소서. 예수님 이름으로 기도합니다. 아멘.

막 6:30-44

³⁰ 사도들이 예수께 돌아와 자기들이 한 일과 가르친 것을 모두 보고했습니다. ³¹ 그런데 거기에는 오가는 사람들이 너무 많아 예수와 제자들은 먹을 겨를조차 없었습니다. 예수께서 그들에게 말씀하셨습니다. "외딴 곳으로 가서 잠시 쉬라." ³² 그래서 그들은 따로 배를 타고 외딴 곳으로 갔습니다. ³³ 그런데 많은 사람들이 그들이 떠나는 것을 보고 그들을 알아보았습니다. 그리고는 여러 마을에서 달려 나와 길을 따라 걸어가서 그들보다 그곳에 먼저 가 있었습니다. ³⁴ 예수께서 도착해 많은 사람들을 보시고 목자 없는 양들 같은 그들을 불쌍히 여겨 그들에게 여러 가지로 가르쳐 주기 시작하셨습니다. ³⁵ 날이 저물어 가자 제자들이 예수께 다가와서 말씀드렸습니다. "이곳은 빈 들인데 시간도 벌써 많이 늦었습니다. ³⁶ 사람들을 보내 가까운 마을이나 동네에 가서 각자 먹을 것을 사 먹게 하시지요." ³⁷ 그러자 예수께서 대답하셨습니다. "너희가 그들에게 먹을 것을 주라." 제자들이 예수께 말했습니다. "그러면 우리가 가서 200데나리온어치를 사다가 그들에게 먹이라는 말씀입니까?" ³⁸ 예수께서 물으셨습니다. "빵이 얼마나 있느냐? 가서 알아보라." 그들이 알아보고 말씀드렸습니다. "빵 다섯 개와 물고기 두 마리가 있습니다." ³⁹ 그러자 예수께서는 사람들을 모두 풀밭에 무리를 지어 앉히라고 제자들에게 지시하셨습니다. ⁴⁰ 그래서 사람들은 100명씩 50명씩 무리를 지어 앉았습니다. ⁴¹ 예수께서는 빵 다섯 개와 물고기 두 마리를 들고 하늘을 우러러 감사 기도를 드린 후 빵을 떼셨습니다. 그리고 제자들에게 주어 사람들 앞에 갖다 놓으라고 하셨습니다. 예수께서는 물고기 두 마리도 그들 모두에게 나눠 주셨습니다. ⁴² 사람들은 모두 배불리 먹었습니다. ⁴³ 제자들이 12바구니에 남은 빵 조각과 물고기를 모으니 12바구니 가득 거두어 들였습니다. ⁴⁴ 빵을 먹은 남자 어른만도 5,000명이었습니다.

기적을 경험하게
되는 이유

하나님은 우리의 헌신을 기다리고 계십니다.
하나님은 지금도 기적을 일으키십니다.
우리는 이 기적과 환상을 보면서 앞으로 나아가야 합니다.

교회학교 때부터 귀에 못이 박히도록 들었던 빵 다섯 개와 물고기 두 마리로 5,000명을 먹이고도 열두 광주리가 남았다는 이야기를 하려고 합니다. 예수님의 제자들이 전도하러 나갔다가 돌아왔습니다. 사람들이 한 일이 아니라 하나님이 하신 일이기 때문에 얼마나 놀랍고 흥분되었겠습니까.

예수님의 제자들도 생소한 것을 보고, 알지 못하는 사람들을 만나고, 복음을 전하니까 기적을 경험하게 되었던 것입니다. 하나님은 우리보다 먼저 가서 준비하고 계시고 열매를 풍성하게 맺어 주십니다. 우리 가정에도 우리 주변에도 우리가 알지 못하는 나라에 가서 복음을 전하면 그런 일들이 일어납니다.

사도행전에 보면 성령의 바람이 불고 불의 혀 같은 사건이 일어난다고 했는데, 불의 혀라는 말이 무슨 말인지 압니까? 여기서 혀는 말이라는 뜻입니다. 우리가 이 혀를 통해 하는 것은 말입니다. 성령이 임하면 불 같은 말이 우리 입 속에서 나옵니다. 그래서 그 말을 받는 자마다 불을 받게 됩니다. 실로 놀라운 일이 아닐 수 없습니다.

[사도들이 예수께 돌아와 자기들이 한 일과 가르친 것을 모두 보고했습니다. 그

런데 거기에는 오가는 사람들이 너무 많아 예수와 제자들은 먹을 겨를조차 없었습니다. 예수께서 그들에게 말씀하셨습니다. "외딴 곳으로 가서 잠시 쉬라."(막 6:30-31)]

예수님을 따르는 무리가 너무나 많다 보니 제자들은 먹을 겨를도 없고 쉴 겨를도 없었습니다. 그래서 외딴 곳으로 가서 잠시 쉬도록 했습니다. 예수님과 그분의 제자들은 너무 많은 사람들이 몰려와서 좀 쉬어야 했는데, 먹을 겨를도 쉴 틈도 갖기 어려웠습니다. 밥을 좀 먹으려고 하면 주변에 사람들이 뱅 둘러서서 보고 있는 겁니다. 그러니 밥이 넘어가겠습니까? 들것에 환자를 데리고 온 사람들, 아파서 신음하는 사람들이 옆에서 지켜보고 있는데 음식이 넘어가겠습니까.

[그래서 그들은 따로 배를 타고 외딴 곳으로 갔습니다. 그런데 많은 사람들이 그들이 떠나는 것을 보고 그들을 알아보았습니다. 그리고는 여러 마을에서 달려 나와 길을 따라 걸어가서 그들보다 그곳에 먼저 가 있었습니다.(막 6:32-33)]

배를 타고 다른 지역에 가서 눈도 붙이고 밥도 좀 먹고 쉬려고 하는데 가는 곳마다 사람들이 먼저 알아보고 자리를 잡고 있었습니다. 예수님이 오실 만한 곳에 먼저 가서 기다리고 있는 것입니다. 그걸 보시고 예수님은 마음이 아팠습니다. 얼마나 인생이 피곤했으면, 얼마나 병에 지쳤으면, 얼마나 인생이 고독했으면 이렇게 찾아왔을까 하는 생각이 드셨던 것입니다.

그들이 불쌍했습니다. '내가 차라리 굶고 말지. 이들을 도와야지'라는 생각이 들었습니다. 이것이 곧 목사의 마음이고, 장로의 마음이고, 곧 우리의 마음입니다.

예수님과 제자들의 생각 차이

왜 목회를 합니까? 목사가 직업입니까? 아닙니다. 가슴이 찢어질 듯 아파서 밥을 먹다가도 튀어나오고 좀 쉬다가도 튀어나오는 게 목회입니다. 그 영혼을 사랑하기 때문입니다. 교회에 있으면 여러 가지 소식이 들립니다. 그중에서도 교인들이 힘들어한다는 소식이 많이 들립니다. 심적으로 어렵다는 소식, 경제적으로 어렵다는 소식, 사업이 잘 안 된다는 소식도 들리고 아프다는 소식도 들립니다.

그때마다 우리 목회자들이 쏜살같이 달려가 앉은 사람은 일으켜 세우고, 고개를 떨군 사람은 들게 만들며, 용기를 주고 기도하는 것입니다.

성경은 먼저 가서 기다리는 무리를 보시고 예수님은 귀찮다는 생각이 든 게 아니라 불쌍히 여기는 마음이 생겼다고 말씀합니다.

[예수께서 도착해 많은 사람들을 보시고 목자 없는 양들 같은 그들을 불쌍히 여겨 그들에게 여러 가지로 가르쳐 주기 시작하셨습니다.(막 6:34)]

그렇습니다. 목자 없는 어린 양 같고, 아비 없는 자식 같고, 엄마를 잃어버린 어린아이 같습니다. 목자 없는 양 같고 어머니를 잃은 고아 같은 사람이 얼마나 많은지 모릅니다.

그래서 예수님은 그들에게 말씀을 가르쳐 주기 시작하신 것입니다. 예수님도 제자들도 거기 모인 사람들도 날이 저무는 걸 잊어버리곤 했습니다. 얼마나 열심히 말씀을 가르쳤고, 말씀을 듣는 사람들은 얼마나 목말랐던지 샘물 같고 생수 같은 그 말씀에 귀 기울이고 빨려들다가 해가 지는 걸 잊어버렸습니다. 그러다가 날이 저물어 저녁이 됐습니다.

[날이 저물어 가자 제자들이 예수께 다가와서 말씀드렸습니다. "이곳은 빈 들인데 시간도 벌써 많이 늦었습니다. 사람들을 보내 가까운 마을이나 동네에 가서 각자 먹을 것을 사 먹게 하시지요."(막 6:35-36)]

제자들은 "아이고, 큰일 났습니다. 여기 남자만 5,000명 이상 모였는데 여자들과 아이들까지 합하면 2만 명이 넘을 거예요. 날은 어두워졌고 저녁이 돼서 배가 고픈데 이 많은 사람들을 어디 가서 저녁을 먹이지요? 여기는 빈 들인데"라고 걱정했습니다. 이것은 제자들의 당연한 염려요, 고민이었습니다. "그렇다면 이 사람들을 보내 가까운 마을에 가서 사 먹게 합시다." 이것이 제자들의 수준이었습니다.

제자들의 아이디어는 상식적이고 합리적인 것이었습니다. 이것은 우리의 수준이기도 합니다. "빨리 흩어지게 해서 밥을 먹도록 합시다"라는 것입니다. 하지만 예수님의 생각은 달랐습니다. 예수님은 당연하지만 엉뚱한 말을 하셨습니다. "너희가 그들에게 먹을 것을 주라." 이 얼마나 황당한 말씀입니까.

[그러자 예수께서 대답하셨습니다. "너희가 그들에게 먹을 것을 주라." 제자들이 예수께 말했습니다. "그러면 우리가 가서 200데나리온어치를 사다가 그들에게 먹이라는 말씀입니까?"(막 6:37)]

"너희가 그들에게 먹을 것을 주라." 이는 교회를 향해 주님이 하시는 말씀이요, 우리에게 하시는 말씀입니다.

"하나님, 어떻게 우리가 대한민국을 책임집니까? 하나님, 어떻게 우리가 이 가난을 책임집니까? 하나님, 어떻게 우리가 한국의 어려운 문제를 다 책임집니까?

이건 경찰이 해야 하고, 이건 검찰이 해야 하고, 이건 정부가 해야 하는데 어떻게 우리가 이걸 합니까?" 우리는 모든 책임은 정부가 져야 한다고 말합니다.

그러나 주님의 생각은 다릅니다. "네가 해라. 너희가 해라." 그러자 제자들은 당황하고 놀랐습니다. "아니! 어떻게 우리가 그런 일을 합니까? 여기는 빈 들이고 가게도 없고 뭐 사 먹을 곳도 없고 또 있다고 해도 이 사람들을 다 먹이려면 200데나리온의 돈이 필요한데 그것을 어디서 구합니까?"

여기서 제자들의 생각과 예수님의 생각에 차이가 납니다. 신앙생활을 열심히 하다 보면 이 두 가지 생각의 중간에 우리가 끼어 있는 걸 봅니다. 우리의 상식과 경험, 수준에서 예수를 믿고자 한다면 간단합니다. 주일날 교회에 나오고 적당히 헌금하고 적당히 남을 도와주면서 아무 갈등 없이 사는 겁니다. 그냥 남이 하는 대로, 세상이 하는 대로 줄을 섭니다. 그러면 갈등할 게 없습니다. 장사해서 먹을 거 먹고, 가족들 돌보고, 아무런 걱정이 없습니다.

그런데 예수님의 말씀은 이런 것이 아닙니다. "네가 먹을 것을 주어라"고 하면 영적 부담을 갖게 됩니다. 어떻게 대한민국이 아시아를 책임질 수 있겠습니까. "네가 그렇게 하라." 제자들의 수준에서는 도저히 상상할 수도 없는 명령입니다. 하지만 주님을 섬기다 보면 이런 명령이 우리에게 떨어집니다.

[예수께서 물으셨습니다. "빵이 얼마나 있느냐? 가서 알아보라." 그들이 알아보고 말씀드렸습니다. "빵 다섯 개와 물고기 두 마리가 있습니다."(막 6:38)]

예수님은 "된다", "안 된다"라고 말씀하지 않았습니다. 빵이 몇 개냐고 물으셨을 뿐입니다. 또한 그 일을 할 수 있느냐 없느냐 하는 것도 말씀하지 않았습니다. "네가 가지고 있는 것이 무엇이냐?"라고 물으셨습니다. 제자들이 즉시 조사해 본 결과 빵 다섯 개와 물고기 두 마리가 있었습니다. 그것도 어른 것이 아니라 아이의 것이었습니다.

어떤 사람들은 말합니다. 어른들은 도시락을 준비했을 텐데 내놓지 않았다는 겁니다. 순진한 어린아이만 "여기 있어요"라고 내놨다는 겁니다.

어린아이의 빵 다섯 개와 물고기 두 마리가 5,000명하고 무슨 상관이 있다는 걸까요? 이것으로 이 무리를 먹인다는 것은 불가능한 일입니다. 우리가 가지고 있는 빵 다섯 개로 어떻게 이 민족을 먹여 살리고, 통일을 가져올 수 있고, 일본을 전도할 수 있고, 세상을 전도할 수 있습니까? 우리가 가지고 있는 것은 겨우 빵 다섯 개인데 말입니다. 그런데 주님은 그다음에 놀라운 행동을 보여 주십니다. 사람들을 질서정연하게 재배치하여 앉히라고 하십니다.

거기 모인 사람들도 무엇을 보고 누구를 믿고 시키는 대로 앉았을까요? 먹을 것이 좀 보여야, 빵이 보이거나 쌀가마니라도 잔뜩 쌓여 있어야 할 것 아닙니까? 그런데 50명, 100명 단위로 줄을 세워 앉으라고 하니까 예수님의 말씀에 다 순종했습니다.

[그러자 예수께서는 사람들을 모두 풀밭에 무리를 지어 앉히라고 제자들에게 지시하셨습니다. 그래서 사람들은 100명씩, 50명씩 무리를 지어 앉았습니다.(막 6:39-40)]

빵 다섯 개와 물고기 두 마리의 기적

당신이라면 예수님의 이러한 명령에 순종하겠습니까? 만약 말씀에 순종했는데 아무 일도 일어나지 않는다면 어떻게 하겠습니까?

[예수께서는 빵 다섯 개와 물고기 두 마리를 들고 하늘을 우러러 감사기도를 드린 후 빵을 떼셨습니다. 그리고 제자들에게 주어 사람들 앞에 갖다 놓으라고 하셨습니다. 예수께서는 물고기 두 마리도 그들 모두에게 나눠 주셨습니다.(막 6:41)]

이때 예수님은 무슨 일을 하셨습니까? 수많은 사람들이 다 줄 지어 그룹별로 앉아 있었습니다. 먼저 예수님은 빵과 고기를 들고 하늘을 우러러 감사기도를 드렸습니다. 여기서 그 기도를 잠깐 들어 봅시다. 예수님은 기적을 일으켜 달라고 기도하시지 않았습니다. 기적은 이미 일어났습니다. 기적은 이미 와 있었습니다. 예수님은 그걸 보신 겁니다.

그렇습니다. 우리 눈에는, 우리 마음에는 이미 기적이 일어났습니다. 그것 때문에 목회를 하는 겁니다. 그것도 보지 않고 어떻게 목회를 하겠습니까. 현실은 아무것도 없지만 그 기적은 이미 와 있습니다. 당신한테도 기적은 이미 와 있습니다. 다만 아직 보지 못할 뿐입니다.

예수님이 하신 기도는 "기적을 베풀어 주십시오"라는 기도가 아니라 "감사합니다. 감사합니다. 그저 감사합니다. 하나님 감사합니다. 내게 하나님 기적을 베풀어 주신 것을 감사합니다. 내 인생의 모든 문제가 풀어지는 것에 감사합니다"라는 것이었습니다. 그걸 믿음으로 알게 되신 것입니다. 우리도 믿음을 통해 이 모든 일이 알아지기를 축원합니다.

두 번째로 예수님은 빵을 떼셨습니다. 믿음이 없으면 어떻게 빵을 떼겠습니까. 빵을 떼면 반쪽밖에 더 되겠습니까. 그렇다면 빵을 뗐다고 합시다. 빵이 다시 생긴다는 보장이 없다면 어떻게 빵을 뗄 수가 있겠습니까. 여기서 혼자 이런 상상을 해 봅니다. '예수님이 빵을 뗐어요. 주니까 이쪽 빵이 다시 생겼어요. 또다시 떼니까 이쪽 빵이 생겼어요. 또 한 번 빵을 주니까 빵이 다시 생겼어요.'

빵을 받은 사람이 홀랑 자기 것을 먹어 버리면 끝입니다. 그런데 다른 사람한테 나눠 주면 또 생깁니다. 나누어 주면 또다시 생깁니다. 이것이 나눔이고 기적입니다. 나 혼자 잘 먹고 잘살면 그걸로 끝입니다. 다 소화돼서 장으로 가는 겁니다. 아무런 의미도 없습니다. 하지만 나눠 주면 또 생기고 또 생기고 또 생깁니다.

소유하고 움켜쥐면 그걸로 끝입니다. 우리 인생도 움켜쥐면 그것으로 끝입니다. 손을 펴야 합니다. 나누어 주어야 합니다. 그러면 우리 인생이 꽃을 피우기 시작할 것입니다. 참으로 신비스러운 하나님의 방법입니다.

세 번째로 예수님은 감사기도를 하시고 빵을 떼시고 빵을 나누어 주라고 말씀했습니다. 빵에 기적이 일어나기 시작한 것입니다. 기적은 나눔의 열매를 맺습니다. 나눔의 열매는 또 하나의 기적을 만들어 냅니다. 이것을 우리가 경험해 보자는 것입니다. 예수 믿는 것을 말로만 하고 머리로만 이해하는 것이 아니라 가슴으로 삶으로 이것을 경험해 보자는 것입니다. 다른 사람들에게 주면 내가 없어지는 것이 아니라 또 하나의 내가 생깁니다. 또 하나의 기적이 일어납니다. 이것이 교회입니다. 이것이 그날 밤에 일어났던 사건입니다.

결과는 어떻게 됐을까요? 빵만 그렇게 한 것이 아니라 물고기도 똑같이 했습니다. 결과는 어떻게 됐을까요?

[사람들은 모두 배불리 먹었습니다. 제자들이 남은 빵 조각과 물고기를 모으니 12바구니 가득 거두어 들였습니다. 빵을 먹은 남자 어른만도 5,000명이었습니다.(막 6:42-44)]

첫째, 사람들이 배불리 먹었다는 겁니다. 이런 망상이 도대체 어디 있습니까! 어떻게 빵 다섯 개와 물고기 두 마리로 이 사람들이 배불리 먹었다는 겁니까? 배부르다는 말은 무슨 뜻입니까? 행복하다는 말입니다. 한창 배고플 때 맛있는 음식을 먹으면 행복해집니다. 무리의 사람들은 모두 행복했습니다. 이처럼 하나님 말씀을 먹으면 행복해집니다. 그렇게 행복할 수가 없습니다.

둘째, 이 메시지에서 발견한 것은 남은 빵과 고기를 그냥 버리지 말라는 것입니다. 그 부스러기를 주워 모으라는 것입니다. 여기서 우리는 예수님의 부스러기 정신을 배웁니다. 예수님은 기적을 베풀었다고 해서 낭비하는 것은 좋아하시지 않습니다. 남은 것을 모아서 바구니에 담아 배고픈 사람에게 또 한 번 나눠 주라는 것입니다.

예수님의 생각 가운데, 정신 가운데 확실한 것은 사치와 낭비를 좋아하시지 않는다는 것입니다. 뭐든지 아끼고 검소하게 하고 단순하게 하고 일어나야 합니다. 음식 찌꺼기를 버리지 말라는 겁니다. 먹을 만큼만 먹고 남은 것은 나누라는 말씀입니다. 이것이 예수님의 정신입니다. 부스러기 정신입니다.

셋째, 빵을 먹은 사람들은 남자만 5,000명이었습니다. 아까 계산한 대로 모두 합하면 2만 명쯤 될 텐데 이게 무슨 얘깁니까? 불가능한 숫자는 없다는 뜻입니다.

이와 비슷한 사건이 마가복음 8장에 또 한 번 나옵니다. 빵 일곱 개와 약간의 물고기를 가지고 4,000명을 먹이고 남은 그런 일이 또 나옵니다.

그런데 이런 놀라운 영적인 사건에는 항상 방해하는 사람들이 등장합니다. 바리새파 사람들입니다. 믿음을 가진 사람들은 믿음의 기적을 보지만, 믿음을 갖지 않은 사람들은 아무것도 보지 못합니다. 교회를 나와 어떤 사람은 날마다 기적과 축복 속에 살고, 어떤 사람은 아무것도 얻지 못합니다.

우리의 헌신을 기다리시다

몇 가지를 적용하고 싶습니다. 첫째, 하나님은 지금도 기적을 일으키신다는 겁니다. 믿는 사람한테는 믿는 만큼 기적이 일어납니다. 안 믿는 사람한테는 안 믿는 만큼 아무 일도 일어나지 않습니다. 국물도 없다는 말입니다. 그냥 피곤할 뿐입니다.

그러나 겨자씨만 한 믿음이 있으면 엄청난 일들을 보게 됩니다. 기적은 지금도 있습니다. "오병이어는 너다." 이것이 우리입니다. 우리가 하나님께 드릴 수 있는 것은 오병이어 정도입니다. 하나님은 우리에게 큰 것을 원하시지 않습니다. 우리 자신을 원할 뿐입니다.

영국의 선교사이자 탐험가였던 리빙스턴의 어린 시절 이야기입니다. 어느 날 모임에서 헌금을 하는데 자신은 가진 돈이 없다면서 헌금 바구니 앞으로 뛰어나오더니 그 바구니 옆에 무릎 꿇고 앉더랍니다. 그러고는 "나는 돈이 없으니까 내 몸을 드립니다"라고 자기를 드렸다고 합니다.

오병이어는 바로 우리입니다. 우리에게 하나님께 드릴 것이 뭐가 있겠습니까! 그러니 우리의 시간을 드리고 우리의 돈을 드리고 재주까지 드려야 합니다. 이것이 우리의 오병이어입니다.

여기서 우리는 영적 원리를 발견합니다. 그렇다면 영적 원리는 무엇입니까? 겨자씨를 심으면 30배, 60배, 100배의 열매를 맺을 수 있어야 한다는 것입니다. 오병이어는 모인 사람 2만 명의 충분한 식사가 되었습니다.

이 말을 다음과 같이 적용해 볼 수도 있습니다. 우리 조국은 변할 수 있을까? 사기 치지 않고 거짓말을 하지 않는 민족이 될 수 있을까? 끼어들지 않고 예의바른 민족이 될 수 있을까? 마약하지 않고 술을 먹지 않고 도둑질을 하지 않으며, 예의 지키고 서로 존중하는 민족이 될 수 있을까?

텔레비전을 아예 안 볼 수는 없지만 텔레비전만 켜면 언론이고 정치인이고 매일 욕하는 것만 봅니다. 남 잘한다고 칭찬하는 걸 들은 적이 없습니다. 한두 가지는 잘할 수 있는데도 정신이 없습니다. 서로 비판하고 까발리고 싸우고 정신이 돌 지경입니다. 그렇게 욕하면 정신이 돌지 않을 사람이 어디 있겠습니까.

격려하고 칭찬하고 좋은 말만 해 주는 민족, 이런 민족이 될 수 있을까요? 우리 민족 개조는 과연 일어날 수 있을까요? 저는 이런 꿈을 꿉니다. 국민의 전체적인 동의가 있어야 하겠지만, 우리 국민 예산의 십일조를 하나님께 드릴 수는 없을까요? 통일은 이루어질 수 있을까요? 전쟁 없는 통일, 편 가르기 없는 통일, 서로 용서하고 사랑하는 통일 말입니다. 북한이 하루아침에 어린 양처럼 변할 수는 없을까요?

하나님은 우리의 헌신을 기다리고 계십니다. 하나님은 지금도 기적을 일으키십니다. 우리는 이 기적과 환상을 보면서 앞으로 나아가야 합니다.

Pray

하나님, 예수님이 베푸신 오병이어의 기적을 생각합니다. 불가능한 일을 가능하게 하신 예수님의 그 사랑을 기억하며 우리도 믿음으로 기적을 목격하는 삶 되게 하옵소서. 믿는 자에게 믿는 만큼 기적을 일으키시는 주님의 섭리를 생각하며 기꺼이 헌신하는 삶 되게 하옵소서. 예수님 이름으로 기도합니다. 아멘.

막 6:45-56

⁴⁵예수께서 곧 제자들을 배에 태워 호수 건너편 벳새다로 먼저 가게 하시고 사람들을 돌려보내셨습니다. ⁴⁶그들을 보내신 뒤 예수께서는 기도하려고 산으로 올라가셨습니다. ⁴⁷밤이 되자 배는 호수 한가운데 있었고 예수께서는 혼자 뭍에 계셨습니다. ⁴⁸예수께서는 제자들이 강한 바람 때문에 노 젓느라 안간힘을 쓰는 것을 보셨습니다. 이른 새벽에 예수께서 물 위를 걸어 그들에게 나아가시다 그들 곁을 지나가려고 하셨습니다. ⁴⁹예수께서 물 위를 걸어오시는 것을 본 제자들은 유령인 줄 알고 소리를 질렀습니다. ⁵⁰그들 모두 예수를 보고 겁에 질렸습니다. 그러자 곧 예수께서 그들에게 말씀하셨습니다. "안심하라! 나다. 두려워하지 말라." ⁵¹그리고 예수께서 제자들이 탄 배에 오르시자 바람이 잔잔해졌습니다. 제자들은 몹시 놀랐습니다. ⁵²그것은 제자들이 예수께서 빵을 먹이신 기적을 보고도 아직 제대로 깨닫지 못하고 마음이 둔해져 있었기 때문입니다. ⁵³그들은 호수를 건너 게네사렛에 도착해 배를 대었습니다. ⁵⁴그들이 배에서 내리자 사람들은 예수를 즉시 알아보았습니다. ⁵⁵사람들은 온 지역을 뛰어다니며 예수께서 계시는 곳이면 어디든지 아픈 사람들을 자리에 눕힌 채 짊어지고 오기 시작했습니다. ⁵⁶예수께서 가시는 곳이면 어디든지, 마을이든 도시든 농촌 할 것 없이 사람들은 아픈 사람들을 시장에 데려다 두고 예수의 옷자락이라도 만질 수 있도록 간청했습니다. 그리고 손을 댄 사람들은 모두 병에서 나았습니다.

물 위를 걸어오신
예수님

예수님은 우리에게 기적을 이해하기 위한 말씀의 지식과 영적 센스를 원하십니다.
이것은 이성과 상식을 가지고는 알 수 없습니다.
말씀의 지식과 영적 센스가 필요합니다.

'물 위로 걸어오신 예수님'을 다른 말로 하면 '폭풍을 잠잠케 하시는 예수님'입니다. 빵 다섯 개와 물고기 두 마리로 남자만 5,000명이고 어린아이와 여자까지 합하면 약 2만 명을 다 먹이고도 열두 광주리가 남았던 이 기적을 보고 사람들은 깊은 충격을 받았습니다. 그래서 예수님을 왕으로 삼고자 하는 운동이 일어났습니다. 예수님의 인기가 절정에 이른 것입니다.

이때 예수님은 특이한 행동을 하셨습니다. 예수님은 인기가 절정에 오르자 즉시 제자들을 배에 태워 호수 건너편으로 보내셨습니다. 그리고 사람들을 각자의 집으로 돌려보내셨습니다. 그러고 나서 예수님은 산으로 올라가셨습니다. 결코 인기와 환호성 안에 머물러 계시지 않았습니다. 예수님은 사람들의 가장 큰 약점이 인기와 칭찬이라는 것을 아셨기 때문입니다.

누구든지 칭찬과 인기에 머물러 있게 되면 목표를 잃어버리고 맙니다. 그리고 자신에게 인기와 초점이 몰려든 순간 인간은 위기에 빠집니다. 예수님은 이것을 너무나 잘 아셨던 것입니다. 그래서 인기가 올라갈수록 그분의 관심을 하나님께로 집중하셨습니다.

[예수께서 곧 제자들을 배에 태워 호수 건너편 벳새다로 먼저 가게 하시고 사람들을 돌려보내셨습니다. 그들을 보내신 뒤 예수께서는 기도하려고 산으로 올라가셨습니다.(막 6:45-46)]

다음 말씀에서 언급한 것처럼 예수님은 날이 저물 때까지 혼자 그곳에 계셨습니다.

[무리를 보낸 뒤 예수께서 혼자 기도하러 산에 올라가셨다가 날이 저물기까지 거기 혼자 계셨습니다.(마 14:23)]

여기서 발견할 수 있는 것은 무엇입니까? 첫째, 예수님은 사람들의 인기와 환호성에 머물러 계시지 않았다는 것입니다. 둘째, 예수님의 관심은 하나님께 있었습니다. 하나님께 관심을 가지는 방법은 두 가지인데 하나는 기도요, 다른 하나는 묵상입니다. 그래서 사람들을 떠나서 예수님은 홀로 산에 올라가셨습니다. '홀로 있기'입니다. 우리 역시 대중 속에 있기도 하고, 대중을 떠나 홀로 있기도 합니다. 셋째, 산에 올라가서 기도하시는 예수님의 관심은 무엇이었습니까? 그것은 배를 타고 호수 건너편으로 가는 제자들에게 있었다는 것입니다.

[밤이 되자 배는 호수 한가운데 있었고 예수께서는 혼자 뭍에 계셨습니다. 예수께서는 제자들이 강한 바람 때문에 노 젓느라 안간힘을 쓰는 것을 보셨습니다. 이른 새벽에 예수께서 물 위를 걸어 그들에게 나아가시다 그들 곁을 지나가려고 하셨습니다.(막 6:47-48)]

제자들을 태운 배가 호수 한가운데 이르렀습니다. 갈릴리 호수 한가운데까지는 잘 갔던 것 같습니다. 그런데 갑자기 강한 바람이 불었습니다. 이스라엘을 다녀온 사람들은 갈릴리 호수에 가끔 걷잡을 수 없는 강한 바람이 분다는 얘기를 하곤 합니다.

배가 호수 한가운데 갔을 때 강한 바람이 불고 파도가 쳤습니다. 그러자 배가 방향을 잃고 방황하기 시작했습니다. 예수님은 산에서 기도하시면서 제자들이 강한 바람을 만나 우왕좌왕 하는 것을 지켜보고 계셨습니다. 성경 말씀을 보면 이 배를 탄 제자들은 이른 새벽까지 방황했습니다. 이른 새벽은 3시부터 4시까지로, 해질 무렵에 떠나 새벽 3시, 4시까지 사투를 벌인 것입니다. 얼마나 힘들었겠습니까! 얼마나 당황했겠습니까! 얼마나 무서웠겠습니까!

물 위를 걸으시다

여기서 우리는 또다시 몇 가지 사실을 깨닫게 됩니다. 먼저 우리는 인생을 사는 동안 예기치 못한 강한 바람을 만난다는 것입니다. 배가 순항하는 것처럼 잘 나가던 중에 인생의 한가운데서 생각지도 못하던 강한 바람을 만나 안간힘을 쓰다가 힘이 빠지면 무엇을 해야 할지 모를 때가 있다는 것입니다.

두 번째로 이처럼 인생에서 강한 바람을 만나고 위기를 만났을 때 눈에 보이지 않지만 예수님은 우리를 보고 계신다는 사실입니다. 위기나 고난에 빠지면 사람들은 늘 착각을 합니다. '나 혼자다. 하나님은 나를 보고 계시지 않는다. 하나님이 살아 계신다면 이 위기와 고난을 왜 못 본 척하실까?'라는 생각을 하게 됩니다. 혼자 있다고 생각하면 더 외롭고 더 무섭고 더 두렵습니다.

아마 예수님의 제자들도 이런 생각에 빠져 있었을 것입니다. 하지만 우리가 결정적인 위기에 빠졌을 때 예수님의 강한 팔로 우리를 건져 주신다는 사실을 이 말씀을 통해 깨닫게 됩니다.

폭풍이 몰아치고 배가 부서질 것 같은 그런 상황에 빠졌을 때 시간은 새벽 3, 4시경이었습니다. 예수님은 더 이상 산에서 기도하고 계시지 않았습니다. 호수로 내려오신 것입니다. 48절에 보면 "물 위를 걸어"오셨다고 말씀하는데 왜 물 위를 걸어오셨을까요? 의도적으로 기적을 보여 주시기 위해 물 위를 걸어오셨을까요? "내가 예수다"라는 것을 과시하기 위해 오셨을까요?

아닙니다. 새벽 3, 4시에는 배가 없어 그렇게 오신 것입니다. 그 시간에 누가 배를 탈 사람을 기다리고 있겠습니까? 배가 없다고 예수님이 안 오시는 게 아닙니다. 물 위로 걸어서라도 예수님은 우리를 구원하기 위해 오신다는 것입니다. 그렇게 예수님은 제자들을 기억하시고, 우리를 기억하시고, 우리를 사랑하신다는 말입니다.

제자들의 반응은 어떻습니까? 정반대입니다. "야, 예수님이 오셨구나"라고 안심한 것이 아니라 깜짝 놀랐습니다. 심지어 유령인 줄 알고 겁에 질렸다고 했습니다. 아마 이것은 평소에 그들이 살아왔던 세계관이 아니었나 생각합니다. 믿음을 가진 지 얼마 되지 않은 그들이 예전부터 가지고 있던 사고방식이 아니었나 생각합니다.

[예수께서 물 위를 걸어오시는 것을 본 제자들은 유령인 줄 알고 소리를 질렀습니다. 그들 모두 예수를 보고 겁에 질렸습니다. 그러자 곧 예수께서 그들에게 말씀

하셨습니다. "안심하라! 나다. 두려워하지 말라."(막 6:49-50)]

이런 제자들을 본 예수님의 반응은 어땠습니까? "안심하라. 나다. 두려워하지 말라." 이 얼마나 고마운 말씀입니까! 강한 바람에 대한 염려와 근심과 공포를 한 방에 날려 버리는 그런 말씀이 아닙니까! 그렇습니다. 예수님의 이 말씀에는 능력이 있습니다.

[그리고 예수께서 제자들이 탄 배에 오르시자 바람이 잔잔해졌습니다. 제자들은 몹시 놀랐습니다.(막 6:51)]

예수님은 바람을 잠잠케 하십니다. 폭풍을 잠잠케 하십니다. 파도를 잠잠케 하십니다. 제자들의 마음속에 있는 두려움과 공포와 위기를 한방에 날려 버리십니다. 그런데 참 이상합니다. 제자들은 이것을 보고 깜짝 놀란 것입니다. 예수님이 물 위를 걸어오시는 모습을 보고 놀랐더니, 예수님이 바람을 잠잠케 하시는 것을 보고 또다시 놀랐습니다.

이런 제자들을 보고 우리도 놀랐습니다. 아니 예수님이 빵 다섯 개와 물고기 두 마리로 5,000명을 먹이고도 열두 광주리를 남긴 사건이 하루도 채 지나지 않았는데, 그런 기적을 눈으로 직접 목격했음에도 예수님이 기적을 베푸시는 것을 왜 의심했을까요? 왜 놀랐을까요? 이것이 믿음 없는 제자들, 바로 우리의 모습이 아닐까 합니다.

기적은 금방 잊히고 맙니다. 하나님의 축복도 금방 잊히고 맙니다. 당장 먹을 것이 없고 입을 것이 없고 위기에 부딪히면 하나님이 우리를 버리셨다고 생각합니다. 하나님이 보이지 않는다고 아우성을 칩니다. 외롭다고 소리 지르고 '나는 혼자다'라고 생각합니다. '에이, 죽어버릴까?'라고 쉽게 생각합니다.

[그것은 제자들이 예수께서 빵을 먹이신 기적을 보고도 아직 제대로 깨닫지 못하고 마음이 둔해져 있었기 때문입니다.(막 6:52)]

왜 기적을 베풀었는데도 몰랐던 걸까요? 예수님이 부활하셔서 제자들한테 나타나셨는데도 왜 못 믿었던 걸까요? 참으로 이상한 일입니다. 이스라엘 백성은 왜 홍해를 가르고 나서 사흘이 지난 다음 잊어버렸을까요? 아마 40일이 지나면 까맣게 잊어버렸을 겁니다. 사흘 후에 물이 떨어지자 물이 없다고 아우성이었습니다. 홍해의 기적을 다 잊어버리고 물이 없다는 것 때문에 원망하고 아우성을 쳤습니다. 40일이 지나고 나서 그들은 먹을 것이 없다고 또다시 아우성을 쳤습니다. 얼마 전 홍해를 갈랐던 그 사건을 다 잊어버렸던 것입니다.

우리가 시험에 드는 까닭은 하나님의 기적이 없어서가 아니라 그분의 기적을 쉽게 잊어버려서 그렇습니다. 하나님의 은혜를 쉽게 잊어버려서 그렇습니다. 지나온 과거를 돌이켜 보면 하나님의 은혜가 얼마나 컸는지, 그분의 은혜가 얼마나 풍성했는지 알 수 있습니다. 우리를 죽음에서 구원해 주셨고 우리를 절망에서 구원해 주셨고 우리를 위기에서 구원해 주셨던 하나님의 그 크신 사랑을 쉽게 잊어버리곤 합니다.

성경 말씀을 살펴보면 그들이 깜짝 놀란 두 가지 이유가 있다고 했습니다. 첫째, 말씀을 깨닫지 못했기 때문입니다. 둘째, 영적 감각이 둔해졌기 때문입니다. 우리가 하나님의 은혜를 잊어버리고 기적을 잊어버리는 것은 하나님의 말씀을 깨닫지 못했기 때문입니다. 또 하나는 영적 센스, 영적 감각이 둔해졌기 때문입니다.

믿음이 있는 사람, 기적의 주인공이 되다

그리고 예수님은 아무 일도 없다는 듯이 게네사렛에 도착했습니다. 내리자마자 영상이 제자리로 돌아오듯이 사람들이 몰려들기 시작합니다. 온 지역으로부터 아픈 사람들이 구름 떼처럼 예수님이 계신 곳으로 몰려들었습니다.

[그들은 호수를 건너 게네사렛에 도착해 배를 대었습니다. 그들이 배에서 내리자 사람들은 예수를 즉시 알아보았습니다. 사람들은 온 지역을 뛰어다니며 예수께서 계시는 곳이면 어디든지 아픈 사람들을 자리에 눕힌 채 짊어지고 오기 시작했습니다.(막 6:53-55)]

잠깐 생각을 멈추고 게네사렛의 장면을 상상해 봅시다. 얼마나 놀랍고 흥분되고 긴장된 장면입니까! 예수님이 가시는 곳마다 이런 일들이 계속 일어났습니다. 도시와 농촌 가릴 것 없이 아픈 사람들을 데려왔고, 들것으로 사람들을 메고 왔습니다. 그 병이 어떤 병이든지 상관하지 않았습니다. 마음이 외로운 사람, 힘든 사람, 할 일 없는 사람도 다 왔을 겁니다.

이처럼 큰 무리가 예수님을 따랐습니다. 그분의 옷자락이라도 만지고 싶어서, 그 얼굴을 먼발치서라도 보고 싶어서 말입니다. 그 순간만큼은 자신의 생업도 가업도 직장도 다 잊어버렸습니다.

우리는 교회에 와서 여러 가지 생각을 합니다. 직장 생각, 가정 생각, 부부싸움을 한 생각, 끝나면 가서 뭘 할까 하는 생각까지 말입니다. 예수께 집중하기 어려울 때가 참으로 많습니다. 하지만 그 당시 갈릴리 호수에 모였던 사람들은 혼이 나간 사람처럼 예수님의 말씀과 모습에 집중했습니다.

예수님을 처음 만났던 1965년경에 가장 많이 불렸던 찬송가는 134장 〈나 어느 날 꿈속을 헤매며〉입니다. 눈물을 흘리며 감격한 채 밤새도록 불렀던 찬송입니다.

'나 어느 날 꿈속을 헤매며'

나 어느 날 꿈속을 헤매며
어느 바닷가 거닐 때
그 갈릴리 오신 이 따르는
많은 무리를 보았네.
나 그때에 확실히 맹인이
눈을 뜨는 것 보았네.
그 갈릴리 오신 이 능력이
나를 놀라게 하였네.
내가 영원히 사모할 주님
참 사랑과 은혜 넘쳐
나 뵈옵고 그 후로부터
내 구주로 섬겼네.

그 사나운 바다를 향하여
잔잔하라고 명했네.
그 파도가 주 말씀 따라서
아주 잔잔케 되었네.
그 잔잔한 바다의 평온함
나의 맘속에 남아서
그 갈릴리 오신 이 의지할
참된 믿음이 되었네.
내가 영원히 사모할 주님
참 사랑과 은혜 넘쳐

나 뵈옵고 그 후로부터
내 구주로 섬기세.

......

모든 생각을 잠시 멈추고 갈릴리에서 오신 그분, 앉은뱅이를 일으키시고 맹인을 눈뜨게 하시고 귀머거리의 귀를 열게 하시고 나병 환자를 고치시고 간음하다가 현장에 붙잡힌 여인을 위로하시는 그 예수께 집중해서 미친 듯이 그분을 바라볼 수는 없을까요? 그분은 지금 우리를 찾아오시고 우리를 위로하시고 우리 안에서 기적을 베풀어 주실 것입니다.

[예수께서 가시는 곳이면 어디든지, 마을이든 도시든 농촌 할 것 없이 사람들은 아픈 사람들을 시장에 데려다 두고 예수의 옷자락이라도 만질 수 있도록 간청했습니다. 그리고 손을 댄 사람들은 모두 병에서 나았습니다.(막 6:56)]

우리의 병이 낫기를 축원합니다. 새 능력을 얻게 되기를 바랍니다. 새 사람이 되기를 바랍니다. 예수님은 빵 다섯 개와 물고기 두 마리로 5,000명을 먹이고도 열두 광주리를 남게 하셨습니다. 또한 예수님은 위기에 빠진 제자들을 구원하러 물 위를 걸어오셨고 강한 바람을 잠잠케 하셨습니다.

이런 일들의 메시지는 무엇일까요? 어제도 오늘도 영원히 변치 않는 하나님은 지금 이 순간에도 우리에게 기적을 베푸신다는 사실입니다. 믿음 없는 사람들은 기적을 보지 못할 것입니다. 하지만 믿음 있는 사람들은 그 기적의 주인공이 될 것입니다.

예수님은 우리에게 이 기적을 이해하기 위한 말씀의 지식과 영적 센스를 원하십니다. 이것은 이성과 상식을 가지고는 알 수 없습니다. 말씀의 지식과 영적 센스가 필요합니다. 영적 원리는 우리의 상상을 초월합니다. 30배, 60배, 100배의 열매를 맺을 뿐 아니라 5,000명을 먹이고도 열두 광주리가 남는 이런 상상할 수 없는 기적들이 지금도 일어나고 있습니다.

우리나라가 50년 만에 예수님을 잘 믿는 민족으로 변한 것을 생각해 보면 됩니다. 전쟁을 겪고 어려움 가운데 밑바닥에 있던 우리가 50년 만에 세계가 부러워할 뛰어난 민족이 되지 않았습니까! 이것도 기적입니다. 우리는 살아 있는 것이 기적입니다.

이런 꿈을 꿉니다. 5,000명을 먹이신 예수님, 물 위를 걸어오신 예수님, 성난 바람을 잠잠케 하신 예수님은 우리나라를 변화시키실 수 있습니다. 새로운 민족으로 만들어 주실 수 있습니다. 여러 쓰레기 같은 사건 속에서도 하나님은 우리를 성결한 민족, 깨끗한 민족으로 바꿔 주실 수 있습니다. 거짓말 안 하는 민족, 예의바른 민족, 성숙한 민족, 사랑하고 용서하는 민족, 남을 도울 줄 아는 민족, 이런 새로운 민족을 만들어 주실 줄로 믿습니다.

5,000명을 먹이신 예수님, 물 위로 걸어오신 예수님, 강한 바람을 잠잠케 하신 예수님이 이 민족의 통일을 이루어 주실 수 있다고 믿습니다. 이성과 상식으로는 안 되는 얘기지만 우리의 믿음으로, 우리의 영적 센스로, 말씀의 지식으로 보면 통일은 옵니다. 고통스러운 이 휴전선은 전쟁 없이, 편가름 없이 서로 사랑하고 용서하듯 잔잔한 호수처럼 변할 것입니다.

세계 선교는 가능할까요? 세계 평화는 가능할까요? 가능합니다. 한국 교회가 아시아의 영혼을 책임질 수 있을까요? 중국이 13억 명, 인도가 11억 명, 인도네시아가 2억 5,000만 명, 파키스탄이 1억 8,000만 명, 방글라데시가 1억 9,000만 명, 일본이 1억 2,000만 명, 필리핀이 1억, 베트남이 9,000만 명입니다. 이 엄청난 인구를 가진 가난한 아시아가 살아날 수 있을까요? 있습니다. 우리가 가면, 예수님의 복음이 가면 아시아는 변할 수 있습니다. 아시아가 변하면 전 세계가 변합니다.

마지막으로 이런 꿈을 꿉니다. 우리 크리스천들이 헌신할 수 있을까요? 저는 헌신할 수 있다고 믿습니다. 이것저것 재고 먹는 것이나 직장 뭐 이런 것에 억눌려 두더지처럼 사는 인생을 벗어나 독수리처럼 날아 살아갈 수 있을까요? 저는 그렇게 살 수 있다고 믿습니다. 이것이 오늘 하나님이 우리에게 주시는 말씀입니다.

하나님, 예수님의 공생애 기간 동안 함께하면서도 물 위를 걸으신 예수님을 보고 놀랐던 제자들의 모습에서 나약하고 믿음이 부족한 우리의 모습을 발견합니다. 믿음을 굳게 붙잡고 나아가 기적의 주인공이 되게 하옵소서. 그리고 무엇보다 우리가 구원받은 것이 기적임을 날마다 고백하며 살게 하옵소서. 예수님 이름으로 기도합니다. 아멘.

막 7:1-23

¹예루살렘에서 온 바리새파 사람들과 몇몇 율법학자들이 예수 곁에 모여 있다가 ²예수의 제자들 가운데 몇 사람이 손을 씻지 않고 '더러운' 손으로 음식을 먹는 것을 보았습니다. ³바리새파 사람들과 모든 유대 사람들은 장로들의 전통에 따라 손 씻는 정결의식을 치르지 않고는 먹지 않았고 ⁴시장에 다녀와서도 손을 씻지 않고는 음식을 먹지 않았습니다. 그들이 지키는 규례는 이것 말고도 잔과 단지와 놋그릇을 씻는 등 여러 가지가 있었습니다.) ⁵그래서 바리새파 사람들과 율법학자들이 예수께 물었습니다. "왜 선생님의 제자들은 장로들이 전해준 전통을 따르지 않고 '더러운' 손으로 음식을 먹습니까?" ⁶예수께서 대답하셨습니다. "너희 위선자들에 대해 이사야가 예언한 말이 옳았다. 성경에 이렇게 기록됐다. '이 백성들은 입술로만 나를 공경하고 마음은 내게서 멀리 떠났다. ⁷사람의 훈계를 교리인 양 가르치고 나를 헛되이 예배한다.' ⁸너희가 하나님의 계명은 버리고 사람의 전통만 붙들고 있구나." ⁹그리고 예수께서 그들에게 말씀하셨습니다. "너희는 너희만의 전통을 지킨다는 구실로 그럴듯하게 하나님의 계명을 제쳐 두고 있다! ¹⁰모세는 '네 부모를 공경하라'고 했고 '누구든지 자기 부모를 저주하는 자는 반드시 죽을 것이다'라고 했다. ¹¹그러나 너희는 '내가 아버지나 어머니에게 드리려던 것이 고르반, 곧 하나님께 드리는 예물이 됐다'라고 하면 그만이라면서 ¹²너희 부모를 더 이상 봉양하지 않으니 ¹³너희는 전통을 핑계 삼아 하나님의 말씀을 유명무실하게 만드는 것이 아니냐? 또 너희가 많은 일들을 이런 식으로 행하고 있다." ¹⁴예수께서 다시 사람들을 불러 말씀하셨습니다. "너희는 모두 내 말을 잘 듣고 깨달으라. ¹⁵몸 밖에 있는 것이 사람 속으로 들어가 사람을 '더럽게' 하지 못한다. ¹⁶오히려 사람 속에서 나오는 것이 사람을 '더럽게' 하는 것이다." ¹⁷예수께서 사람들을 떠나 집안으로 들어가시자 제자들이 이 비유에 대해 물었습니다. ¹⁸그러자 예수께서 물으셨습니다. "너희는 아직도 깨닫지 못하느냐? 몸 밖에서 사람 속으로 들어가는 것이 사람을 '더럽게' 하지 못하는 것을 너희가 알지 못하느냐? ¹⁹그것은 사람의 마음으로 들어가는 것이 아니라 뱃속으로 들어갔다가 결국 몸 밖으로 나오기 때문이다." 그러므로 예수께서는 모든 음식은 "깨끗하다"고 선포하신 것입니다. ²⁰예수께서 이어 말씀하셨습니다. "사람 안에서 나오는 것이 바로 사람을 '더럽게' 하는 것이다. ²¹사람 속에서, 곧 사람의 마음에서 나오는 것은 악한 생각, 음란, 도둑질, 살인, ²²간음, 탐욕, 악의, 거짓말, 방탕, 질투, 비방, 교만, 어리석음이다. ²³이런 악한 것들은 모두 안에서 나오고 사람을 '더럽게' 한다."

가면 속 진실한 얼굴

어떤 사람은 주를 위해 조금 봉사하고 나면 이제는 그만 좀 쉬고 싶다고 말합니다.
이는 잘못된 사역을 하고 있기 때문에 피곤하고 힘든 것입니다.
운동하면 할수록 몸에 힘이 나는 것처럼 사역을 하면 할수록, 예배를 드리면 드릴수록
영적으로 깨끗해지고 맑아지고 투명해지고 힘이 솟아납니다.

종교의 본질이 무엇인가를 새롭게 생각하는 시간을 가져 봅시다. 많은 사람들이 교회에 나왔다가 실망하고 떠나갑니다. 왜 그럴까요? 그것은 교회에 대한 오해일까요? 아니면 교회를 잘 몰라서 그런 걸까요? 단순히 그런 이유만은 아닌 것 같습니다.

예수님을 처음 믿고, 교회에 처음 나오는 사람들은 교회의 위선이라든지 이중성에 대해 아주 민감합니다. 목마른 사람은 마실 물을 구합니다. 하지만 지금까지 마실 물을 주지 않고 물 담을 그릇만 주기 때문에 교회를 떠나는 것입니다. 여기 오면 목을 축일 줄 알았는데 화려한 그릇만 보다가 떠납니다.

대부분의 교회들은 본질보다는 비본질에 너무 신경을 쓰고 시간을 보내는 경향이 있습니다. 물론 형식은 중요합니다. 하지만 형식보다 내용이 더 중요하고, 역사와 전통도 중요하지만 교회의 본질인 그리스도와 복음이 더 중요합니다. 주일마다 예배를 드리고 교회생활을 할 때 보면 우리는 너무나 많은 형식과 전통을 따르고 있으며, 그렇게 하지 않으면 예수님을 잘못 믿는 것처럼 생각할 때가 많습니다. 또한 우리 자신도 그런 역사와 전통에 얽매여 신앙생활을 할 때가 많습니다.

사실 기독교가 처음부터 교파를 가진 것은 아닙니다. 세월이 흐르면서 그 시대의 역사정신이나 시대정신에 따라 교파가 생긴 것입니다. 어떤 사람들은 교파가 너무 많은 것을 비판합니다. 하지만 교파가 많은 것이 꼭 나쁜 것만은 아닙니다. 그것은 진리에 대한 다양성을 의미하기 때문에 그렇습니다.

형식과 전통을 핑계 삼아 자기 주장을 하다

하나님은 어떤 분입니까? 이 지상에 존재하는 모든 교파가 강조하는 교리를 다 합한 것보다 더 크신 분입니다. 모든 교파는 처음에 성경과 예수 그리스도로 시작합니다. 하지만 세월이 흐르면서 전통과 방법에 익숙해지게 되면 성경과 예수 그리스도를 자신들의 익숙한 전통과 방법으로 얽매려고 합니다.

[예루살렘에서 온 바리새파 사람들과 몇몇 율법학자들이 예수 곁에 모여 있다가 예수의 제자들 가운데 몇 사람이 손을 씻지 않고 '더러운' 손으로 음식을 먹는 것을 보았습니다. (바리새파 사람들과 모든 유대 사람들은 장로들의 전통에 따라 손 씻는 정결의 식을 치르지 않고는 먹지 않았고 시장에 다녀와서도 손을 씻지 않고는 음식을 먹지 않았습니다. 그들이 지키는 규례는 이것 말고도 잔과 단지와 놋그릇을 씻는 등 여러 가지가 있었습니다.)(막 7:1-4)]

이 말씀을 보면 바리새파 사람들과 율법학자들은 자신들이 생각하는 전통과 형식이 있었다는 것을 알 수 있습니다. 그래서 이 문제를 가지고 예수께 질문한 것입니다. 예수님의 제자들이 시장에 다녀와서 손을 씻지 않고 음식을 먹었다는 겁니다. 이 규칙은 음식뿐 아니라 잔과 단지와 놋그릇도 해당되는 문제이지만 핵심적인 것은 아닙니다. 문제가 될 수도 있지만 그리 중요한 문제가 아닌데도 중요하게 다루고 있습니다.

우리 가정에 있어서나 세상 일에 있어서나 문제되는 게 뭔지 압니까? 핵심은 건드리지 않고 변두리 문제, 건드리지 않아도 되는 문제를 너무 중요하게 따지다가 어려움을 겪습니다. 게다가 형식과 전통을 중시하는 사람들은 자신들의 주장만 옳다고 말합니다. 예를 들어 침례교회 교인들은 "침례가 옳으냐? 세례가 옳으냐?" 하는 것에 지나치게 관심을 갖습니다. 장로교도 그렇고, 감리교도 그렇습니다. 그러다가 교파가 분열되는 것입니다.

자기 주장만, 자기가 믿는 교리만 옳다고 주장하다가, 그것만이 진리라고 하다가 싸우고 결국 헤어지고 맙니다. 교회에 처음 나오는 사람들은 이런 모습을 보고 크게 실망한 채 교회를 떠납니다. 이들에게 그러한 주장이 무슨 감동이 있겠습니까. 그런 투쟁이 무슨 의미가 있겠습니까.

죄인에게 감동이 되고 눈물을 자아내고 회개하게 하는 것은 용서받을 수 없는 나 같은 죄인을 용서하고 구원해 주시는 하나님의 은혜 때문이 아니겠습니까! 그건 절대 교리 때문이 아닙니다. 나 같은 죄인을 살리신 주님의 은혜가 고마워서 그 앞에 눈물로 나아가 십자가 보혈 앞에 죄 씻음을 받는 그런 감동 때문에 교회에 나오는 것입니다.

구원은 은혜로 받는 것이지 행위로 받는 것이 아닙니다. 문제는 정결의식이 신앙의 전반적인 부분에서 그렇게 중요한 핵심 진리는 아니었음에도 바리새파 사람들과 율법학자들은 그것이 가장 중요한 문제인 것처럼 붙들고 살았다는 점입니다. 진리가 아닌 것, 본질적이지 않은 것을 가지고 신경을 쓰거나 그것이 마치 진리인 것처럼 붙들고 있다 보면 나중에 아주 허무하게 되고 인생을 잘못 살아왔다는, 신앙생활을 잘못했다는 것을 느끼게 됩니다.

[그래서 바리새파 사람들과 율법학자들이 예수께 물었습니다. "왜 선생님의 제자들은 장로들이 전해 준 전통을 따르지 않고 '더러운' 손으로 음식을 먹습니까?" 예수께서 대답하셨습니다. "너희 위선자들에 대해 이사야가 예언한 말이 옳았다. 성경에 이렇게 기록됐다. '이 백성들은 입술로만 나를 공경하고 마음은 내게서 멀리 떠났다. 사람의 훈계를 교리인 양 가르치고 나를 헛되이 예배한다.' 너희가 하나님의 계명은 버리고 사람의 전통만 붙들고 있구나."(막 7:5-8)]

바리새파 사람들과 율법학자들은 자기들이 신조처럼 믿고 있는 전통과 형식의 문제를 가지고 예수님과 논쟁을 벌였습니다. 여기서 우리는 뭔가를 발견할 수 있습니다. 이 땅의 수많은 교회들은 처음에 은혜로 시작했습니다. 선교사님들이 들어와 전도하고 피땀 흘리며 자신들의 재산으로 교회를 지었습니다. 거기까지는 좋았습니다.

그런데 세월이 흐르고 교회가 커지다 보니 그만 하나님의 집이 아니라 사람의 집이 되고 만 것입니다. "누가 높으냐? 누가 잘났냐? 누가 교회의 주인이 됐느냐? 누가 목소리가 크냐?" 주보 만드는 것에서부터 시작해 세례 주는 것까지 모두 자기 나름대로 형식을 만들어 놓은 것입니다.

이는 구약에서 할례를 주는 것과 같습니다. 그래서 할례 받지 않은 사람들은 구원받지 못한 사람이라고 못 박은 것처럼 한국 교회는 이런 식으로 하지 않는 사람들한데 "그것은 이단이다", "이것은 신앙생활을 잘못하는 것이다"라고 지나치게 강요한 것입니다.

어느 정도까지는 괜찮은데 지나치면 이런 불상사가 생깁니다. 왜 한국 교회에 이런 정체 현상이 생기게 된 것일까요? 역사와 전통을 너무 강조했기 때문입니다. 교파가 중요하긴 하지만 교파가 복음이나 예수님은 아닙니다. 자꾸 다투고 싸우고 권위의식을 주장하는 통에 교회에 오면 예수님은 계시지 않고, 예수님이 느껴지지 않습니다. 형식만 느껴집니다. 그래서 사람들이 교회에서 자꾸 썰물처럼 빠져나가는 것입니다.

지방에 있는 교회들을 가 보면 더욱 심각합니다. 바리새파 사람들과 율법학자들은 5절에서 전통과 형식의 문제로 예수님과 논쟁을 벌입니다. 6절을 보면 예수님은 예언자 이사야가 한 말을 갖고 대답하십니다.

첫 번째는 "너희는 입술로만 나를 공경하고 마음은 내게서 멀리 떠났다"라는 것입니다. 두 번째는 "사람의 훈계를 교리인 양 가르치고 나를 헛되이 예배한다"라는 것입니다. 이 정도 되면 우리가 드리는 모든 예배는 다 헛된 것이 되고 맙니다. 시간만 버리고 몸만 왔다 갔다 하는 것입니다. 결국 우리는 하나님의 계명을 버리고 사람의 전통만 붙들고 있는 것입니다. 그리고 "나는 신앙생활을 잘한다. 교회에 출석했다. 나는 하나님 뜻대로 살았다"고 자화자찬하는 겁니다. 우리 내면의 신앙은 찾아볼 수 없습니다.

이렇게 되면 우리는 무기력해집니다. 영적 센스가 없어집니다. 영적 능력이 없어집니다. 그리고 영적 기쁨도 사라집니다. 조금만 봉사하면 지치고, 신경질이 나고, 자기만 일하는 것 같고, 자기만 봉사한다고 생각하게 됩니다. 봉사는 샘물이 솟아나듯이 기쁨이 계속되는 것입니다. 밥 먹는 것에 지친 사람이 있습니까? 하루에 세 끼씩 매일 먹는 것에 지친 사람은 죽을 때가 왔다는 겁니다.

매일 밥을 세 끼 먹는데 밥은 사역과 같습니다. 먹으면 힘이 나고 또 먹으면 또 힘이 나고, 이처럼 사역은 하면 할수록 힘이 납니다. 그런데 어떤 사람은 주를 위해 조금 봉사하고 나면 이제는 그만 좀 쉬고 싶다고 말합니다. 이는 잘못된 사역을 하고 있기 때문에 피곤하고 힘든 것입니다. 운동하면 할수록 몸에 힘이 나는 것처럼 사역을 하면 할수록, 예배를 드리면 드릴수록 영적으로 깨끗해지고 맑아지고 투명해지고 힘이 솟아납니다.

이 말을 제대로 알아듣지 못하자 예수님은 다른 예를 들어 설명하셨습니다. 바리새인들과 율법학자들이 부모를 공경하라는 계명이 있는데 그걸 지키지 않는 이유로 전통을 핑계 삼았다는 말씀입니다.

[그리고 예수께서 그들에게 말씀하셨습니다. "너희는 너희만의 전통을 지킨다는 구실로 그럴듯하게 하나님의 계명을 제쳐 두고 있다! 모세는 '네 부모를 공경하라'고 했고 '누구든지 자기 부모를 저주하는 자는 반드시 죽을 것이다'라고 했다. 그러나 너희는 '내가 아버지나 어머니에게 드리려던 것이 고르반, 곧 하나님께 드리는 예물이 됐다'라고 하면 그만이라면서 너희 부모를 더 이상 봉양하지 않으니 너희는 전통을 핑계 삼아 하나님의 말씀을 유명무실하게 만드는 것이 아니냐? 또 너희가 많은 일들을 이런 식으로 행하고 있다."(막 7:9-13)]

율법학자들과 바리새인들과의 논쟁에서 예수님은 이제 좀 더 본질적인 내면의 세계를 건드리시기 시작했습니다. "사실 너희 내면의 세계는 이런 위선을 깔고 있는 게 아니냐. 신앙이란 이름으로 종교라는 이름으로 오히려 하나님의 말씀을 유명무실하게 만든 것이 아니냐"라고 물으신 겁니다. 이 말씀에 종교지도자들은 속으로 얼마나 놀랐겠습니까.

사람들이 왜 화를 내는지 알고 있습니까? 사실이니까 그런 것입니다. 무슨 말을 했는데 버럭 화를 냅니까? 사실이 아니면 화낼 필요가 없습니다. 그게 사실은 사실이니까, 얼굴을 붉히며 화를 내는 겁니다. 아니라고 말하지만 사실인 겁니다.

사람 밖에서 안으로 들어가는 것은 깨끗하다

고르반은 '하나님께 드리는 예물이 됐다'라는 뜻입니다. 그러니까 실제로 예물을 드리지 않고 고르반이라는 말만 했다는 겁니다. 그러면 이미 드린 걸로 되어 버리는 것입니다. 이렇게 그들은 부모를 공경하는 데 있어 실제로 봉양하지 않고 고르반이라는 말을 씀으로써 자신의 의무를 종교적으로 다한 거라고 생각했습니다.

어떻게 보면 맞는 말이기도 하지만, 내면적으로 깊이 생각해 보면 이것은 핑계에 불과합니다. 부모를 공경하는 것이 귀찮으니까, 물질적으로 뭘 드려야 하니까 이렇게 했다는 것입니다. 즉 전통을 핑계 삼아 하나님 말씀을 유명무실하게 만들었습니다.

예수님은 이 말도 못 알아듣자 또 다른 비유를 들어 말씀합니다.

[예수께서 다시 사람들을 불러 말씀하셨습니다. "너희는 모두 내 말을 잘 듣고

깨달으라. 몸 밖에 있는 것이 사람 속으로 들어가 사람을 '더럽게' 하지 못한다. 오히려 사람 속에서 나오는 것이 사람을 '더럽게' 하는 것이다."(막 7:14-16)]

이렇게까지 말했는데도 그들은 이 말이 무슨 뜻인지 모릅니다. 사람의 몸 밖에 있는 것이 사람의 몸속으로 들어가 더럽게 못한다는 것인데, 이때 그냥 음식이라고 말씀했으면 빨리 알아들었을 겁니다. 그리고 사람 속에서 밖으로 나오는 것이 사람을 더럽게 한다고 말씀했습니다. 이번에도 이 말을 빨리 알아듣지 못하자 예수님은 자리를 옮겨 좀 더 설명해 주십니다.

[예수께서 사람들을 떠나 집 안으로 들어가시자 제자들이 이 비유에 대해 물었습니다. 그러자 예수께서 물으셨습니다. "너희는 아직도 깨닫지 못하느냐? 몸 밖에서 사람 속으로 들어가는 것이 사람을 '더럽게' 하지 못하는 것을 너희가 알지 못하느냐? 그것은 사람의 마음으로 들어가는 것이 아니라 뱃속으로 들어갔다가 결국 몸 밖으로 나오기 때문이다." 그러므로 예수께서는 모든 음식은 "깨끗하다"고 선포하신 것입니다.(막 7:17-19)]

마음으로 들어가는 얘기가 아니라는 겁니다. 뱃속으로 들어가는 것일 뿐이라고 설명하십니다. 뱃속으로 들어가는 게 뭘까요? 바로 음식입니다. 사람들은 이렇게 말해야 알아듣습니다. 결국 뱃속에 들어갔다가 몸 밖으로 나오기 때문입니다. 그러므로 예수님은 모든 음식은 깨끗하다고 말씀했습니다.

더러운 음식을 먹는 사람은 아무도 없습니다. 더러운 음식은 깨끗이 씻어 먹습니다. 농약이 있을까 봐 씻고 또 씻고 닦아서까지 먹습니다. 사람의 뱃속에 들어가는 음식은 깨끗합니다. 더러운 것은 몸속에 들어가지 못합니다. 사람 밖에서 안으로 들어가는 것은 깨끗하지만 반대로 뱃속에서 나오는 것은 어떻습니까? 더럽습니다.

[예수께서 이어 말씀하셨습니다. "사람 안에서 나오는 것이 바로 사람을 '더럽게' 하는 것이다. 사람 속에서, 곧 사람의 마음에서 나오는 것은 악한 생각, 음란, 도둑질, 살인, 간음, 탐욕, 악의, 거짓말, 방탕, 질투, 비방, 교만, 어리석음이다. 이런 악한 것들은 모두 안에서 나오고 사람을 '더럽게' 한다."(막 7:20-23)]

사람의 뱃속에서 나오는 것은 배설물입니다. 인간의 마음속에서 나오는 악한 생각과 음란, 도둑질, 살인, 간음, 탐욕, 악의, 거짓말, 방탕, 질투, 비방, 교만, 어리석음은 모두 우리의 뱃속에서 나오는 배설물과 같다는 것입니다. 배설물이 이런 생각으로 다 합쳐져 나온다는 겁니다.

프랑스의 종교개혁가 칼뱅은 "인간의 마음은 악의 제조 공장과 같다"라고 말했습니다. 가만히 있어야지 건들면 악이 나옵니다.

인간이 항상 좋은 생각을 할까요? 아닙니다. 산 속에 가서 도를 닦으면 좋은 생각을 할까요? 아닙니다. 인간의 머릿속에는 분노와 배신, 보복, 질투, 음란이 자리 잡고 있습니다. 서로 말을 안 해서 그렇지 지금 성령의 칼로 벗겨 본다면 굉장한 것들이 쏟아져 나올 겁니다. 예쁘게 화장하고 점잖게 옷을 입고 있어 보이지 않을 뿐입니다. 이것이 인간의 본질입니다.

예수님은 정확하게 인간의 내면세계를 꿰뚫어보십니다. 이것들은 종교적 위선이나 가면과 통해 있습니다. 동서고금을 통해 신들이 얼마나 많이 존재합니까? 그러면 그 모든 신이 다 진짜일까요? 아닙니다. 일본만 해도 약 800만 명의 신이 있습니다. 동남아시아에 가보면 인구 수만큼이나 많은 신이 있습니다. 그러면 그 신들이 다 진짜일까요? 아닙니다. 가짜입니다. 그리스에서는 신의 이름을 짓다 짓다 지을 것이 없어 알 수 없는 신이라고 부르기도 한답니다.

참 하나님도 한 분입니다. 그분은 육이나 물질이 아니라 영입니다. 그분은 우리를 창조하신 분입니다. 인격적인 분입니다. 그분은 우리를 사랑하십니다. 우리 신앙생활에서 종교적인 위선과 가면을 벗을 때가 됐습니다. 위선과 가면에는 생명력이 없습니다. 진짜로 예수님을 믿는다면 꽃 향기를 내고 항상 웃어야 합니다. 웃음이 있고 미소가 있고 부드러움이 있고 사랑스러움이 몸에 배어 있어야 합니다.

생동감 넘치고 의욕적이고 비전이 있는 것은 참 신앙이 들어갔기 때문입니다. 위선에는 생명력도 없고 감동도 없고 기적도 없습니다. 주님한테 갈 때까지 신앙생활을 하면서 인격적이고 우주를 창조하시고 살아 계신 한 분이신 하나님만 믿어야 합니다. 종교적인 가면, 종교적인 위선을 벗고 언제나 성경과 예수님한테로 달려갈 수 있게 되기를 바랍니다.

Pray

하나님, 처음에는 은혜를 기억하지만 점점 더 형식과 율법에 얽매이는 우리의 모습을 긍휼히 여겨 주소서. 우리가 바리새파 사람들 같이 살지 않고, 위선과 가면을 벗어 버리고 은혜를 경험하고 고백하며 살게 하옵소서. 예수님 이름으로 기도합니다. 아멘.

막 7:24-37

²⁴ 예수께서는 그곳을 떠나 두로와 시돈 지방으로 가셨습니다. 어떤 집에 들어가 아무도 모르게 계시려 했지만 그 사실을 숨길 수가 없었습니다.²⁵ 더러운 귀신 들린 어린 딸을 둔 여인도 예수의 소식을 듣자마자 와서 그 발 앞에 엎드렸습니다.²⁶ 그 여인은 수로보니게 출신 그리스 사람이었는데 자기 딸에게서 귀신을 쫓아 달라고 예수께 애원했습니다.²⁷ 예수께서 여인에게 말씀하셨습니다. "자녀들을 먼저 배불리 먹게 해야 한다. 자녀들이 먹을 빵을 가져다가 개에게 던져 주는 것은 옳지 않다."²⁸ 여인이 대답했습니다. "그렇습니다, 주여. 하지만 개들도 식탁 밑에서 자녀들이 떨어뜨린 부스러기를 주워 먹습니다."²⁹ 그러자 예수께서 말씀하셨습니다. "네가 그렇게 말했으니 어서 가 보아라. 귀신이 네 딸에게서 나갔다."³⁰ 여인이 집에 돌아가 보니 귀신은 떠나가고 딸아이가 침대에 누워 있었습니다.³¹ 그 후 예수께서 다시 두로와 시돈 해안을 떠나 데가볼리 지방을 거쳐 갈릴리 호수로 가셨습니다.³² 그곳에서 어떤 사람들이 듣지 못하고 말도 못하는 사람을 예수께 데려와 안수해 달라고 간청했습니다.³³ 예수께서 그를 멀찌감치 따로 데리고 가셔서 그의 귓속에 손가락을 넣으시고 손에 침을 뱉어서 그의 혀에 손을 대셨습니다.³⁴ 그리고 예수께서 하늘을 쳐다보며 깊은 숨을 크게 한 번 쉬고는 그에게 "에바다!"라고 말씀하셨습니다. 이 말은 "열려라!"라는 뜻입니다.³⁵ 그러자마자 그 사람은 귀가 뚫리고 혀가 풀리더니 제대로 말하기 시작했습니다.³⁶ 예수께서 "이 일을 아무에게도 말하지 말라"고 사람들에게 명령하셨습니다. 그러나 예수께서 하지 말라고 하실수록 그들은 더욱더 말하고 다녔습니다.³⁷ 그들이 몹시 놀라 이렇게 말했습니다. "예수께서 행하시는 모든 것은 참으로 대단하다. 듣지 못하는 사람도 듣게 하시고 말 못하는 사람도 말하게 하신다!"

수로보니게 이방 여인의
믿음

상처를 받았다는 것 자체가 이미 믿음이 아닙니다.
자기가 살아 있다는 증거입니다. 죽은 사람이 무슨 상처를 받습니까?
과거의 상처 때문에 예수께 접근하지 못하는 사람이 많습니다.
믿음이란 예수님이 하나님의 아들이요, 참 메시아요, 나의 구원자요,
나의 주님이시라는 것을 인정하는 것입니다.

믿음이란 무엇입니까?

성경은 믿음에 대해 다음과 같이 말씀하고 있습니다.

[믿음은 바라는 것들의 실체며 보지 못하는 것들의 증거입니다.(히 11:1)]

또한 믿음이 없이는 하나님을 기쁘시게 할 수 없다는 말씀도 있습니다.

[믿음이 없이는 하나님을 기쁘게 할 수 없습니다. 그러므로 하나님께 나아가는
사람은 하나님이 계신 것과 하나님은 그분을 간절히 찾는 사람들에게 상 주시는
분임을 믿어야 합니다.(히 11:6)]

믿음은 우리 신앙생활의 원천입니다. 이것은 하나님이 우리에게 베풀어 주시는
은혜이기도 합니다. 믿음이 없으면 희망도 없고 미래도 없습니다. 이 말씀에는 두
사람의 이야기가 나오는데 더러운 귀신 들린 어린 딸이 있는 수로보니게라는 이름
을 가진 여인과 말도 못하고 듣지도 못하는 이중고에 시달리는 한 사람입니다. 다
음은 이들이 예수님을 만나 은혜 받은 얘기입니다.

수로보니게 여인의 애원

[예수께서는 그곳을 떠나 두로와 시돈 지방으로 가셨습니다. 어떤 집에 들어가 아무도 모르게 계시려 했지만 그 사실을 숨길 수가 없었습니다.(막 7:24)]

여기서 어떤 집에 가서 모르게 계시려고 했다는 얘기는 예수님이 혼자 있고 싶어 북쪽으로 가셨다는 뜻입니다. 하지만 예수님은 더 이상 숨을 곳이 없었습니다. 두로와 시돈은 북쪽에 있는 곳인데 이미 소문이 다 퍼져 거기에 가도 쉴 곳도 숨을 곳도 없었습니다. 이때쯤 예수님이 육체적으로 많이 피곤하시지 않았나 하는 생각이 듭니다.

그런데 귀신 들린 어린 딸을 데리고 있는 한 여인이 예수님을 찾아왔습니다. 모든 사역자들은 피곤하고 힘들면 사람을 만나지 않으려고 합니다. 지쳐서 힘이 드니까 다음에 왔으면 좋겠다는 생각을 합니다. 하지만 예수님은 거절하지 않고 이 여인을 맞아들이십니다.

한편으로 이런 생각을 해 봅니다. 귀신 들린 어린 딸을 가진 어미의 심정이 어땠을까 말입니다. 분명히 이 여인은 그 동네 사람들과 주변 사람들로부터 따돌림을 당했을 것입니다. 귀신 들린 딸 때문에 제대로 된 대우도 받지 못한 채 어머니 인생 역시 망가졌을 것입니다.

그 어린 딸이 이상한 짓을 하고 상상할 수 없는 말을 하고 제멋대로 사니까 부모로서, 엄마로서 그 속 타는 심정은 이루 말할 수가 없었을 것입니다. 그냥 병든 것도 아니고 불치병에 걸린 것도 아니고 정신 이상에다가 귀신까지 들렸으니 엑소시스트를 보는 거 같았을 겁니다.

[더러운 귀신 들린 어린 딸을 둔 여인도 예수의 소식을 듣자마자 와서 그 발 앞에 엎드렸습니다. 그 여인은 수로보니게 출신 그리스 사람이었는데 자기 딸에게서 귀신을 쫓아 달라고 예수께 애원했습니다.(막 7:25-26)]

이 여인은 수로보니게 출신으로 희랍 사람, 즉 그리스 사람이었습니다. 다시 말하면 유대인에게는 이방인이었습니다. 귀신은 어른뿐 아니라 어린아이한테도 들어갈 수 있습니다. 그러니까 이 철부지 어린아이한테 귀신이 들어가서 아이의 인격을 망가뜨리고, 불이나 물에 막 들어가고 상상할 수 없는 일을 저지르니 감당하기가 힘들었을 것입니다.

귀신 들린 딸을 가진 어머니는 아침에 눈을 떠서 잠잘 때까지 한순간도 딸한테서 시선을 뗄 수가 없었을 겁니다. 화장을 제대로 했겠습니까? 세수를 제대로 했겠습니까? 밥을 제대로 먹었겠습니까? 상당히 괴로웠을 것입니다. 그래서 이 여인은 누군가 귀신을 쫓아 준다고 하면 어디라도 쫓아가서 불쌍한 자기 딸을 자유롭게 해 주고 싶었을 겁니다.

그래서 자신이 사는 곳에 예수님이 오셨다는 소식을 듣자마자 여인은 꿈같은 기회를 잡기로 결심했을 겁니다. 예수님이 귀신을 쫓는다는 소식이 온 동네에 퍼졌기 때문입니다. 예수님의 얼굴을 본 적은 없지만 자신들한테도 기회가 있지 않을까 생각했을 것입니다. 여인은 예수님을 찾아가서 모든 체면을 벗어던지고 그 발 앞에 엎드렸습니다.

자식이 아프면 부모는 체면 따위는 안중에도 없습니다. 눈앞에 보이는 것이 아무것도 없습니다. 여인은 죽을 만큼 간절했을 것입니다. 귀신 들린 딸을 볼 때마다 수없이 절망하고 무기력한 자신을 발견했을 것입니다. 여인은 애원했습니다. "어떻게 해서든지 내 딸을 정상으로 돌려 주십시오"라고 간절히 애원했습니다. 그런데 예수님의 반응이 좀 심상치가 않습니다.

[예수께서 여인에게 말씀하셨습니다. "자녀들을 먼저 배불리 먹게 해야 한다. 자녀들이 먹을 빵을 가져다가 개에게 던져 주는 것은 옳지 않다."(막 7:27)]

여기서 자녀란 누구입니까? 선택받은 이스라엘 백성입니다. 그렇다면 개는 누구입니까? 그것은 개처럼 취급받았던 이방인일 것입니다. 예수님은 왜 소외당하고 외롭고 갈 곳 없고 희망 없는 이 가련한 여인에게 이런 혹독한 말을 하셨을까요? 얼른 읽으면 이해가 잘 되지 않습니다. 예수님이 조금 지나친 말씀을 하신 것이 아닐까, 상처 주는 말씀을 하신 것이 아닐까 하는 생각이 듭니다. 그런데 성경을 보면 여인이 대답하는데, 이 대답 속에서 예수님의 의도를 읽을 수 있습니다.

[여인이 대답했습니다. "그렇습니다, 주여. 하지만 개들도 식탁 밑에서 자녀들이 떨어뜨린 부스러기를 주워 먹습니다."(막 7:28)]

의외의 대답이 나왔습니다. 이 여인이 화를 내야 마땅하지 않습니까? 소리를 지르고 돌아가야 맞지 않습니까? 그런데 이렇게 행동하기에는 이 여인의 상황이 너무나 절박했습니다. 예수님의 의도는 무엇입니까? 이런 대답이 나오도록 여인의 마음을 자극한 것입니다. 참 믿음이 무엇인지 이 여인이 스스로 고백하도록 한 것입니다. 참 믿음이 있어야 그토록 원하던 일을 이룰 수 있기에 예수님은 먼저 이 여인에게 믿음을 갖도록 자극하신 것입니다.

여인의 반응은 어땠습니까? 첫 번째 이 여인은 예수님이 자존심 상하는 말씀을 하셨는데도 그 문제를 중요하게 생각하지 않았습니다. 자존심을 내세우지 않았습니다. 신앙생활을 하는 데 이것처럼 중요한 게 없습니다. 신앙생활을 하면서 왜 걸려 넘어지는지 압니까? 자존심 때문입니다.

"내가 누군데! 내가 교회에 오는데 날 눈여겨보지도 않고 안내도 하지 않고 알아주지도 않고 말이야. 에이, 그냥 간다! 그동안 내가 얼마나 귀한 대접을 받고 살아왔는데, 도대체 왜 나를 알아주지 않는 거야."

그래서 그냥 가는 겁니다. 거기서 넘어지는 겁니다. 그런데 이 여인은 이런 생각을 하지 않았습니다. 우리 역시 자존심이라는 걸림돌에 넘어지지 않게 되기를 바랍니다.

두 번째, 이 여인은 상처 받지 않았습니다. 얼마나 많은 사람들이 교회 안에서 상처를 받습니까. 상처 때문에 신앙도 피투성이가 되는 모습을 종종 보곤 합니다. 그냥 상처 받지 않으면 되는데 말입니다. 상처를 주면 그렇게 잘 받을 수가 없습니다. "아멘, 아멘" 하고 상처를 다 받습니다. 누가 상처를 주면 "노 땡큐"라고 말한 뒤 받지 말아야 합니다. 자신과 상관없다면서 받지 말아야 합니다.

사람들은 특히 인격과 개인에 대한 욕을 하면 견디지를 못합니다. 우리 신앙의 걸림돌은 자기를 무시하는 말, 오해하는 말입니다. 이것으로 마음이 상해 버리고 맙니다. 마음이 상하면 이성을 잃고, 균형이 깨져 버립니다. 가만히 들어 보면 옳은 말인데도 일단 마음이 상하면 감정이 격해집니다. 편견이 생깁니다.

이 여인도 그럴 만했는데, 그녀의 귀에는 그런 소리가 들리지 않았습니다. 왜입니까? 자기 딸이 귀신 들려 매일 고생하는 모습을 봤기 때문에 그런 소리가 들리지 않았던 겁니다.

세 번째, 이 여인은 놀랍게도 예수님이 주님이라는 것을 알았습니다. 그래서 "주여, 주인의 상에서 떨어지는 부스러기라도 개들이 먹습니다"라고 대답한 것입니다. 이 말을 있는 그대로 해석하면 참으로 비참합니다. 그런데 이 말 속에서 이 여인이 메시아를 발견했음을 알 수 있습니다. 예수님이 그냥 보통 사람이 아니라 "그분은 나의 주님이시요, 나의 주인이시요, 참 메시아입니다"라고 고백하고 있습니다.

이 얼마나 놀라운 발견인지 모릅니다. 그분이 하나님이요, 그분이 예수님이라면 그깟 자존심이 무슨 의미가 있겠습니까! 마음의 상처가 무슨 의미가 있겠습니까! 아무 문제도 되지 않습니다. 상대가 사람이니까 상대가 아내이고 남편이다 보니 상처를 받는 것이지, 상대가 하나님이라면 상처 받을 이유가 없습니다.

네 번째, 이 여인한테서 발견한 것은 부스러기 믿음입니다. 다 주지 않아도 좋고, 10분의 1만 줘도 좋고, 부스러기라도 좋다는 것입니다. 이것이 바로 부스러기 믿음입니다. 얼마나 겸손한 믿음입니까. 이 얼마나 은혜로운 믿음입니까. 부스러기라도 좋고, 그거라도 만족하겠다는 것입니다.

그러나 우리의 기대와 욕망은 너무나 큽니다. 이것은 무엇을 뜻합니까? '나는 굉장히 위대한 사람이기 때문에 적어도 나한테는 이렇게 큰 걸 줘야 하지 않겠느냐?'라는 생각이 깔려 있습니다. 하지만 겸허한 사람은 "주님 내 집에까지 굳이 오실 필요가 없습니다. 말씀만 하세요. 그러면 내 하인이 나을 겁니다"라고 말합니다. 이것이 부스러기 신앙입니다. 이 부스러기 믿음을 가진 사람은 하나님께서 30배, 60배, 100배의 열매를 주시는 줄로 믿습니다.

수로보니게 여인, 믿음의 말을 하다

믿음이란 무엇입니까? 자신이 아무것도 아니고 아무것도 할 수 없는 존재임을 깨닫는 것입니다. 자신을 내세우는 것은 믿음이 아닙니다. 자존심 때문에 믿음의 세계에 발을 내딛지 못하는 사람이 우리 주변에 얼마나 많은지 모르겠습니다. 심지어 우리도 잘 가다가 여기서 넘어질 때가 참 많습니다.

"오늘 안 가. 나 오늘 교회 안 가." 아침까지도 교회에 가려고 세수하고 준비를 다 마치고 부부가 교회에 가다가 말 몇 마디로 말미암아 걸려 넘어집니다. "당신 혼자 가. 오늘 나 교회 안 가." 거기서 넘어집니다. 뭐가 그렇게 중요합니까? 꾹 참고 가야 합니다. 비가 와도 태풍이 불어도 눈보라가 쳐도 감정 운운하지 말고 가야 합니다. 교회에 가서 하나님 말씀을 들어야 합니다. 듣고 나면 속이 풀립니다. 듣고 나면 은혜가 옵니다.

상처를 받았다는 것 자체가 이미 믿음이 아닙니다. 자기가 살아 있다는 증거입니다. 죽은 사람이 무슨 상처를 받습니까? 과거의 상처 때문에 예수께 접근하지 못하는 사람이 많습니다. 믿음이란 예수님이 하나님의 아들이요, 참 메시아요, 나의 구원자요, 나의 주님이시라는 것을 인정하는 것입니다. 그래서 성경은 "믿음의 주여, 나를 온전케 하시는 주님을 바라보라"라고 말씀합니다.

이제 우리는 믿음의 부스러기라도 감사할 줄 알아야 합니다. 부스러기 믿음은 겸손한 믿음을 의미합니다. 무엇을 주어도, 주지 않아도 감사할 뿐입니다. 다니엘은 "그리 아니하실지라도 나는 하나님만을 섬기겠습니다"라고 말했습니다.

참 믿음은 의심하지 않는 것입니다. 반드시 이루어질 것을 믿는 것입니다. 외양간에 소가 없을지라도, 포도나무에 포도가 없을지라도 그것과 상관없이 하나님을 신뢰하는 것입니다. 이 여인의 내면에는 이런 믿음이 있었습니다.

[그러자 예수께서 말씀하셨습니다. "네가 그렇게 말했으니 어서 가 보아라. 귀신이 네 딸에게서 나갔다." 여인이 집에 돌아가 보니 귀신은 떠나가고 딸아이가 침대에 누워 있었습니다.(막 7:29-30)]

아주 재미있는 말씀입니다. 아주 놀랍고 신기한 말씀입니다. 예수님은 이렇게 대답하셨습니다. "네가 그렇게 말했으니 귀신이 나갔다." 그녀의 말 속에 딸한테 붙어 있는 귀신을 내보낼 능력이 이미 있었다는 것입니다. 예수님은 귀신한테 나가라고 하시지 않았습니다. 이 여인의 마음속에 믿음이 생겨 "주여, 부스러기라도 좋으니 이걸 주십시오"라고 말했습니다. 이 말 속에 이미 믿음이 들어와 있음을 알 수 있습니다. 믿음이 들어오니까 귀신이 나간 것입니다.

말이 얼마나 중요한지 알 수 있습니다. 그러니 함부로 말해선 안 됩니다. 말대로 됩니다. 머릿속으로 아무리 복잡한 생각을 한다고 할지라도 일단 입 밖으로 나올 때는 "아멘", "믿습니다"라는 믿음의 말을 해야 합니다. 주님은 "네 말 속에 응답이 있다"라고 말씀합니다. 그런데 왜 사람들은 이 비밀을 모를까요? 오히려 이상한 말들을 하고, 부정적인 말을 하고, 비판하는 말을 하고, 의심하는 말을 수없이 쏟아 냅니다.

잠깐이라도 연습해 봅시다. 마음속에서 부정적인 말이 막 나오려고 하면 말을 바꿔야 합니다. 말을 바꾸면 가정에 평화가 찾아옵니다. 화를 바꾸고 평화스러운 말을 하면, 분노를 바꾸고 화해의 말을 하면 행복이 옵니다. 그동안 아주 간단한 해답을 놓치고 살았습니다.

말이란 나쁜 말을 하면 화를 돋웁니다. 좋은 말을 하면 좋은 결과를 돋우는 것입니다. "네가 그렇게 말했으니 네 말대로 될 것이다. 네가 그렇게 말했으니 네가 그렇게 될 것이다." 그 순간 여인의 딸한테서 귀신이 떠났습니다. 집에 가 보니 아이가 침대에 누워 있었습니다.

이런 일들이 우리의 기도 속에서도 경험되기를 바랍니다. 그동안 얼마나 많은 기도를 했는데, 모두 허공을 치는 기도였습니다. 하지만 기도할 때 눈물이 나고 가습이 촉촉이 젖으면서 말 속에, 기도 속에 눈물이 있고 참회가 있고 믿음이 생깁니다. 허공을 치고, 아무 의미 없는 기도를 하다가 어느 날은 말 몇 마디 하지 않았지만 그 기도가 그대로 능력으로 나타나는 것입니다.

주님의 말에 의지해 다시 한번 부탁합니다. 부정적인 말을 하지 말아야 합니다. 비판하는 말을 하지 말아야 합니다. 사람의 눈이라는 것이 이상해서 남이 잘한 것은 보이지 않고 항상 잘못한 것만 보입니다. 이런 눈이 뭐가 필요합니까? 사람은 비판받기를 원하지 않고 칭찬받기를 원합니다. 격려받기를 원합니다. 부인에게 격려의 말을 하고, 남편에게 격려의 말을 해야 합니다. 자녀들도 격려의 말을 기다리고 있을 겁니다.

깊은 한숨과 사랑, 탄식으로 사람을 고치시다

예수님은 시돈과 두로를 떠나 데가볼리를 지나서 다시 갈릴리 호수로 왔습니다.

[그 후 예수께서 다시 두로와 시돈 해안을 떠나 데가볼리 지방을 거쳐 갈릴리 호수로 가셨습니다. 그곳에서 어떤 사람들이 듣지 못하고 말도 못하는 사람을 예수께 데려와 안수해 달라고 간청했습니다.(막 7:31-32)]

여기서 중요한 것은 듣지 못하고 말도 못한다는 겁니다. 이 사람이 할 수 있는 것은 오직 두 가지, 보고 느끼는 것입니다. 그런데 이 사람은 눈치가 빠릅니다. 대신에 말을 하지 못하다 보니 오해도 많고, 수치심도 쉽게 느낍니다. 자신이 뭘 느꼈어도 말로 표현할 수가 없습니다. 듣지 못해 자신이 느낀 게 사실인지 아닌지 확인할 수가 없습니다. 다른 사람이 끌고 가는 데로 가야 합니다. 예수님은 피곤했지만 이 사람을 거절하시지 않았습니다. 여기 재미있는 표현이 나옵니다.

[예수께서 그를 멀찌감치 따로 데리고 가셔서 그의 귓속에 손가락을 넣으시고 손에 침을 뱉어서 그의 혀에 손을 대셨습니다.(막 7:33)]

성경에 "예수께서 그를 멀찌감치 따로 데리고 가셔서"라고 말씀했습니다. 다른 경우엔 이렇게 하지 않으셨는데, 이때는 이 사람만 데리고 '멀찌감치' 사람 없는 데로 가셨습니다. 왜 그랬을까요? 이 남자가 말도 못 하고 듣지도 못하는데 혹시 자기 모습이 다른 사람들한테 어떻게 보일까 수치심을 느끼지 않도록 따로 데려 가신 겁니다.

이것이 예수님의 배려입니다. 배려는 사랑입니다. 우리는 상대방의 입장을 무시하고 자신이 원하는 대로 하려고 합니다. 그건 사랑이 아닙니다. 상대방의 수치심을 가려 줘야 합니다. 떠벌리고 다녀선 안 됩니다.

따로 데리고 가서 어떻게 하셨습니까? 그 사람의 귓속에 손가락을 넣으셨습니다. 이상하지 않습니까? 손에 퉤하고 침을 뱉어 그의 입을 벌리게 해서 혀에다가 자기 침 바른 손을 대셨습니다. 왜 예수님은 이런 이상한 행동을 하셨을까요? 이것을 해석하기 어렵다고 해서 "그 당시 신화다", "그 당시의 문화다"라고 얘기들 하는데 그런 것이 아닙니다.

가만히 말씀을 놓고 보면 간단한 얘기입니다. 이 사람은 듣지도 못하고 말도 하지 못했기 때문에 의사 전달을 할 방법이 없었습니다. 믿음을 가르쳐 줄 수도 없었습니다. 구원을 가르쳐 줄 수도 없었습니다. 수로보니게 여인하고는 대화가 됐지만 이 사람하고는 대화가 되지 않았습니다. 그래서 이 사람은 겁먹은 표정으로 눈만 껌벅껌벅하고 있었을 겁니다.

이 사람에게 의사 전달을 할 방법이 뭡니까? 바로 시청각 교육입니다. 그리고 또 하나는 느낌입니다. 예수님은 두 손가락으로 이 사람의 귀에다가 손을 넣어 '네 귀를 고친다'는 뜻을 전하신 것입니다. 그냥 혀를 풀어 주겠다고 말하면 못 알아들으니 '네 혀가 지금 굳어 있으니까 네 혀를 내가 풀어 주겠다'라는 의미로 침을 뱉어 혀에다 발라 주신 것입니다. 그래야 이 남자가 느낄 수 있기 때문입니다.

예수님의 배려가 얼마나 깊고 그분의 사랑이 얼마나 깊은지 모릅니다. 그리고 "에바다"라고 말씀했습니다. 그러자 귀가 뚫리고 혀가 풀어졌습니다. 이 구절에서 눈물이 났습니다. '아, 힘없는 사람은 힘없는 대로, 불가능한 사람은 불가능한 대로 예수님은 이처럼 점잖지 않은 방법으로 쇼를 하면서 병을 고쳐 주시는구나'하는 생각이 들었던 것입니다. 우리 죄인을 위해 예수님은 망가지신 겁니다.

[그리고 예수께서 하늘을 쳐다보며 깊은 숨을 크게 한 번 쉬고는 그에게 "에바다!"라고 말씀하셨습니다. 이 말은 "열려라!"라는 뜻입니다. 그러자마자 그 사람은 귀가 뚫리고 혀가 풀리더니 제대로 말하기 시작했습니다.(막 7:34-35)]

이 사람과는 처음에 말이 통하지 않았습니다. 그렇다 보니 시청각 교육밖에 없었습니다. 예수님은 하늘을 우러러보며 기도하셨습니다. 예수님이 하나님을 향해 기도하고 계시다는 것을 알 수 있습니다. 그리고 깊은 한숨을 내쉬셨습니다. 이것은 그 사람을 향한 깊은 한숨과 사랑, 탄식이었습니다. 이 감정을 느끼게 만들고 나서 "에바다"라고 말씀했더니 귀가 열리고 혀가 풀어졌습니다.

주님은 이렇게 우리한테 가까이 오십니다. 어떤 불가능한 상황 속에서도 뚫고 들어오십니다. 안심하십시오. 주님은 항상 우리 곁에 계십니다.

Pray

하나님, 수로보니게 여인처럼 자신은 아무것도 아니고 아무것도 할 수 없음을 주 앞에 낱낱이 고백하는 믿음의 사람들 되게 하옵소서. 우리의 교만과 자랑을 버리고 주님을 철저히 의지하는 삶을 살며, 그 속에서 부어 주시는 은혜과 기적을 경험하게 하옵소서. 예수님 이름으로 기도합니다. 아멘.

막 8:14-26

¹⁴제자들은 깜빡 잊고 빵을 가져가지 않았습니다. 그들이 가진 것이라고는 배 안에 있던 빵 한 개뿐이었습니다. ¹⁵예수께서 제자들에게 경고하셨습니다. "조심하라! 바리새파 사람들의 누룩과 헤롯의 누룩을 주의하라." ¹⁶제자들은 이 말씀을 두고 서로 수군거렸습니다. "우리에게 빵이 없어서 그러시나 보다." ¹⁷그들이 수군거리는 것을 다 아시고 예수께서 말씀하셨습니다. "왜 빵이 없는 것을 두고 말하느냐? 너희가 아직도 알지 못하고 아직도 깨닫지 못하느냐? 너희 마음이 둔해졌느냐? ¹⁸너희가 눈이 있어도 보지 못하고 귀가 있어도 듣지 못하느냐? 기억하지 못하느냐? ¹⁹내가 빵 다섯 개를 5,000명에게 떼어 주었을 때 남은 조각을 몇 바구니나 거두었느냐?" 그들이 대답했습니다. "12바구니였습니다." ²⁰내가 빵 일곱 개를 4,000명에게 떼어 주었을 때는 남은 조각을 몇 바구니나 거두었느냐?" 그들이 대답했습니다. "일곱 바구니였습니다." ²¹그러자 예수께서 말씀하셨습니다. "너희가 아직도 깨닫지 못하느냐?" ²²그리고 그들이 벳새다에 갔습니다. 사람들이 보지 못하는 사람을 데려와 예수께 만져 달라고 간청했습니다. ²³예수께서 그 사람의 손을 잡고 마을 밖으로 데리고 나가셨습니다. 예수께서 그 사람의 눈에 침을 뱉으시고 그에게 손을 얹으시며 물으셨습니다. "뭐가 좀 보이느냐?" ²⁴그러자 그 사람이 쳐다보며 말했습니다. "사람들이 보입니다. 그런데 나무가 걸어 다니는 것처럼 보입니다." ²⁵다시 한 번 예수께서 그 사람의 눈에 손을 얹으셨습니다. 그러자 그가 뚫어지게 바라보더니 시력이 회복돼 모든 것을 분명히 보게 됐습니다. ²⁶예수께서 그를 집으로 보내시며 말씀하셨습니다. "마을 안으로 들어가지 말아라."

바리새파와 헤롯의 누룩을 조심하라

가족들 가운데 아직도 예수님을 믿지 않는 사람이 있습니까? 그 사람을 포기하셨습니까?
그래선 안 됩니다. 다시 그 사람의 이름을 붙잡고 기도하고 그 사람에게 다가가야 합니다.
사랑을 베풀어야 합니다. 그리고 전도해야 합니다. 이는 주님의 뜻입니다.

예수님은 제자들에게 "바리새파 사람들과 헤롯의 누룩을 조심하라"고 말씀했습니다. 여기서 바리새파 사람들은 그 당시의 종교를 대표하는 이들이고, 헤롯 왕은 정치를 대표하는 사람입니다. 제자들은 누룩을 조심하라는 예수님 말씀의 핵심을 이해하지 못했습니다. 누룩을 얘기하시는 걸 보니 빵 얘기를 하신 거라고 여긴 채 지금은 빵이 없고 배에 한 개 놓고 온 것이 생각난 것입니다. 여기서부터 예수님의 생각과 제자들의 생각이 빗나가기 시작했습니다.

[제자들은 깜빡 잊고 빵을 가져가지 않았습니다. 그들이 가진 것이라고는 배 안에 있던 빵 한 개뿐이었습니다. 예수께서 제자들에게 경고하셨습니다. "조심하라! 바리새파 사람들의 누룩과 헤롯의 누룩을 주의하라." 제자들은 이 말씀을 두고 서로 수군거렸습니다. "우리에게 빵이 없어서 그러시나 보다." 그들이 수군거리는 것을 다 아시고 예수께서 말씀하셨습니다. "왜 빵이 없는 것을 두고 말하느냐? 너희가 아직도 알지 못하고 아직도 깨닫지 못하느냐? 너희 마음이 둔해졌느냐?"(막 8:14-17)]

예수님의 이 경고에는 무슨 뜻이 담겨 있을까요? 왜 예수님은 제자들의 마음이 깨닫지도 못하고 알지도 못하고 둔해져 있는 것을 책망하셨을까요? 이는 예수님이 하신 말씀이 빵의 문제가 아니라 누룩의 문제라는 것을 제자들이 눈치채지 못했기 때문입니다. 예수님은 특별히 종교인들의 누룩과 정치인들의 누룩을 조심하라고 말씀했습니다.

여기서 누룩은 무엇일까요? 누룩은 악을 의미합니다. 원래 빵을 부풀리기 위해 사용하는 이스트와 같은 것이 누룩입니다. 구약에 보면 유대인들은 유월절에 누룩이 들어간 빵을 먹지 않았습니다.

종교의 가장 큰 누룩, 위선

성경을 보면 제사에는 반드시 무교병, 즉 누룩이 들어가지 않는 빵을 씁니다. 누룩이 들어가는 빵은 제사에 사용할 수가 없습니다. 제사에 누룩을 사용하지 않는 것은 조상들이 출애굽을 할 때 빵을 발효할 시간이 없어 그냥 반죽한 채로 보자기에 싸서 서둘러 떠난 것을 기리기 위해서입니다. 그 후로 이스라엘 백성은 이 누룩 없는 떡으로 제사를 드렸습니다. 이것이 신약 시대까지 계속됐습니다.

하나님께 드리는 제사에는 발효되지 않고 거품이 없는 원래의 밀가루 빵, 거기에 뭔가 가미되지 않은 순수하고 순결한 누룩이 없는 빵을 씁니다. 맛도 없고 딱딱한데 그것으로 제사를 드렸다는 것입니다. 우리 예배에도 얼마나 많은 거품이 끼어 있는지 모릅니다. 어떻게 보면 치장이 많고 너무 복잡하고 인간적인 생각이 들어갈 때가 많습니다.

예수님이 말씀한 종교적인 누룩은 무엇을 의미합니까? 그것은 종교의 이름으로 행해지는 모든 악을 의미합니다. 종교가 나쁘다는 것이 아닙니다. 만약 종교와 정치가 나쁘다고 한다면 우리 삶의 근본을 부인하는 것입니다. 우리 삶이 종교이고 정치이기 때문입니다.

예수님은 특별히 종교 안에서 저지르기 쉬운 죄가 있고, 정치는 좋긴 한데 정치에 손을 대기 시작하면 누구든 그 안에 독버섯처럼 번져 있는 악에 접근하기 쉽고 악에 이용당하기 쉽다고 말씀한 것입니다. 그 안에 사람들을 죽이고 피해를 주는 무서운 독이 있어 종교인 자신이나 정치인 자신도 그 독에 물들게 되고, 그 사람으로 말미암아 세상이 시끄러워지고 점점 악해진다는 것입니다.

많은 것들 가운데 왜 하필이면 종교와 정치를 말씀했을까요? 요즘 우리 주변을 살펴보면 정치에 관심 있는 사람이 참 많습니다. 하지만 이것은 독에 빠지고 마는 겁니다. 좋은 뜻으로 정치를 시작했지만 나중에 결산해 보면 만신창이가 되어 있습니다. 돈 잃고 인격도 잃고 명예마저 잃게 된 사람들을 주변에서 많이 볼 수 있습니다. 종교도 마찬가지입니다. 종교라는 명분 하에 저지르는 죄악이 얼마나 많습니까. 사람을 미워하게 하고 사람들을 잘못 인도해 평생 어둠 속에서 생활하게 만드는 종교는 어떤 면에서 마약과 같은 역할을 합니다.

그러면 대표적으로 종교가 갖고 있는 누룩과 같은 역할은 무엇입니까? 한마디로 말하면 위선과 독선과 외식입니다. 종교의 가장 큰 누룩은 위선입니다. 거룩한 척하며 가운을 입고 하나님처럼 위장하는 것입니다. 그 자신도 똑같이 죄를 짓고, 다른 사람들한테 겉모양은 아름답게 보이지만 내면은 그렇지 않다는 말입니다. 교회가 세상으로부터 손가락질을 받는 것은 그런 이유 때문입니다.

하나님 말씀 위에 온갖 인간적인 행위와 관습을 더하고 자신의 의로운 행위를 앞세우고 오만과 독선으로 일관하는 것입니다. 종교는 하나님께 가장 가까이 가도록 도와주는 것이 목적인데, 결과적으로는 하나님을 무섭게 만들고 그분과 가장 멀리 있게 만들어 놓았습니다. 이것은 종교가 갖고 있는 누룩 때문입니다.

주일마다 교회에 찾아와서 하나님을 만나고 예배를 드립니다. 그런데 매주 나온 결과가 잘못됐다면 얼마나 큰 비극이겠습니까! 어느 교회에서 싸움이 일어났고 교인들끼리 소리를 지르며 한바탕 하고 헤어졌습니다. 평생 설교를 듣고도 싸운 겁니다. 목사님이 한탄하자 "그거 다 목사님 덕분입니다"라고 그랬답니다.

교회에 왜 나오는 걸까요? 싸우려고 나옵니까? 헤어지려고 나옵니까? 서로 사랑하고 서로 용서하며 자신의 못된 성격을 죽이고 거듭나기 위해 나오는 것이 아닐까요?

잘못된 종교만큼 위험한 것도 없습니다. 이는 이단을 보면 알 수 있습니다. 너무 깊이 빠진다면 그건 종교라고 말할 수 없습니다. 이상한 집단에 깊이 빠지면 가정도 내팽개치고 남편도 내팽개치고 그 삶이 건강하지 못합니다. 생활하는 데 있어 균형도 깨집니다. 그렇다 보니 평범한 사람들의 눈에도 이상하다는 생각이 드는 것입니다.

예수님은 다음 말씀에서 거짓 예언자를 조심하라고 말씀합니다. 그들은 양의 털을 쓰고 다가오지만 속은 사나운 늑대라고 말씀합니다. 예수님은 종교적 누룩을 가장 먼저 지적하셨습니다. 가장 큰 위선자가 될 가능성이 높은 것을 지적해 주신 것입니다.

[거짓 예언자를 조심하라. 그들은 양의 탈을 쓰고 다가오지만 속은 사나운 늑대다.(마 7:15)]

예수님이 종교적 누룩을 지적하시고 난 다음 두 번째로 아주 조심스럽게 말씀하신 것은 바로 정치하는 사람들입니다. 왜일까요? 정치인은 자기 자신을 속이고 민중을 속일 수 있는 위치에 있기 때문에 그렇습니다. 헤롯의 누룩은 무엇입니까? 권력을 탐하고 거짓말을 밥 먹듯 하는 것입니다. 약속을 하고 잘 지키면 얼마나 좋겠습니까. 하지만 정치의 속성상 구호를 다 지키지 못합니다. 약속을 다 지키지 못합니다. 죄의식 없이 거짓말을 하고 지키지 못할 약속을 아주 열심히 합니다.

일반적으로 그들은 세상적인 사상과 물질적인 사상을 가지고 있으며, 그들의 통치 신학은 자유주의입니다. 자유분방합니다. 정치인들은 자신에게 맞는 말도 하고 자신에게 맞지 않는 말도 합니다. 사람들을 속이고 나중에는 사람들한테 피해를 줍니다. 그리고 끝에 가서는 책임도 지지 않습니다. 자신이 한 일이 아니라고 거짓말하고, 자신과는 상관없는 일이라고 둘러 댑니다.

이처럼 종교인들과 정치인들의 누룩은 비슷한 데가 아주 많습니다. 참 좋은 자리지만, 좋은 위치지만 반대로 피해도 많이 줄 수 있는 자리입니다. 종교인들과 정치인들의 공통적인 누룩이 있습니다. 거짓말을 쉽게 하고 허례허식을 좋아하고 허세 떨기를 좋아하고 외식과 위선으로 사람을 속인다는 것입니다. 이런 사람들은 남들 앞에 나서는 것을 좋아합니다. 그리고 피해를 줍니다.

성경에서 예수님은 다음과 같이 말씀했습니다. "왜 빵이 없는 것을 두고 말하느냐? 너희가 아직도 알지 못하고 아직도 깨닫지 못하느냐? 빵 다섯 개로 5,000명을 떼어 주고 열두 바구니를 남게 하시고 빵 일곱 개로 4,000명을 먹이시고 일곱 바구니를 남게 하신 사실도 다 잊어버렸다는 말이냐?"

이것은 빵 문제가 아닙니다. 하지만 예수님의 제자들은 영적인 문제를 잘 모릅니다. 기껏 생각한다는 것이 빵 문제입니다. 물질의 문제입니다. 기껏 생각해야 권력의 문제입니다. '누가 더 클 것인가?'라는 문제에만 관심이 있습니다. 영적인 문제에는 생각이 미치지 못했습니다.

무엇이 우리의 내면 세계를 더럽게 만들고, 우리에게 악한 행실을 하도록 이끕니까? 이 문제에 대해 사람들은 예민하게 보지 못합니다. 그러자 예수님은 다음과 같이 반문하십니다.

[너희가 눈이 있어도 보지 못하고 귀가 있어도 듣지 못하느냐? 기억하지 못하느냐? 내가 빵 다섯 개를 5,000명에게 떼어 주었을 때 남은 조각을 몇 바구니나 거두었느냐?" 그들이 대답했습니다. "12바구니였습니다." "내가 빵 일곱 개를 4,000명에게 떼어 주었을 때는 남은 조각을 몇 바구니나 거두었느냐?" 그들이 대답했습니다. "일곱 바구니였습니다."(막 8:18-20)]

예수님은 마지막으로 다시 한 번 "너희가 아직도 깨닫지 못하느냐?"라고 말씀했습니다. 교회에 매주 출석한다고 해도 영적인 것을 깨닫지 못하면 아무것도 깨닫지 못한 것입니다. 그냥 글만 읽고 그냥 설교만 들었을 뿐입니다. 하나님 말씀을 깨닫지 못한 것입니다. 세월만 보내고 시간만 보낸 것입니다. 그냥 익숙해진 것뿐입니다. 교회 생활에 익숙해지고 신앙생활이 습관이 된 겁니다.

우리의 눈높이에 맞춰 주시다

[그리고 그들이 벳새다에 갔습니다. 사람들이 보지 못하는 사람을 데려와 예수께 만져 달라고 간청했습니다. 예수께서 그 사람의 손을 잡고 마을 밖으로 데리고 나가셨습니다. 예수께서 그 사람의 눈에 침을 뱉으시고 그에게 손을 얹으시며 물으셨습니다. "뭐가 좀 보이느냐?"(막 8:22-23)]

예수님은 벳새다로 장소를 옮기셨습니다. 거기 한 사람이 여러 친구들과 함께 기다리고 있었습니다. 이 사람은 보지 못했습니다. 앞을 보지 못해 혼자서 예수님을 찾아올 수가 없었습니다. 그래서 친구들이 이 사람을 이끌고 예수님을 찾아온 것입니다. 이들은 앞을 못 보는 친구를 고쳐 달라고 간청했습니다.

먼저 이 친구들을 좀 생각해 보겠습니다. 앞을 보지 못하는 친구를 돌보는 사람들입니다. 남을 돌본다는 것은 생각만큼 쉬운 일이 아닙니다. 한두 번은 도와줄 수 있지만, 계속해서 돕는 건 쉬운 일이 아닙니다. 우리 주위에도 장애우가 많습니다. 교회를 오고 싶은데 누가 업어 줘야 옵니다. 한두 번은 잘합니다. 하지만 그 일을 꾸준히 하는 것은 쉬운 일이 아닙니다. 약자를 돌보는 사람들은 아름답습니다. 예수님은 이런 사람들을 칭찬해 주셨습니다. 앞을 보지 못하는 사람의 믿음도 중요하지만 그를 데리고 온 사람들의 믿음을 축복해 주셨습니다.

교회는 약자를 돌보는 사람들로 가득 차야 합니다. 항상 우리 옆에는 돌봐야 할 약자가 있습니다. 예수님은 이 사람을 데리고 마을 밖으로 나가셨습니다. 이 사람을 구경거리로 만들고 싶지 않았기 때문입니다. 조용한 곳으로 데려가신 것은 예수님의 배려였습니다. 이 사람한테 수치감과 상처를 주지 않기 위한 배려였습니다. 눈뜨는 것을 이벤트로 만들지 않기 위한 것이었습니다.

그리고 이 사람의 눈에 침을 바르고 그에게 손을 얹으시고 "뭐가 좀 보이느냐?"라고 물으셨습니다. 이는 의심 없이 믿음을 갖도록 하기 위한 일이었습니다. 이것 역시 이 사람에 대한 배려였습니다. 그는 들을 수 있기 때문에 그냥 눈을 떠 보라고 하면 될 텐데 예수님은 좀 더 친절하게 가까이 다가가 만지시고 침으로 치료하신 것입니다.

[그러자 그 사람이 쳐다보며 말했습니다. "사람들이 보입니다. 그런데 나무가 걸어 다니는 것처럼 보입니다."(막 8:24)]

드디어 처음으로 그가 눈을 떴습니다. 하지만 처음으로 눈을 떴을 때는 모든 것이 확실하지 않고 시력이 완전히 돌아오지 않았습니다. 어렴풋이 보일 뿐입니다. 사람이 지나가는 걸 보고 "나무가 걸어 다닌다"라고 말했습니다. 그러자 예수님은 재차 안수를 하십니다.

[다시 한 번 예수께서 그 사람의 눈에 손을 얹으셨습니다. 그러자 그가 뚫어지게 바라보더니 시력이 회복돼 모든 것을 분명히 보게 됐습니다.(막 8:25)]

여기서 또 하나 중요한 사실을 발견하게 됩니다. 예수님이 재차 안수하셨다는 것입니다. 두 번 안수하셨다는 얘기는 여기밖에 없습니다. 다른 경우 한 번이면 끝났는데, 왜 두 번이나 안수하셨을까요? 이것이 예수님의 배려입니다. 다른 경우에는 한 번으로 끝났지만 이 사람의 경우에는 확실히 볼 수 있을 때까지 또 한 번 안수해 주셨습니다. 이런 분이 우리 예수님입니다. 단번에 눈을 뜨는 사람도 있고 천천히 눈을 뜨는 사람도 있습니다. 그것은 사람에 따라 다릅니다.

예수님은 참으로 놀라운 분입니다. 그 사람의 체질, 그 사람의 상황에 맞춰 주시는 분입니다. 예수님한테 우리가 맞춰야 한다면 못 따라갑니다. 우리의 능력이 완벽하지 않아서 예수님을 따라가지 못합니다. 그래서 예수님이 우리에게 맞춰 주시는 겁니다. 그러니 안심해도 됩니다. 예수님은 우리에게 믿음이 없으면 믿음의 기준도 낮추십니다. 그래서 저 높은 곳까지 우리를 이끌고 가십니다.

재차 안수하신 것도 보지 못하는 사람을 위한 예수님의 배려였습니다. "왜 한 번에 낫지 않는 거야?"라고 말씀하지 않았습니다. 오늘 우리에게도 이런 마음이 필요합니다. 부족하면 격려해 주고 또다시 시도하고 사랑을 베풀어야 합니다.

눈을 뜨자 이 사람은 너무 좋아 마을로 뛰어가려고 했습니다. 하지만 예수님의 생각은 달랐습니다. 마을로 가지 말고 가족부터 찾아가라고 말씀했습니다.

[예수께서 그를 집으로 보내시며 말씀하셨습니다. "마을 안으로 들어가지 말아라."(막 8:26)]

먼저 마을로 갈 것이 아니라 집이 가장 먼저 찾아갈 장소라고 말씀한 것입니다. 이로써 가족의 소중함을 일깨워 주십니다. 먼저 가족들에게 가서 자기로 말미암아 많은 눈물을 흘렸을 부모님한테 먼저 눈뜬 사실을 알리라고 말씀했습니다. 기쁜 소식이 있으면 가족들한테 먼저 알려야 합니다. 이는 가족 전도를 소홀히 하지 말라는 뜻도 됩니다.

[그들이 대답했습니다. "주 예수를 믿으시오. 그러면 당신과 당신의 집안이 구원을 받을 것입니다."(행 16:31)]

가족들 가운데 아직도 예수님을 믿지 않는 사람이 있습니까? 그 사람을 포기하셨습니까? 그래선 안 됩니다. 다시 그 사람의 이름을 붙잡고 기도하고 그 사람에게 다가가야 합니다. 사랑을 베풀어야 합니다. 그리고 전도해야 합니다. 이는 주님의 뜻입니다. 가족을 전도하지 못하고 어떻게 이웃을 전도하겠습니까. 가족 가운데, 친척 가운데 예수님을 믿지 않는 사람이 있으면 그 사람을 위해 기도해야 합니다.

종종 다 천국에 가도 좋은데 한 사람만 안 갔으면 좋겠다는 말을 듣습니다. 그래선 안 됩니다. 그 사람도 함께 천국 가기를 위해 기도해야 합니다. 마음을 풀고 용서하고 그 사람을 위해 기도해야 합니다. 기도 없이 영혼은 돌아오지 않습니다. 그 사람이 아직 돌아오지 않은 것은 기도하지 않았기 때문이고, 아직 기도가 쌓이지 않았기 때문입니다. 간단하게 그 사람의 이름을 부르면서 돌아오게 해 달라고 기도하기 바랍니다. 아버지, 어머니, 형님, 동생, 누나가 돌아오게 해 달라고 기도합시다.

Pray

하나님, 가족이 돌아오게 해 주십시오. 북한에 있는 형제들이 돌아오게 해 주십시오. 멀리 떠난 사람들이 돌아오게 해 주십시오. 그동안 헤어졌던 사람들이 돌아오게 해 주십시오. 군대 간 자녀들이 예수님을 믿게 해 주십시오. 돌아오게 해 주십시오. 예수님 이름으로 기도합니다. 아멘.

4부

제자들을
가르치시는 예수님

예수님은 제자들을 가르치셨습니다.
그리고 제자들에게 자신의 수난과 죽음, 부활을 말씀하셨습니다.
예수님은 아픈 자들의 믿음을 보시고 그들을 고쳐 주셨습니다.

막 8:27-38

²⁷예수께서 제자들을 데리고 가이사랴 빌립보에 있는 여러 마을로 가셨습니다. 가는 길에 예수께서 물으셨습니다. "사람들이 나를 누구라고 하느냐?" ²⁸제자들이 대답했습니다. "세례자 요한이라고도 하고 엘리야라고도 합니다. 예언자 중 한 분이라고 하는 사람도 있습니다." ²⁹예수께서 물으셨습니다. "그러면 너희는 나를 누구라고 하느냐?" 베드로가 대답했습니다. "주는 그리스도십니다." ³⁰예수께서 제자들에게 자신에 대해 아무에게도 말하지 말라고 단단히 주의를 주셨습니다. ³¹예수께서 제자들에게 인자가 많은 고난을 당하고 장로들과 대제사장들과 율법학자들에게 배척받아 죽임당했다가 3일 만에 다시 살아나시게 될 것임을 가르치기 시작하셨습니다. ³²예수께서 이 일을 드러내 놓고 말씀하시자 베드로는 예수를 붙들고 그게 무슨 말이냐며 항의했습니다. ³³그러자 예수께서 제자들을 돌아다보시고 베드로를 꾸짖으시며 말씀하셨습니다. "사탄아, 내 뒤로 물러가거라! 네가 하나님의 일은 생각하지 않고 사람의 일만 생각하는구나." ³⁴그리고 예수께서 제자들과 그분을 따르는 사람들을 다 불러 놓고 말씀하셨습니다. "누구든지 나를 따르려거든 자기를 부인하고 자기 십자가를 지고 따라야 한다. ³⁵누구든지 자기 생명을 구하려고 하는 사람은 잃어버릴 것이요, 누구든지 나와 복음을 위해 자기 생명을 버리는 사람은 구할 것이다. ³⁶사람이 온 세상을 다 얻고도 자기 생명을 잃으면 무슨 소용이 있겠느냐? ³⁷사람이 자기 생명을 무엇과 맞바꾸겠느냐? ³⁸누구든지 음란하고 죄 많은 이 세대에서 나와 내 말을 부끄럽게 여기면 인자도 아버지의 영광을 입고 거룩한 천사들과 함께 올 때에 그를 부끄럽게 여길 것이다."

나를 누구라 하느냐?

사람들은 손가락질하고 핍박하고 예수를 믿는데 왜 이런 일들이 일어났느냐고 말하지만,
결국에는 우리 믿는 사람들을 존경하게 될 것입니다. 그러니 두려워해선 안 됩니다.
예수님은 우리를 높여 주실 것입니다. 우리를 부끄럽게 생각하지 않으실 것입니다.
세상에 나가서 담대히 우리의 색깔을 나타내며 확실하게 사는 것이 하나님께 영광을 돌리는 삶입니다.

예수님은 벳새다에서 가이사랴 빌립보로 자리를 옮기셨습니다. 가는 길에 예수
님은 제자들에게 "사람들이 나를 누구라 하느냐?"라고 물으셨습니다. 왜 이런 질
문을 하셨을까요? 자신이 메시아임을 확인하고 싶다는 조바심 때문이었을까요?
아니면 자신이 메시아라는 사실을 자랑하고 싶었기 때문일까요? 둘 다 아닙니다.

[예수께서 제자들을 데리고 가이사랴 빌립보에 있는 여러 마을로 가셨습니다.
가는 길에 예수께서 물으셨습니다. "사람들이 나를 누구라고 하느냐?"(막 8:27)]

그래서 제자들은 사람들이 무슨 말을 하는지 예수께 있는 대로 다음과 같이 보
고했습니다.

[제자들이 대답했습니다. "세례자 요한이라고도 하고 엘리야라고도 합니다. 예
언자 중 한 분이라고 하는 사람도 있습니다."(막 8:28)]

사람들의 메시아에 대한 일반적인 생각은 세 가지였습니다. 첫째는 엘리야라고
부릅니다. 둘째는 세례자 요한일지도 모른다고 말합니다. 셋째는 어느 예언자 중
에 한 분이 다시 나타난 것이라고 얘기한다고 했습니다.

그러나 예수님의 심중에 있는 질문은 달랐습니다. 그것이 아니었습니다. "너희

는 나를 누구라 생각하느냐?"라는 것이었습니다. 똑같은 질문인데 방향이 다릅니다. 예수님의 관심은 "사람들은 나를 누구라 하느냐?"에 있는 것이 아니라 "너희는 나를 누구라 하느냐?"라는 것이었습니다.

세상의 모든 여자가 나를 어떻게 생각하느냐 하는 것은 중요하지 않습니다. 아내가 나를 어떻게 생각하느냐 하는 것이 중요합니다. 이와 마찬가지입니다. 우리는 결정적인 순간에 자기고백을 피합니다. 그리고 다른 사람들에게 시선을 돌리거나 핑계를 대는 경우가 많습니다. 다시 말하면 자기 속마음을 내놓지 않고 다른 사람 뒤에 숨어 버리는 것이 우리의 일반적인 신앙 모습입니다.

베드로의 고백, 주는 그리스도이십니다

신앙이란 무엇입니까? 자기고백입니다. 결코 다른 사람의 얘기가 될 수 없습니다. 신앙은 객관적일 수가 없습니다. 주관적이고 바로 나 자신의 얘기입니다. 신앙고백 없이 제자의 길을 간다는 것은 불가능합니다. 예수님을 따른다는 것은 자신의 신앙고백을 전제로 합니다. 프러포즈 없는 결혼은 없습니다. 그냥 같이 사는 게 아니라 사랑 고백이 있은 후에 결혼이라는 문을 통과합니다. 다음 말씀을 보면 베드로가 예수님의 질문에 대답하고 있습니다.

[예수께서 물으셨습니다. "그러면 너희는 나를 누구라고 하느냐?" 베드로가 대답했습니다. "주는 그리스도십니다."(막 8:29)]

예수님의 "너희는 나를 누구라고 하느냐?"라는 질문에 베드로는 "주는 그리스도십니다"라고 대답했습니다. 베드로의 대답은 아주 즉각적입니다. 생각해 볼 여지가 없습니다. 이렇듯 하나님과 나 사이, 예수님과 나 사이에는 생각할 틈이 없습니다. 하나님과 나 사이는 즉각적이고 현재적입니다. "집에 가서 좀 생각해 보고요"도 아니고 "30분만 시간을 주세요"도 아닙니다. 즉각적입니다. 다음 말씀에 보면 이 부분을 좀 더 자세히 설명하고 있습니다.

[시몬 베드로가 대답했습니다. "주는 그리스도이시며 살아 계신 하나님의 아들이십니다." 예수께서 대답하셨습니다. "요나의 아들 시몬아, 네가 복이 있다. 이것을 네게 계시하신 분은 사람이 아니라 하늘에 계신 내 아버지시다."(마 16:16-17)]

마가복음은 굉장히 압축적이어서 핵심만 설명하고 있는데 마태복음을 보면 좀더 여유롭게 설명하는 것을 볼 수 있습니다. '주는 그리스도'이시며, 하나가 더 붙어 '살아 계신 하나님의 아들'이십니다. "주는 그리스도시며 살아 계신 하나님의 아들이십니다"라는 것이 베드로의 신앙고백 원본입니다. 우리가 예수님을 말할 때 여러 가지를 설명할 수 있지만, 핵심은 이것입니다. "주님은 그리스도시요, 메시아시요, 살아 계신 하나님의 아들이십니다."

이런 고백을 할 때 예수님은 아주 흡족해하실 겁니다. 정답을 말했기 때문입니다. 이 정답에는 군더더기가 없습니다. 핵심을 얘기하면 답이 끝나는 것입니다. 예수님은 이 말을 듣고 나서 베드로에게 다음과 같이 격려하십니다. "지금 네가 한 이 고백은 네가 한 것이 아니다. 하늘에 계신 내 아버지께서 네게 계시해서 말하도록 하신 것이다." 그렇습니다. 우리의 신앙고백은 우리가 한 것처럼 보여도 사실 그 고백 뒤에는 하나님의 성령께서 역사하신 겁니다. 그래서 자신도 모르게 그런 고백을 하는 것입니다.

선교사로 가고 싶은 사람이 있습니까? 아무리 따져 봐도 선교사로 갈 확률이 없는데 자신도 모르게 벌떡 일어나는 겁니다. 누가 그 사람을 일으켜 세운 것입니다. 누가 그 사람에게 속삭인 것입니다. 그분은 성령님이십니다. 우리의 이성과 상식과 지식에서 나온 말이 아니라, 경험에서 나온 말이 아니라 어떤 분이 우리 마음속에 던져 주는 말씀을 듣는 마음과 귀가 있어야 하겠습니다. 이것이 영적인 음성입니다.

베드로가 이렇게 응답하자 예수님은 즉시 앞으로 일어날 일에 대해 말씀합니다.

[예수께서 제자들에게 인자가 많은 고난을 당하고 장로들과 대제사장들과 율법학자들에게 배척받아 죽임당했다가 3일 만에 다시 살아나시게 될 것임을 가르치기 시작하셨습니다.(막 8:31)]

사실은 베드로의 고백이 아니라 성령님에 의해 그 자신도 모르게 툭 튀어나온 말입니다. 하지만 베드로가 신앙고백을 하자 예수님은 그 고백을 즉각적으로 받아 미래를 얘기하신 겁니다. 앞으로 일어날 일들을 얘기하고 계십니다.

예수님이 베드로에게 예언하신 것, 미래에 대해 말씀한 내용은 무엇입니까? 첫째는 인자가 많은 고난을 당하고 장로들과 대제사장들과 율법학자들에게 배척을 받아서 죽임을 당한다는 것입니다. 사실 말은 단순하지만 듣는 제자들한테는 얼마나 충격적인 말이겠습니까! 만약 설교하다가 "제가 다음 주일에 죽습니다"라고 말한다면 받아들이기가 참으로 어려울 것입니다. 이것과 똑같습니다. 둘째는 3일 후에 부활한다는 것입니다.

두 가지 비밀, 죽음과 부활

예수님은 제자들에게 이 두 가지 비밀을 얘기해 주셨습니다. 그전에는 이런 얘기를 하신 적이 없습니다. 여기서 우리는 예언이란 아무에게나 하지 않는다는 사실을 알 수 있습니다. 가끔 우리는 예언을 너무 쉽게 생각하고, 아무렇게나 말하고 들을 때가 있습니다. 그러나 예수님은 결정적인 순간에만 예언하셨습니다. 예수님은 예언을 누구에게 하십니까? 예수님이 사랑하고 믿을 만한 사람에게 합니다. 아무에게나 비밀을 말하지 않습니다. 믿을 만하고 사랑하는 사람에게만 비밀을 말해 줍니다.

예수님이 베드로에게 이런 말을 하신 것은 우선 그를 너무나 사랑하시기 때문입니다. 둘째는 베드로가 믿을 만하기 때문입니다. 하지만 사실 베드로의 믿음은 거기까지 오지 않았습니다. 성령의 인도를 받고 순간적으로 믿음의 말을 했지만, 믿음은 그 정도까지 성숙하지 않았고 고무줄처럼 제자리로 다시 돌아가곤 했습니다.

겉으로 믿음 있는 척했다고 안심해선 안 됩니다. 그것은 우리의 본질이 아니라 순간 뭔가 씐 겁니다. 다시 본질로 돌아오면 그런 믿음이 없습니다. 항상 두려움에 차 있고 주저하고 은혜로운 집회에 가서 은혜로운 대답은 했지만 그것이 믿음의 본질인가 물으면 아니라고 대답할 수밖에 없습니다.

베드로가 그랬습니다. 예수님과 함께 있을 때는 믿음의 말을 했지만 사실 그런 믿음이 없는 사람입니다. 베드로는 아직도 믿음을 키우는 중이었습니다. 믿음이 성숙하지 않았다는 말입니다. 그것을 어떻게 알 수 있습니까?

[예수께서 이 일을 드러내 놓고 말씀하시자 베드로는 예수를 붙들고 그게 무슨 말이냐며 항의했습니다.(막 8:32)]

베드로는 예수님의 말씀을 받아들이지 못했습니다. 예수님이 드러내 놓고 말씀하자 그 즉시 예수님을 붙들고 항의합니다. 베드로는 아직 예수님의 말씀을 이해할 만큼의 믿음이 없었습니다. 이게 솔직한 베드로의 현실입니다.

겉으로는 하나님의 일을 다 할 것처럼 보여도 막상 하라고 하면 뒤로 물러서게 됩니다. 왜일까요? 우리 안에 믿음이 그만큼 자라지 않았기 때문입니다. 예수님이 우리를 사랑하시는 것과 우리가 믿음을 가진 것이 가끔 맞지 않을 때가 있습니다.

[그러자 예수께서 제자들을 돌아다보시고 베드로를 꾸짖으시며 말씀하셨습니다. "사탄아, 내 뒤로 물러가거라! 네가 하나님의 일은 생각하지 않고 사람의 일만 생각하는구나."(막 8:33)]

"제자들을 돌아다보시고"라는 말은 베드로한테만 말씀한 게 아니라는 뜻입니다. 지금 베드로한테 얘기하셨지만 이 말은 모든 제자가 듣도록 얘기하신 것입니다. 그리고 그렇게 사랑하는 제자였지만 "사탄아"라고 하며 꾸짖으셨습니다. 베드로는 졸지에 사탄이 되고 말았습니다. 우리 역시 베드로처럼 될 수 있습니다. "내 뒤로 물러가거라! 네가 하나님의 일은 생각하지 않고 사람의 일만 생각하는구나." 이처럼 예수님은 베드로의 영적 상태를 정확하게 집어 말씀했습니다.

이 말씀에서 우리는 세 가지를 발견합니다. 첫 번째는 아직 베드로의 믿음이 겉보기처럼 성숙하지 않았다는 것입니다. 사람들이 우리를 평가할 때는 겉모습을 보고 평가합니다. 하지만 우리 마음속 중심에 있는 믿음의 성숙도는 겉모습과 다를 수 있습니다.

두 번째로 믿음이 없으면 말과 행동이 사탄의 조정을 받게 된다는 것입니다. 믿음의 방패가 없으면, 믿음의 전신갑주를 입지 않으면 자신도 모르는 사이에 사탄에게 무방비 상태로 놓이게 된다는 것입니다. 그래서 예수님은 베드로를 보고 사탄이라고 직접적으로 말씀하고 꾸짖으셨습니다. 베드로 안에 역사하는 사탄의 세력을 보았기 때문입니다. 예수님은 베드로를 꾸짖으신 게 아니고 베드로 안에서 그를 대신해 역사하는 사탄을 꾸짖으신 것입니다.

세 번째로 사탄은 하나님의 일보다 사람의 일을 먼저 생각한다는 것입니다. 우리가 하나님의 일을 할 때도 그렇습니다. 어떤 결정을 할 때도 그런 경향이 있습니다. 하나님의 뜻이 무엇일까 생각하지 않고 현실이 이러니까, 수중에 가진 돈이 이것밖에 없으니까, 주변에 이 사람밖에 없으니까 하면서 자꾸 인간적으로 계산을 합니다.

이것이 사탄의 일하는 방법입니다. 믿음으로 생각하지 않고 하나님을 위해 일하지 않고 사람을 위해 일하면서 자꾸 인간적인 생각을 합니다. 인간적으로 일하다가 길이 막히면 절망합니다. 불가능하다고 말합니다. 하나님의 입장에서 이런 일들을 생각하는 데 아직 익숙하지 않아서 그런 것입니다.

이런 사건이 일어난 뒤에 예수님은 이 말씀을 기초로 아주 중요한 진리 몇 가지를 제자들에게 가르쳐 주십니다.

[그리고 예수께서 제자들과 그분을 따르는 사람들을 다 불러 놓고 말씀하셨습니다. "누구든지 나를 따르려거든 자기를 부인하고 자기 십자가를 지고 따라야 한다."(막 8:34)]

제자들한테 가르쳐 주신 진리

첫 번째 메시지는 무엇입니까? "나를 따르려거든"에서 따른다는 것은 무엇입니까? 이는 교회에서 아주 흔히 사용하는 말로, 제자도입니다. 제자가 되려면, 예수님을 따르려면 입술로만 따라선 안 됩니다. 교회 몇 번 출석했다고 해서 제자가 되는 것은 아닙니다. 교인은 많지만, 교회는 많지만 세상이 변하지 않는 것은 진짜 예수님을 따르는 사람이 적기 때문입니다. 소돔과 고모라가 멸망한 이유는 사람이 많지 않아서가 아니라 의인 10명이 없었기 때문입니다.

예수님은 "정말 나를 따르려거든 첫째, 자기를 부인하라"고 말씀합니다. 우리는 여기서부터 걸립니다. 우리의 모든 삶과 행동은 자기를 부인하는 일에 아주 소극적입니다. 막상 문제를 놓고 보면 자기중심적입니다. 자기가 손해 보는 일은 절대로 안 합니다. 자기 힘든 일은 골라서 뺍니다. 좋은 일만 하고 할 수 있는 일만 하고 영광스러운 일만 골라서 할 뿐 힘들고 어렵고 희생하는 일은 하지 않는다는 말입니다.

그것도 그냥 안 하는 것이 아니라 가장 합리적인 이유를 대면서 안 합니다. 스스로를 지나치게 보호합니다. 자신이 손해 보고 희생하는 것을 견디지 못합니다. 자존심이 상해 견디지 못합니다. 오해받는 것도 견디지 못합니다. 그런데 예수님은 "네가 참된 제자가 되려거든 자기를 버려라"고 말씀합니다.

사람들이 왜 화를 냅니까? 예수님 때문에 화를 냅니까? 자기 때문에 화를 냅니까? 예수님은 화를 내시지 않는데 우리가 화를 냅니다.

둘째, "자기 십자가를 지라"고 말씀합니다. 자기를 부인하고 자기 십자가를 져야 합니다. 예수님을 따르는 사람에게는 각자의 십자가가 있습니다. 예수님은 예수님의 십자가가 있었는데, 이는 온 인류를 구원하는 엄청난 십자가였습니다. 한편 우리 모두에게는 우리 나름대로 작은 십자가가 있습니다. 가족이 십자가일 수 있고, 친구가 십자가일 수 있고, 직장이 십자가일 수 있고, 성격이 십자가일 수도 있습니다. 저마다의 십자가가 있습니다.

기도를 많이 하는 것은 그 십자가가 찔러서일 겁니다. 너무 아프니까, 너무 힘드니까 말입니다. 그런데 그 십자가를 피하지 말고 지라고 말씀합니다. 피 흘리라는 것입니다. 지금 지고 있는 십자가가 무겁고, 때로는 찔러도 그걸 버리지 말라는 것입니다.

셋째, "그리고 따르라"고 말씀합니다. 참된 제자는 앉아 있는 사람이 아니라 행동하는 사람입니다. 이런 메시지를 여기서 발견합니다.

다음 말씀은 두 번째 메시지를 담고 있습니다.

["누구든지 자기 생명을 구하려고 하는 사람은 잃어버릴 것이요, 누구든지 나와 복음을 위해 자기 생명을 버리는 사람은 구할 것이다."(막 8:35)]

두 번째 메시지는 무엇입니까? 예수님과 복음을 위하여 자기 생명을 버리는 사람은 진짜 영원한 생명을 얻게 됩니다. 생명에는 두 가지가 있습니다. 하나는 육체적 생명이고, 또 하나는 영원한 생명입니다. 영원한 생명을 얻으려면 육체적인 생명, 끝날 생명에 초점을 두지 말라고 말씀합니다. 영원한 생명에 가치와 초점을 두어야 합니다.

이 몸뚱이는 머지않아 사라집니다. 하지만 우리는 평생 이 육신의 몸뚱이를 섬기며 살아왔습니다. 세 끼 밥을 꼭꼭 챙겨 먹고 잠자고 보약 먹고 운동하고 살 빼는 등 우리 몸을 하나님처럼 섬기고 살아왔다는 말입니다. 하지만 예수님은 영원한 생명이 있다고 말씀합니다.

세 번째 메시지는 다음 말씀을 살펴보면 알 수 있습니다.

["사람이 온 세상을 다 얻고도 자기 생명을 잃으면 무슨 소용이 있겠느냐? 사람이 자기 생명을 무엇과 맞바꾸겠느냐?"(막 8:36-37)]

자기 생명보다 소중한 가치가 있다는 것입니다. 이 육신보다 더 중요한 가치가 있다는 것입니다. 세상 사람들은 자기 생명과 바꿀 만한 것이 없다고 생각합니다. 하지만 예수님은 온 재산을 얻고도 육신의 생명을 잃으면 무슨 소용이 있겠느냐고 물어보십니다.

그렇습니다. 우리가 이 세상에 사는 동안 목숨을 잃으면 끝이 아니냐고 말씀합니다. 재물이 많아도 무슨 소용이 있느냐, 건강해도 무슨 소용이 있느냐, 오늘 내가 죽으면 끝이 아니냐는 얘기를 하십니다. 우리는 자꾸 세속적이고 헛된 것을 추구하지만 예수님은 영원한 가치를 지닌, 더 높은 생명에 대한 얘기를 하십니다.

네 번째 메시지는 다음 말씀에서 볼 수 있습니다.

["누구든지 음란하고 죄 많은 이 세대에서 나와 내 말을 부끄럽게 여기면 인자도 아버지의 영광을 입고 거룩한 천사들과 함께 올 때에 그를 부끄럽게 여길 것이다."(막 8:38)]

예수님은 "이 세대에서 나와 내 말을 네가 부끄럽게 여기면 그날에, 영광스러운 그날에 나도 너를 부끄럽게 여길 것이다"라고 말씀합니다. 예수님은 이 시대를 정의해 음란하고 죄가 많은 세상이라고 말씀했습니다. 이 말에 모두 동의할 것입니다.

우리가 살고 있는 세상은 굉장히 위험한 밧줄타기와 같습니다. 유리벽을 타는 것과 같습니다. 아차, 실수하면 넘어지고 맙니다. 안전하고 탄탄한 아스팔트 위를 걷는 것이 아닙니다. 우리는 죄와 음란의 바다를 건너고 있습니다.

잠깐 정신을 놓으면 금방 음란해집니다. 음란의 유혹에 빠집니다. 죄에 덫에 걸립니다. 이것이 우리의 현실이요, 세상입니다. 누가 안전하다고 장담하며 걸어갈 수 있겠습니까. 이것이 우리가 살고 있는 세상입니다. 온통 지뢰밭입니다. 어디에 지뢰가 숨겨져 있는지 아무도 모릅니다. 안전하게 빠져 나갈 수 있는 방법은 지뢰를 심어 놓은 사람의 뒤를 따라가는 겁니다. 그러면 안전하게 지뢰밭을 빠져 나갈 수 있습니다. 예수님을 꼭 붙잡고 가면 안전하게 나아갈 수 있습니다.

결론적으로 우리는 예수님을 부끄럽게 생각해선 안 됩니다. 촌스럽고 좀 창피해 보여도 예수님을 사랑해야 합니다. 예수님을 숨기지 말아야 합니다. 예수님을 믿는다고 어느 곳에서나 어떤 상황에서나 자신 있게 말하라는 겁니다.

직장에서 술을 마셔야 한다면 예수님을 믿기 때문에 술을 마시지 않는다고 당당하게 말할 수 있어야 합니다. 선포를 하지 않았기 때문에 술을 마시게 하는 겁니다. "나는 집에 일찍 돌아가야 합니다." "2차, 3차는 못 갑니다." 이런 말을 하지 않으니까 끌고 가는 겁니다. 바보라고 비웃거나 비즈니스를 못 할 거라고 협박해도 그렇게 말해야 합니다.

아버지가 들려 주셨던 얘기가 하나 있습니다. 무슨 모임에 가면 꼭 술잔을 드는데 우리 아버지는 콜라 잔을 들었습니다. 그러면 주변에서 "아니, 맥주가 술이냐? 이거 한 잔쯤은 할 수 있는 거 아니야?"라고 막 빈정댔답니다. 꾹 참고 음료수 잔을 들었는데, 그 모임이 끝나고 사람들이 아버지를 찾아왔다고 합니다.

상담하고 싶다고 하면서 아버지의 얘기를 들으러 찾아온 것입니다. 사람들은 술 마시는 사람을 찾아가지 않고 핍박을 받으면서도 술을 마시지 않는 사람을 찾아가서 자신의 문제를 상담합니다. 술을 안 마신다고 비즈니스가 안 됩니까? 그러면 예수님을 믿지 말아야 합니다. 하나님을 믿지 말아야 합니다. 나는 술을 마시지 않고도 비즈니스를 잘할 수 있다고 믿습니다.

원칙을 정하고 나가면 하나님이 우리를 축복해 주십니다. 그러니 타협해서는 안 됩니다. 타협은 또 다른 타협을 만들어 냅니다. 그러면 언제까지나 이 타협의 그늘

속에서 살아야 합니다.

우리가 예수님을 부끄러워하면 그날 "나도 너를 부끄럽게 여긴다"라고 말씀할 것입니다. 그러니 자랑해야 합니다. "나는 예수 믿는 사람입니다", "나는 이런 것은 못하고 저런 것은 잘합니다"라고 선언해야 합니다. 예수님을 자랑해야 합니다. 예수님만 찬양해야 합니다. 그리고 예수님을 전하도록 합시다. 하나님은 우리를 높이실 것입니다. 하나님은 우리의 방패시며, 우리의 영광이십니다. 그분은 우리 머리를 처박는 분이 아닙니다. 우리 머리를 들어 주시는 분입니다.

[그러나 여호와여, 주는 내 방패이시며 내 영광이시며 내 머리를 드시는 분이니.(시3:3)]

사람들은 손가락질하고 핍박하고 예수를 믿는데 왜 이런 일들이 일어났느냐고 말하지만, 결국에는 우리 믿는 사람들을 존경하게 될 것입니다. 그러니 두려워해선 안 됩니다. 예수님은 우리를 높여 주실 것입니다. 우리를 부끄럽게 생각하지 않으실 것입니다. 세상에 나가서 담대히 우리의 색깔을 나타내며 확실하게 사는 것이 하나님께 영광을 돌리는 삶입니다.

Pray

하나님, 주는 그리스도이시며 살아 계신 하나님의 아들이시라고 고백한 베드로의 고백을 기억합니다. 우리도 날마다 그런 신앙고백을 하며 살게 하옵소서. 그런 주를 모신 것을 감사하며 자랑하며 살게 하옵소서. 예수님 이름으로 기도합니다. 아멘.

막 9:2-13

²6일 후에 예수께서 베드로, 야고보, 요한만 따로 데리고 높은 산으로 올라가셨습니다. 그런데 예수께서 그들 앞에서 모습이 변하셨습니다. ³예수의 옷은 이 세상 그 누구도 더 이상 희게 할 수 없을 만큼 새하얗게 희고 광채가 났습니다. ⁴그리고 거기에 엘리야가 모세와 함께 그들 앞에 나타나 예수와 이야기를 나누었습니다. ⁵베드로가 예수께 말했습니다. "주여, 우리가 여기 있는 것이 좋겠습니다. 우리가 초막 세 개를 만들어 하나에는 주를, 하나에는 모세를, 하나에는 엘리야를 모시도록 하겠습니다." ⁶모두들 몹시 두려웠기 때문에 베드로는 무슨 말을 해야 좋을지 몰라 이렇게 말했습니다. ⁷그때 구름이 나타나 그들 위를 덮더니 구름 속에서 소리가 들려왔습니다. "이는 내 사랑하는 아들이다. 그의 말을 들으라!" ⁸그 순간 그들은 주위를 살펴보았습니다. 그러나 그때는 이미 아무도 보이지 않고 오직 예수만 그들과 함께 계셨습니다. ⁹산을 내려오시면서 예수께서 제자들에게 단단히 일러 두셨습니다. "인자가 죽은 사람 가운데에서 살아날 때까지는 지금 본 것을 아무에게도 말하지 말아라." ¹⁰제자들은 이 일을 마음에 새겨 두면서도 '죽은 사람 가운데에서 살아난다'는 것이 무슨 뜻인지 몰라 서로 물어보았습니다. ¹¹제자들이 예수께 물었습니다. "왜 율법학자들은 엘리야가 먼저 와야 한다고 말한 것입니까?" ¹²예수께서 대답하셨습니다. "참으로 엘리야가 먼저 와서 모든 것을 회복시킨다. 그런데 왜 성경에는 인자가 많은 고난을 받고 멸시를 당할 것이라고 기록된 것이냐? ¹³내가 너희에게 말한다. 엘리야는 이미 왔다. 그런데 사람들은 그에 대해 성경에 기록돼 있는 대로 그를 자기들 마음대로 대했다."

변화산에서 생긴 일

교회는 하나님의 영광과 임재가 가득 찬 곳으로, 들어올 때마다 두려움과 떨림을 가져야 합니다.
방자하게 들어오면 안 됩니다. 함부로 들어오면 안 됩니다.
왜입니까? 구약에 보면 여기는 하나님의 거룩과 임재가 있는 곳이기 때문입니다.

복음화하기 어려운 지역이 세 곳 있는데, 그중 한 곳이 북한입니다. 하나님이 북한의 문을 열어 주시지 않으면 아무도 들어갈 수가 없습니다. 북한은 핵으로 무장한 채 형제인 우리도 들어오지 못하게 합니다. 그리고 그들이 가장 무서워하는 것이 교회를 세우는 겁니다. 전도하는 것입니다.

그다음으로 전도하기가 어려운 곳이 이스라엘입니다. 유대인들은 예수님을 믿을 때 성령께서 환상을 보여 줘야 믿습니다. 그들은 대부분 이론으로 예수님을 믿지 않고, 환상을 보고 그분이 꿈에 나타나는 걸 보고 예수님을 영접합니다. 그만큼 유대인들은 전도하기가 어렵습니다.

이스라엘보다 더 전도하기가 어려운 곳이 있다면 이슬람 지역입니다. 무슬림은 예수님을 믿으면 죽여 버립니다. 그 공포심 때문에 믿고 싶어도 믿지를 못합니다.

터키 여행을 한 적이 있습니다. 그 여행에서 본 비참한 상황과 건강 때문에 다시 터키에 가지 못하고 대신에 아내가 홀로 여행을 다녀왔습니다. 당시 많은 크리스천들이 아내한테 기도를 받으러 왔습니다. 그런데 기도의 주제가 다 죽음, 살해에 대한 불안이었습니다. 그것도 가족들에게 살해당하기 때문에, 가족들이 칼로 찌르기 때문에 언제 어디서 죽을지 모른다고 했습니다. 그것이 예수님을 믿는 대가라고 합니다. 그래서 불안한 마음에 그런 기도 제목을 자꾸 내놓는 겁니다.

그런 것을 보면 우리는 얼마나 행복한지 모릅니다. 예수님을 믿는다고 감옥에 가두는 것도 아니고, 칼로 찌르는 것도 아닙니다. 이슬람 지역에서는 한 가정에서 누가 예수님을 믿으면 그 가정의 수치가 됩니다. 그렇다 보니 무슬림들은 예수님을 믿기가 대단히 어렵습니다.

그래서 하나님은 특별한 방법을 주셨습니다. 무슬림 나라에 가서 전도하려면 누가 말한 것처럼 0.000001퍼센트나 할 수 있을까 하는 정도입니다. 그 대신 하나님은 코리안 드림이라는 이름으로 이 땅에 외국인 근로자를 200만 명이나 보내 주셨습니다. 그중 95퍼센트가 무슬림입니다. 그런데 한국에 오면 무장 해제됩니다. 여기 와서는 예수님을 믿을 가능성이 높아지는 겁니다. 황금 기회가 아닐 수 없습니다. 무슬림을 사랑하는 기도를 할 수 있게 되기를 바랍니다.

정통한 사람들에 따르면 우리가 무슬림을 굉장히 오해하고 있다고 합니다. 무슬림이라고 하면 극단적 폭력주의자라고 오해하는데 그런 사람들은 무슬림이 아닙니다. 그들은 무슬림을 이용한 극단적 폭력주의자, 근본주의자이지 진짜 무슬림이 아닙니다. 우리가 무슬림을 사랑하고 그들과 함께 평화를 얘기한다면 언제든 하나님께로 돌아오리라고 생각합니다. 이제 그런 얘기를 많이 해야 합니다.

기도를 위해 변화산에 오르시다

앞서 베드로의 신앙고백에 대해 얘기했습니다. 베드로의 이 신앙고백은 기독교의 분기점입니다. 왜냐하면 그의 신앙고백 위에 교회가 생겼고, 교회라는 단어가 처음으로 등장했습니다. 예수님은 베드로의 신앙고백 위에 교회를 세우셨고, 교회 시대가 시작되었습니다. 이 고백이 교회의 기초가 된 것입니다. 이 고백을 하고 난후 6일이 지났습니다. 예수님은 제자들, 그중에 특별히 베드로와 야고보와 요한을 따로 데리고 높은 산으로 올라가셨습니다.

이스라엘을 여행하는 사람들은 이 변화산을 꼭 가 보게 되는데, 언덕처럼 보이지만 숨이 차고 땀을 뻘뻘 흘릴 정도로 높습니다. 꼬불꼬불 돌아서 오랜 시간을 걸어야 변화산에 오를 수 있습니다.

왜 예수님은 세 명의 제자를 데리고 이 산꼭대기까지 올라가셨을까요?

[6일 후에 예수께서 베드로, 야고보, 요한만 따로 데리고 높은 산으로 올라가셨습니다. 그런데 예수께서 그들 앞에서 모습이 변하셨습니다.(막 9:2)]

예수님의 제자는 열두 명인데 그중 세 명만 따로 데려가신 것을 보면 항상 열두 제자를 만나는 게 아니라 가깝게 만나는 사람이 이 세 명이었던 것 같습니다. 아마 특별한 관계가 있지 않았을까 추측해 봅니다. 왜 이 산에 특별히 세 명의 제자들을 데리고 가셨을까요? 누가복음에 보면 똑같은 기사를 썼는데, 기도하기 위해 갔다고 말씀하고 있습니다.

그 산에 올라간 목적은 말씀을 전하기 위해서도 아니고, 쉬러 간 것도 아닙니다. 그곳에 힘들게 올라간 목적은 기도하기 위해서였습니다. 예수님과 제자들은 지금까지 핍박도 없고 평온한 상태에서 복음을 전하고 말씀을 가르쳤습니다.

그런데 이 변화산의 사건 이후부터 상황이 달라집니다. 이때부터는 기도하지 않으면 견디기 어려운 고난과 역경, 어려운 문제들에 직면하게 됩니다. 우리가 예수님을 믿을 때도 마찬가지입니다. 처음 믿을 때는 하나님이 좋게 좋게 해 주십니다. 하지만 하나님을 진짜 잘 믿어 보려고 하면 험난한 상황에 부딪히게 됩니다.

처음에는 웬만한 것은 다 봐 주십니다. 술 마셔도 봐 주고, 교회에 빠져도 봐 주고, 거짓말을 해도 봐 주고, 크리스천답지 않게 적당히 해도 그것을 가지고 크게 문제 삼으시지 않습니다. 하지만 신앙에 깊숙이 들어오면 하나님은 작은 것까지 다 간섭하십니다. 연애할 때도 마찬가지입니다. 처음 연애할 때는 설렁설렁합니다. 그런데 '내 사람이다'라는 생각이 들면 달라집니다. 작은 것까지 전부 간섭하게 됩니다.

기도하러 산에 올라간 이유는 바로 이 사건 이후부터 십자가가 기다리고 있고, 겟세마네 동산이 기다리고 있고, 이제 고난이 기다리고 있기 때문입니다. 이 고난을 이겨 내려면 기도로 준비하지 않으면 안 되기 때문에 미리 훈련을 시키시는 것입니다.

[예수께서는 기도하는 동안 얼굴 모습이 변하셨고 옷이 하얗게 빛났습니다.(눅 9:29)]

마태복음과 마가복음에는 기도하는 모습이란 말을 쓰지 않았지만 누가복음에는 산에 가서 기도하셨다고 말씀합니다. 제자들도 기도하고 예수님도 기도하시는데 기도해 보면 알겠지만 정신 바짝 차린 상태에서는 기도를 다하지 못합니다. 기도하다 졸기도 하고 화장실도 갔다 오고 딴 짓도 하다가 또다시 기도하고 그럽니다. 그런데 기도 중에 갑자기 예수님이 변하신 겁니다.

우선 예수님의 옷이 변했습니다. 천국에서 입고 있던 옷으로 변한 것입니다. 세마포처럼 지상에서는 한 번도 본 일이 없는 설명하기 어려울 정도로 하얗게 된, 빨래를 잘해도 그처럼 하얀 옷은 처음 보는, 그런 옷을 입고 계신 겁니다. 얼굴빛은 해가 힘 있게 비추는 것 같았다고 합니다.

같은 예수님인데 땅에 있을 때 예수님과 하늘에 계실 때 예수님은 차이가 납니다. 인간 예수로 같이 왔는데, 기도 도중에 하나님 나라에 계실 때의 예수님으로 변화하신 겁니다. 변형되신 겁니다. 이를 본 제자들은 얼마나 놀랐겠습니까.

[예수의 옷은 이 세상 그 누구도 더 이상 희게 할 수 없을 만큼 새하얗게 희고 광채가 났습니다.(막 9:3)]

비슷한 말씀이 다른 성경 말씀에도 나오는데, 여기에선 좀 더 자세하게 설명하고 있습니다.

[예수께서는 그들 앞에서 모습이 변모돼 얼굴이 해처럼 빛나고 옷이 빛처럼 새하얗게 됐습니다.(마 17:2)]

우리는 본 적이 없다 보니 이게 어떤 모양인지 모릅니다. 그런데 성경의 저자는 이렇게 표현했습니다. 아마도 천국 의상이 아니었을까 생각해 봅니다. 영적 세계에서 입고 다니던 옷이 아니었을까 합니다. 또한 영적인 천국에 가면 그냥 내 얼굴이 없어지는 게 아니라 이런 얼굴이 되지 않을까 생각해 봅니다.

베드로의 미숙한 신앙

요한계시록에도 예수님을 표현할 때 이와 비슷한 표현을 합니다.

[그는 그분의 오른손에 일곱 별을 들고 계셨으며 그분의 입에서는 좌우에 날 선 검이 나왔고 그분의 얼굴은 해가 힘 있게 비추는 것 같았습니다.(계 1:16)]

해가 힘 있게 비추는 것 같은 예수님의 얼굴은 똑바로 바라보기가 어렵습니다. 태양을 바라보기 어렵듯이 말입니다. 그 빛이 너무나 강렬했기 때문입니다. 그런데 자세히 보니 예수님 옆에 누군가 다른 두 인물이 있었습니다. 예수님은 그들과 이야기를 나누고 계십니다. 그들은 당시 사람들이 가장 존경하고 사랑하는 구약의 두 인물이었습니다. 엘리야와 모세가 예수님과 이야기를 나누고 있었던 것입니다.

[그리고 거기에 엘리야가 모세와 함께 그들 앞에 나타나 예수와 이야기를 나누

었습니다.(막 9:4)]

마태복음과 마가복음, 누가복음에 똑같은 기사가 있기 때문에 서로 기록을 보완해 얘기할 수 있습니다. 누가복음에는 다른 복음서에 써 있지 않은 내용이 있어 보완한다는 의미로 적어 보기로 했습니다.

[그런데 갑자기 두 사람이 나타나 예수와 더불어 말을 하고 있었습니다. 이들은 모세와 엘리야였습니다. 그들은 영광에 싸여 나타나 예수께서 예루살렘에서 이루실 일, 곧 그분의 떠나가심에 대해 말하고 있었습니다.(눅 9:30-31)]

마태복음과 마가복음에는 없는데 누가복음에는 무슨 이야기를 나누었는지 내용이 기록돼 있습니다. 이 세 사람은 이제 곧 예루살렘으로 돌아가서 십자가에 못박혀 죽게 될 일을 의논하고 있었습니다.

이 광경을 본 베드로는 혼돈에 빠졌습니다. 충격을 받고 제정신이 아니었습니다. 이 영계를 해석할 수가 없었습니다. 육의 세계에 살고, 시간과 공간에 살고, 물질 세계에 살고, 이성과 상식의 세계에 살고 있는 베드로로서는 이 영계에 대한 상식과 지식이 없고 경험이 없기 때문에 굉장히 큰 충격을 받은 것입니다.

그래서 다음 말씀을 보면 베드로가 횡설수설하고 있습니다. 말은 해야 하겠는데, 무슨 말을 어떻게 해야 할지 몰라서 자신도 모르는 말을 합니다.

[베드로가 예수께 말했습니다. "주여, 우리가 여기 있는 것이 좋겠습니다. 우리가 초막 세 개를 만들어 하나에는 주를, 하나에는 모세를, 하나에는 엘리야를 모시도록 하겠습니다."(막 9:5)]

이것은 베드로가 너무 급해서 한 말이지 정신 차리고 한 말은 아닙니다. 모세도 만나고 엘리야도 만나고 변화된 예수님을 만나자 베드로는 무슨 말은 해야겠는데 정신이 없어 여기에 "초막 세 개를 만들어 한 채씩 모시도록 하겠다"고 정신없는 소리를 합니다. 그곳에 어떻게 집을 짓고 삽니까?

[모두들 몹시 두려웠기 때문에 베드로는 무슨 말을 해야 좋을지 몰라 이렇게 말했습니다.(막 9:6)]

베드로는 몹시 두려워서 무슨 말을 해야 좋을지 몰라 횡설수설한 것입니다. "여기 있는 것이 좋겠습니다. 우리가 초막 세 개를 만들어 하나에는 주를, 하나에는 엘리야를, 하나에는 모세를 모시도록 하겠습니다"라고 말했는데 사실 이 말은 책임질 수 없는 말이었습니다.

베드로는 아직 신앙이 미숙한 상태였습니다. 지금 자신의 신앙이 미숙하다고 격정할 것은 없습니다. 그냥 있는 대로 살면 됩니다. 미숙하면 미숙한 대로 말입니다. 이처럼 사실을 인정해야 믿음이 성숙해집니다. 신앙에 실수하지 않을 만큼 성숙한 믿음을 갖지 못한 것이 현실입니다. 최선을 다했는데, 성실하게 했는데 결과를 보면 항상 문제가 있습니다.

베드로는 예수님이 십자가에 못 박히실 때 멀찍이 서서 지켜보았습니다. 닭이 울기 전에 세 번이나 예수님을 부인했고, 부활하신 주님을 뵈었습니다. 그때까지도 베드로는 영적인 성숙함이 없었습니다. 예수님이 부활하시고 난 후에 성령을 받고 제자리로 돌아왔습니다.

그러므로 우리가 제자리로 돌아오려면 한참을 기다려야 합니다. 그리고 그 자리까지 가지 못했다고 섭섭하게 생각지 말고 그냥 실수한 채로 열심히 살아가야 합니다. 그러면 하나님이 최선의 길로 우리를 인도하실 줄로 믿습니다.

그렇다고 해서 착각해선 안 됩니다. 지금 우리는 최선의 자리에 있지 않습니다. 그런데 성경을 보니 갑자기 구름이 나타났습니다.

[그때 구름이 나타나 그들 위를 덮더니 구름 속에서 소리가 들려왔습니다. "이는 내 사랑하는 아들이다. 그의 말을 들으라!"(막 9:7)]

신구약에서 구름은 하나님의 영광과 임재를 상징합니다. 예수님이 하늘로 임재할 때도 구름 가운데서 구름을 타고 올라가셨습니다. 이것은 하나님의 영광과 임재를 의미합니다. 그들 사이에 하나님의 영광과 그분의 임재를 상징하는 구름이 왔다는 겁니다.

이것은 마치 모세가 시내산에 올라갔을 때 하나님의 영광의 구름 가운데 서 있었던 것과 같습니다. 우리는 성경에 나오는 여러 장면을 이렇게 비교하면서 "아, 이런 거였구나" 하고 유추해 봅니다. 모세가 시내산에서 떨기나무에 불이 붙는 것을 보는 장면도 이것과 비슷합니다.

출애굽기에 보면 이스라엘 백성이 성막을 짓습니다. 성막을 다 짓고 기름을 붓고 난 다음에 그 성막 안에 하나님의 구름이 가득 찹니다. 하나님의 영광이 가득 차서 모세도 그 하나님의 성전에 들어갈 수가 없었습니다.

이 말씀을 읽을 때마다 슬픈 것은 교회를 들락날락 아무렇게나 하고 있다는 겁니다. 사실 교회는 하나님의 영광과 임재가 가득 차서 들어올 때마다 두려움과 떨림을 가져야 합니다. 방자하게 들어오면 안 됩니다. 함부로 들어오면 안 됩니다. 왜입니까? 구약에 보면 여기는 하나님의 거룩과 임재가 있는 곳이기 때문입니다.

그 하나님의 영광과 임재 속에는 언제나 그분의 음성이 나타납니다. 이 하나님의 음성은 예수님이 요단강에서 세례자 요한한테 세례를 받으실 때 들렸던 음성과 같은 것입니다. 세례자 요한이 예수께 세례를 받아야 합니까? 예수님이 세례자 요한한테 세례를 받아야 합니까? 세례자 요한이 예수께 세례를 받아야 합니다. 그럼에도 예수님은 자원해서 "나에게 세례를 달라"고 말씀했습니다.

충격은 세례자 요한이 받았습니다. "아니, 내가 예수께 세례 받아야 할 텐데 어째서 예수님이 나보고 세례를 달라고 하십니까? 이건 말도 안 되는 얘기입니다." 그때 예수님은 "거절하지 말라. 나에게 세례를 베풂으로 하나님의 의를 이루라"고 하셨습니다.

예수님이 죄가 있어 세례를 받으신 것이 아닙니다. 온 인류의 죄를 위해 그분이 대신 세례를 받으신 것입니다. 예수님은 죄가 있어 십자가에 못 박혀 죽으신 것이 아니라 온 인류의 죄를 대신해 십자가에 못 박혀 죽으신 것입니다. 예수님은 사역 초기에 우리를 대신해 세례를 받으셨고, 사역 마지막에는 우리를 대신해 십자가를 지신 것입니다.

두 가지 음성이 들렸습니다. "예수는 내 사랑하는 아들이다. 내 사랑하는 아들이다." 또한 마태복음에는 "내 기뻐하는 아들이다. 내 사랑하는 아들이다"라고 말씀합니다. 두 번째 말씀은 "그의 말을 들으라. 내 사랑하는 아들이라"고 말씀합니다. 이 말은 무슨 뜻일까요? 얼마나 사랑하고 있다는 말을 하시는 걸까요?

이것은 하나님의 보증수표와 같은 것입니다. 하나님의 확신입니다. 만약 이 말만 우리가 들을 수 있다면 다른 것은 다 필요하지 않습니다. "내가 너를 사랑하노라. 내가 너를 소중하고 귀한 자로 여기노라." 이 말만 우리가 마음에 인치심을 받았다면 뭐가 더 필요하겠습니까! 또한 사람들에게 이렇게 명령합니다. "그분의 말을 들어라." 이처럼 권위 있고 분명한 명령이 어디 있습니까!

이 두 가지는 모든 사역자가 항상 가슴에 품고 살아야 할 음성입니다. 이 음성을 듣지 못한 사람은 사역자가 될 자격이 없습니다. 하나님의 일을 할 수가 없습니다. 많은 고난과 어려움과 억울함을 당할 터인데, 이 두 마디를 듣지 못하면 실족해서 끝까지 갈 수가 없습니다.

[그 순간 그들은 주위를 살펴보았습니다. 그러나 그때는 이미 아무도 보이지 않고 오직 예수만 그들과 함께 계셨습니다.(막 9:8)]

변화된 예수님도 보이시지 않고, 모세도 엘리야도 보이지 않고 맨 처음 사건으로 돌아왔습니다. 이는 무슨 뜻일까요? 일상으로 돌아왔다는 얘기입니다.

메시아가 오기 전에 엘리야가 오다

우리는 변화된 몸으로 사는 게 아니라 일상으로 돌아와 살아야 합니다. 그런데 어느 날 죽으면 변화된 예수님의 모습처럼 변화된 성도들과 같이 그렇게 살 것입니다. 지금은 육의 몸을 입고 시간과 공간에 제한을 받으며 고난 속에서 이렇게 살아야 합니다. 예수님도 제자들도 다시 육으로 돌아왔습니다.

[산을 내려오시면서 예수께서 제자들에게 단단히 일러 두셨습니다. "인자가 죽은 사람 가운데에서 살아날 때까지는 지금 본 것을 아무에게도 말하지 말아라."(막 9:9)]

말했을까요? 안 했을까요? "비밀이야, 비밀이야"라고 하면서 말했을 겁니다. 왜 예수님은 말하지 말라고 하셨을까요? 십자가에 못 박혀 죽으시는 구원만 가지고는 구원이 완성되지 않습니다. 부활해야 예수님과 하나님이 원하시는 구원이 완성됩니다.

그런데 도중에 소문을 내면 사람들은 정치적으로 예수를 메시아로 만들려 하고, 빵을 좀 얻어먹을 수 있으니 경제 대통령으로 만들려 하고, 혁명을 일으키기 위해 이용하려고 할 것입니다. 예수님을 진정한 메시아로 보지 않고 정치적 도구로, 경제적 도구로 이용하려는 세력이 너무 많이 생기기 때문에 그런 불필요한 오해를 사지 않기 위해 이 말을 하지 말라고 말씀한 것입니다.

[제자들은 이 일을 마음에 새겨 두면서도 '죽은 사람 가운데서 살아난다'는 것이 무슨 뜻인지 몰라 서로 물어보았습니다.(막 9:10)]

여기서 제자들은 부활이란 뜻을 알았습니까? 몰랐습니다. 이렇게 말을 했는데도 몰랐습니다. 빵을 쥐어 줘도 모르고 먹여 줘도 몰랐습니다. 진리란 가르쳐 준다고 아는 것이 아닙니다. 그래서 제자들은 자기들끼리 자꾸 토론을 합니다. 토론한다고 해답이 나올까요? 교회에서 너무 많이 토론해선 안 됩니다. 토론하면 싸우게 됩니다. 토론하면 기분만 나빠집니다.

제자들은 아직도 영적으로 무지합니다. 그러니 예수님이 얼마나 힘드셨겠습니까. 이렇게 영적으로 무지한 사람들과 같이 일하자니 말입니다. 뭘 좀 알아들어야 십자가에 못 박혀 죽으실 때 안심하고 죽으시고, 부활도 안심하고 하실 텐데 말입니다. 이런 것을 보면 예수님은 정말로 믿음이 좋으시다는 생각이 듭니다. 이런 사람들한테 일을 맡겨 놓은 채 십자가에서 죽기도 하시고 부활하기도 하셨으니 말입니다.

더 놀라운 것은 제자들한테 "너희는 가서 모든 민족을 제자로 삼아 아버지와 아들과 성령의 이름으로 세례를 주고"라고 하면서 믿고 맡기고 간다고 말씀한 것입니다. 제자들이 하지 않으면 어떻게 합니까? 깨닫지 못하면 어떻게 합니까? 그래서 "내가 너희에게 보이사 성령을 보내 준다"라는 한마디를 남긴 채 예수님은 승천하셨습니다. 천만다행으로 제자들이 깨닫고 다락방에 모여 기도했기에 망정이지 그때까지 제자들은 제대로 몰랐습니다.

제자들의 마음속에 의심이 생겼습니다. '왜 엘리야가 나타났을까? 왜 모세가 나타났을까?'

[제자들이 예수께 물었습니다. "왜 율법학자들은 엘리야가 먼저 와야 한다고 말한 것입니까?"(막 9:11)]

이것은 구약 학자들이 주장한 얘기입니다. 메시아가 오기 전에 엘리야가 온다는 것입니다.

[예수께서 대답하셨습니다. "참으로 엘리야가 먼저 와서 모든 것을 회복시킨다. 그런데 왜 성경에는 인자가 많은 고난을 받고 멸시를 당할 것이라고 기록된 것이냐? 내가 너희에게 말한다. 엘리야는 이미 왔다. 그런데 사람들은 그에 대해 성경에 기록돼 있는 대로 그를 자기들 마음대로 대했다."(막 9:12-13)]

그 엘리야는 세례자 요한이었습니다. 엘리야가 이미 세례자 요한으로 왔던 것입니다. 그런데 사람들은 세례자 요한을 죽였습니다. 단칼에 목을 베어 죽여 버렸습니다. 예수님은 또다시 "메시아는 이 땅에 와서 십자가의 고난을 받는다"라는 얘기를 하셨습니다. 예수 그리스도는 우리의 주님이시요, 참 메시아십니다. 그는 진실로 하나님의 아들이십니다.

그 당시에도 예수님을 알지 못하는 사람이 많았습니다. 그런데 창녀처럼 살았던 수가성의 여인은 학식도 없고 조롱과 천대를 받았지만 메시아를 알아봤습니다. 이 여인은 우물가에서 예수를 만났습니다. 그리고 예수님과 대화하면 할수록 이 사람은 인간이 아니라 메시아라는 생각이 들었습니다.

[여인이 예수께 말했습니다. "저도 그리스도라고 하는 메시아가 오실 것을 압니다. 메시아가 오시면 우리에게 모든 것을 알려 주실 것입니다." 그러자 예수께

서 여인에게 말씀하셨습니다. "지금 네게 말하고 있는 내가 바로 그 메시아다."(요 4:25-26)]

여인은 물 항아리를 내버려 둔 채 마을로 돌아가 사람들한테 "와서 내 과거를 모두 말해준 사람을 보십시오. 이분이 그리스도가 아니겠습니까"라고 말했습니다. 성경에 보면 다음과 같은 말씀이 나옵니다.

[누구든지 예수가 그리스도이심을 믿는 사람은 하나님에게서 난 사람입니다. 낳으신 이를 사랑하는 사람은 누구나 그분에게서 나신 분도 사랑합니다.(요일 5:1)]

우리는 수가성의 여인보다 더 높은 학력에다 더 높은 지위를 가지고 있습니다. 우리의 마음이 가난해져 수가성의 여인처럼 주 예수 그리스도가 메시아임을 발견하고 그분 앞에서 눈물을 흘리며 "나의 주, 나의 하나님"이라고 고백하면 좋겠습니다.

Pray

하나님, 변화산의 예수님을 기□□□니다. 아름답고 놀랍게 변화되신 예수님을 기억하며 우리의 삶이 □□으로 인해 아름답게 변화 받게 하옵소서. 변화된 모습으로 세상을 □□□ 선한 영향력을 끼치며 살게 하옵소서. 예수님 이름으로 기도□□□. 아멘.

막 9:14-29

¹⁴그들이 다른 제자들에게 돌아와 보니 그 제자들이 많은 사람들에게 둘러싸여 율법학자들과 논쟁을 벌이고 있었습니다. ¹⁵사람들은 모두 예수를 보자마자 몹시 놀라며 달려와 맞이했습니다. ¹⁶예수께서 물으셨습니다. "무슨 일로 이렇게 논쟁하고 있느냐?" ¹⁷무리 가운데 한 사람이 대답했습니다. "선생님, 제가 아들을 데려왔습니다. 그 아이는 말 못하게 하는 더러운 귀신이 들려 있습니다. ¹⁸귀신이 한번 아이를 사로잡으면 아이가 땅에 거꾸러집니다. 그러면 아이는 입에 거품을 물고 이를 갈면서 몸이 뻣뻣하게 굳습니다. 그래서 선생님의 제자들에게 귀신을 쫓아내 달라고 부탁했지만 쫓아내지 못했습니다." ¹⁹예수께서 말씀하셨습니다. "이 믿음 없는 세대야! 내가 언제까지 너희와 함께 있어야 하겠느냐? 내가 언제까지 너희에게 참아야 하겠느냐? 아이를 데려오라." ²⁰그러자 그들이 아이를 예수께 데려왔습니다. 더러운 귀신은 예수를 보더니 곧 아이의 몸에 경련을 일으켰습니다. 아이는 땅에 거꾸러지더니 입에 거품을 물고 뒹굴었습니다. ²¹예수께서 아이의 아버지에게 물으셨습니다. "이 아이가 언제부터 이렇게 됐느냐?" 그가 대답했습니다. "아주 어릴 때부터입니다. ²²귀신이 아이를 죽이려고 여러 번 불 속에 내던지고 물속에도 빠뜨렸습니다. 그러나 선생님께서 어떻게든 하실 수 있다면 제발 우리를 불쌍히 여기시고 도와주십시오." ²³예수께서 말씀하셨습니다. "'하실 수 있다면'이 무슨 말이냐? 믿는 사람에게는 모든 일이 가능하다." ²⁴그러자 곧 아이의 아버지가 소리쳤습니다. "내가 믿습니다! 믿음이 부족한 나를 도와주십시오!" ²⁵많은 사람들이 이 광경을 보려고 달려오는 것을 보시고 예수께서 귀신을 꾸짖으셨습니다. "듣지 못하게 하고 말 못하게 하는 귀신아, 내가 네게 명령한다! 이 아이에게서 나와 다시는 들어가지 마라!" ²⁶더러운 귀신은 소리 지르며 아이에게 심한 경련을 일으키더니 나갔습니다. 아이가 죽은 것같이 돼 누워 있자 많은 사람들이 수군거렸습니다. "아이가 죽었나 보다." ²⁷그때 예수께서 아이의 손을 잡아 일으키셨습니다. 그러자 아이가 벌떡 일어섰습니다. ²⁸예수께서 집 안으로 들어가신 후에 제자들이 따로 물어보았습니다. "어째서 저희는 귀신을 쫓아내지 못했습니까?" ²⁹예수께서 대답하셨습니다. "이런 귀신은 오직 기도로만 쫓아낼 수 있다."

귀신 들린 아이를
고치신 예수님

하나님은 우리가 능력 없는 것에 대해 탄식하시지 않습니다.
우리의 믿음 없음을 탄식하십니다. 주님은 우리가 많은 일을 성취하지 못한 것에 대해
탄식하시지 않습니다. 우리가 믿음 없이 일하려고 하는 것을 탄식하십니다.

믿음으로 살아가는 성도들이 최상의 영적 체험, 놀라운 영적 체험을 한 직후에 깊은 영적 실패를 경험하는 때가 종종 있습니다. 교회 부흥회에서 큰 은혜를 받고 집으로 돌아가자마자 부부싸움을 하게 되면 얼마나 큰 좌절감을 느끼겠습니까. 아침 큐티 시간에 하나님의 임재를 깊이 경험하고 출근했는데 출근하자마자 직장에서 동료들과 얼굴 붉히는 일이 일어나거나, 갈등에 휩싸이게 될 때 어떻게 해야 합니까?

예수님을 따르는 핵심 제자들이 변화산에서 놀라운 영광의 변화를 한 예수님의 모습을 보고 그 영광스럽고 거룩한 체험을 하는 동안 산 아래에 있던 제자들은 믿음의 실패를 경험했습니다.

예수님은 세상과 구별된 영광스러운 체험에 머물러 계시지 않았습니다. 더러운 귀신이 활동하는 이 세상 속으로 내려오셨습니다. 제자들은 신비롭고 영광스러운 모세와 엘리야가 나타난 모습을 보고 그곳에 머물러 있기를 원했지만, 예수님은 이 세상에서 비참한 현실 속에 있는 영혼들을 구원하고자 다시 내려오셨습니다.

예수님과 제자들이 직면한 세상은 어떤 세상입니까? 사탄이 어린아이를 공격

해 귀신이 아이를 사로잡고 괴롭히는 그런 세상이었습니다. 이 귀신은 아이의 입과 귀를 막아 버렸습니다. 때론 아이의 몸에 경련을 일으키고 이를 갈게 하며 때로는 몸을 뻣뻣하게 만들고 때로는 입에 거품을 물고 쓰러져 뒹굴게 하는 귀신이었습니다. 아이를 죽이려고 여러 번 불 속에 던지고 물속에도 빠뜨렸습니다. 간질병 같은 증상이 있었지만 "이것은 병이 아니라 귀신에게 사로잡힌 증상이다"라고 말씀했습니다.

귀신은 이 아이가 아주 어릴 때부터 사로잡았습니다.

[예수께서 아이의 아버지에게 물으셨습니다. "이 아이가 언제부터 이렇게 됐느냐?" 그가 대답했습니다. "아주 어릴 때부터입니다."(막 9:21)]

예수님이 언제부터 이런 증상이 나타났느냐고 묻자 아이 아버지는 아주 어릴 때부터였다고 대답합니다. '아주 어릴 때부터'란 단어는 우리에게 경각심을 가져다줍니다. 이 단어는 헬라어로 '파이디온'인데, 이는 어느 정도 성장한 아이가 아니라 갓 태어난 영아의 시기를 말합니다.

귀신 들린 아이를 만나시다

주목할 것은 세상 속에 살고 있는 사탄은 아주 어린아이도 공격한다는 사실입니다. 사탄은 하얀 캔버스처럼 아무것도 그려져 있지 않은 아이들도 공격합니다. 왜 사탄은 태어난 지 얼마 안 된 영아까지도 공격할까요? 왜 아주 어릴 때부터 공격할까요? 그것은 그때도 하나님을 아는 영혼이 될 수 있기 때문입니다. 그때도 성령님의 역사를 체험할 수 있는 시기이기 때문입니다. 성령님이 역사하실 수 없고 하나님을 알 수 없는 때라면 사탄은 신경 쓰지 않을 것입니다.

이 시대에도 사탄은 우리 자녀들이 아주 어릴 때부터 사로잡으려고 합니다. 그러므로 우리는 사탄보다 더욱 부지런히 힘써 어린 자녀들을 하나님께로 이끌어야 하는 책임이 있습니다. 우리에게는 확신이 있어야 합니다. 어릴 때도 성령으로 변화될 수 있습니다. 어릴 때도 영아 때도 성령의 충만함을 입을 수 있습니다.

그 증거가 무엇입니까? 세례자 요한은 모태로부터 성령의 충만함을 입었다고 하지 않습니까! 어머니 태중에 있을 때부터 자녀들은 성령의 충만함을 입는 것이 가능합니다. 모태로부터, 영아기로부터 스스로의 판단과 의지가 전혀 없어도 그들의 영혼은 하나님과 교제할 수 있다는 것입니다. 그러므로 사탄은 아주 어릴 때부터, 영아 때부터 공격하기 시작합니다.

최근 영국의 여러 도시에서 청소년들이 주도한 대규모 폭동과 폭력이 발생했습니다. 영국의 온 국민이 공포에 휩싸였습니다. 어느 나라보다도 질서를 잘 지키고 조용하고 침착한 것으로 알려진 영국 국민은 청소년들의 주도 하에 일어난 무차별적인 약탈과 폭력으로 엄청난 충격을 받았습니다. 정치적인 이슈 때문이라고 말했지만, 사실 정치적 시위라고 보기에는 너무나 불법적이고 무차별적인 폭력이 자행됐습니다.

여러 가지 원인 분석을 하겠지만 영적으로 보면 청소년들이 아주 어릴 때부터 하나님 없는 폭력적인 문화에 노출되었던 탓입니다. 본능적으로 자신의 마음에 들지 않으면 부수고 때리고 약탈하는 세상적인 문화에 어릴 때부터 영향을 받았기 때문입니다. 이 시대에 역사하고 있는 사탄은 우리의 어린 자녀들을 공격하고 있음을 기억해야 합니다. 그래서 하나님은 유아세례를 베풀게 하시고 언약의 자녀들로 자라도록 우리에게 명령하고 계신 것입니다.

제자들은 이 귀신 들린 아이의 아버지한테서 부탁을 받았습니다. 귀신을 내쫓아 달라고 부탁받은 것입니다. 그런데 제자들은 귀신을 내쫓을 수가 없었습니다. 예수님과 세 명의 제자들이 산에서 내려오자마자 사람들은 놀라 달려 나와서 예수님을 맞이했습니다.

그 무리 가운데 한 사람이 예수께 "제 아들이 말 못하게 하는 더러운 귀신이 들렸는데 선생님의 제자들에게 부탁했지만 내쫓지 못했습니다"라고 말했습니다. 이 말을 들으신 예수님은 귀신을 바로 내쫓지 않고 먼저 제자들을 책망하십니다.

[예수께서 말씀하셨습니다. "이 믿음 없는 세대야! 내가 언제까지 너희와 함께 있어야 하겠느냐? 내가 언제까지 너희에게 참아야 하겠느냐? 아이를 데려오라."(막 9:19)]

남아 있던 제자들은 왜 귀신을 내쫓지 못했습니까? 예수님은 믿음이 없기 때문이라고 지적하셨습니다. 예수님은 아픈 소년에게 혹은 아이 아버지에게 믿음이 없기 때문이라고 책망하시지 않았습니다. 그 일차적인 책임으로 제자들을 추궁하셨습니다. 제자들이 믿음이 없었기 때문입니다.

하나님은 우리가 능력 없는 것에 대해 탄식하시지 않습니다. 우리의 믿음 없음을 탄식하십니다. 주님은 우리가 많은 일을 성취하지 못한 것에 대해 탄식하시지 않습니다. 우리가 믿음 없이 일하려고 하는 것을 탄식하십니다. 예수님은 우리의 능력 없음에 대해 탄식하시는 게 아니라 우리에게 놀라운 능력과 권세를 주셨음에도 믿음으로 그 권세를 사용하지 못하는 것을 탄식하신 것입니다.

예수님이 제자들을 책망하시는 이유는 무엇입니까? 제자들에게 이미 이 더러운 귀신을 쫓아낼 수 있는, 제어할 수 있는 권세를 주셨기 때문입니다.

[예수께서는 열두 제자를 불러 둘씩 짝지어 보내시며 더러운 귀신을 제어할 권세를 주셨습니다.(막 6:7)]

예수님은 이미 권세를 주셨습니다. 놀라운 것은 그 권세로 제자들이 귀신을 내쫓은 경험도 있다는 것입니다.

[그들은 많은 귀신들을 쫓아내고 수많은 환자들에게 기름 부어 병을 고쳐 주었습니다.(막 6:13)]

많은 귀신을 내쫓은 경험이 이미 있습니다. 예수님이 권세를 주셨고, 그 권세를 사용해 귀신을 내쫓은 경험까지 있습니다. 그때는 믿음으로 내쫓았던 것입니다. 이렇게 내쫓았던 경험을 가진 제자들이 왜 이번에는 내쫓지 못했을까요? 이번에는 믿음으로 내쫓지 않았기 때문입니다.

제자들한테 믿음이 없었다는 증거가 어디에 있습니까? 성경을 찾아보면 첫 번째로 이들이 율법학자들과 논쟁을 벌였다는 말씀이 나옵니다.

[그들이 다른 제자들에게 돌아와 보니 그 제자들이 많은 사람들에게 둘러싸여 율법학자들과 논쟁을 벌이고 있었습니다.(막 9:14)]

제자들은 논쟁을 벌이고 있었습니다. 제자들은 아이 아버지의 부탁을 받고도 귀신을 내쫓지 못했는데, 이 논쟁이 먼저 일어난 것인지 나중에 일어난 것인지는 정확하지 않습니다. 제자들이 율법학자들과 논쟁하고 있었기 때문에 귀신을 내쫓지 못한 것일 수도 있고, 제자들이 내쫓지 못한 결과를 가지고 율법학자들의 공격을 받으며 논쟁했을 수도 있습니다. 어찌 됐든 제자들의 심적 상태는 성령님과 조화를 이루지 못한 상태였던 것으로 보입니다. 주님을 믿는 믿음의 상태에 이르지 못했던 것입니다.

만약 그들이 귀신을 내쫓지 못했다면 주님께 매달리며, 주님이 주신 권세가 나타나게 해 달라고 더 열심히 기도해야 했습니다. 그런데 그들은 논쟁을 벌였고, 논쟁하느라 시간을 뺏겨 믿음의 기도를 드리지 못했다면 더 큰 잘못을 저지른 것입니다.

도대체 율법학자들은 제자들과 어떤 논쟁을 벌이고 있었을까요? 아마도 이런 논쟁이 아니었을까요? 도대체 이 아이는 왜 귀신이 들렸을까? 이 아이가 귀신 들린 것은 누구의 죄 때문인가? 부모의 죄 때문인가, 본인의 죄 때문인가? 율법에 따르면 귀신 들린 자는 부정한 자인가, 정한 자인가? 우리가 이 아이를 만져도 되는가, 만지지 말아야 하는가? 이런 논쟁들을 했을 것입니다.

이런 논쟁에는 핵심이 빠져 있습니다. 이 논쟁에는 긍휼의 마음이 없었습니다. 이 아이가 얼마나 고통스러울까? 아이의 아버지를 비롯해 가족들이 얼마나 고통스러울까? 어떻게 하면 이 아이가 귀신의 권세로부터 벗어날 수 있을까? 이 논쟁에는 이런 긍휼의 마음이 없었습니다. 공동체에서 논쟁이 많아진다는 것은 성령님의 인도하심에 상관없이 살아가고 있다는 분명한 증거입니다.

논쟁으로는 결코 영적 변화를 이룰 수 없습니다. 논쟁은 이성적인 판단력을 날카롭게 하고 새로운 아이디어를 만들어 낼 수 있지만, 귀신 들린 아이한테서 귀신을 내쫓을 수는 없습니다. 논쟁으로는 결코 믿음이 생겨나지 않으며, 영적 능력을 증가시키지도 못합니다. 우리 삶이 논쟁하는 삶이 아니라 믿음의 삶으로 나가야 합니다.

제자들은 이전에 귀신을 내쫓은 경험이 분명히 있음에도 왜 이번에는 내쫓지 못했을까요? 이들은 여러 번 귀신을 내쫓은 경험에 근거해 귀신을 내쫓는 일을 마치 어떤 기술이나 주문, 마술이라고 착각했을 수도 있습니다. 제자들이 귀신을 내쫓았던 자신들의 경험에 의지했다면 이때 믿음으로 행하지 않아서 귀신을 내쫓지 못했을 겁니다. 비록 이들이 과거에 그런 귀신을 내쫓았던 경험이 있었을지라도 바로 그 순간에는 귀신을 내쫓지 못했을 겁니다.

과거 경험이 우리의 믿음에 적이 될 수 있다는 것을 기억해야 합니다. 하나님 없이 살아왔던 경험은 당연히 믿음의 적이 됩니다. 지금까지 수십 년간 하나님 없이 살아왔던 그 경험에 사로잡혀 있으면 새롭게 하나님을 믿음으로써 믿고 의지하고 살아가는 것이 참 힘들게 느껴집니다.

때때로 선한 하나님의 경험, 믿음의 경험, 기적의 경험조차 우리 믿음의 적이 될 수 있다는 것을 기억해야 합니다. 제자들이 귀신을 내쫓았던 경험 그 자체가 제자들한테는 믿음의 적이 되었습니다. 이전에 귀신이 나갔으니 이번에도 나가는 것이 당연하다고 생각하는 순간 믿음으로 행하지 않고 경험으로 행한 것입니다.

따라서 믿음은 언제나 새로운 믿음이어야 합니다. 언제나 오늘의 믿음이어야 합니다. 언제나 처음의 믿음이어야 합니다. 새로운 문제를 만날 때마다 우리는 과거의 경험 혹은 어떤 신앙적 체험에 의지하는 것이 아니라 오늘 새롭게 역사하실 하나님을 기대하고 이 순간 이 문제 앞에 믿음으로 나아가야 합니다. 그래서 믿음은 언제나 현재형입니다.

어제의 믿음은 오늘의 믿음이 아닙니다. 오늘의 문제를 해결하려면 오늘의 믿음이 있어야 합니다. 대부분의 사람들은 믿음생활을 하면 할수록 문제가 더 쉬워질 거라고 생각합니다. 하지만 전혀 그렇지 않습니다. 믿음생활을 하면 할수록 하나님이 더 큰 문제를 주십니다. 과거의 문제를 해결했다고 해서 앞으로의 문제도 쉽게 해결될 거라고 생각하면 큰 오산입니다.

하나님은 우리 믿음이 점점 강해지기를 원하시지 우리 삶이 점점 쉬워지기를 원하시지 않습니다. 믿음의 삶은 언제나 새로운 도전, 새로운 문제가 우리 앞에 주어지는 것입니다. 그러므로 날마다 새로운 믿음을 가져야 합니다. 매일매일 새로운 믿음, 오늘의 믿음, 그 문제 앞에서 하나님을 의지하는 그런 믿음으로 승리해야 합니다.

제자들에게 결핍되었던, 제자들이 잃어버렸던 믿음은 어떤 믿음이었습니까? 하나님의 역사를 체험하려면 두 가지의 믿음이 있어야 합니다. 첫 번째는 하나님이 우리에게 주신 권세, 하나님이 우리에게 주신 특권이 무엇인지를 분명히 알고 믿어야 합니다. 이것은 사실에 대한 믿음입니다. 믿음이 효과를 내느냐 내지 못하느냐를 결정하는 것은 믿음의 강도가 아닙니다. 우리가 믿는 대상입니다. 그리고 우리가 믿는 대상이 어떤 약속을 주셨느냐는 것입니다.

만일 지금 앉아 있는 의자가 곧 부서질 듯한 낡은 의자고, 그 의자를 보고 누가 의자가 부실하다고 하는데도 아니라고 하면서 "나는 이 의자가 튼튼하다고 믿어"라고 말한다고 가정해 봅시다.

분명히 부실하다고 얘기해줬음에도 "나는 이 의자가 튼튼하다고 믿어"라는 굳센 믿음을 가지고 철썩 주저앉으면 어떻게 되겠습니까? 굳센 믿음을 가지고 바로 병원에 가야 합니다. 우리 믿음의 강도는 우리를 지켜 주지 못합니다. 우리 믿음의 강도보다 더 중요한 것은 우리가 믿는 대상입니다.

겨울에 두꺼운 얼음판 위를 걸어간다고 생각해 봅시다. 그곳 안내판에는 '이곳은 차가 여러 대 지나가도 튼튼한 몇 미터의 두께로 얼려져 있는 얼음판이기 때문에 안심하고 뛰어가셔도 좋습니다'라고 적혀 있습니다. 하지만 안내판에 이렇게 적혀 있는데도 평소 의심이 많고 믿음이 없는 사람은 벌벌 떨면서 그곳을 걸어가지 못합니다. 다른 사람들은 다 걸어가는데 그 사람만 걸어가지 못합니다. 그래서 안전띠를 몸에다 두르고 튜브를 몸에다 걸치고 기어서 그곳을 지나갑니다. 그러고 나서 "내가 조심성이 많아서 이렇게 걸어간 거야"라고 말한다면 얼마나 우습겠습니까?

믿는 사람에게는 모든 일이 가능하다

믿음에 있어 중요한 것, 우리 믿음의 강도보다 더 중요한 것은 믿음의 대상입니다. 왜 그렇습니까? 믿음이란 우리가 무엇인가를 할 수 있다는 것이 아니라 하나님이 우리를 통해 하시기 원하는 것을 할 수 있다는 믿음이기 때문입니다.

믿음에는 두 가지가 있습니다. 희망의 믿음과 약속의 믿음입니다. 희망의 믿음은 우리가 바라는 것이 간절히 이루어지기를 바라는 믿음입니다. 엄밀한 의미에서 이건 믿음이 아니라 희망입니다. 많은 사람들이 희망을 믿음이라고 생각합니다. 하지만 성경에 나타난 믿음은 약속의 믿음입니다. 하나님이 우리에게 주신 약속, 분명한 사실은 그것을 이루실 수 있는 하나님이 우리에게 이루시겠다고 말씀한 것을 믿는 게 약속의 믿음입니다.

베드로가 어떻게 물위를 걸을 수 있었습니까? '나는 물위를 걸을 수 있어. 나는 물위를 걷고 말 거야'라는 자기 확신으로 걸었습니까? 아닙니다. 예수님이 배 밖에서 "나에게로 오라"고 한 말씀이 있었기 때문에, 그분을 믿고 걸었기 때문에 물위를 걸을 수 있었던 것입니다.

만약 제자들에게 귀신을 내쫓을 수 있는 권세가 주어지지 않았다면 아무리 믿음을 강하게 가지고 귀신을 내쫓으려고 해도 아무 소용없었을 것입니다. 권세가 우리에게 주어졌다는 사실을 믿어야 하는 것입니다.

[믿음이 없이는 하나님을 기쁘게 할 수 없습니다. 그러므로 하나님께 나아가는 사람은 하나님이 계신 것과 하나님은 그분을 간절히 찾는 사람들에게 상 주시는 분임을 믿어야 합니다.(히 11:6)]

예수님이 제자들에게 귀신을 내쫓는 권세를 주신 것처럼 우리한테도 동일한 영적 권세가 있음을 믿어야 합니다. 이 사실을 믿는 믿음이 없으면 우리에게 그런 능력이 나타나지 않을 것입니다.

그런데 제자들이 갖지 못했던 믿음은 어떤 믿음입니까? 하나님이 우리를 통해서 일하시도록 자신을 기꺼이 내어 드리는 믿음입니다. 이것이 두 번째의 믿음입니다. 하나님이 우리에게 권세를 주셨다는 믿음만 가지고서는 안 됩니다. 하나님이 지금 이 순간 우리를 통해 일하시도록 기꺼이 내어 드리는 믿음이 있어야 합니다.

이는 우리에게 주신 권세를 믿고, 그 믿음을 적극적으로 사용하는 믿음입니다. 하나님의 약속과 권세를 의지하고 오늘 이 순간만을 통해 일하실 하나님을 의지하는 것입니다. 우리에게 주신 권세를 통해 일하실 하나님을 바라보는 것입니다.

믿음의 삶은 우리가 하나님을 소유한 것이 아니라 하나님이 우리를 소유하셔서 우리를 통해 일하시는 것을 믿는 것입니다. 믿음이란 우리가 강해지는 것이 아닙니다. 주님이 우리 안에 살아 계셔서 우리를 통해 일하시기 때문에, 우리의 능력이 되시기 때문에 우리를 통해 일하실 것을 믿는 게 올바른 믿음입니다. 우리가 주님을 위해 일하는 것이 아니라 주님이 우리를 통해 일하신다는 것을 믿는 것입니다.

이것이 참된 믿음입니다. 우리 모두가 믿음으로써 우리 자신을 주 앞에 내어 드려야 합니다. 내어 드리는 믿음이 없으면 권세가 있다는 걸 아무리 믿어도 믿음의 역사가 나타나지 않습니다.

예수님은 제자들을 책망하실 때 단지 '믿음 없는 사람들'이나 '믿음 없는 제자들'이라고 하지 않고 "믿음 없는 세대야"라고 말씀했습니다. 구약 시대에 하나님이 모세를 통해 이스라엘 백성을 책망하실 때도 '세대'라는 단어를 써서 "이 광야의 세대다"라고 말씀했습니다.

세대는 단지 일부분의 사람만을 의미하지 않으며, 앞으로 오는 모든 사람이 이처럼 믿음 없이 살아갈 거라고 말씀한 것입니다. 오늘 이 시대에는 믿음으로 살아가는 사람보다 믿음 없이 살아가는 사람이 훨씬 더 많습니다.

제자들만 믿음이 없었던 것이 아니라 그 아이의 아버지에게도 믿음이 없었고 주변에 있던 모든 사람에게도 믿음이 없었습니다. 믿음 없이는 결코 능력 있는 삶을 살 수가 없습니다. 귀신 앞에 두려워 떨게 됩니다. 세상의 염려에 사로잡히게 됩니다. 논쟁에 빠져 살게 됩니다.

그러나 믿음으로 살아가는 사람은 담대합니다. 다른 사람의 눈치를 보지 않습니다. 영적 생계에 민감합니다. 하나님이 주신 권세를 누리며 살아갑니다. 우리도 믿음으로 사는 축복과 은혜를 누리며 살아야 하겠습니다.

그 아이의 아버지는 예수님께 아이를 고쳐 달라고 간청했습니다. 그것은 분명 믿음이었습니다. 하지만 이러한 믿음과 동시에 아이 아버지의 마음속에는 의심이 자리하고 있었습니다.

["귀신이 아이를 죽이려고 여러 번 불 속에 내던지고 물속에도 빠뜨렸습니다. 그러나 선생님께서 어떻게든 하실 수 있다면 제발 우리를 불쌍히 여기시고 도와주십시오." 예수께서 말씀하셨습니다. "'하실 수 있다면'이 무슨 말이냐? 믿는 사람에게는 모든 일이 가능하다." 그러자 곧 아이의 아버지가 소리쳤습니다. "내가 믿습니다! 믿음이 부족한 나를 도와주십시오!"(막 9:22-24)]

아이의 아버지가 예수께 간청한 것은 분명 믿음입니다. 하지만 그 믿음 속에 의심이라는 불신앙의 찌꺼기가 포함되어 있었습니다. 예수님은 이 점을 지적하셨습니다. '하실 수 있다면'이 무슨 말이냐고 꾸짖은 것입니다. 예수께 해당되지 않는 단어가 있다면 바로 '하실 수 있다면'이라는 단어입니다. 아이 아버지의 모습은 바로 우리의 모습이기도 합니다.

기도할 때 가장 먼저 따지는 것은 무엇입니까? 이것이 하나님의 뜻이냐 아니냐를 먼저 따지기보다 과연 이것이 이루어질 수 있느냐 없느냐를 먼저 따집니다. 이는 마치 "하나님이 하실 수 있다면 해 주십시오"라고 말하는 것과 똑같습니다.

우리는 하나님 앞에 그분의 뜻입니까, 아닙니까 하는 것만 여쭤 봐야 합니다. 하나님께 할 수 있는 것인가 아닌가를 여쭤 봐서는 안 됩니다. 만약 하나님의 뜻이라면 이것이 인간들이 보기에 불가능한 일일지라도 그분은 하실 수 있습니다. 이것이 참된 믿음입니다.

아이 아버지의 믿음은 비록 의심이 포함된 연약한 것이었지만 한편으로는 칭찬할 만한 긍정적인 측면이 있었습니다. 아이 아버지에게는 정직함과 겸손의 고백이 있었습니다. 아이 아버지는 이렇게 고백했습니다. "내가 믿습니다! 믿음이 부족한 나를 도와주십시오!" 아이 아버지는 예수님의 지적대로 자기 안에 주께서 인정하실 만한 온전한 믿음이 없다는 것을 겸손하게 인정했습니다. 그리고 자신에게 온전한 믿음이 없음을 도와 달라고 간청했습니다. "내가 믿습니다. 믿음이 부족한 나를 도와주십시오."

이는 역설적인 고백입니다. 믿는다고 해 놓고는 믿음이 부족하니 도와 달라는 것입니다. 하지만 정직한 고백입니다. 분명히 믿고 싶지만 여전히 의심에 시달리고, 의심에 사로잡혀 있는 자신을 도와 달라는 정직한 고백인 것입니다.

의심을 해결해 가며 자라는 믿음

믿음으로 살아갈 때 우리 믿음은 언제나 100퍼센트입니까? 사실 주님 앞에 믿음을 가지고 나아갈 때 정직하게 성령 안에서 우리의 믿음을 살펴보면 언제나 의심의 찌꺼기가 들어 있지 않습니까? 믿음으로 살아가는 사람들이 빈번하게 발견하는 것은 자기 속에 의심이 있다는 사실입니다.

저는 한 번도 의심해 본 적이 없습니다. 하나님에 대해, 성경 말씀에 대해, 영적 세계에 대해 한 번도 의심한 적이 없다고 자신할 수 있는 사람이 몇이나 될까요? 믿을 때 의심이 전부 나쁜 것만은 아닙니다. 우리 믿음에는 언제나 약간의 의심이 포함되어 있습니다. 하지만 그 의심을 어떻게 다루느냐에 따라 더 굳센 믿음이 되기도 하고, 믿음에서 떨어지기도 합니다.

하나님은 우리의 연약함을 알고 계십니다. 그러면 어떤 자세로 나아가야 합니까? 아이 아버지의 자세로 나아가야 합니다. 우선 우리 안에 의심이 있다는 걸 인정해야 합니다. 하나님은 이미 다 알고 계시기 때문에 부인할 필요가 없습니다. "하나님, 네네, 저는 믿습니다. 그런데 이 부분에서는 의심이 갑니다."

그다음에는 어떻게 해야 합니까? 그 의심을 가지고 주님 앞에 나아가야 합니다. "주님, 이 의심이 해결되기를 원합니다. 이 의심을 통해 주님을 더욱더 굳건히 믿게 되기를 원합니다." 신앙생활을 하면서 아무 질문이 없는 사람은 사실 믿지 않는 것입니다.

중세 신학자 안셀름이 이런 말을 했습니다. "믿음은 이해를 추구한다(Faith seeking understanding)." 믿음은 항상 이해를 추구하게 되어 있습니다. 이해되지 않는 부분이 있어 "하나님 왜 이런 일이 일어납니까?"라는 의문을 가지고 하나님 앞에 고민하고 갈등하게 되어 있습니다. 이것은 우리를 더 깊은 믿음으로 나아가게 합니다.

믿음은 단숨에 완성되지 않습니다. 믿음은 때로 의심을 해결해 가면서 자랍니다. 믿음과 의심의 갈등 속에서 자랍니다. 따라서 모든 의심이 곧 불신앙은 아닙니다. 의심의 찌꺼기가 남아 있을 때 그 의심을 가지고 주님께 나아가서 아이 아버지처럼 "믿음이 부족한 나를 도와주십시오"라고 기도하는 사람한테는 분명 그 의심이 변하여 더 굳센 믿음이 될 줄로 믿습니다.

하나님은 모든 상황을 통해, 때로는 지나가는 한 사람의 말을 통해 그 의심이 확신으로 변하게 만드실 수 있습니다. 따라서 우리 믿음 속에 의심이 포함되어 있을지라도 두려워하지 말고, 부족한 믿음일지라도 연약한 믿음일지라도 그것을 사용해야 합니다.

어떤 사람은 완벽하게 성경을 알아야 교회 출석을 할 수 있다고 생각합니다. 이런 사람들은 "교회에 나가려면 적어도 성경을 열 번은 읽어야 되지 않을까요?"라고 묻습니다. 이는 완벽주의적인 성향입니다. 모든 교리적 지식을 다 이해해야 갈수 있지 않겠느냐고 생각하는 것입니다.

그동안 만난 사람들 가운데 놀라운 사람이 있습니다. 등록 과정을 다 마치고 다가와 인사하면서 "목사님 이제 예배에 출석해도 되는 거죠?"라고 묻는 것이었습니다. 그는 새가족 등록 과정을 다 마치고 교회 등록이 되어야 그때부터 예배에 참여할 수 있다고 생각한 것입니다.

그러나 이런 완벽주의적인 믿음으로 어떻게 우리가 하나님 앞에 나아갈 수 있겠습니까? 있는 모습 그대로 우리 마음속에 의심이 있다고 할지라도, 의심이 내포된 믿음이라고 할지라도 하나님 앞에 나아가서 "주님, 이런 의심이 있는데 도와주십시오"라고 고백해야 합니다. 그렇게 나아갈 때 우리는 믿음의 축복을 경험하게 됩니다. 반대로 우리 믿음이 얼마나 약하고 부족한지 모르고 의심을 감추고 숨기고 마치 믿는 것처럼 그렇게 포장할 때 우리는 이 제자들처럼 믿음의 실패를 겪게 됩니다.

예수님은 제자들에게 책망과 교훈을 주시는 것에 그치시지 않고 그 아이한테서 귀신을 내쫓아 주십니다. 빛으로 오신 예수님은 이처럼 이 땅의 어둠을 몰아내십니다.

[그러자 그들이 아이를 예수께 데려왔습니다. 더러운 귀신은 예수를 보더니 곧 아이의 몸에 경련을 일으켰습니다. 아이는 땅에 거꾸러지더니 입에 거품을 물고 뒹굴었습니다.(막 9:20)]

귀신은 예수님을 보기만 해도 두려워합니다. 귀신도 예수님의 존재를 알고 있습니다. 어떻게 알았을까요? 귀신같이 알았습니다. 귀신은 예수님을 보고 마치 그 아이의 몸을 인간 방패로 삼듯이 경련을 일으키고 무서운 행동으로 내버려 두도록 만들었습니다.

중학교 땐가 이런 일이 있었습니다. 시골 교회에서 여학생인데 남자 귀신이 들렸습니다. 그전부터 알고 지내던 누나인데 말을 하면 남자 목소리가 나오는 겁니다. 그래서 전도사님과 함께 그 집으로 귀신을 쫓으러 갔던 기억이 납니다. 사실 그때 굉장히 두려웠습니다. 그런 세계를 처음 경험했습니다.

말을 하는데 남자 목소리로 게걸스럽게 얘기하는 겁니다. 귀신을 쫓으려고 기도하는데 발광하기 시작하더니 경련을 일으켰습니다. 그래서 그 누나가 어떻게 되는 거 아니냐고, 그냥 내버려 뒀으면 좋겠다고 전도사님을 말렸습니다. 귀신이 두려움을 준 것입니다.

귀신은 이 아이의 몸에 마구 변화를 일으켜 '내버려 두는 게 낫다', '이 아이가 오히려 잘못될 수 있다'라고 하면서 속임수를 쓰는 겁니다. 하지만 예수님은 귀신에게 명령하여 꾸짖어 내쫓으셨습니다.

[많은 사람들이 이 광경을 보려고 달려오는 것을 보시고 예수께서 귀신을 꾸짖으셨습니다. "듣지 못하게 하고 말 못하게 하는 귀신아, 내가 네게 명령한다! 이 아이에게서 나와 다시는 들어가지 마라!"(막 9:25)]

내쫓으셨습니다. 명령하여 쫓으셨습니다. 우리도 그리스도 안에서 동일한 권세를 가졌음을 믿어야 합니다. "귀신에 사로잡힌 영혼을 본 귀신아, 내가 네게 명령한다. 그리스도의 이름으로 명령한다"라고 해야 합니다. 이때 그리스도의 이름으로 해야지 "내가 네게 명령한다"라고 하면 귀신은 "네가 누군데?"라며 대들지도 모릅니다.

귀신에게 "그리스도 안에 있는 우리가 너에게 명령한다. 나가라. 떠나라"고 정중하게 요청해선 절대 안 됩니다. 이렇게 말해서 나가겠습니까? 귀신은 명령하고 내쫓아야 되는 존재이지 타협할 존재가 아닙니다. 우리에게 이러한 영적 체험이 있게 되기를 축원합니다.

이를 지켜본 제자들은 "예수님, 어째서 저희는 귀신을 쫓아내지 못했습니까?"라고 질문했습니다. 그러자 예수님은 이렇게 말씀했습니다.

[예수께서 집 안으로 들어가신 후에 제자들이 따로 물어보았습니다. "어째서 저희는 귀신을 쫓아내지 못했습니까?" 예수께서 대답하셨습니다. "이런 귀신은 오직 기도로만 쫓아낼 수 있다."(막 9:28-29)]

제자들은 왜 기도를 하지 않았을까요? 이들은 귀신 쫓아내는 것을 기술로 생각했던 것입니다. 자신의 경험에만 의지한 채 '예전에 내쫓은 적이 있어. 우리도 할 수 있어'라고 생각했을 때 그것은 기도가 아니라 기술이 됐던 것입니다.

신앙은 기술이 아니라 기도가 되어야 합니다. 우리의 과거 경험에 의지하고, 교회 오래 다녔던 것에 의지하고, 성경 지식을 많이 아는 것에 의지할 때 그것은 기술이 되어 버립니다. 기도가 무엇입니까? 살아 있는 믿음이 기도입니다. 살아 있는 간구가 기도입니다.

오래오래 신앙생활을 할수록 왜 믿음이 약해지고, 왜 믿음이 시험에 들고, 왜 인생의 시련 앞에서 좌절합니까? 신앙을 기술로 알기 때문입니다. 경험에 의지해 살아가기 때문입니다.

우리에게는 새로운 기도가 필요합니다. 새로운 믿음의 기도가 있지 않는 한 우리는 실패할 수밖에 없습니다.

Pray

하나님, 오늘 저에게 새로운 믿음을 주시옵소서. 제 안에 의심이 있습니다. 믿음이 부족한 저를 도와주십시오. 겸손하고 정직하게 오늘 제가 직면한 이 문제 앞에서 믿음으로 승리하게 되기를 원합니다. 믿음의 기적을 체험하기를 원합니다. 예수님 이름으로 기도합니다. 아멘.

막 9:30-37

[30]그들은 그곳을 떠나 갈릴리를 지나가게 됐습니다. 그러나 예수께서는 자기 일행이 어디로 가는지 사람들이 모르기를 바라셨습니다. [31]제자들을 가르치고 계셨기 때문입니다. 예수께서 그들에게 말씀하셨습니다. "인자는 배반을 당하고 사람들의 손에 넘겨져 죽임당할 것이다. 그러나 3일 만에 그는 다시 살아날 것이다." [32]그러나 제자들은 그 말씀이 무슨 뜻인지 깨닫지 못했고 두려워서 예수께 묻지도 못했습니다. [33]그들이 가버나움으로 갔습니다. 집 안에 계실 때에 예수께서 제자들에게 물으셨습니다. "오는 길에 너희끼리 왜 논쟁했느냐?" [34]그러자 제자들은 말이 없었습니다. 그들은 길에서 누가 가장 큰 사람이냐 하는 문제로 다투었기 때문입니다. [35]예수께서 자리에 앉으시면서 열두 제자를 불러 놓고 말씀하셨습니다. "누구든지 첫째가 되려면 모든 사람의 꼴찌가 돼야 하고 모든 사람을 섬기는 종이 돼야 한다." [36]예수께서 한 어린아이를 데려와 그들 가운데에 세우셨습니다. 그리고 아이를 팔로 껴안고 제자들에게 말씀하셨습니다. [37]"누구든지 내 이름으로 이런 어린아이 하나를 영접하는 사람은 나를 영접하는 것이고 누구든지 나를 영접하는 사람은 나를 영접하는 것이 아니라 나 보내신 분을 영접하는 것이다."

낮은 곳을 향할 때
높은 곳이 보인다

이 세상의 지배적인 모습은 상향성입니다.
모두가 성공이라는 목적을 향해 사다리를 타고 끊임없이 올라가려고 합니다.
그래서 인생이란 성공이 아니면 실패입니다. 처절한 투쟁이라고 생각하는 것이
바로 이 세상의 인생관입니다. 하지만 예수님은 정반대의 삶을 사셨습니다.
예수님은 하향성의 삶을 사셨습니다. 내려가는 삶을 사셨습니다. 낮아지는 삶을 사셨습니다.

가톨릭 사제이자 작가인 헨리 나우웬은 신실한 하나님의 사람입니다. 그는 삶의
방식을 두 가지로 구분해 설명했습니다. 하나는 위로 계속해서 올라가려는 상향성
의 삶, 영어로는 upward mobility(상승 이동)라고 말할 수 있습니다. 다른 하나는 내
려가는 하향성의 삶, downward mobility라고 설명할 수 있겠습니다.

이 세상의 지배적인 모습은 상향성입니다. 모두가 성공이라는 목적을 향해 사다
리를 타고 끊임없이 올라가려고 합니다. 그래서 인생이란 성공이 아니면 실패입니
다. 처절한 투쟁이라고 생각하는 것이 바로 이 세상의 인생관입니다. 하지만 예수
님은 정반대의 삶을 사셨습니다. 예수님은 하향성의 삶을 사셨습니다. 내려가는
삶을 사셨습니다. 낮아지는 삶을 사셨습니다.

[그분은 본래 하나님의 본체셨으나 하나님과 동등 됨을 기득권으로 여기지 않
으시고 오히려 자신을 비워 종의 형체를 가져 사람의 모양이 되셨습니다. 그리고
그분은 자신을 낮춰 죽기까지 순종하셨으니, 곧 십자가에 달려 죽으신 것입니
다.(빌 2:6-8)]

예수님의 전 생애는 높아지는 삶을 거절하는 하향성의 삶이었습니다. 하나님은

사람으로 오시되 작고 연약한 아기로 세상에 오셨습니다. 애굽에서 피난민 신분으로 사셨습니다. 평범한 목수의 아들로 순종하며 사셨습니다. 그리고 죄인처럼 세례자 요한에게서 세례를 받으셨습니다.

놀라운 가르침과 기적으로 사람들이 예수님을 왕으로 삼으려고 할 때 단호히 거절하셨습니다. 그 자리를 피하셨습니다. 예수님은 권세의 자리에서 무력한 자리로 나아가셨고, 영광스러운 자리에서 치욕스러운 자리로 나아가셨습니다. 그리고 십자가에서 죽음으로써 우리를 구원하셨습니다.

두 번째 수난 예고를 하시다

예수님을 따르는 제자의 삶, 그리스도인의 삶은 어떤 삶입니까? 예수님을 따라 사는 삶입니다. 바로 제자로의 부르심은 하향성으로의 부르심입니다. 예수님처럼 낮아지는 삶을 사는 것입니다.

그런데 과연 우리가 예수님처럼 낮아지는 삶을 살 수 있을까요? 이 길은 결코 우리의 자연적인 본성으로는 살 수 없습니다. 우리의 본성대로라면 이 세상의 지배적인 모습, 높아지려는 모습으로 살 것입니다. 올라가려는 상향성을 추구하는 삶을 살 것입니다. 따라서 성령님의 역사가 아니고는 이렇게 살 수가 없습니다.

제자들도 성령께 사로잡히기 전에는 예수님의 낮아지시는 삶을 깨닫지 못하고 그렇게 살지도 못했습니다. 예수님을 따르는 제자이긴 했지만 여전히 이들은 이 세상에서 높아지려는 상향성을 추구했습니다.

성경 말씀은 예수님이 추구하시는 낮아지는 하향성의 삶과 제자들이 추구하는 높아지려는 상향성의 삶을 대조적으로 보여 줍니다. 이 말씀의 배경은 예수님이 예루살렘으로 향하는 여정의 시작에서 일어났습니다.

예수님의 생애는 지역적인 측면에서 크게 두 부분으로 나누어집니다. 먼저 갈릴리 지역을 중심으로 한 공생애 사역입니다. 예수님은 대부분의 시간을 이 갈릴리 지역에서 보내셨습니다. 예루살렘에서 보낸 시간은 십자가에 못 박혀 돌아가시기 전 최후의 일주일뿐이었습니다. 십자가를 지시고 부활의 사건이 나타나는 마지막 부분이 바로 예루살렘에서 일어났던 사역입니다.

이제 갈릴리에서의 사역을 마치고 가이사랴 빌립보를 떠나 갈릴리를 지나가는데, 이 지역은 상당히 넓었습니다. 그곳에 가버나움이라는 도시가 있었는데, 가버나훔의 '나훔'은 집이라는 뜻입니다. 다음 말씀은 이 지역에 잠깐 들르셨을 때 일어난 일입니다.

[그들은 그곳을 떠나 갈릴리를 지나가게 됐습니다. 그러나 예수께서는 자기 일행이 어디로 가는지 사람들이 모르기를 바라셨습니다. 제자들을 가르치고 계셨기 때문입니다. 예수께서 그들에게 말씀하셨습니다. "인자는 배반을 당하고 사람들의 손에 넘겨져 죽임당할 것이다. 그러나 3일 만에 그는 다시 살아날 것이다."(막 9:30-31)]

예수님은 사람들이 그분의 일정과 가는 장소에 대해 모르기를 바라셨습니다. 은밀히 다니고자 하셨습니다. 왜 그랬을까요? 성경은 예수님이 제자들을 가르치고 계셨다고 했습니다. 예수님은 이제 얼마 남지 않은 공생애 기간에 제자들한테 집중해서 그들을 준비시키고 가르치는 데 모든 시간을 쏟고자 하셨습니다. 예수님은 이 땅에 계시지 않을 미래의 때를 위해 제자들을 집중적으로 가르치고 준비시키셨습니다. 부족하고 연약한 제자들을 포기하시지 않고 끝까지 가르쳐 사용하고자 하셨습니다.

예수님이 부활하신 이후 40일 동안 제자들한테 집중적으로 나타나신 것도 같은 맥락입니다. 신약에 나타난 부활 기사를 읽으면서 여러 번 의문을 가졌습니다. 예수님은 부활하신 후 왜 제자들한테만 나타나셨을까? 대적들한테 나타나셨다면 얼마나 통쾌했을까?

예수께 사형을 언도했던 빌라도가 출근해 막 사무실에 들어서는데 그곳에 예수님이 앉아 계시는 겁니다. 예수님을 못 박았던 군병들이 모여 있을 때 그들 앞에 나타나시는 겁니다. 산헤드린 공회원들이 회의할 때 그 중앙에 예수님이 나타나셔서 "너희가 십자가에 못 박은 내가 부활했다"라는 기사가 있었다면 얼마나 통쾌했을까요?

그런데 예수님은 한 번도 그들 앞에 나타나시지 않았습니다. 제자들에게 집중적으로 나타나셨습니다. 이 사실을 깨달은 날 예수님의 영광스러운 인격과 모습에 얼마나 감동했는지 모릅니다. 예수님은 부활의 영광스러움을 복수하는 데 쓰시지 않았습니다.

우리의 복수심은 만족시켜 줄 수 있었을지 모르지만 그것은 우리의 수준입니다. 모든 사람의 수준이 아니라 오로지 저의 수준입니다. 성경을 보며 계속 그런 생각을 가졌던 저의 수준입니다. 이는 제 마음속에 얼마나 복수심이 가득했는가를 보여 줍니다. 복수해야 하는데, 통쾌하게 복수해야 하는데, 그들 앞에 예수님이 나타나시는 것만으로도 통쾌한 복수가 되지 않을까 했던 것입니다.

예수님은 복수하는 데 그분의 시간을 허비하시지 않았습니다. 대적들을 곤란하게 만드는 데 그분의 영광을 보이시지 않았습니다. 오히려 실패하고 낙심하고 예수님이 돌아가심으로써 실의에 빠져 있고 불안과 두려움에 사로잡혀 있던 제자들한테 일일이 나타나시고 확인시켜 주시고 그들과 함께 식사하며 시간을 보내심으로써 제자들을 통해 복음이 전해지기를 원하셨습니다. 제자들을 통해서 대적들이 변화되기를 원하셨습니다.

예수님의 부르심은 결코 헛된 부르심이 아니었습니다. 예수님이 제자들한테 집중적으로 가르치신 내용은 무엇입니까? 앞으로 예수님이 고난을 받으시고 죽임당할 것이며 사흘 만에 다시 살아나실 거라는 말씀이었습니다. 마가복음에서 세 번씩이나 이런 말씀을 했습니다. 8장과 9장과 10장, 세 번에 걸쳐 말씀했습니다.

여기서는 두 번째 수난을 예고하고 있습니다. 앞으로 예수께 일어날 일들은 하나님의 완전한 계획 하에 이루어지는 것이므로 두려워하지 말고 불안해하지 말고 놀라지 말라고 말씀했습니다. 제자들을 준비시키신 것입니다. 그런데 제자들은 무슨 뜻인지 깨닫지 못했습니다.

[그러나 제자들은 그 말씀이 무슨 뜻인지 깨닫지 못했고 두려워서 예수께 묻지도 못했습니다.(막 9:32)]

제자들은 왜 예수님의 말씀을 깨닫지 못했을까요? 예수님의 말씀에 어려운 단어가 있습니까? "인자는 배반을 당하고 사람들의 손에 넘겨져 죽임당할 것이다. 그러나 3일 만에 다시 살아날 것이다." 이 짧은 문장에 해석이 안 되는 단어가 있습니까?

어떤 학자들은 인자라는 단어가 어려웠을 거라고 말합니다. 하지만 예수님이 여러 차례 자신을 가리켜 "인자는 안식일의 주인이라"고 하면서 인자가 어떤 분인지 여러 번 말씀했기 때문에 예수님이 자신을 가리켜 '인자', '사람의 아들'이라는 별칭을 사용하셨다는 것을 제자들이 모를 리가 없습니다.

말이 안 되거나 어려운 단어도 없습니다. 비유도 아닙니다. 해석하기 어려운 것도 아닙니다. 때로 예수님이 비유를 통해 말씀했을 때 제자들은 어떻게 해석할지 몰라서 혼란스러워했지만 이 말씀에는 비유가 없습니다.

있는 그대로 배반당하고 고난당하고 죽임당하고 다시 살아난다는 말씀인데, 제자들은 왜 깨닫지 못했을까요? 어떤 면에서 보면 제자들을 이해할 수도 있습니다. 왜냐하면 십자가와 부활의 능력, 부활의 도는 한두 마디로 깨달을 수 있는 진리가 아니기 때문입니다.

신약에서 3분의 2를 기록하고 로마서를 기록했던 사도 바울이 뭐라고 고백했습니까? "나는 그 십자가의 능력, 부활의 능력을 날마다 참여하고 날마다 알기를 원한다." 이는 다 모르겠다는 말입니다. 다 알지 못한다는 것입니다. 이런 의미라면 이해가 가지만, 이 성경 말씀은 그런 차원이 아닙니다.

십자가 부활의 의미가 너무나 다양해서 제자들이 깨닫지 못했다는 게 아닙니다. 그들은 예수님의 이 분명한 말씀 자체를 받아들이기를 거부한 것입니다. 원치 않았다는 말입니다. 듣지 않으려고 귀를 막았다는 것입니다. 이것은 제자들의 마음 속에 있는 그 무엇이 예수님의 이런 말씀을 거부하고 반항하고 듣지 않도록 만들었다는 것입니다.

또한 제자들은 깨닫지 못했을 뿐 아니라 묻지도 못했습니다. 묻기를 두려워했습니다. 왜 그랬을까요? 베드로가 신앙고백을 한 후에 첫 번째 수난 예고를 했을 때 그는 어떻게 했습니까? 그럴 수는 없다고 항의했습니다. 베드로가 무슨 이상한 얘기를 하신 거냐고 항의하자 예수님은 "사탄아 물러가라"고 말씀했습니다. 베드로 안에 있는 사탄을 보고 명령하신 겁니다. 베드로가 사탄이라는 게 아니라 그의 안에 사탄이 있어 베드로를 통해 예수님을 넘어뜨리려고 한다고 말씀했습니다. 그러자 깨닫지 못해 항의하고 싶은데 항의했다가는 또다시 사탄 소리를 들을까 봐 벌벌 떨면서 아무 말도 하지 못한 것입니다.

예수님 말씀을 받아들이지 못하게 만드는 편견

왜 제자들은 예수님의 말씀을 받아들이려고 하지 않았을까요? 세 가지 중요한 이유가 있습니다. 첫 번째로 예수님의 말씀은 제자들이 알고 있는 메시아한테서는 일어나지 말아야 될 일이었습니다. 제자들의 메시아관, 제자들이 알고 있는 메시아는 그런 모습이 아니었습니다. 제자들이 알고 있는 메시아는 어떤 모습입니까? 그 당시 유대인들이 알고 있던 그런 메시아였습니다.

그 당시 어떤 유대인도 하나님이 메시아를 보내실 거라는 사실을 의심하지 않았습니다. "메시아는 오실 것이다. 우리에게 예언된 메시아는 오실 것이다"라고 믿었습니다. 그런데 어떤 메시아를 꿈꿨습니까? 로마제국으로부터 자신들을 해방시켜 줄 메시아, 모세가 이스라엘 백성을 출애굽시켰던 것처럼 자신들을 로마제국으로부터 해방시켜 줄 정치적 메시아를 꿈꿨던 것입니다.

만일 제자들이 이사야 53장을 있는 그대로 어떤 편견 없이 읽었다면 예수님이 하신 말씀을 그대로 이해할 수 있었을 겁니다. 그런데 그 당시 유대인들에게는 신학적 편견이 있었습니다. 편견이라는 것이 얼마나 무서운 것인지 알고 있을 겁니다. 예수님의 말씀을 있는 그대로 받아들이지 못하게 만듭니다.

예수님이 성장한 나사렛 지역 사람들의 편견이 가장 심했다고 합니다. 예수님이 기저귀를 차고 코 흘리며 자란 모습을 본 사람들은 갑자기 메시아라니 무슨 말이냐고 하면서 비웃었습니다. "저 사람은 한낱 목수가 아닌가? 마리아의 아들이고 야고보, 요셉, 유다, 시몬과 형제가 아닌가? 그 누이들도 여기 우리와 함께 있지 않은가?"

나사렛 지역 사람들은 육신의 형제들을 보며 받아들이지 못했습니다. 심지어 예수님의 친형제도 예수님을 받아들이지 못했습니다. 모두 편견입니다. 우리도 자신이 가지고 있는 어떤 편견 때문에 예수님의 말씀을 있는 그대로 받아들이지 못하고 있다는 것을 인정해야 합니다. 하나님의 말씀을 아무리 열심히 읽어도 우리 안에 있는 편견 때문에 하나님 말씀을 받아들이지 못하는 것입니다.

하나님이 아무리 우리를 사랑하신다고 말해도 편견을 가진 사람은 "하나님이 뭐가 필요하신가 보지"라고 하며 뭔가 필요해서 우리를 사랑하는 조건적 사랑으로 치부해 버립니다. 그동안의 경험과 지식과 세상적인 판단 기준으로 말미암아 우리의 생각 속에는 편견이 가득합니다. 날마다 우리는 이런 기도를 해야 합니다.

"주여, 내 안에 있는 세상의 편견이 다 깨끗하게 사라지게 하옵소서. 예수님의 말씀을 있는 그대로 받아들일 수 있는 마음이 되게 하옵소서."

두 번째로 예수님의 말씀을 들을 때 제자들이 죽임당하는 것까지는 이해했다는 것을 알 수 있습니다. 배반을 당하고 고난을 당하고 죽임당할 것까지는 들은 적이 있어 제자들이 심각했던 것입니다. 또한 마지막으로 사흘 만에 다시 살아난다고 말씀했습니다. 그런데 이 말씀이 귀에 들어오지 않았습니다. 이것은 말씀을 선택해 들었기 때문입니다. 일부분만 받아들였다는 것입니다. 왜 그랬을까요?

그 당시 바리새인들이 부활을 믿지 않았던 것은 아닙니다. 사두개인들은 부활을 부인했습니다. 그런데 바리새인들은 부활을 믿었지만 그것은 마지막 때에 죽은 육체를 살리시는 거라고 믿었습니다. 현시대에 죽은 사람이 다시 살아날 거라는 것은 믿지 않았던 것입니다. 따라서 제자들은 이들이 경험한 대로 우리가 고난을 받고 배반을 당하고 죽임당하는 것은 이 세상에서 많이 경험하는 일이어서 이것을 받아들인 것입니다.

부활을 한 번도 경험해 보지 못했고 상상할 수도 없어 제자들은 받아들이지 못했던 것입니다. 우리도 마찬가지입니다. 우리도 예수님 말씀을 받아들일 때 경험할 수 있는 것만 받아들입니다. 우리가 경험하지 못한 것은 받아들이지 않습니다. 말씀을 해석하고 받아들이는 기준이 자신의 경험이 되는 것입니다. 그렇다면 우리의 경험 안에 갇힌 하나님이 되고, 우리는 결국 하나님을 제한하는 사람들이 되고 맙니다.

날마다 이런 기도를 해야 합니다. "주여 나의 귀를 열어 하나님 말씀을 선택해 듣지 않고 내 경험으로 필터링하지 않고 있는 그대로 전부를 받아들이게 하옵소서." 이것이 우리가 말씀을 들을 때 취해야 하는 태도입니다.

세 번째는 무엇입니까? 이것은 이 모든 편견을 만들어 내는 원인입니다. 바로 제자들의 마음속에 있던 이기적 욕망입니다. 다음 말씀에는 왜 제자들이 예수님의 말씀을 깨닫지 못했는가를 보여 주는 사건이 나옵니다.

[그들이 가버나움으로 갔습니다. 집 안에 계실 때에 예수께서 제자들에게 물으셨습니다. "오는 길에 너희끼리 왜 논쟁했느냐?" 그러자 제자들은 말이 없었습니다. 그들은 길에서 누가 가장 큰 사람이냐 하는 문제로 다투었기 때문입니다.(막 9:33-34)]

예수님이 장차 받을 고난과 죽음과 부활을 말씀할 때 제자들의 가슴속에는 그분이 장차 건설할 정치적 왕국에서 자신이 어떤 위치에 있게 될 것인가에 대한 생각으로 가득 차 있었습니다. 그래서 예수님 말씀이 들리지 않았던 것입니다. 깨닫지 못했고 거부했고 받아들이지 않았다는 것입니다. 제자들의 이 세상 속에 가득 차 있는 상향성과 예수님의 하향성이 서로 맞지 않았던 것입니다

제자들은 예수님을 따를 때 고기 잡는 배도 포기하고 가족도 포기하고 모든 것을 버렸다고 했지만 버리지 않은 것이 있습니다. 그것은 자존심이었고, 누가 더 높은 위치에 올라갈 것인가에 대한 권력 욕심이었습니다. 받아들이든 받아들이지 않든 간에 이 권세에 대한 욕구는 우리 인간에게 가장 보편적이고 평범한 죄라는 것을 인정해야 합니다.

이 권세 욕구는 정치가들한테만 있는 것이 아닙니다. 어부들한테도 있었습니다. 예수님의 제자들한테도 있었다는 말입니다. 이 욕구는 목수들한테도 있습니다. 목사들한테도 있습니다. 종교지도자들한테도 있습니다. 심지어는 부부간에도 있습니다. 부부 싸움이 뭡니까? 권세에 대한 싸움입니다. 부부 싸움은 근본적으로 권력 다툼입니다. 누가 최고 권위자인가? 부부간에도 권세의 싸움이 있는 것입니다.

예수님은 다투는 제자들에게 교훈을 주십니다. 누가 첫째가 될 수 있는가? 모든 사람을 섬기는 종이 되는 사람입니다.

[예수께서 자리에 앉으시면서 열두 제자를 불러 놓고 말씀하셨습니다. "누구든지 첫째가 되려면 모든 사람의 꼴찌가 돼야 하고 모든 사람을 섬기는 종이 돼야 한다."(막 9:35)]

첫째가 되려면 그를 제외한 모든 사람의 꼴찌가 돼야 합니다. 모든 사람의 꼴찌란 무엇입니까? 모든 사람의 종입니다. 모든 사람의 꼴찌라는 것은 모든 사람을 섬기는 종입니다. 자연스럽게 이런 해석이 된 것입니다.

역설적인 말씀입니다. 그러면 우리는 모든 사람의 꼴찌가 되어야 합니다. 이것은 이 사회의 경쟁에서 가장 뒤처진 사람이 자동적으로 맨 위에 앉아야 된다는 것을 의미하지 않습니다. 성적에서 꼴등한 학생이 상을 받아야 한다는 말씀이 아닙니다. 사회의 계층 구조를 부인하거나 그를 뒤집어엎는 사회혁명을 말씀한 것도 아닙니다. 우열을 가리기 위한 경쟁이 필요 없다는 말도 아닙니다.

말단 직원이 사장의 책상에 앉아야 된다는 뜻이 아닙니다. 사장이 말단 직원의 책상에 앉아서 심부름을 해야 된다는 뜻도 아닙니다. 예수님은 이 사회 속에 있는, 계층 사회 속에 있는 어떤 구조를 파괴시키시는 분이 아닙니다. 예수님의 이 말씀은 역설적인 표현입니다. 하나님께서 주신 권위를 올바로 사용할 수 있는 사람이 첫째가 돼야 한다, 그 사람이 리더가 돼야 한다는 뜻입니다.

모든 사람을 섬기는 종이 되어라

어떤 사람이 권위를 올바로 사용합니까? 모든 사람의 종이 되는 사람이 권위를 올바로 사용합니다. 그러면 "어떤 사람이 모든 사람의 종이 되는가?"라는 질문을 한번 생각해 봐야 합니다. 어떤 사람이 모든 사람의 종이 되는 사람입니까? 이것도 세 가지로 묵상해 볼 수 있습니다.

첫 번째는 모든 사람의 종이 되는 사람은 지배의식이 아니라 청지기 의식을 가졌습니다. 여기서 종이라는 단어를 다른 말로 표현하면, 좀 점잖은 말로 표현하면 청지기(steward)라고 표현할 수 있습니다. 청지기 의식은 무엇입니까? 첫째가 되려면 권위에 대한 청지기 의식을 가져야 합니다. 예수님이 "누구든지 첫째가 되려면"이라고 말씀했을 때 첫째가 되려고 하는 열망 자체를 부정하신 것이 아닙니다. 그것을 나쁘다고 말씀한 것이 아닙니다.

권위 자체를 부인하자는 것이 아닙니다. 권위 자체는 악한 것이 아닙니다. 예수님은 영향을 미칠 수 있는 그런 위치, 영향을 미칠 수 있는 권위에 오르려는 그 열망 자체를 부인하시지 않았습니다. 그리스도인들이 사회적 위치에 오르는 것은 하나님이 기뻐하시는 일입니다. 왜입니까? 영향을 미칠 수 있기 때문입니다.

그러나 중요한 것은 뭡니까? 예수님의 '경계하라'는 말은 높아지는 것 자체를 우상화하는 것을 말씀합니다. 높아지면 하나님이 함께하시는 것이고, 낮거나 높지 못하면 하나님이 저주하신 것이 아니라는 말입니다.

권위는 하나님이 만물을 창조하실 때 만물을 유지하기 위해 창조하신 선한 것입니다. 권위 자체는 선한 것입니다. 하지만 아담과 하와가 사탄의 속임수에 넘어가 하나님의 권위에 도전했을 때 인간의 마음에는 잘못된 권위의식, 권위주의가 들어갔습니다. 청지기 의식이 아니라, 이 권위를 하나님이 우리에게 맡기신 것이 아니라 원래 우리 것이고 우리의 권위라는 의식, 지배의식이 들어갔던 겁니다. 세상의 모든 타락한 권세가 되어 버렸던 것입니다.

예수님이 십자가에 못 박히신 것은 바로 이 세상의 권세욕에 사로잡힌 사람들 때문입니다. 예수님은 못 박히셨지만 그 권세욕을 십자가로 무장해제시켜 버리신 것입니다. 참된 권세가 하나님께 있다는 것을 증명해 보이신 것입니다. 예수님은 복음서에서 언제나 자신을 권위의 청지기라고 설명하셨습니다.

이 권위는 우리의 권위가 아니라 아버지의 권위입니다. 그래서 우리는 우리의 뜻이 아니라 아버지 뜻대로 행하는 자입니다. 이처럼 끊임없이 예수님은 청지기라는 것을 강조하셨습니다.

참된 지도자는 하나님의 종으로 맡겨 주신 권위에 청지기 의식을 가진 사람입니다. 이 청지기 의식이 사라지는 순간 지배자가 되고 맙니다. 군림하는 사람이 되고 맙니다.

예수님은 세상의 왕처럼 위에서 아래로 군림하지 않고 사람들 속에 들어가 아래에서부터 위로 섬기셨습니다. 섬김을 요구하지 않고 섬기셨습니다. 지배하지 않고 초청하셨습니다. 그리고 그 권세를 자신의 이익과 영광을 위해 사용하시지 않았습니다. 지배의식이 아니라 청지기 의식을 가진 사람이 모든 사람의 종이 될 수 있습니다.

두 번째로 모든 사람의 종이 된 사람은 자신에게 주어진 그 권위의 힘으로 다른 사람을 힘 있게 만들어 주는 사람입니다. 다른 사람을 힘 있게 만들어 주는 사람, 모든 사람의 꼴찌에 있다는 건 뭡니까? 다른 사람을 높여 준다는 뜻입니다.

예수님은 이 땅에서 가장 가난한 자가 되심으로써 모든 사람을 부유하게 만드셨습니다. 가장 가난한 자가 되심으로써 모든 사람을 부요케 하셨습니다. 억울하게 고난당하심으로써 억울한 사람의 위로자가 되어 주셨습니다. 예수님처럼 억울한 사람이 어디 있겠습니까. 예수님처럼 고난당한 사람이 어디 있겠습니까. 예수님처럼 이 땅의 권세자들한테 상처받은 사람이 어디 있겠습니까.

주님 앞에 나아가면 아무리 실패하고 가난하고 연약하고 절망 속에 빠졌어도 "나는 인생을 포기하고 싶다"라는 말을 할 수 없도록 예수님은 모든 사람을 힘 있게 만들어 주십니다. 예수께 권세가 없어서 그랬습니까? 예수님은 하늘과 땅의 모든 권세를 가지고, 그 힘을 가지고 낮아지심으로써 다른 사람을 힘 있게 만들어 주셨습니다.

이 세상의 권력은 어떻습니까? 다른 사람을 희생시켜 자신의 권력을 강화시킵니다. 약한 자들은 약해지고 강한 자들은 점점 강해집니다. 하지만 모든 사람의 종이 되는 사람은 다른 사람을 힘 있게 세워 줄 수 있습니다. 다른 사람의 용기를 북돋아 줍니다. 다른 사람을 신나게 만들어 줍니다. 다른 사람을 높여 주는 것입니다.

따라서 다른 사람을 섬기는 종이 되면 자신이 가진 권위를 최대한 많은 사람들에게 나눠 줍니다. 세상의 권력은 권력을 최대한 자신한테 집중시키고자 하는 반면에 하나님 나라의 권위는 최대한 다른 사람과 나누고자 합니다. 그러면 계층 구조가 점점 사라집니다.

권위주의 사회일수록 계층 구조가 복잡합니다. 사다리가 많습니다. 하지만 모든 사람의 종이 된 사람이 다스리는 곳에는 계층 구조가 없습니다. 벽이 없습니다. 사람들 사이에 거리가 없습니다. 하나님이 하늘에 계시면서 사람들에게 음성으로만 말씀하고 거리를 두셨다면 우리에게 하나님은 멀리 계신 존재였을 겁니다. 하지만 십자가는 무엇입니까? 성육신은 간격을 줄여 줍니다. 거리를 없애 줍니다. 틈을 두지 않습니다. 우리 인간 속에 찾아오셨기 때문입니다.

많은 지도자들이 착각하는 것이 있습니다. 거리를 두면 사람들이 자신을 존경하고 두려워하고 따를 것이라고 생각하지만 사실은 그렇지 않습니다. 사람들 속으로 들어가야 합니다. 그들과 함께 어울리고 그들과 함께 삶을 나눌 때만 진정한 지도자가 될 수 있습니다. 예수님은 죄인들 속에 거하셨습니다. 그들과 함께 식사하시고 그들과 함께 삶을 나누심으로써 그들의 진정한 종이 되어 첫째가 되신 겁니다.

[종들이여, 육신의 주인에게 모든 일에 순종하십시오. 사람을 기쁘게 하는 사람들처럼 눈가림만 하지 말고 주를 경외함으로 진실한 마음으로 하십시오. 무슨 일을 하든지 사람에게 하듯 하지 말고 주께 하듯 마음을 다해 하십시오.(골 3:22-23)]

종들에게 "모든 사람은 눈가림만 하지 말고 무슨 일을 하든지 주께 하듯 마음을 다하라"고 말씀합니다. 누구를 만나든지 주님을 대하듯 만나라는 것입니다. 만나는 사람이 나의 주인이라고 생각할 때 모든 사람의 종이 됩니다.

설교 준비를 하고 있었습니다. 그런데 유독 그날따라 전화로 부탁하는 사람이 많았습니다. 전화를 꺼 버릴까 하다가도 혹시 중요한 일이 있으면 어쩌나 하는 생각에 전화를 받기 시작하면 계속 사정을 들어 줘야 합니다. 그날 미국에 계신 목사님이 목회가 안 된다고 하면서 어떻게 하면 좋을지 조언을 구했습니다. 끊을 수도 없고, 하소연을 들어 주다 보니 두세 시간이 금방 지나갔습니다. '설교 준비를 해야 하는데'라는 생각에 막 화가 나기 시작했습니다.

모든 사람의 종이 성경을 해석하며 설교를 준비하는 타이밍에 왜 자꾸 방해를 하는 걸까 하는 순간 깨달았습니다. 그 사람들을 섬기는 것이 종 된 자의 도리인데 그걸 귀찮아하고 화까지 냈던 겁니다. '설교 준비를 해야 하는데 왜 나를 귀찮게 할까?' 모든 사람의 종이 되는 게 뭔지 설교할 준비를 해야 하는데, 이 시간에 맞춰 하나님이 막 사람들을 보내신 겁니다.

이처럼 모든 사람의 종이 된다는 것은 어려운 일입니다. 우리를 찾아오는 모든 사람의 지위고하를 막론하고 주님이 우리를 찾아오셨다고 생각하고 대하시기를 축원합니다. 그러면 모든 사람의 종이 될 수 있습니다.

[예수께서 한 어린아이를 데려와 그들 가운데에 세우셨습니다. 그리고 아이를 팔로 껴안고 제자들에게 말씀하셨습니다. "누구든지 내 이름으로 이런 어린아이 하나를 영접하는 사람은 나를 영접하는 것이고 누구든지 나를 영접하는 사람은 나를 영접하는 것이 아니라 나 보내신 분을 영접하는 것이다."(막 9:36-37)]

세 번째는 모든 사람의 종이 되는 사람은 어린아이 하나를 영접해야 하는 것입니다. 예수님은 지위와 권세를 가지고 다투고 있는 제자들을 가르치시는 도중에 어린아이를 팔에 껴안고 "이런 어린아이를 영접하는 것이 나를 영접하는 것이고 하나님을 영접하는 것이다"라고 말씀했습니다.

왜 어린아이를 등장시켰을까요? 어린아이를 영접한다는 게 무슨 뜻일까요? 어리광을 받아 준다는 것입니까? 10장에도 어린아이에 대한 말씀이 나오지만, 예수님은 교훈을 주기 위해 어린아이를 사례로 많이 드셨습니다.

이 말씀에는 두 가지 의미가 있습니다. 첫째, 어린아이는 권세를 가지고 다른 사람을 지배하는 능력이 없습니다. 다른 사람을 차별하지 않습니다. 예수님이 어린아이를 영접하는 말씀에서 알 수 있듯이 어린아이는 당을 만들어 어떤 아이들을 따돌리고 그런 게 없습니다. 권세를 가지고 지배하는 그런 능력이 없습니다. 바로 이런 상태가 돼야 한다는 말씀입니다. 권세가 있지만 이것을 가지고, 이기적인 목적을 가지고 지배하는 자가 되지 말라는 말씀입니다.

둘째, 어린아이는 어떻습니까? 선거철이면 가장 인기 없는 대상이 투표권이 없는 아이들입니다. 정치적으로 되돌아올 게 없습니다. 아무리 쏟아 봐야 당장 돌아올 것이 없습니다. 이는 나중에야 돌아옵니다. 당장 무언가를 줄 수 없다는 말입니다. 어떤 대가를 지급할 힘도 없고, 그럴 마음도 없는 대상입니다. 사회에서 어떤 것을 해줬을 때 되갚아 줄 수 있는 능력이 없는 사람들을 대표하는 존재가 바로 어린아이입니다.

세상은 대가를 지급할 수 없는 사람들한테는 아무것도 주지 않습니다. 하지만 예수님은 대가를 지급할 수 없는 사람들을 우리가 영접하면 그것이 우리를 영접하는 것이고 하나님께 영접을 받는 것이라고 말씀했습니다. 모든 사람의 종, 모든 사람의 가장 중요한 핵심은 지극히 작고 연약한 어린아이를 어떻게 대하느냐 하는 것입니다. 이것이 모든 사람의 종이 되느냐 아니냐의 마지막 관문입니다.

예수님은 당시 권력자들한테 위협적인 존재였습니다. 예수님은 돈이나 조직의 힘으로 세상의 권력자들을 위협하시지 않았습니다. 새로운 정당을 창당해 당시의 정치가들을 두렵게 하시지 않았습니다. 무소속 출마를 선언함으로써 기존의 정당 정치인들을 놀라게 하시지 않았습니다.

예수님은 오직 모든 사람을 섬기는 종으로 사셨습니다. 예수님은 권세를 가진 분이고 영향력을 가진 분입니다. 그럼에도 예수님은 한 번도 직업차별 철폐를 주장하시지 않았습니다. 인종차별 철폐도, 성차별 철폐도 주장하시지 않았습니다. 평등한 사회를 외치며 데모도 하시지 않았습니다. 하지만 예수님 앞에 나아오는 모든 사람은 그분의 권세 앞에서 자신의 존귀함과 가치를 느낄 수 있었습니다.

왜일까요? 예수님은 그들을 어린아이처럼 대해 주셨기 때문입니다. 그 사람의 지위고하, 경제적 형편, 외모 등에 상관없이 똑같은 마음으로 하나님의 사랑스러운 백성으로 대해 주셨기 때문에 그분 앞에 서면 평등함을 느낄 수 있었습니다.

모든 사람의 종이 되는 사람은 그 앞에만 가면 평등하다고 느낍니다. 자신이 가치 있는 사람이라고 느낍니다. 갑자기 힘이 솟아납니다. 청지기 의식을 가진 사람은 권위를 자신의 것이 아니라 하나님의 것으로 생각하기 때문에 그 권위를 가지고 다른 사람을 세워 주고 섬기고 힘 있게 만듭니다. 다른 사람을 힘 있게 하지 않는 권력은 그 힘과 함께 소멸되고 맙니다. 어린아이와 같은 사람을 영접하시지 않는 권세는 마지막에 하나님도 영접하시지 않을 것입니다.

우리 앞에는 두 가지 길이 있습니다. 끊임없이 높아지려는 제자들과 같은 욕망에 사로잡혀 살 것인가? 아니면 그리스도의 마음을 품고 하나님이 우리를 어떤 위치에 놓든 간에 그것이 우리의 권위가 아니라 그분의 권위라는 걸 인정할 것인가? 즉 다른 사람을 힘 있게 하고 살맛나게 하고 세워 주고 가치 있게 만들어 주고 그런 권세로 섬기면서 낮아지는 하향성의 삶을 살 것인가? 우리 모두는 그리스도의 제자로 예수님의 마음을 품고 그분처럼 살도록 노력해야 합니다.

Pray

하나님, 순종과 섬김의 왕으로 오신 예수님을 기억합니다. 제자 된 우리의 삶이 낮은 곳으로 향하게 하소서. 예수님의 수난을 인정하고 싶지 않았던 제자들의 모습을 통해, 우리의 태도를 살펴봅니다. 모든 사람을 섬기러 오신 예수님을 닮아가는 참제자 되게 하옵소서. 예수님 이름으로 기도합니다. 아멘.

막 9:38-50

³⁸요한이 말했습니다. "선생님, 선생님의 이름으로 귀신을 쫓아내는 어떤 사람을 보고 우리를 따르는 자가 아니어서 우리가 그에게 하지 못하게 했습니다." ³⁹예수께서 말씀하셨습니다. "못하게 하지 마라. 내 이름으로 기적을 행하고 나서 바로 나를 욕할 사람은 없다. ⁴⁰누구든지 우리를 반대하지 않으면 우리 편이다. ⁴¹ 내가 너희에게 진실로 말한다. 너희가 그리스도의 사람인 것을 알고 너희에게 물 한 잔이라도 주는 사람은 반드시 자기가 받을 상을 잃지 않을 것이다. ⁴²또 누구든지 나를 믿는 어린아이들 중 하나라도 죄짓게 하는 사람은 차라리 큰 맷돌을 목에 달고 바다에 던져지는 것이 나을 것이다. ⁴³ 네 손이 너를 죄짓게 하거든 잘라 버려라. 두 손을 가지고 영원히 꺼지지 않는 지옥 불에 떨어지느니 성하지 않은 몸이 되더라도 생명에 들어가는 것이 더 낫다. ⁴⁴(없음) ⁴⁵또 네 발이 너를 죄짓게 하거든 잘라 버려라. 두 발을 가지고 지옥에 던져지느니 저는 다리로 생명에 들어가는 것이 더 낫다. ⁴⁶(없음) ⁴⁷또 네 눈이 너를 죄짓게 하거든 뽑아 버려라. 두 눈을 가지고 지옥에 던져지느니 한눈만 가지고 하나님 나라에 들어가는 것이 더 낫다. ⁴⁸지옥은 '벌레도 죽지 않고 불도 꺼지지 않는 곳이다. ⁴⁹모든 사람이 소금에 절여지듯 불에 절여질 것이다. ⁵⁰소금은 좋은 것이다. 그러나 소금이 그 짠맛을 잃으면 어떻게 다시 짜게 되겠느냐? 그러므로 너희 가운데 소금을 간직하고 서로 화목하게 지내라."

거룩함을 파고드는
교묘한 시기심

진정한 사랑은 공의로운 것입니다.
지옥은 원한을 갚는 곳이 아니라 복수하는 곳이 아니라
하나님의 공의가 실행되는 곳입니다.
지극히 선하신 하나님이 이 땅의 악을 징벌하시는 곳입니다.

앞선 말씀에서 누가 가장 큰 자인가 경쟁하는 제자들의 모습과 십자가를 지심으로 죽기까지 낮아지시는 예수님의 모습을 대조해 살펴보았습니다. 이번 장에서도 이러한 대조는 계속됩니다.

제자 마가가 이 마가복음을 기록할 때 어느 정도 편집한 것이 틀림없다고 본다면 이런 의도가 아니었을까 합니다. 제자들의 죄 가운데 있는 모순된 모습과 하나님 아들로서의 영광스러운 모습, 죽기까지 낮아지신 예수님의 아름다운 모습을 대조적으로 기술한 것으로 보입니다.

제자들의 배타적인 모습과 예수님의 넓게 포용하시는 모습이 일차적으로 대조를 이루고 있습니다. 다른 사람을 포용하지 못하는 배타적 태도는 누가 가장 큰 자인가를 따졌던 권세욕과 함께 나타납니다. 성경 말씀 가운데 제자 요한이 예수께 한 말에서 이러한 태도를 볼 수 있습니다.

[요한이 말했습니다. "선생님, 선생님의 이름으로 귀신을 쫓아내는 어떤 사람을 보고 우리를 따르는 자가 아니어서 우리가 그에게 하지 못하게 했습니다."(막 9:38)]

요한은 12제자 가운데 예수님의 최측근 중 한 사람이었습니다. 그런데 요한이 예수께 이런 보고를 합니다. "예수님, 어떤 사람이 예수님의 이름으로 귀신을 내쫓고 있는데 우리가 못하게 했습니다." 그 이유가 무엇입니까? 우리를 따르는 자가 아니기 때문에, 즉 예수님이 직접 선택하신 제자의 그룹이 아니기 때문에 예수님의 이름으로 귀신을 쫓아내는 일을 하지 못하게 했다고 보고한 것입니다.

배타적인 마음을 버려라

흥미로운 것은 이전 말씀에서 선택받은 제자들임에도 예수님의 이름으로 귀신을 쫓아내지 못했다는 겁니다. 그런데 선택받지 않았던 어떤 사람이 예수님의 이름으로 귀신을 쫓아냈다는 겁니다. 그럼에도 요한은 예수님의 이름으로 귀신을 쫓아낼 수 있느냐 없느냐 하는 것이 중요한 게 아니라 우리를 따르는 자인가 아닌가가 더 중요했던 것입니다.

수많은 교회 갈등과 분열이 바로 요한의 이런 태도로 말미암아 일어났다는 것을 알 수 있습니다. 아무리 신실하게 예수님을 따르는 삶을 살아도 그것보다 더 중요한 것이 우리를 따르는 자인가 아닌가, 우리 편인가 아닌가, 우리를 지지하는가 아닌가가 더 중요하게 생각될 때 교회는 언제나 분열됐습니다.

한국 교회의 분열을 보면 정당성 있는 분열은 몇 가지 되지 않습니다. 한국 교회 사회, 교회 역사학자들이 불가피한 분열이었다고 인정하는 것은 두세 개밖에 되지 않습니다. 대부분 어떤 지도자를 따르지 않기 때문에, 우리 편이 아니기 때문에, 파벌과 지역감정 때문에 다른 사람을 배제시키고 그런 이유로 교회가 분열되었던 것입니다.

이런 배타적인 태도의 이면에는 또 다른 종류의 권세욕이 숨어 있습니다. 구약에 보면 이와 비슷한 사건이 있습니다. 모세의 후계자 여호수아한테도 요한의 이런 모습이 있었습니다. 그 당시 엘닷과 메닷이라는 두 사람이 성령을 받고 예언을 하기 시작했습니다. 이 사실이 알려지자 여호수아가 모세한테 "이들이 예언을 하지 못하도록 막아야 합니다"라고 건의했습니다.

[한 젊은이가 달려와 모세에게 말했습니다. "엘닷과 메닷이 진영 안에서 예언하고 있습니다." 모세의 보좌관으로서 어려서부터 그를 섬겨 왔던 눈의 아들 여호수아가 말했습니다. "내 주 모세여! 저들을 멈추게 해 주십시오!"(민 11:27-28)]

여호수아는 왜 이 두 사람을 막아야 한다고 건의했습니까? 그것은 이 두 사람을 싫어해서가 아니라 모세의 리더십이 혹시 무너지지 않을까, 약화되지 않을까 염려했던 것입니다. 이는 모세의 지도력을 보호하기 위한 적절한 조치였을 수도 있습니다. 하지만 모세의 생각은 달랐습니다.

[그러자 모세가 대답했습니다. "네가 나를 위해 시기하는 것이냐? 나는 여호와의 모든 백성들이 예언자가 되고 여호와께서 그 영을 그들에게 부어 주시기를 바란다."(민 11:29)]

감동적인 모세의 대답입니다. 정말 아름다운 말입니다. 구약에서 가장 아름다운 구절 중 하나입니다. 모세는 여호수아에게 "역시 너밖에 없구나. 나를 그렇게까지 생각해 주다니. 너는 내 후계자가 될 자격이 있는 사람이다"라고 대답하지 않았습니다. 모세는 여호수아를 칭찬하지 않고 오히려 책망합니다. "네가 나를 위해 시기하는 것이냐? 그러지 마라. 나는 여호와의 모든 백성들이 예언자가 되고 여호와께서 그 영을 그들에게 부어 주시기를 바란다."

얼마나 멋진 지도자의 고백입니다. 넓은 하나님의 마음입니다. 시기심으로부터 자유한 마음입니다. 영적 지도자들한테 가장 무서운 유혹, 최후의 유혹이 있다면 바로 영적 시기심입니다. 세상적인 질투보다 더 무섭고 더 간교하고 더 뿌리치기 어려운 것이 영적 시기심입니다. 거룩함을 추구하는 사람들에게 사용할 수 있는 사탄의 최후 무기입니다.

사막에 있는 한 수도원의 수도사가 너무 경건하고 겸손하고 신실해서 사탄이 아무리 유혹해도 넘어가지 않았다고 합니다. 그러자 사탄의 우두머리가 "그렇게 해서는 안 된다. 내가 하는 걸 잘 봐라"고 했답니다. 그러고 나서 그 수도사한테 가서 "방금 당신의 동생이 알렉산드리아의 주교가 되었다"라고 말하자 그 사람의 얼굴 표정이 달라지더라는 겁니다.

영적 시기심이 얼마나 무서운 것인지 알 수 있는 얘기입니다. 세상의 모든 유혹과 세속적인 것은 다 끊을 수 있어도 영적 시기심은 뿌리치는 것은 대단히 어렵습니다.

세례자 요한의 제자들도 자신들과 함께 요한을 따르던 사람들이 예수께로 가는 것을 보고 똑같은 말을 했습니다. "사람들이 다 예수라는 사람에게로 가고 있습니다. 무슨 대책이 있어야 할 것 같습니다." 그때 세례자 요한이 뭐라고 했습니까? "하늘에서 주시지 않으면 사람은 아무것도 받을 수 없는 것이다. 나는 그리스도가 아니라 그분 앞에 보내심을 받은 사람일 뿐이다"라고 말하며 오히려 제자들을 책망했습니다.

사도 바울은 어떻게 고백했습니까? 어떤 사람들이 자신을 괴롭힐 의도로 복음을 전하자 "가식으로 하든 진실로 하든 전파되는 것은 그리스도니 나는 이것으로 인해 기뻐하고 또 기뻐할 것이다"라고 말했습니다.

그들이 복음을 열심히 전하고 그리스도를 전파하는 것이 어떤 상황에서 일어난 일인지 우리는 알 수 없지만 사도 바울의 입장에서 볼 때 그의 입지가 약화되고 리더십에 어떤 영향을 줄 수 있는 상황이었을지도 모릅니다. 하지만 사도 바울은 "그리스도가 전파된다면 그것으로 기쁘다"고 했습니다. 중요한 것은 그리스도의 이름이지 자신의 이름이 아니라고 했습니다.

지도자의 생명력은 어디에 있습니까? 다른 사람들이 하나님의 영으로 충만하게 되어 지도자로 설 수 있도록 돕는 것입니다. 누군가 하나님의 영으로 더 충만하게 될 때 시기심에 사로잡힌다면 이 지도자의 생명은 끝나고 맙니다. 누군가 은혜를 받으면 같이 기뻐해야 되는데, 왜 저 사람만 은혜가 충만한 것인지 질투심이 일어나지 않습니까?

예전에 인도하던 학생집회에 참 신실한 믿음을 가진 여학생이 한 명 있었습니다. 하루는 얼굴이 너무 불편해 보여 집회가 끝나고 그 이유를 물었더니 자신이 정말 싫어하는 아이가 은혜를 받아 변화되었다는 겁니다. 하나님을 깊이 사랑하는 애가 돼 버렸다는 겁니다. 그 아이만큼은 하나님의 사랑을 몰랐으면 좋겠는데 그 아이가 변화되어 자기보다 더 뜨겁게 기도하는 모습을 보자, 하나님을 깊이 사랑하는 걸 보자 감당하지 못하겠다는 겁니다.

예전에 은혜가 충만한 집회를 마치고 모든 성도가 은혜를 받고 집으로 돌아가는데, 이상하게도 충만한 느낌이 들지 않았습니다. 마음 한구석에 뭔가 불편한 마음이 있었습니다. 왜 그런가 생각해 보니 설교자가 다른 부목사님이었습니다. 이런 보이지 않게 스며드는 영적 시기심이 우리의 영적 생명을 무너뜨립니다.

솔직히 말해 우리는 자신을 통해 이루어지는 하나님 나라에 대해서는 관심이 굉장히 많습니다. 그런데 다른 사람을 통해 이루어지는 하나님 나라에 대해서는 별로 관심이 없습니다. 우리와 함께하지 않으면 적이라고 생각하기 때문입니다. 하지만 예수님은 어떻게 말씀했습니까? "우리를 반대하지 않으면 우리 편이다"라고 말씀했습니다.

요한은 자신의 보고를 듣고 예수님이 칭찬하실 것으로 기대했습니다. 하지만 예수님은 모세가 여호수아를 책망하듯이 요한을 책망하고 교훈하십니다.

[예수께서 말씀하셨습니다. "못하게 하지 마라. 내 이름으로 기적을 행하고 나서 바로 나를 욕할 사람은 없다. 누구든지 우리를 반대하지 않으면 우리 편이다."(막 9:39-40)]

요한은 우리와 함께하지 않으면 '우리의 적이다'라는 배타적인 태도를 가졌지만, 예수님은 '우리를 반대하지 않으면 우리 편이다'라는 포용적인 태도를 가지셨습니다. 이들이 12제자 그룹에는 속하지 않았지만 그렇다고 해서 성령님이 역사하시지 말라는 법이 어디에 있습니까!

하나님의 은혜, 하나님의 역사는 보이는 조직, 교회에 국한되지 않습니다. 각 교파와 교단의 입장이 서로 다르지만 우리의 적은 다른 교단이나 다른 교회가 아니라 사탄입니다. '사탄에 대항하는 성도라면 우리의 차이가 존재하더라도 서로 같은 편이다'라는 의식을 가져야 합니다.

집 근처에 있는 교회, 지금 다니는 교회 주변에 있는 교회 등 어떤 교회라고 할지라도 '우리는 같은 편이다'라는 의식이 있어야 할 줄로 믿습니다. 교회에 오고 가면서 어떤 교회가 보이면 "이 교회가 잘되게 해 주십시오. 대한민국에 있는 모든 교회가 잘되게 해 주십시오."라고 축복해야 합니다.

"교회가 왜 이렇게 많아"라는 말은 성도로서 할 말이 아니라고 생각합니다. 그럼에도 아직까지 교회보다 점집이 더 많은 걸 아십니까? 점집이 더 많아져야 되겠습니까, 아니면 교회가 더 많아져야 되겠습니까?

"모든 교회가 다 아름답게 성장하고 사회로부터 칭찬받는 교회가 되게 하옵소서." 이것이 우리의 기도 제목이 돼야 됩니다. 이웃 교회가 잘되고 부흥하면 상대적으로 우리 교회가 잘 부흥하지 않은 것처럼 보일 수 있습니다. 그러면 교회가 굉장히 싸늘해집니다. 특히 목회자들의 마음이 그렇습니다. 이웃 교회들이 잘된다고 하면 박수를 보내고 기쁜 마음으로 축복하는 마음이 바로 예수님의 마음입니다.

예수님은 이렇게 자신의 이름으로 일하는 사람들에게 넓은 포용력을 보여 주시는 동시에 우리 영혼을 지옥으로 향하게 하는 죄에 대해서는 아주 철저하고 단호하게 대적하고 배척할 거라고 말씀합니다. 예수님의 포용력은 사람에 대한 포용력이지 죄에 대한 포용력이 아닙니다. 죄에 대해서는 단호하게 대처해야 합니다.

["또 누구든지 나를 믿는 어린아이들 중 하나라도 죄짓게 하는 사람은 차라리 큰 맷돌을 목에 달고 바다에 던져지는 것이 나을 것이다."(막 9:42)]

죄 중에 가장 큰 죄는 다른 사람을 죄짓게 하는 것입니다. 자신이 죄를 지은 것으로 끝나지 않고 다른 사람까지 죄짓게 하는 것, 다른 사람을 잘못된 길로 이끄는 사람은 영향력을 미치는 자리에서 물러나야 합니다. 그래서 "선생 된 자에게 더 큰 책임이 주어진다"라고 말씀한 것입니다.

죄에 이르게 하는 어떤 것도 단호히 끊어라

기독교 교육학자인 하워드 헨드릭스는 목사들이 가장 많이 지은 죄가 무엇인가 하면 바로 설교를 지루하게 해서 성도들이 하나님 말씀으로부터 멀어지게 하는 것이라고 했습니다. 말씀을 너무 지루하게 해서 설교를 들으며, 가르침을 받으며 '말씀은 저렇게 지루한 것이구나'라고 생각하며 말씀으로부터 점점 멀어지게 만드는 것이라고 했습니다. 정말 위트 있는 유머가 아닐 수 없습니다.

어찌 됐든 다른 사람에게 죄를 짓게 하는 것보다는 큰 맷돌을 목에 달고 바다에 던져지는 것이 낫다고 했습니다. 실제로 그렇게 자살하라는 것이 아닙니다. 그만큼의 책임감을 가지라는 뜻입니다. 다른 사람뿐 아니라 자신을 죄에 이르게 하는 어떤 것도 단호하게 끊어 버려야 합니다.

["네 손이 너를 죄짓게 하거든 잘라 버려라. 두 손을 가지고 영원히 꺼지지 않는 지옥 불에 떨어지느니 성하지 않은 몸이 되더라도 생명에 들어가는 것이 더 낫다. (없음) 또 네 발이 너를 죄짓게 하거든 잘라 버려라. 두 발을 가지고 지옥에 던져지느니 저는 다리로 생명에 들어가는 것이 더 낫다. (없음) 또 네 눈이 너를 죄짓게 하거든 뽑아 버려라. 두 눈을 가지고 지옥에 던져지느니 한 눈만 가지고 하나님 나라에 들어가는 것이 더 낫다."(막 9:43-47)]

같은 말씀을 세 번이나 반복해 말씀했습니다. 손과 발과 눈으로 바꿔 말씀했지만 같은 말씀입니다. 세 번씩이나 반복해 교훈을 주신 것은 많지 않습니다. 대단히 강조하신 것입니다. 요지는 분명합니다. 죄를 끊지 않으면 지옥에 던져지게 되는데 지옥에 던져질 바에야 차라리 어떤 희생을 치를지라도, 그것이 육신이 제거되는 희생일지라도 죄를 끊고 영생과 하나님 나라에 들어가는 것이 더 낫다는 것입니다.

그렇다고 진짜 육체를 잘라내라는 뜻은 아닙니다. 그 정도의 각오, 그 정도의 결단을 가진다면 죄를 못 끊겠느냐 하는 말씀입니다. 죄를 지은 어떤 사람에게 "당신의 팔을 자르겠습니까, 아니면 그 습관을 버리겠습니까?"라고 물었을 때 "나는 내 팔이 잘리더라도 이 습관을 버리지 않겠습니다"라고 대답할 사람이 누가 있겠느냐는 겁니다. 그런 각오만 있다면 어떤 죄도 끊지 못할 죄가 없다는 뜻입니다.

초대교회 교부들 가운데 문자적으로 실현한 사람들이 있었습니다. 실제로 자신의 신체 일부를 절단한 것입니다. 하지만 신체의 일부를 절단한다고 죄가 끊어질까요? 어느 책을 보니 18세기 어느 마을에서 소매치기가 너무 많아 공개 처형을 했다고 합니다.

소매치기하는 사람을 붙잡아다가 마을 사람들이 보는 가운데 팔이나 팔뚝, 팔목을 자르는 아주 심한 처벌을 했는데, 바로 그날에 다른 날보다 훨씬 많은 소매치기 사건이 일어났다는 겁니다. 많은 사람들이 모여 그 광경에 집중하는 동안 뒤에서 지갑을 빼고 훔쳤다는 것입니다. 바로 그 광경을 보면서 '앞으로 언제 또 이 일을 할 수 있을지 모르니까 마지막으로 수입을 잡아야 되겠다'라고 생각한 것입니다. 공개 처형 장소에서 가장 많은 소매치기가 이뤄졌다는 것은 죄의 심각성을 말해줍니다.

예수님은 죄짓는 신체를 절단하라는 것이 아니라 외과 수술을 하듯이 단호하게 우리의 죄를 끊어 내야 된다고 말씀한 것입니다. 우리 몸에 종양이 있어 수술을 받는데 이렇게 말하는 환자가 있습니까? "의사 선생님 몇 센티미터입니까?" "10센티미터입니다." "그러면 이번에는 5센티미터만 잘라 주세요. 나머진 다음에 자르겠습니다." 이렇게 말하는 사람이 있습니까? 때로는 의사가 그렇게 말할 수는 있습니다. "지금 10센티미터를 다 수술하면 생명이 위험하니 조금 남겨 뒀다가 다음에 합시다." 이는 의사가 판단해야 합니다.

하나님은 때로 우리의 죄를 내버려 두실 수 있습니다. 우리 생명이 위태로울 때는 조금 봐 주실 때가 있습니다. 하지만 우리의 입장에서 이걸 완전히 제거해 달라고 요청해야 합니다. 죄를 종양으로 생각하라는 겁니다. 우리 몸속에 종양이 자라나고 있다면 깨끗하게 제거하려고 하지 않겠습니까. 이처럼 죄를 끊어 내야 한다는 말입니다.

이 말씀은 우리에게 세 가지 중요한 교훈을 줍니다. 첫 번째, 우리는 자신 안에 있는 죄의 무서운 실체를 깨달아야 합니다. 믿지 않는 사람들에게 "구원받아야 합니다"라고 말할 때 그들이 받아들이지 않는 이유는 구원이 좋고 나쁘고를 몰라서가 아니라 자신이 죄 가운데 있다는 것을 알지 못하기 때문입니다. 죄의 심각성을 모르기 때문입니다.

로마서에 보면 죄와 온 인류에 임한 하나님의 진노가 나옵니다. 인류는 하나님의 진노 가운데 처해 있습니다. 이 말씀은 죄의 심각성을 먼저 설명하고 복음을 설명하는 구조로 되어 있습니다.

또한 구원을 받았으면서도 구원의 감격이 없는 이유는 무엇입니까? 자신이 얼마나 큰 죄 가운데 있는지, 우리 안에 있는 죄가 얼마나 무서운 죄인지 깨닫지 못하기 때문에 감격을 잃어버리는 겁니다. 우리는 이 죄의 심각성과 무서운 실체를 깨달아야 합니다. 사도 바울이 자신 안에 있는 죄의 무서운 실체를 보고 이런 고백을 했습니다.

[그러므로 나는 하나의 법칙을 깨달았습니다. 곧 선을 행하기 원하는 나에게 악이 함께 있다는 것입니다. 내가 속사람으로는 하나님의 법을 즐거워하지만 내 지체 안에서 하나의 다른 법이 내 마음의 법과 싸워 나를 내 지체 안에 있는 죄의 법의 포로로 잡아가는 것을 봅니다.(롬 7:21-23)]

사도 바울은 그리스도인이었습니다. 성령 안에 있는 사람이었습니다. 그럼에도 "내 지체 안에 있는 죄의 법의 포로로 잡아가고 있다"라고 고백했습니다. 많은 사람들이 한평생 어둠 속에서 살아갑니다. 자신의 외모, 외적 상태에 대해서는 잘 알지만 내면 상태에 대해서는 잘 모르기 때문입니다. 건강검진은 열심히 하지만 영혼의 검진은 게을리 하기 때문입니다.

사도 바울은 자기 안에 있는 죄의 실체를 법이라고 표현했습니다. 죄가 단지 그냥 존재하는 것이 아니라 법의 힘과 영향력으로 존재한다는 것입니다. 법이 있다는 것을 아는 정도가 아니라 우리 안에 이 법의 영향력이 있다는 것을 알아야 합니다. 어떤 질병에 대해 강의를 듣고 설명을 듣는 것과 그 질병이 우리 속에 있다는 것은 천지 차이입니다.

법은 무엇입니까? 지배권을 말합니다. 죄의 법, 죄가 법이라는 것입니다. 우리 안에 법처럼 힘과 영향력을 가지고 우리를 다스리고 있다는 겁니다. 물론 정당한 지배권은 없습니다. 그리스도께서 십자가에서 모든 죄의 세력을 멸하심으로써 정당한 지배권은 없습니다. 그럼에도 실제적인 영향력이 아직까지 미치고 있습니다.

특별히 우리가 선을 행하려고 할 때 이 죄가 더욱 활개를 치고 영향을 미칩니다. 우리가 죄로부터 승리했다고 단언하는 그 순간에도 죄의 잔재는 우리 속에 있습니다. 완벽한 승리라고 생각하는 그 순간에도 우리는 미처 깨닫지 못한 죄의 잔재 때문에 넘어갈 수 있습니다. 다윗 왕은 신실한 하나님의 왕이었습니다. 하지만 그 마음속에 있는 아주 작은 죄의 잔재가 그를 사로잡지 않았습니까!

이처럼 우리는 죄에 대해 늘 경계해야 합니다. 날마다 하나님의 말씀 앞에서 엑스레이 촬영을 하듯이, MRI를 찍듯이 스캐닝해야 됩니다.

두 번째, 우리는 지옥의 무서운 형벌을 피하기 위해 죄를 죽여야 한다고 말씀합니다. 왜 예수님은 우리의 신체를 끊어 내야 한다고 말씀할 정도로 죄를 죽여야 한다고 하셨습니까? 지옥에 무서운 형벌이 있기 때문이라고 말씀합니다. 교회에 나오지 않는 이유 중 대표적인 것이 교회에서 지옥을 말하기 때문이라고 말할 수도 있습니다.

많은 사람이 이것을 불쾌해합니다. 교회를 다니는 성도들조차 지옥에 대한 설교를 중세 시대의 진부한 교회 지도자들이 성도들을 협박하기 위한 것이라고 생각합니다. 지옥에 대해 믿지 않는다고 하는 사람이 혹시 있을지도 모르겠습니다.

미국의 랍 벨이라는 유명한 목회자처럼 목회자들 가운데도 지옥을 믿지 않는 사람이 많습니다. 어떤 생각에서 그렇습니까? 하나님이 사랑이시라면 사랑이신 하나님이 어떻게 지옥을 만들 수 있느냐는 것입니다. 심지어 이렇게 대드는 철학자들도 있습니다. 만약 천국과 지옥이 있어 천국에 간다면 지옥에서 고통받는 사람들을 보느니 차라리 지옥에 가서 데모를 하겠다는 것입니다. 지금 그 사람이 지옥에서 데모하고 있는지 확인해 보고 싶습니다.

놀라운 것은 신약에서 예수님이 지옥에 대해 아주 많은 말씀을 하셨다는 겁니다. 우리가 예수님을 믿는다면서 그분의 교훈 중 여러 번 강조하고 반복해 말씀한 지옥을 믿지 않으면 예수님을 믿지 않는 것과 마찬가지입니다. 예수님은 지옥을 꺼지지 않는 불이 있는 곳이며, 바깥 어두운 곳이며, 영원한 형벌의 장소라고 여러 번 반복해 말씀했습니다.

["지옥은 '벌레도 죽지 않고 불도 꺼지지 않는' 곳이다."(막 9:48)]

지옥은 불도 꺼지지 않는 곳입니다. 예수님은 분명히 지옥에 대해 말씀했습니다. 악을 처벌해야 선이 있는 것입니다. 악이 처벌되지 않으면 선도 존재하지 않습니다. 공의롭지 않으면 그것은 사랑이 아닙니다. 진정한 사랑은 공의로운 것입니다. 지옥은 원한을 갚는 곳이 아니라 복수하는 곳이 아니라 하나님의 공의가 실행되는 곳입니다. 선하신 하나님이, 지극히 선하신 하나님이 이 땅의 악을 징벌하시는 곳입니다.

만약 지옥이 없다고 생각한다면, 수백만 명을 학살하고도 조금도 뉘우치지 않고 죽는 그 순간까지 자신은 조금도 잘못한 것이 없다고 외치는 그런 암살자들이 천국에 있다면 선한 하나님이겠습니까? 지옥이 없다면 이 땅의 마지막 순간까지 악에 속해 살았던 사람들이 모두 천국에 간단 말입니까? 그러면 선이 아닌 겁니다.

작가 C.S. 루이스는 "지옥을 제대로 믿지 않고서 천국을 제대로 믿는 사람을 만나 본 적이 없다"라고 했습니다. 지옥을 제대로 믿지 않고서는 천국도 제대로 믿지 못한다는 것입니다. 이 두 가지 믿음은 하나가 무너지면 함께 무너집니다. 또 어떤 사람은 지옥을 믿고 싶지 않아서 교묘히 피해 갑니다. 이것을 믿지 않는 사람은 지옥을 안 믿는다기보다는 지옥을 교묘하게 약화시킵니다.

대표적으로 가톨릭은 연옥 교리를 통해 지옥을 약화시켰습니다. 대부분 지옥에 가는 사람보다 연옥에서 면죄부를 사서 구제 받고 다양한 구제 방법으로 연옥을 벗어날 수 있다는 말로 지옥을 약화시켰던 겁니다.

지옥은 영원히 사는 것이 아니라 영원한 죽음이다

기독교에서도 두 가지 방법으로 지옥을 약화시킵니다. 첫째는 지옥을 영원에서 빼버리는 것이고, 둘째는 영원에서 지옥을 빼버리는 것입니다.

조금 이해하기 어렵긴 하지만 먼저 지옥을 영원에서 빼내는 것이 뭐냐면 모든 사람이 구원받는다는 겁니다. 만인구원설입니다. 성경 말씀에 이런 것을 착각하게 만드는 구절이 있습니다. "하나님은 모든 사람들이 구원받기를 원하시느니라." 그래서 모든 사람은 다 궁극적으로 구원을 받는다는 것입니다.

여기서 원하신다고 그랬지 구원을 받는다고 그러시지는 않았습니다. 즉 하나님의 소원을 말한 것입니다. 하나님은 그렇게 되기를 원하셨습니다. 놀라운 것은 끝까지 회개하지 않고 진리의 길을 선택하지 않는 사람들이 있다는 것입니다. 만약 모든 사람이 다 구원을 받으려면 사탄도 회개하고, 사탄도 하나님과 화목해야 합니다.

성경에 분명히 말씀합니다. 사탄에게는 회개의 기회가 주어지지 않습니다. 창세기 3장에도 아담과 하와에게는 질문을 하고 추궁하지만 사탄에게는 아무런 추궁도 없고 아무런 회복의 길도 주어지지 않았습니다. 회복의 길이 없습니다. 사탄은 이미 정해졌습니다.

지옥이 만들어진 것은 바로 하나님을 배역한 사탄과 그 무리들이 가게 하기 위해서입니다. 사람을 보내기 위해 만든 곳이 아닙니다. 사탄을 처벌하기 위해 만든 지옥에 사탄에 속한 사람들이 함께 가는 것입니다. 이 얼마나 어리석은 짓입니까! 지옥은 원래 사람을 위해 만든 곳이 아닙니다.

또한 반대로 영원에서 지옥을 빼는 사람이 있습니다. 지옥은 있지만 영원히 고통받는 것이 아니라 잠시 고통을 받는다는 것입니다. 그리고 소멸되어 버린다는 것입니다. 몸도 소멸되고 영혼도 완전히 무의 상태로 소멸되어 버린다는 것입니다. 그렇게 생각하면 마음의 위로가 되지 않습니까. 하지만 완전히 소멸되면 지옥이 아닙니다. 완전히 소멸되는 것은 깨끗합니다. 그러므로 지옥이 아닙니다.

예수님은 분명히 "영원히 꺼지지 않는 불이다"라고 말씀했습니다. 지옥은 끝이 없는 죽음입니다. 두 가지 길이 있는데, 죽음 이후에 한 부류는 천국에서 영원히 살고 한 부류는 지옥에서 영원히 사는 것입니다. 이렇게 설명하는 것은 틀린 것입니다. 지옥은 영원히 사는 것이 아니라 영원한 죽음입니다. 영원한 죽음의 상태입니다. 고통스러운 죽음입니다. 지옥은 체크인은 있지만 체크아웃이 없습니다.

단테가 쓴 《지옥편》이 있습니다. 단테의 지옥, 연옥, 천국 이 세 편은 사실 그 당시의 많은 미신이 포함된 작품이지만, 또 한편으론 설득력 있는 표현이 많습니다. 《지옥편》에 보면 지옥의 현관문에는 다음과 같은 글이 써 있습니다. 긴 문장인데 가장 마지막에 "이곳에 들어오는 모든 사람은 희망을 버리라"는 글이 있습니다. "이곳에 들어오는 모든 자들이여, 모든 희망을 버리라." 이곳이 바로 지옥입니다.

이 영원한 형벌, 꺼지지 않는 불이 문자적인 불이냐 아니냐 논란의 여지가 있습니다. 루터나 칼뱅 등 많은 사람들은 악한 천사나 사탄을 위해 예비된 곳인데 문자적인 불이라면 말이 되지 않지 않는다고 말했습니다. 일리 있는 말입니다. 또 다른 부류는 '문자적인 불이다'라는 것입니다. 그것이 중요한 게 아니라 실제 고통스러운 영원한 형벌이라는 것이 중요하고, 그것만 믿으면 된다고 말합니다.

그러나 우리가 또 하나 생각해야 할 것은 이런 영원한 형벌의 장소지만 무한한 형벌은 아니라는 것입니다. 지옥의 형벌에는 정도의 차이가 있다는 것입니다. 히틀러와 다른 종교를 믿지만 진리를 모른 채 선하게 살려고 노력한 사람에게 같은 형벌이 주어졌다면 불공평하지 않겠습니까?

지옥의 형벌에는 차이가 있다는 근거가 여러 구절에서 나타납니다. 자신이 저지른 악에 비례한 형벌을 받는다는 것입니다. 하지만 죄를 짓는 데 걸린 시간만큼 벌을 받는 것은 아닙니다. 누군가를 살인하는 데는 몇 초밖에 걸리지 않습니다. 죄의 무게, 하나님이 판단하시는 죄의 무게에 따라 처벌을 받는다는 것입니다. 따라서 이러한 지옥이 실재하기 때문에 육체의 상함이 각오되더라도, 어떤 희생을 치르더라도 결단하여 죄를 끊어 내야 합니다.

하나님이 허락하시면 이런 프로그램을 진행하고 싶습니다. 교회 안에서 지옥의 불을 견딜 수 있는 방화유리로 된 버스에 모든 성도를 태우고 공동체별로 투어를 한번 가는 겁니다. 하루만 지옥 투어를 갔다 오면 싸 갔던 도시락도 못 먹고 그냥 올 겁니다. 하루만 돌고 오면 모든 프로그램이 필요없어질 겁니다. 성경을 읽으라는 프로그램도 필요가 없고 양육 프로그램도 다 필요없을 겁니다. 스스로 알아서 다 신앙생활을 할 것입니다.

예수님은 실제 눈으로 볼 수 없지만 성경을 통해 분명히 말씀했습니다. 지옥은 벌레도 죽지 않고 불도 꺼지지 않는 곳이라고 말입니다. 영원한 형벌의 장소를 분명히 눈으로 문자로 봤다면 이것을 믿고 상상하고 그곳에 가지 않도록 죄를 끊어 내려고 할 것입니다. 또한 다른 사람들도 그곳에 가지 않도록 노력할 것입니다.

영국의 유명한 설교자 찰스 스펄전은 이렇게 말했습니다. "죄인들이 지옥에 가더라도 우리 몸을 밟고 가게 합시다. 그들이 멸망당하더라도 우리는 그들을 살리기 위해 애씁시다. 지옥이 차야 하더라도 우리는 지옥이 차지 않게 최대한 노력합시다. 경고나 기도를 받지 않고 지옥에 가는 사람이 한 명도 없게 합시다."

미국에서 교회학교가 가장 큰 교회는 헤먼드제일침례교회입니다. 이 교회의 잭 헤일즈 담임목사님은 19명으로 시작해 7만 명이 넘는 교회로 성장시켰습니다. 유치원부터 대학교까지 있는 교회입니다. 침례교회 중에서 가장 많은 학생이 있습니다. 헤먼드제일침례교회에 처음 부임했을 때 교인이 얼마 되지 않았습니다. 그런데 부임하고 몇 개월이 지난 뒤 이 교회의 리더십들이 목사님을 찾아와 항의를 했다고 합니다. "목사님, 목사님이 오신 이후로 모든 성도가 노이로제에 걸렸습니다."

왜 그렇습니까? 목사님의 설교 주제가 언제나 전도였습니다. 매주 전도에 대한 설교를 했답니다. 또한 모든 프로그램이 전도에 관한 것이었다고 합니다. 노방전도, 맞춤전도, 무슨 초청전도 등 전부 전도였답니다. 해외선교도 하고 양육도 해야 하는데, 편협한 프로그램과 편협한 설교로 모든 성도가 노이로제에 걸렸다는 것입니다.

목사님은 그 이유에 대해 다음과 같이 설명했습니다.

아버지가 믿지 않는 알코올 중독자였습니다. 오랫동안 아버지를 믿게 하려고 했지만 실패했습니다. 어느 해 마지막 예배 때 몇 시간 동안 차를 타고 가서 아버지를 모셔다 놓고 송구영신 예배임에도 교회 비전을 설교하지 않고 복음선교를 했습니다. 아버지를 전도하려고 말입니다. 그런데 아버지는 꿈쩍도 하지 않았습니다. "자, 이제 예수를 믿기로 결단한 분 일어나십시오"라고 했는데도 아버지는 가만히 앉아 계셨습니다. 너무나 가슴이 아팠습니다.

그러던 어느 겨울 아버지한테서 전화가 왔습니다. 내년 봄에는 꼭 예수님을 믿고 세례를 받겠다는 전화였습니다. 얼마나 기뻤는지 모릅니다. 봄이면 아버지가 예수님을 믿겠다고 하니 봄을 기다렸습니다. 그리고 며칠 후 추운 겨울밤에 갑자기 전화가 걸려왔는데, 아버지가 심장마비로 돌아가셨다는 겁니다.

가슴 아픈 소식을 듣고 달려가 장례를 마쳤는데, 그날 밤 누나 얼라인이 갑자기 문을 두드리며 찾아왔습니다. 공포에 질린 표정이었습니다. 아직 예수를 믿지 않던 누나였습니다. 그래서 "내가 어떻게 하면 예수 믿겠어?"라고 말한 뒤 복음을 설명하고 함께 기도한 뒤 예수님을 영접했습니다.

그러고 나서 새벽에 찾아온 이유를 물었더니 꿈을 꾸었는데 그 꿈에 어떤 사람들이 자신을 건물 이층으로 데려갔다는 겁니다. 건물 이층에는 관 수십 개가 나란히 놓여 있었다는 겁니다. 그 사람이 누나를 관으로 인도한 뒤 관을 하나씩 열어 보였는데, 그 관 속에 누워 있는 시신의 얼굴이 너무나 평화로워 보였다는 겁니다. 관 뚜껑을 하나하나 여는데 평화가 깃든 표정에 어느덧 두려움이 사라졌다고 합니다.

마지막 관까지 갔는데, 그 관은 뚜껑이 닫혀 있지 않은 채로 있었다는 겁니다. 뚜껑이 닫혀 있지 않았다는 것은 손이 바깥으로 나와 있어서 알았답니다. 관을 잡고 있어 뚜껑이 닫히지 않은 겁니다. 그런데 뚜껑을 연 순간 바로 아버지의 시신이 있었습니다. 아버지의 얼굴은 지금까지 봤던 시신들과 달리 아주 고통스러운 표정을 하고 있었답니다.

그 얼굴을 보는 순간 갑자기 음성이 들려왔는데 "얼라인, 얼라인, 사람들에게 가서 빨리 말해라. 내가 온 곳에 오지 말라고 해라. 내가 온 곳에 오지 말라고 해라"고 했답니다. 그 음성이 너무 생생해 잠에서 깨어 제 집으로 달려왔다는 겁니다.

이 얘기를 마치고 목사님은 성도들에게 "저는 누이의 꿈에 나타난 그 아버지의 음성을 잊을 수가 없습니다"라고 말했습니다. 그래서 영혼 구원을 위해 최선의 노역을 하게 된 것입니다. 목회의 균형을 깼을지 모르지만 영혼을 구원하는 일에 전심전력을 다한 것입니다.

그리고 7만 5,000명의 성도를 가진 세계에서 가장 큰 교회학교, 유치원부터 대학까지 모든 교육기관을 교회 안에 세운 그런 영향력 있는 교회가 되었다는 겁니다.

지옥에 가지 않도록 죄를 끊는 일은 인간의 힘으로는 되지 않습니다. 성령의 능력으로만 가능합니다. 성령님은 바로 그 사역을 위해 우리에게 오신 분입니다. 우리가 죄를 끊을 수 있는 것은 십자가에 함께 못 박혀 죽음으로써만 가능합니다.

[우리의 옛 사람이 십자가에 못 박힌 것은 죄의 몸이 멸해져 우리가 더 이상 죄의 종이 되지 않게 하려는 것임을 압니다. 이는 죽은 사람은 이미 죄에서 벗어났기 때문입니다.(롬 6:6-7)]

"한 번 죽는 사람은 두 번 죽게 되고, 두 번 죽는 사람은 한 번 죽게 된다"는 말이 있습니다. 십자가의 죽음을 경험하지 않고 육신의 죽음만 죽는 사람은 두 번째 사망, 영원한 죽음이 기다리고 있습니다. 두 번 죽는 것입니다. 이 세상에서 한 번 육신의 죽음을 죽는 사람은 육신의 죽음 이후에 기다리고 있는 두 번째 사망, 곧 영원한 죽음을 죽게 되지만 이 땅에서 육신의 죽음 이전에 십자가에서 함께 죽는 그 죽음을 경험한 사람은 한 번만 죽는다는 겁니다. 얼마나 기가 막힌 말입니까! 한번 죽는 사람은 두 번 죽게 되고 두 번 죽는 사람은 한 번 죽게 됩니다. 이 땅에서 두 번 죽음으로써 한 번만 죽음을 경험하게 되기를 바랍니다.

그러나 죄에서 끊어지는 것은 성령님이 알아서 해 주시는 겁니다. 우리는 그저 순종해야 합니다. 성령님은 우리를 대신해 일하시는 것이 아니라 우리와 함께 우리를 통해 일하시는 분이라는 것을 기억해야 합니다. 그러므로 죄를 단호하게 끊어 내는 결단이 필요합니다.

청교도인 벤저민 니들러는 "죄와 작별하되 이렇게 작별해선 안 된다. 친구들과 다시 만나기로 기약하고 작별하듯이 죄와 작별해선 안 된다"라는 재미있는 말을 했습니다. 언젠가 또다시 만나자면서 이별해선 안 됩니다.

그럼 어떻게 죄와 이별해야 합니까? 바울이 손에 독사가 붙었을 때 손에 붙은 독사를 불 가운데 털어 버리듯이 손에서 털어 내야 합니다. 독사가 손을 물고 있으면 어떻게 텁니까? 웬만큼 먹을 만큼 먹고 가라고 해야 합니까? 아닙니다. 독사를 털어 버리듯이 죄를 단호하게 끊어 내야 합니다.

[그러므로 땅에 속한 지체들을 죽이십시오. 그것들은 음행과 더러운 것과 정욕과 악한 욕망과 탐심입니다. 탐심은 우상숭배입니다.(골 3:5)]

[여러분이 죄와 싸웠지만 아직 피를 흘릴 정도로 대항하지는 않았습니다.(히 12:4)]

피를 흘릴 정도로 죄와 싸울 각오가 되어 있어야 합니다. 예배를 마치고 나갈 때 죄를 털어 버리는 역사가 있게 되기를 바랍니다. 십자가에서 예수님과 함께 못 박히게 되는 역사가 있게 되기를 바랍니다.

마지막으로 예수님은 우리가 어떻게 죄의 법에 지배 받지 않으며 살 수 있는지 소금에 비유해 설명하셨습니다.

["모든 사람이 소금에 절여지듯 불에 절여질 것이다. 소금은 좋은 것이다. 그러나 소금이 그 짠맛을 잃으면 어떻게 다시 짜게 되겠느냐? 그러므로 너희 가운데 소금을 간직하고 서로 화목하게 지내라."(막 9:49-50)]

이 말씀은 굉장히 엄숙한 동시에 위트가 있습니다. 왜 그렇습니까? 만약 우리가 이 세상에서 부패한 대로 살게 되면 지옥에 가서 소금에 절여지듯이 불에 절여지게 된다는 것입니다. 그런데 이 땅에서 소금에 절여져 부패함을 막으면 우리는 영원한 생명을 얻게 됩니다. 그래서 예수님은 우리가 이 세상에서 소금에 절여져 마음의 부패함을 막지 않으면 지옥에서 영원히 소금에 절여지듯이 불에 절여질 거라고 말씀한 것입니다.

소금과 불, 이 땅에서 소금에 절여질 것인가 아니면 저 세상에서 불로 소금처럼 절여질 것이냐 둘 중 하나를 선택하라는 겁니다. 어떻게 하겠습니까? 소금을 치는 것이 불에 타는 것보다 훨씬 덜 고통스러울 것입니다. 육체를 억제하는 고통이 육체를 억제하지 못해 영원히 고통받는 것보다 훨씬 더 가볍다고 말씀합니다. 결단해야 한다는 말씀입니다. 이 땅에서 소금에 절여져 살겠습니까? 아니면 지옥에 가서 불에 절여지겠습니까? 선택하라는 것입니다.

구약에 보면 제사에서 하나님께 제물로 드려질 때는 모든 제물을 소금에 절였습니다. 우리의 부패한 성품, 죄로 가득한 이 마음은 소금에 절여져야 한다는 겁니다. 썩지 않도록 말입니다. 이 소금이 떨어지고, 맛을 잃어버리면 어떻게 됩니까? 썩는 것입니다. 그래서 우리 마음을 소금에 항상 절여 놓아야 합니다. 서로 만나면 소금 냄새가 풀풀 나야 합니다.

예수님은 "너희 안에 소금을 간직하라. 너희 가운데 소금을 간직하라"고 말씀했습니다. 그러면 화목해집니다. 우리 안에 소금을 간직하면 기쁨이 있습니다. 평화가 있습니다. 서로 다투지 않습니다. 권세욕으로 앞질러 가지 않습니다. 배타적이지도 않습니다. 우리의 말도 소금으로 간직해야 합니다.

[여러분은 언제나 소금으로 맛을 내는 것같이 은혜롭게 말하십시오. 그러면 여러분은 각 사람에게 어떻게 말할 것인지 알게 될 것입니다.(골 4:6)]

우리의 말도 소금에 절여 내보내야 합니다. 우리의 언어, 우리의 말, 우리의 심령이 소금에 절여져 있으면 부패하지 않는 싱싱한 그런 믿음의 삶으로 살아가게 된다는 것입니다.

우리 안에 있는 죄를 늘 살펴보면서 죄에 이끌리는 인생이 아니라 성령께 이끌리는 인생이 되기를 축원합니다. 날마다 우리 주변에 지옥으로 가는 인생이 있는지를 살펴보면서 그들이 지옥에 처해지지 않도록 간절히 기도하고 노력할 수 있게 되기를 바랍니다. 날마다 우리 마음에 소금을 간직하고, 우리의 관계와 가정에 소금을 간직하고, 소금에 절인 마음이 되어 이 세상처럼 부패한 마음으로 살지 않고 천국의 아름다운 마음으로 승리하며 살아가기를 주님의 이름으로 바랍니다.

Pray

하나님, 우리가 날마다 소금에 절인 심령으로 천국을 날마다 소유한 자로 살게 하옵소서. 우리 주변에 지옥에 처해지는 영혼이 없도록 우리 가정을 주장하시고 사랑하는 가족들을 만날 때 우리 안에 있는 죄의 심각성을 깨닫고 그들을 천국으로 인도할 수 있게 하여 주옵소서. 예수님 이름으로 기도합니다. 아멘.

막 10:1–12

¹예수께서 그곳을 떠나 유대 지방으로 가셔서 요단 강 건너편으로 가셨습니다. 그러자 사람들이 또 예수께 몰려왔고 예수께서는 늘 하시던 대로 그들을 가르치셨습니다. ²바리새파 사람들 몇 명이 와서 예수를 시험하려고 물었습니다. "남자가 자기 아내와 이혼해도 됩니까?" ³예수께서 대답하셨습니다. "모세가 어떻게 하라고 명령했느냐?" ⁴그들이 말했습니다. "모세는 남자가 이혼증서를 써 주고 아내와 헤어져도 된다고 했습니다." ⁵그러자 예수께서 말씀하셨습니다. "모세가 그런 계명을 쓴 것은 완악한 너희 마음 때문이다. ⁶그러나 하나님께서 세상을 창조하실 때 '사람을 남자와 여자로 만드셨다.' ⁷그러므로 남자가 자기 부모를 떠나 아내와 더불어 ⁸둘이 한 몸이 될 것이다. 따라서 그들이 이제 둘이 아니라 한 몸이다.' ⁹그러므로 하나님께서 짝지어 주신 것을 사람이 갈라놓아서는 안 된다." ¹⁰집 안에서 제자들이 예수께 이 문제에 대해 다시 물었습니다. ¹¹예수께서 대답하셨습니다. "누구든지 자기 아내와 이혼하고 다른 여자와 재혼하는 사람은 자기 아내에게 간음죄를 짓는 것이다. ¹²또 그 아내가 자기 남편과 이혼하고 다른 남자와 재혼하는 것도 간음죄를 짓는 것이다."

걸림돌을 디딤돌 삼아

한 몸이 되는 아름다운 일은 부모를 떠나 한 몸이 된다는, 하나라는 것입니다.
이 '하나'에 해당하는 히브리어 단어가 여러 개 있는데, 그냥 하나로서 존재하는 하나가 있고,
그 안에 여러 가지가 존재하는 다양성이 하나를 이루는 하나가 있습니다.
여기서 한 몸이 된다는 것은 후자의 의미를 내포하고 있습니다.

복음서를 보면 예수님을 늘 따라다니던 두 부류의 사람들이 있었습니다. 한 부류는 예수님의 가르침을 듣고 기적을 체험하기 위해 따르던 사람들입니다. 또 한 부류는 예수님을 시험하고 고소해 그분을 어떻게 하면 제거할까 그 구실을 찾기 위해 따르던 사람들입니다.

성경에도 그러한 사람들이 등장해 예수께 질문을 합니다. 이들은 여러 가지 질문을 던져 예수님을 넘어뜨릴 구실을 찾았습니다. 왜 예수님은 세리와 죄인들과 함께 식사를 합니까? 왜 요한의 제자들처럼 예수님의 제자들은 금식하지 않습니까? 왜 안식일에 행해서는 안 되는 일을 합니까? 왜 손도 안 씻고 더러운 손으로 음식을 먹어 장로들의 전통을 지키지 않는 것입니까?

예수님을 넘어뜨리려고 했던 많은 질문이 오히려 예수님의 진리 혹은 예수님이 진리시라는 것을 분명하게 드러내는 도구가 되었다는 것을 알 수 있습니다. 아무리 어려운 질문이 던져져도 예수님이 보여 주신 진리가 오히려 밝게 빛나는 그러한 모습을 볼 수 있습니다.

때로는 우리 인생에 걸림돌처럼 보이는 일들이 오히려 디딤돌이 되기도 합니다.

우리 인생에 고난과 약점이라고 작용되었던 부분들이 오히려 변하여 축복의 통로가 될 수 있는 것이 하나님의 방법입니다. 주변에서 일어나는 모든 일이 우리에게 어려운 일처럼 보이고, 우리에게 연약함이 되고 약점이 될 수 있는 모든 일도 하나님이 변화시키시면 그분의 도구가 될 수 있다는 것을 믿기 바랍니다.

다만 조건이 있습니다. 우리가 진리 안에 있어야 한다는 것입니다. 진리이신 그리스도 안에 거할 때만이 우리가 어떤 인생의 질문을 만나도, 우리를 넘어뜨리려는 어떤 상황에 처할지라도 절대 넘어지지 않고 오히려 그 모든 상황이 진리를 나타내도록 하는 일에 하나님이 사용해 주시리라고 믿습니다.

이혼을 가르치시다

바리새파 사람들은 예수님을 함정에 빠뜨리기 위해 이혼이라는 주제를 끄집어냈습니다.

[바리새파 사람들 몇 명이 와서 예수를 시험하려고 물었습니다. "남자가 자기 아내와 이혼해도 됩니까?"(막 10:2)]

이들의 질문을 곰곰이 생각해 봅시다. "남자가 자기 아내와 이혼해도 됩니까?" 이 질문에서 '해도 됩니까?'라는 물음 그 자체에는 당시 사람들이 가지고 있던 보편적인 가치관과 세계관, 인생관, 가정관 등이 숨어 있습니다.

왜 이들은 이혼이라는 이슈로 예수님을 시험하려고 했을까요? 이유가 있습니다. 그 당시 이혼이 정치적으로 아주 민감한 이슈였기 때문입니다. 이 시기는 세례자 요한이 감옥에 갇혔다가 참수를 당한 지 얼마 되지 않았을 때입니다. 그는 왜 감옥에 갇히고 참수를 당했습니까? 그 당시 최고 권력자였던 헤롯 왕이 남동생의 아내와 재혼한 그 사건을 비판했기 때문에 죽임을 당한 것입니다.

세례자 요한이 죽임당한 이유는 헤롯 왕의 잘못된 결혼, 권력을 이용해 함부로 여성을 착취한 최고권력자의 부도덕한 가정생활에 대해 비판했기 때문입니다. 그로 말미암아 그 이후로는 어떤 사람도 헤롯 왕의 가정생활에 대해 언급하지 못했습니다. 요즘 시대에 이런 일이 일어났다면 당장 쫓겨나고 망명하고 도망가야 할 사람은 헤롯 왕이었을 겁니다. 그런데 그 당시에는 최고권력자라는 이유로 모두 두려워했습니다. 이 문제는 절대 언급해서는 안 되는 금기였습니다.

"남자가 자기 아내와 이혼해도 됩니까?"라는 질문은 예수님이 어떻게 대답하느

나에 따라 큰 이슈가 될 수도 있습니다. 당시 예수님은 센세이션을 일으키고 계신 분이었습니다. 예수님의 한 마디면 엄청난 파장을 일으킬 수 있는 그런 이슈였기 때문에 그 문제를 가지고 나온 것입니다. 예수님을 헤롯 왕, 권력자에 대항하는 인물로 보이게 할 수 있는 아주 좋은 이슈였던 것입니다.

그런데 예수님은 바리새파 사람들의 질문에 질문으로 대답하셨습니다.

[예수께서 대답하셨습니다. "모세가 어떻게 하라고 명령했느냐?"(막 10:3)]

예수님은 모세의 명령이 무엇이냐고 질문하셨습니다. 여기서 예수님이 명령이란 단어를 사용하셨다는 것에 주목해야 합니다. 그러자 바리새파 사람들은 이렇게 대답했습니다.

[그들이 말했습니다. "모세는 남자가 이혼 증서를 써 주고 아내와 헤어져도 된다고 했습니다."(막 10:4)]

바리새파 사람들이 쓴 단어는 무엇입니까? 헤어져도 된다고 했습니다. 바리새파 사람들의 강조점이 어디에 있는가 하면 '된다'에 있었습니다. 예수님은 모세의 율법에서 그 부분에 관해 뭐라고 명령했는가를 질문했는데, 이들은 "된다"라고 대답했습니다. 우리는 이 차이를 분석할 수 있어야 합니다.

예수님의 의도와 바리새파 사람들의 대답은 하나님의 기준과 그 당시 사람들이 가지고 있던 기준의 차이를 보여 줍니다. 바리새파 사람들은 모세가 이혼증서를 써 주면 이혼해도 된다고 대답했습니다. 허용했다는 겁니다. 허락했다는 겁니다. 예수님은 모세가 어떻게 명령했느냐고 질문했는데, 이들은 모세가 허용했다는 말로 이렇게 율법에 나와 있다고 얘기합니다. 동문서답입니다. 올바른 대답이 아니었습니다.

모세가 어떻게 명령했느냐고 물으셨기 때문에 "모세 율법에 이렇게 혹은 저렇게 명령했습니다"라고 대답해야 하는데 "모세가 허용했습니다"라고 대답한 것입니다. 이들이 모세가 허용했다고 근거로 삼은 구약 말씀이 있습니다.

["만약 한 남자가 어떤 여자와 결혼했는데 그가 여자에게서 부끄러움이 되는 일을 알게 돼 마음으로 싫어지게 되면 그는 이혼 증서를 써서 그 여자에게 주고 자기 집에서 내보내야 한다. 만약 그 여자가 그 집을 떠나 다른 사람의 아내가 되고 나서 그 두 번째 남편도 그녀를 미워해 그녀에게 이혼 증서를 써 주고 집에서 내보냈거나 혹은 그녀를 데려간 그 남편이 죽었더라도 그녀가 더럽혀진 뒤에 그 여자와 이혼한 전 남편이 그녀를 다시 데려오지 말라. 이는 여호와께서 보시기에 가증스러

운 일이다. 너희 하나님 여호와께서 너희에게 기업으로 주시는 그 땅 위에 죄를 부르지 말라."(신 24:1-4)]

이 말씀을 보면 "여자에게서 부끄러움이 되는 일을 알게 돼 마음으로 싫어지게 되면 그는 이혼 증서를 써서 그 여자에게 주고"라고 되어 있습니다. 겉으로 보면 얼마든지 이혼하고 싶으면 이혼 증서를 써서 이혼을 권유하는 것처럼 보일 수도 있습니다. 이 말씀을 잘못 이해하면, 겉으로 보면 이렇게 해석할 수도 있습니다. 하지만 이것은 이혼에 대해 명령하는 것이 아닙니다.

분명히 이 말씀에는 허락이 있습니다. 임시적인 허용이 있습니다. 하지만 이것은 이혼을 명령하는 것이 아닙니다. 이는 그 당시에 얼마나 남자들이 여성을 착취하고 사회적 폭력을 행사하고 있는지를 보여 주는 말씀입니다.

여기서 '만약'은 어느 사회에서나 언제든 일어날 수 있는 상황 혹은 일어나고 있는 상황을 말하는 것입니다. 하나님이 '그렇게 살아라'고 말씀한 것이 아니라 그렇게 살고 있는 사람들에게 주시는 규정인 것입니다. "결혼한 어떤 남자가 여자에게서 부끄러움이 되는 일을 알게 돼 마음으로 싫어지게 되면"은 그 당시 사람들의 모습이었습니다.

여기서 부끄러운 일이란 어떤 겁니까? 남편이 생각할 때 부끄러운 일인 것입니다. 남편이 생각할 때 그의 기준에 따라 부끄러운 일인 겁니다. 어느 날 자고 일어나니 아내의 머리가 헝클어져 있는데, 문득 부끄럽다는 생각이 드는 겁니다. 그러면 이혼 증서를 써서 공증을 받아 주면 이혼인 겁니다. 아침밥을 받았는데 밥이 탔거나 설익어 부끄러운 일이라는 생각이 들면 바로 나가라는 겁니다. 즉 기준이 없다는 겁니다. 기준은 뭡니까? 남편의 마음인 겁니다.

그 당시 여성들은 동산이었습니다. '부동산'할 때 동산 말입니다. 언제든 남자가 처분하고 싶으면 처분하고 내보내고 싶으면 내보낼 수 있었습니다. 남자 중심의 엄청난 사회적 폭력에 희생당하는 여인들을 보호하기 위해 모세를 통해 주신 제도가 이혼 증서를 써 주는 것이었습니다. 너무 쉽게 여성들을 착취하고 내보내는 그런 사회에서 여성을 보호하기 위해선 이혼 증서가 있어야 했던 것입니다. 이혼 증서 없이 여성이 나가면 그녀는 여전히 한 남자의 아내이기 때문입니다. 그 여인이 다른 사람을 만나거나 새로운 가정을 갖게 되면 그 여인은 간음을 하게 되는 것입니다. 그러면 죽임을 당하게 됩니다. 그래서 여자들을 무시하고 학대하지만 이혼 증서라도 써 줘서 내보내면 새 출발을 할 수 있다는 겁니다.

그 증서를 근거로 과거와 단절할 수 있는 제도를 하나님이 보내 주신 것입니다. 절대 이혼 증서를 마음대로 써서 이혼하라는 뜻이 아닙니다. 이는 남성 중심의 폭력적인 사회에서, 여자들이 착취당하는 그런 시대에 여인을 보호하기 위한 오늘날로 말하면 인권보호법 같은 것입니다.

그런데 모세로부터 역사가 흘러 흘러 예수님 시대에 이르렀을 때 사람들이 과거의 사회가 너무나 악하기 때문에 여자를 보호하기 위해 주신 이 법을 어떻게 적용했는지 바리새파 사람들의 다음 질문을 통해 알 수 있습니다. "남자가 모세의 율법대로 이혼 증서만 주면 이혼할 수 있는 것 아닌가요?" 얼마든지 남자들이 원하면 이혼 증서를 써 주고 쉽게 이혼할 수 있다는 생각, 신명기 시대의 여성관과 가정관이 조금도 변하지 않고 내려온 겁니다.

신명기 24장 4절 말씀을 보면 분명히 이렇게 말씀하고 있습니다. "그 땅 위에 죄를 부르지 마라. 여성의 인권을 유린하고 여성을 착취하고 여성을 남성의 도구로만 사용하는 그러한 시대에 이것은 가증스러운 일이다. 하나님 보시기에 가증스러운 일이다." 가정에서 하나님의 공의가 상실된 모습을 보여 주고 있습니다. 이러한 모습을 그대로 간직한 바리새파 사람들의 의식 구조를 보여 주는 것입니다.

오늘날에도 이런 의식 구조가 팽배해 있습니다. 너무나 쉽게 여성을 착취하고 학대하고 단지 도구로만 이용하는, 마치 동산처럼 이용하려는 문화가 있다면 이것은 그 땅 위에 죄를 부르는 일임을 기억해야 합니다. 오늘날 이 말씀을 적용할 때는 꼭 남성만이 아닙니다. 여성도 마찬가지입니다. 그 땅 위에 죄를 부르지 말아야 하는 것입니다.

예수님은 이 신명기 24장의 말씀은 단지 일시적인 허용일 뿐이라고 해석해 주셨습니다.

[그러자 예수께서 말씀하셨습니다. "모세가 그런 계명을 쓴 것은 완악한 너희 마음 때문이다."(막 10:5)]

모세가 이혼 증서 제도를 만들어 준 것은 인간의 완악함 때문에 일시적으로 허용한 것이지 하나님의 절대 기준이 아니라는 것입니다. 성경에 보면 하나님의 일시적 허용, 인간의 완악한 마음 때문에 일시적으로 허용된 제도들이 있습니다. 대표적인 것이 일부다처제입니다. 족장 시대에 보면 야곱도 일부다처였습니다. 첩도 나오고 그럽니다.

구약의 율법에는 첩을 보호하는 법도 있었습니다. 하나님은 하갈도 축복하셨습니다. 그러면 하나님이 일부다처제와 첩을 인정하셨다는 말입니까? 그건 아닙니다. 그것은 하나님의 절대 기준이 아닙니다. 다만 인간의 완악함으로 도저히 이해하지 못할 문화에 젖어 사는 사람들에게 하나님의 공의를 보이기 위해 일시적으로 허용하신 것입니다.

야곱이 두 명의 아내와 두 명의 첩을 뒀다고 해서 우리도 그렇게 살아야 한다는 도덕적 원리를 제시해선 안 됩니다. 문화적 필터링을 해야 합니다. 신학적으로 필터링을 해야 합니다.

겉으로 보면 하나님이 그 시대의 문화에 끌려가시는 것처럼 보일 수도 있습니다. 하지만 끌려가시는 게 아닙니다. 인간을 사랑하시기 때문에, 죄악 된 문화에 휩쓸려 가는 인간을 사랑하시기 때문에, 그 죄악 된 문화를 완전히 진멸해 버리면 인간도 다 사라져 버리기 때문에 일시적으로 허용한 것뿐입니다.

좋은 것, 바른 것을 구별하라

우리 자녀들이 잘못된 행동을 하고 있으면 행동은 미워하지만 자녀를 사랑하기 때문에 일시적으로 허용하는 것이 있습니다. 그러면 그 부모가 자녀에게 끌려가는 겁니까? 때로는 사랑 때문에 붙잡고 있기 위해 절대적 기준 외에 일시적인 허용이 있을 수도 있는 겁니다. 자녀를 양육할 때 절대적 기준만으로 양육한다면 그들은 부모를 떠날지도 모릅니다. 인간의 완악함과 연약함 때문에 하나님이 허용해 주시는 것뿐입니다. 하지만 이것이 올바른 모습은 아닙니다.

그래서 예수님은 이들의 질문을 오히려 이제는 원래의 모습이 뭔지를 가르쳐 주시는 교훈으로 나아가시고자 한 겁니다. 이들은 분명 잘못된 대답을 했습니다. 예수님이 "모세가 어떻게 하라고 명령했는가?"라는 질문을 한 이유는 "모세오경에 창세기부터 레위기까지 그러면 어떻게 명령하고 있는가? 원래의 모습이 무엇이냐?"라고 질문한 것입니다. 그러자 이들은 대답을 하지 못합니다. 왜입니까?

이들은 완악함 때문에 생긴 그 규정을 하나같이 이용하려고 했지 하나님이 만드신 그런 제도가 뭔지에 대해선 생각해 본 적이 없다는 겁니다.

예수님은 다음과 같이 직접 말씀했습니다.

["그러나 하나님께서 세상을 창조하실 때 '사람을 남자와 여자로 만드셨다.' '그러므로 남자가 자기 부모를 떠나 아내와 더불어 둘이 한 몸이 될 것이다. 따라서 그

들이 이제 둘이 아니라 한 몸이다.' 그러므로 하나님께서 짝지어 주신 것을 사람이 갈라놓아서는 안 된다."(막 10:6-9)]

예수님이 질문하신 그 내용, 모세가 명령한 그 내용이 이 말씀이라는 겁니다. 이는 창세기 2장에 나오는 말씀입니다. 예수님은 이혼에 대해 집중적으로 말씀하기보다는 인간을 남자와 여자로 창조하시고 결혼을 통해 가정을 세우시는 그 모습에 대한 원형, 하나님이 창조하신 원래의 교훈, 원래의 가정에 대해 집중적으로 말씀했습니다.

우리 인생의 문제를 해결하는 방법도 마찬가지입니다. 잘못된 것을 분석해 강조하기보다는 원래의 좋은 것, 바른 것을 구별해 낼 줄 알아야 합니다. 그런 방법은 위조 지폐의 종류를 연구하는 게 아니라 원래의 것을 알아내야 아닌 것을 알게 됩니다.

이단만 연구하다 보면 어느 순간 이단 연구가들이 이단이 되는 경우가 있습니다. 왜 그런가요? 이단만 열심히 공부하다 보면 올바른 기준을 잃어버리고 어느새 자신도 무엇인가에 빠져 버리고 맙니다. 우리는 날마다 옳은 것, 원형을 찾아야 합니다.

그 당시 바리새파 사람들의 문제는 무엇입니까? 이들은 원래의 가족, 원래의 결혼으로부터 멀리 떨어져 있었습니다. 그래서 이혼도 이혼 증서를 써주느냐 마느냐의 문제, 즉 가벼운 문제로 생각하게 되었습니다.

우리 인생의 문제는 한마디로 말하면 원래의 모습에서 멀어져 있다는 것입니다. 이것은 우리에게 위로가 되기도 합니다. 우리에게 어떤 문제가 있습니까? 거울을 보면서 날마다 이렇게 말합니다. 우리는 원래 이렇지 않았습니다. 원래는 지금의 모습이 아니었습니다.

이상한 일들이 생깁니까? 가정에서 이상한 일이 생깁니까? 그러면 이것을 먼저 생각해 봅시다. 원래 이렇지 않았다고 말입니다. 우리 가정이 왜 이 모양이냐고 한탄할 것이 아니라 "원래는 이런 모습이 아니다"라고 말하는 겁니다. "나는 원래 이렇지 않았다. 나는 원래 이런 모습이 아니다." 그리고 지금의 모습에 너무 실망해선 안 됩니다. 절망하면 안 됩니다. 원래의 모습을 알면 자신의 허물과 연약함을 알게 되고, 원래의 모습이 이렇지 않았다는 것도 알게 됩니다.

예수님이 세상에 오셔서 보여 주신 모습이 바로 그 원래의 모습입니다. 우리는 날마다 아담과 하와가 가졌던 원래의 관계, 이 원형을 바라보며 살아가야 합니다.

이 말씀은 결혼식에서 주례사로 가장 많이 인용되고 있습니다. 하나님은 남자와 여자를 창조하셨는데, 그 여자를 창조하신 목적이 중요합니다. 왜 여자를 창조하셨습니까?

[여호와 하나님께서 말씀하셨습니다. "사람이 혼자 있는 것이 좋지 않으니 내가 그에게 알맞은 돕는 사람을 만들어 주겠다."(창 2:18)]

결혼의 가장 중요한 기초, 가정의 기초는 남자와 여자가 만나 이루어진다는 것입니다. 지극히 당연한 일이 아닙니까. 하지만 요즘 서구 사회에서는 남자와 남자가 만나 결혼하는 경우도 있습니다. 여자와 여자가 만나 결혼하기도 합니다.

미국에서 사역할 때 어느 장로님 가정을 신방했는데, 그 장로님은 보수적인 사람이었습니다. 그래서 아들을 불러다 놓고 "아버지가 보수적이니까 너는 꼭 한국 여성이랑 결혼해야 한다"라고 얘기하는 겁니다. 그러자 그 아들이 뭐라고 대답한 줄 압니까? "아버지, 한국 여성이냐 미국 여성이냐 하는 것보다 더 중요한 게 있습니다." 그 장로님이 그게 뭐냐고 물었더니 "여자랑 해야 합니다"라고 대답하는 것입니다.

많은 사람들이 여자가 아닌 사람들하고도 결혼하니까 여자랑 하는 것이 중요하다고 대답한 것입니다. 이게 출발점입니다. 원형입니다. 여자랑 결혼해야 한다는 것 말입니다.

하나님이 남자를 창조하실 때 모든 물리적인 필요를 다 채워 주셨습니다. 부족함 없는 동산을 만들어 놓으셨습니다. 그런데 돕는 사람이 필요했습니다. 에젤이라는 단어는 돕는 사람을 말합니다. 그런데 돕는 배필은 충분한 번역이 아닙니다. 어떻게 보면 조연처럼 보입니다. 주인공이 아니라 조연, 돕는 자, 심부름하는 자, 거들어 주는 사람처럼 보입니다.

에젤의 원래 의미는 무엇인가 결정적인 것이 빠져 있는데 그것을 채워 준다는 뜻입니다. 남자가 홀로 있는 것이 좋지 못해 에젤을 채웠다는 건 결정적인 것이 빠져 있다는 의미를 포함하고 있습니다.

남편 혹은 아내에게 이렇게 얘기해 봅시다. "당신은 나에게 결정적인 존재입니다. 당신이 없으면 나는 내가 아닙니다." 그 사람이 없으면 내가 아닌 겁니다. 배우자가 있는데 그 사람을 무시하면 나 자신을 부인하는 겁니다. 상대가 나에게 결정적인 존재이기 때문입니다.

에젤은 놀랍게도 하나님을 의미할 때 많이 사용됩니다.

["오 여호와여, 내 말을 들으시고 나를 불쌍히 여기소서. 오 여호와여, 나를 도와주소서."(시 30:10)]

하나님이 돕는 자가 되신다고 할 때 에젤이라는 단어를 썼습니다. 하나님은 우리를 돕는 분입니다. 이것은 무엇을 뜻합니까? 우리에게 결정적인 존재라는 것입니다.

또한 여자를 창조하시되 남자의 갈빗대로 창조하셨습니다. 다음은 유명한 매튜 헨리 목사님의 오래된 주석에 나오는 아주 전통적인 해석입니다. 왜 여자를 남자의 갈빗대로 만드셨을까요? 예리한 지적입니다. 남자를 지배하라고 머리로 지은 것도 아니고 남자에게 짓밟히라고 발로 지은 것도 아닙니다. 남자와 동등하라고, 그 품 안에서 보호 받고 사랑을 나누라고 남자의 옆구리에 있는 갈빗대로 만드셨다는 것입니다.

하나님이 여자를 이끌어 오셨을 때 남자는 이렇게 고백했습니다.

["드디어 내 뼈 가운데 뼈요 내 살 가운데 살이 나타났구나."(창 2:23)]

이는 하나 된 존재라는 겁니다. 없어서는 안 되는 결정적인 존재라는 겁니다. 뼈 가운데 뼈라는 것은 그 뼈가 없으면 무너진다는 겁니다. 살 가운데 살이라는 건 그 살이 없으면 죽음과 같다는 겁니다. 우리 자신에게 결정적인 존재라는 뜻입니다. 이것은 곧 하나 됨의 존재라는 뜻입니다.

그래서 우리 크리스천들은 싸울 때도 "이 여자가", "저 여자가"라고 하며 싸우면 안 됩니다. "이 남자가", "저 남자가"라고 싸우면 안 됩니다. 크리스천은 소리 지를 때 최초의 아담이 고백한 대로 "내 뼈 가운데 뼈가", "내 살 가운데 살이"라고 해야 합니다. 그러면 그 순간 싸우고 싶은 생각이 사라질 것입니다. 이것이 하나님이 창조하실 때의 원형입니다.

한 몸이 되는 아름다운 일은 부모를 떠나 한 몸이 된다는, 하나라는 것입니다. 이 '하나'에 해당하는 히브리어 단어가 여러 개 있습니다. 그냥 하나로서 존재하는 하나가 있고, 그 안에 존재하는 다양성이 하나를 이루는 하나가 있습니다. 여기서 한 몸이 된다는 것은 후자의 의미를 내포하고 있습니다.

하나 안에 다양성이 있음에도 하나로 이루어지는 것입니다. 대표적인 것이 성령의 아홉 가지 열매입니다. 성령의 아홉 가지 열매는 복수로 쓰지 않고 아홉 가지 열매임에도 단수로 썼습니다. 이것은 성령의 열매 하나, 바로 사랑입니다. 예를 들어 귤을 까 보면 그 안에 여러 개의 알갱이가 있지만 그것이 하나이듯, 하나 안에 다양성이 있지만 그것은 하나를 이루고 있습니다.

결혼 십계명

부부가 함께 배울 수 있는 춤 중에 볼룸댄스가 있습니다. 이 춤은 상대방을 배려하고 상대방의 리듬에 맞추는 센스가 없으면 절대 출 수 없는 춤입니다. 파트너와 하나가 되어야 하고, 상대방이 어떤 스텝을 하는지 보고 그 순간 나의 스텝을 맞추는 기술이 필요합니다. 상대방이 잡아당기면 같이 잡아당기지 않고 끌려가 주는, 서로가 끌려가 주고 끌어당기면서 하나 됨의 모습이 한 몸이라는 겁니다. 두 사람 사이에 이런 한 몸이 되는 모습이 있을 때 아름다운 역사가 일어납니다.

함께 오래 살았다고 저절로 이런 친밀함이 생기는 것은 아닙니다. 마음의 완악함을 가지고도 오래 살 수는 있습니다. 하지만 두 사람 사이에 존재하는 인생의 찌꺼기들을 그리스도의 보혈로 씻어 내야 합니다.

두 가지 물건을 붙이려고 할 때는 먼저 붙는 면에 들러붙어 있는 불순물을 제거해야 합니다. 깨끗하게 닦아 내고 접착제로 붙여야 합니다. 이때 자신만의 개성이 사라지고 자기 인격이 사라지고 누군가 누구에게 종속되는 것은 하나 됨이 아닙니다. 동등한 인격을 가진, 자신만의 자유와 개성을 가지면서도 하나 되는 볼룸댄스처럼 그렇게 하나 되는 하나 됨을 하나님은 계획하셨다는 겁니다.

다음은 리젠트 칼리지의 폴 스티븐스 교수가 쓴 십계명을 기준으로 만든 결혼 십계명입니다.

〈결혼 십계명〉

1. 다른 신을 두지 말라

- 배우자에게 배타적으로 충성하라

2. 새긴 형상을 만들지 말라

- 진실과 신의를 지키라

3. 주의 이름을 경홀히 부르지 말라

- 사람들 앞에서나 둘만 있을 때나 배우자를 존중하라

4. 안식일을 기억하라

- 배우자에게 시간을 주고 휴식을 주라

5. 부모를 공경하라

- 친가와 처가 부모를 잘 모시라

6. 살인하지 말라

- 증오, 분노, 제어되지 않는 감정에서 벗어나라

7. 간음하지 말라

- 성적 정절을 지키고 욕구를 제어하라

8. 도둑질하지 말라

- 재산을 실제로 공유하되 프라이버시를 보장하라

9. 거짓 증거하지 말라

- 진정성 있는 의사소통을 하라

10. 탐내지 말라

- 만족함으로 갖가지 욕구에서 벗어나라

예수님은 바리새파 사람들의 질문을 통해 아름다운 결혼과 가정의 모습을 보여 주셨습니다. 이런 하나 됨의 역사가 모든 가정에서 일어날 때 하나님이 우리에게 주시고자 하는 그 축복, 친밀함의 축복을 날마다 누릴 수 있습니다.

Pray

하나님, 우리에게 주신 가정의 축복을 누리지 못하는 저희가 되지 않게 하여 주시고, 우리의 자녀들 또한 가정을 통해 하나님의 은혜를 누리게 하여 주시옵소서. 자자손손 하나님이 원래 계획하셨던 아름다운 축복이 흘러넘치는 가정이 되게 하여 주옵소서. 예수님 이름으로 기도합니다. 아멘.

막 10:13-31

¹³사람들이 어린아이들을 예수께 데리고 와 어루만져 주시기를 원했습니다. 그러나 제자들이 그들을 꾸짖었습니다. ¹⁴예수께서 이것을 보시고 노하시며 제자들에게 말씀하셨습니다. "어린아이들이 내게 오는 것을 허락하고 막지 말라. 하나님 나라는 이런 아이들과 같은 사람의 것이다. ¹⁵내가 너희에게 진실로 말한다. 누구든지 어린아이와 같이 하나님 나라를 받아들이지 않는 사람은 결코 그곳에 들어가지 못할 것이다." ¹⁶그리고는 어린아이들을 꼭 껴안아 주시며 손을 얹으시고 축복해 주셨습니다. ¹⁷예수께서 밖에 나가려고 하시는데 한 사람이 예수께로 달려와 그 앞에 무릎을 꿇고 물었습니다. "선하신 선생님, 제가 영원한 생명을 얻으려면 어떻게 해야 합니까?" ¹⁸예수께서 대답하셨습니다. "네가 왜 나를 선하다고 하느냐? 오직 하나님 한 분 외에는 선한 분이 없다. ¹⁹네가 '살인하지 말라, 간음하지 말라, 도둑질하지 말라, 거짓 증언하지 말라, 사기 치지 말라, 부모를 공경하라'는 계명들을 알고 있을 것이다. ²⁰그가 말했습니다. "선생님, 저는 어릴 때부터 이것들을 모두 어김없이 지켜왔습니다." ²¹예수께서 그를 쳐다보고 사랑스럽게 여기시며 말씀하셨습니다. "네게 한 가지 부족한 것이 있다. 가서 네가 가진 것을 모두 팔아 가난한 사람들에게 나눠 주어라. 그리하면 하늘에서 보물을 얻게 될 것이다. 그리고 와서 나를 따르라." ²²이 말씀을 듣자 그 사람은 무척 근심스런 얼굴로 슬퍼하며 떠나갔습니다. 그가 대단한 부자였기 때문입니다. ²³예수께서는 제자들을 둘러보시고 말씀하셨습니다. "부자가 하나님 나라에 들어가기가 참으로 어렵다." ²⁴제자들은 예수의 말씀에 무척 놀랐습니다. 그러자 예수께서 다시 말씀하셨습니다. "얘들아, 하나님 나라에 들어가기가 얼마나 어려운지 ²⁵부자가 하나님 나라에 들어가는 것보다 낙타가 바늘귀를 지나가는 것이 더 쉽다." ²⁶제자들은 더욱 놀라서 서로 수군거렸습니다. "그러면 도대체 누가 구원받을 수 있다는 말인가?" ²⁷예수께서 그들을 보시고 말씀하셨습니다. "사람은 할 수 없지만 하나님께서는 하실 수 있다. 하나님께는 모든 것이 가능하다." ²⁸베드로가 예수께 말했습니다. "보시다시피 우리는 모든 것을 버리고 주를 따랐습니다!" ²⁹예수께서 말씀하셨습니다. "내가 너희에게 진실로 말한다. 나와 복음을 위해 집이나 형제나 부모나 자식이나 자기 땅을 버린 사람은 ³⁰지금 이 세상에서 집과 형제자매와 어머니와 자녀와 땅을 100배나 더 받되 핍박도 함께 받을 것이고 이제 올 세상에서는 영원한 생명을 받을 것이다. ³¹그러나 먼저 된 사람이 나중 되고 나중 된 사람이 먼저 되는 일이 많을 것이다."

예수님의 취임사

어린아이처럼 하나님 나라를 잘 받아들여야 합니다.
하나님 나라는 은혜의 나라요, 사랑의 나라요, 용서의 나라요, 우리를 축복하시는 나라입니다.
예수 그리스도를 통해 우리에게 주신 하나님 나라를 그냥 받아들이면 됩니다.

공생애를 시작하시면서 예수님이 첫 번째로 주신 말씀은 마가복음 1장 15절입니다. 그 메시지는 때가 찼고 하나님 나라가 가까이 왔으니 회개하고 복음을 믿으라는 말씀이었습니다. 이는 예수님의 취임사와도 같습니다. 그런데 여기서 예수님의 표현에 유념할 필요가 있습니다. "때가 찼고 하나님 나라가 가까이 왔으니." 예수님이 우리가 하나님의 나라에 들어간다는 표현보다도 하나님 나라가 우리에게 왔다는 표현을 쓰신 것에 주목해야 합니다.

우리는 흔히 전도할 때 "회개하고 복음을 믿어 하나님 나라에 가세요"라고 말하지 않습니까. 그런데 예수님은 그 순서를 뒤바꾸어 이렇게 설명하십니다. "하나님 나라가 왔으니 회개하고 복음을 믿으십시오." 이 순서가 왜 중요합니까? 우리가 회개하고 나서 하나님 나라를 찾아가 만나는 것이 아니라 하나님 나라가 우리에게 왔기 때문에 우리가 회개할 수 있게 된 것이고, 우리가 믿고 구원받을 수 있다는 것입니다. 그래서 이 순서가 중요한 것입니다.

아버지의 문은 열려 있습니다

하나님 나라가 가까이 왔다는 표현을 좀 더 구체적으로 표현하면 하나님 나라가 세상 속으로 뚫고 들어왔다고 표현할 수 있습니다. 하나님 나라가 세상 속에 온 것이라면 하나님 나라가 세상 밖에 있었다는 말인가요? 맞습니다. 그렇다고 오해해선 안 됩니다. 하나님 나라가 세상 밖에 있었다고 해서 이 세상이 하나님의 주권 밖에 있었다는 뜻은 아닙니다.

우리는 하나님 나라와 하나님의 절대 주권을 구분할 필요가 있습니다. 모든 세상, 모든 사람은 하나님의 주권 안에 있습니다. 심지어 사탄도 지옥도 하나님의 주권 안에 있습니다. 하지만 사탄은 하나님 나라의 백성이라고 말하지 않습니다. 지옥을 하나님 나라라고 말하지 않습니다.

왜일까요? 하나님을 거부하고 그분의 다스리심을 인정하지 않는 영역이기 때문입니다. 하나님 나라, 그것은 하나님의 다스림에 순종하는 사람들이 있고, 순종하는 영역들을 일컬어 하나님 나라라고 말씀하는 것입니다.

따라서 하나님 나라가 왔다는 것은 이 세상이 하나님의 다스림을 거부하는 세상이었다는 것입니다. 왜 그렇게 됐습니까? 아담과 하와 이후로 태어나는 모든 사람은 하나님의 다스림을 거부하는 인간으로 태어났습니다. 하나님의 반역자로 태어난 것입니다. 온순해 보이고 착해 보이고 순진해 보이는 아기지만 내버려 두면 하나님을 인정하지 않는 하나님 나라의 반역자로 살아갈 것입니다.

하나님을 가르치고 순종을 가르치지 않으면, 아기를 자연적으로 자라게 내버려 두면 하나님을 인정하지 않고 예배하지 않는 자로 자라게 됩니다. 아담과 하와는 왜 에덴동산 밖으로 쫓겨났습니까? 하나님이 좀 봐 주셨으면, 며칠만 밖에 있다가 들어오게 했다면 어땠을까요? 아담과 하와는 회개하지 않았습니다. 돌이키지 않았습니다. 하나님 나라에 합당한 태도를 갖추지 않았다는 것입니다.

누가복음 15장에서 예수님은 집을 나간 탕자의 비유를 드셨습니다. 탕자는 누구입니까? 아담과 하와 이후로 하나님 나라 밖에서 태어나는 모든 사람을 가리킵니다. 탕자가 돌아왔을 때 그의 아버지는 아들을 반갑게 맞아 주고 축제를 베풀어 주었습니다.

아들이 돌아왔기 때문에 아버지가 받아 준 것입니까? 아닙니다. 아버지는 이미 용서하고 기다리고 있었습니다. 아버지의 집은 항상 열려 있었습니다. 아들이 돌아왔기 때문에 네가 회개하고 돌아왔으니 내가 너를 맞이해 주겠다고 말한 것이 아닙니다. 아버지는 이미 아들을 용서했고, 그 아들이 돌아오지 않았을 그때도 이미 용서하고 기다리고 있었던 것입니다.

아버지의 문은 열려 있었습니다. 이 비유가 우리에게 보여 주는 것은 무엇입니까? 하나님 나라가 우리에게 왔다는 것입니다. 용서의 나라, 은혜의 나라, 사랑의 나라가 우리에게 왔고, 그 나라가 열려 있으며, 그 나라의 문이 열려 있다는 것을 보여 주는 것입니다.

만약 하나님 나라가 우리에게 오지 않았다면 아무리 처절히 회개하고 고행을 하고 문을 두드려도 우리의 회개는 쓸모없는 것이 되어 버리고 맙니다. 우리가 회개했기 때문에 하나님 나라에 들어갈 수 있는 것이 아니라 하나님 나라가 왔기 때문에 우리의 회개가 의미 있는 것입니다. 회개가 회개 된 것입니다.

이렇게 예수님을 통해 하나님 나라가 온전히 온 것입니다. 어떤 사람들은 하나님 나라를 받아들여 그 나라에 들어가지만, 어떤 사람들은 받아들이지 않아서 그 나라에 들어가지 못했다는 것이 복음서의 기록입니다. 지금 이 시대에도 하나님 나라에 들어가는 사람들이 있고, 들어가지 못하는 사람들이 있습니다.

성경에 보면 세 종류의 사람이 나오는데, 이들을 통해 하나님 나라에 들어가는 사람이 어떤 사람인지, 또 어떤 사람이 들어가지 못하는 건지, 하나님 나라에 들어간 사람들에게는 어떤 모습이 합당한지 연속적으로 보여 주고 있습니다.

마가복음은 매우 정교하게 기록된 복음입니다. 의미 없이 산발적으로 나오는 것 같지만, 그 순서와 등장인물에 깊은 성령의 인도하심이 있습니다. 먼저 어린아이들이 나옵니다. 두 번째로 한 젊은 부자 관원이 나옵니다. 세 번째로 베드로와 제자들이 나옵니다. 이 세 부류의 사람이 하나님 나라에 대해 어떤 태도를 가졌는가 하는 것이 논리적으로 비교되고 대조되면서 우리에게 교훈을 주고 있습니다.

첫 번째로 하나님 나라에 들어가는 사람이 등장합니다. 그 사람은 바로 어린아이처럼 하나님 나라를 받아들이는 사람이라고 말씀합니다.

[사람들이 어린아이들을 예수께 데리고 와 어루만져 주시기를 원했습니다. 그러나 제자들이 그들을 꾸짖었습니다. 예수께서 이것을 보시고 노하시며 제자들에게 말씀하셨습니다. "어린아이들이 내게 오는 것을 허락하고 막지 말라. 하나님 나라는 이런 아이들과 같은 사람의 것이다. 내가 너희에게 진실로 말한다. 누구든지 어린아이와 같이 하나님 나라를 받아들이지 않는 사람은 결코 그곳에 들어가지 못할 것이다."(막 10:13-15)]

이 상황은 사람들이 예수께 아이들을 데리고 와 안수해 주고 축복해 주시기를 바라는 상황에서 비롯된 것입니다. 예수님이 어디를 가시든지 무엇을 하시든지 아이들을 자꾸 데려오니까 방해가 되어 제자들이 꾸짖었다는 것입니다. 그러자 예수님은 제자들을 꾸짖으셨습니다. 노하셨다고 했습니다. 분노하셨다는 것입니다. 합당하지 않은 행동이라고 지적하신 것입니다.

그 아이들은 일정을 방해하는 존재가 아니라 하나님 나라를 어떻게 받아들여야 하는지 보여 주는 사람들이었습니다. 그리고 그 아이들을 꼭 꺼안고 안수하며 기도해 주셨습니다.

한 아기가 태어나면 그 가정에 없던 웃음이 피어납니다. 하나님의 임재가 그 가정에 임한 것입니다. 한 아기를 통해 주시는 하나님의 임재하심이 얼마나 큰지 모릅니다. 그래서 아기를 안을 때는 하나님의 임재가 느껴지는데, 왜 어른을 볼 때는 하나님의 임재가 느껴지지 않는지 모르겠습니다.

어린아이와 같이 받아들여라

우리 어른들은 심각하게 돌아보아야 합니다. 어른으로 인생을 살아가면서 하나님 나라를 잃어버렸기 때문입니다.

어린아이들은 얼마나 상상력이 풍부합니까! 얼마나 미래가 밝습니까! 초등학교에 가서 인터뷰를 해 보면 전부 대통령 되는 게 꿈입니다. 그런데 대학생이 되고 나면 전부 좌절해서 그 꿈을 잃어버립니다. 20세가 되면 머리가 다 굳는다는 말이 있습니다. 어린아이들은 고무줄 하나 가지고도 재미있게 놉니다. 아무것도 없는 병만 있어도 여기저기 굴리며 잘 놉니다.

온두라스에 방문했을 때 정말 지저분한 개울, 쳐다보기도 싫은 개울에서 아이들은 풍덩풍덩 행복하게, 마치 온천탕에 온 것처럼 행복하게 노는 모습을 보았습니다. 어린아이들의 세계는 너무나 아름답습니다. 상상력과 그 받아들이는 아름다운 모습을 보면 우리 어른들이 하나님의 임재하심을, 모든 것을 선하게 받아들이는 어린아이의 모습을 잃어버리며 살고 있다는 생각이 듭니다. 예수님은 어디를 가든지 어린아이를 축복해 주셨습니다.

그런데 예수님은 "어린아이가 중요하다"라는 교훈을 주시기 위해 이 말씀을 한 것이 아닙니다. 예수님은 "어린아이와 같이 하나님 나라를 받아들이지 않는 사람은 결코 그곳에 들어가지 못할 것이다"라고 말씀했습니다. 예수님은 어린아이를 비유해 교훈을 주신 적이 여러 번 있습니다. 하지만 모두가 동일한 의미는 아닙니다.

마가복음 9장에서 제자들은 서로 누가 큰 자인지 다투고 있었습니다. 그때 예수님은 "누구든지 내 이름으로 이런 어린아이 하나를 영접하는 사람은 바로 모든 사람의 종이 되고 모든 사람의 꼴찌가 되며 동시에 그 사람이 큰 자다"라고 말씀했습니다. 누가 큰 자냐고 다투는 제자들에게 예수님은 어린아이를 영접하는 자가 하나님 나라의 큰 자라고 말씀했습니다.

어린아이를 영접한다는 것이 무슨 뜻입니까? 어린이 사역을 잘하는 사람이 큰 자라는 것입니까? 아닙니다. 여기서 어린아이는 어떤 속성을 말합니까? 어린아이는 갚을 생각을 하지 않습니다. 어린아이는 많이 주어도 '내가 무엇으로 보답해야 하지'라고 감동하지 않습니다. 갚을 능력이 없습니다.

선거 때 가장 인기 없는 계층이 투표권이 없는 어린아이입니다. 어린아이는 되 갚을 능력이 없는 사람, 심지어 갚을 마음도 없는 사람입니다. 이 사회에 어린아이 같은 사람이 참 많습니다. 무엇인가를 줘도 갚을 능력도 없고 갚을 마음조차 없는 사람들을 영접하는, 그러한 어린아이 한 명까지도 신경 쓰고 배려할 수 있는 사람이 바로 하나님 나라의 큰 자입니다.

무엇인가를 갚을 수 있는 사람에게만 신경 쓰는 것이 아니라 나에게 되갚을 수 없는 사람에게도 관심을 기울이는 자, 그 사람이 하나님 나라의 큰 자라고 말씀한 것입니다.

또한 "그러므로 누구든지 이 어린아이와 같이 자신을 낮추는 사람이 하늘나라에서 가장 큰 사람"(마 18:4)이라고 말씀합니다. 어린아이처럼 자신을 낮추는 사람이 큰 자입니다.

한데 아무리 봐도 어린아이를 보면 자기를 낮추는 존재인 것 같지가 않습니다. 어린아이는 안하무인입니다. 배고프면 아무데서나 웁니다. 예배 시간에도 웁니다. UN 총회장에서도 아이는 웁니다. 그 자리가 아무리 엄숙하고 어떤 자리인지 말해 줘도 소용없습니다. 자기 배가 고픈 것이 더 중요합니다. 어린아이의 어떤 면을 보고 자기를 낮춘다고 말할 수 있습니까?

두 살짜리 아이와 열 살짜리 아이가 싸우면 누가 이깁니까? 두 살짜리가 이깁니다. 하도 울어 대어 부모님이 열 살짜리 아이를 야단쳐서 두 살짜리의 요구를 들어 주는 겁니다. 어떤 면을 보고 자기를 낮추는 것일까요? 그것이 무엇입니까?

어린아이는 권력을 사용할 줄 모릅니다. 권력에 대해 문외한입니다. 자신의 목적을 위해 다른 사람을 움직일 줄 모릅니다. 적어도 유치원 아이들은 차별 같은 것을 하지 않습니다. 있는 그대로 받아들이는 어린아이의 순수함, 권력을 이기적인 목적으로 사용하지 못하는 그런 상태가 될 때, 이 세상의 잘못된 권력을 이용해 이기적인 욕망을 채우지 않을 때 하나님 나라의 큰 자가 될 수 있습니다. 자신들의 이기적인 욕망을 위해 권력을 사용하지 않는 상태, 그 상태가 자신을 어린아이와 같이 낮춘다는 것입니다.

예수님은 "어린아이와 같이 하나님 나라를 받아들이지 않는 사람은 결코 그곳에 들어가지 못할 것이다"라고 말씀했습니다. 이때 예수님은 어린아이의 어떤 면을 강조하신 것입니까? 예수님의 말씀에 그 대답이 다 들어 있습니다. 받아들이는 사람, 어린아이와 같이 받아들이는 사람입니다.

어린아이의 가장 큰 특징은 잘 받아들인다는 것입니다. 누가 무엇인가를 주면 생각하지 않고 받습니다. 나에게 필요한지 필요하지 않은지 생각하지 않고 받습니다. 내가 무엇을 되돌려 줘야 한다고 생각하지 않고 그냥 받습니다. 자신이 받을 자격이 있는지 없는지 생각하지 않고 그냥 받습니다. 누군가 무엇을 줄 때 그것을 받을 자격이 있는가 고민하지 않습니다.

고민하는 사람은 어른입니다. 무엇인가를 되돌려 줘야 한다고 생각하는 사람도 어른입니다. 어린아이는 잘 받습니다. 자신을 사랑하고 축복하고 낯선 사람일지라도 좋은 것을 주면 잘 받습니다.

어린아이처럼 하나님 나라를 잘 받아야 합니다. 하나님 나라는 우리가 무엇을 해야 되는 것이 아닙니다. 하나님 나라는 은혜의 나라요, 사랑의 나라요, 용서의 나라요, 우리를 축복하시는 나라이기 때문에 그냥 받아들여야 합니다. 찾아 들어가는 것이 아니라 예수 그리스도를 통해 우리에게 주신 하나님 나라를 그냥 받아들이면 됩니다.

우리 어른들의 문제는 무엇입니까? 왜 어른들은 믿음의 세계에 잘 들어가지 못합니까? 거래에 익숙해졌기 때문입니다. 주고받는 것에 익숙해졌기 때문입니다. 자기를 의존하며 살아가는 일에 익숙해졌기 때문입니다. 자신의 재물과 지식에 의존하는 일에 익숙해져 있어 잘 받지를 못합니다. 누군가 무엇을 주면 의심부터 합니다. '저 사람이 왜 나한테 이런 것을 주는 거지?'라고 말입니다.

예수님은 어린아이를 가리켜 이 어린아이의 놀라운 수용성, 잘 받아들이는 그것이 하나님 나라에 들어가는 유일한 조건이라고 말씀했습니다. 하나님 나라는 선물이기 때문입니다.

좋은 믿음이란 무엇입니까? 좋은 믿음이란 잘 받아들이는 것입니다. "내가 너를 사랑한다, 내가 너를 구원한다, 내가 너를 용서한다"는 그 말씀을, 하나님 나라의 선포를, 하나님 나라의 복음을 어떻게 해야 합니까? 따지지 말고 받아들여야 합니다. 그런데 "하나님이 당신을 사랑하십니다"라고 말할 때 사람들은 뭐라고 대꾸합니까? "언제 봤다고 나를 사랑합니까? 나에게 무엇을 바라며 사랑한다고 말하는 겁니까?" 어른들은 이렇게 잘 받아들이려고 하지 않습니다. 어린아이와 같은 마음이 없는 것입니다.

하나님 나라는 선물로 받아들이는 것입니다. 우리가 노력해서 얻기 전까지는 선물을 받지 않겠다고 생각하는 순간 선물은 선물이 되지 않습니다. 구원은 우리가 하나님께 무엇인가를 드려서 받는 것이 아니라 하나님이 우리에게 행하신 일을 그저 받는 것입니다. 믿음을 보험으로 생각하는 사람들이 많습니다. 구원의 확신은 '보험(insurance)'이 아닙니다.

구원의 확신은 'assurance'라고 하는데, 이것은 하나님이 선물로 주신 것을 그냥 받는 것입니다. 많은 사람들이 믿음을 보험으로 여겨 혹시 모르니 교회에 가서 보험을 들어 놓고, 절에 가서도 보험을 들어 놓고, 원불교에 가서도 보험을 들어 놓는 등 여러 종교 단체에 보험을 들어 놓는 사람들이 있습니다.

맞습니다. 사실 모든 종교의 원리는 보험의 원리입니다. 하지만 성경에 나타난 하나님 나라와 구원은 보험이 아닙니다. 믿음으로 받는 선물인 것입니다.

우리의 문제가 여기 있습니다. 어린아이처럼 받아들이지 않고 끊임없이 보험으로 만드는 것입니다. 거래로 만드는 것입니다. 우리가 무언가를 해야 하나님이 우리를 사랑하실 것이고, 우리가 하나님 나라의 백성이 될 수 있다고 생각하는 것입니다. 이런 의식 때문에, 나쁜 의미에서 어른스러운 생각 때문에 하나님 나라를 받아들이지 못하는 것입니다.

하나님 앞에서는 모두가 철저히 어린아이가 되어야 합니다. 아무리 나이가 많더라도 하나님 앞에서는 어른이 아닙니다. 하나님 앞에서는 거래하면 안 됩니다. 하나님이 주시는 사랑과 은혜의 나라를 그냥 받아들여야 합니다.

하나님은 우리를 사랑하십니다. 하나님은 우리를 용서하셨습니다. 그리스도 안에서 우리를 자녀로 삼으셨습니다. 받아들이는 것은 하나님 나라에 들어가는 것입니다. 그런데 이렇게 받아들이지 못하는 대표적인 사람이 등장합니다. 바로 젊은 부자 관원이었습니다.

선하신 분은 오직 한 분이다

두 번째로 등장하는 부자 청년 관원은 하나님 앞에서 어린아이가 되지 못했습니다. 하나님 앞에서 어른이 되려고 했습니다. 젊은 나이에도 어른이 되려고 했습니다. 그래서 하나님 나라에 들어가지 못했습니다. 예수님이 어린아이를 축복하신 사건, 부자 청년을 만나신 사건은 뚜렷한 대조를 이룹니다.

[예수께서 밖에 나가려고 하시는데 한 사람이 예수께로 달려와 그 앞에 무릎을 꿇고 물었습니다. "선하신 선생님, 제가 영원한 생명을 얻으려면 어떻게 해야 합니까?"(막 10:17)]

예수께 달려와 무릎을 꿇은 이 사람은 젊은 관원이었습니다. 그 당시 관원은 사회적으로 존경받는 위치에 있었습니다. 종교적 · 사회적 지도자였습니다. 또한 경제적으로도 부유했습니다. 아주 큰 부자였습니다. 그는 많은 사람들이 추구하는 것을 젊은 시절에 다 이루었습니다.

좋은 가정에서 엘리트 교육을 받았고, 많은 사람들이 부러워하는 위치에 올랐습니다. 또한 교회도 열심히 다녔습니다. 우리나라로 말하면 교회학교 때부터 한 번도 빠져 본 적이 없습니다. 상이란 상은 다 받았습니다. 교회에서 충성된 일꾼으로 인정을 받았습니다. 그는 사회적으로도 인정받는 사람이었습니다. 게다가 겸손한 태도에다 영적인 열정까지 있었습니다. 그런 그가 예수께 달려와 이런 질문을 했습니다.

"제가 영원한 생명을 얻으려면 어떻게 해야 합니까?"

그는 예수님을 '선하신 선생님'이라고 멋지게 불렀지만, 하나님 나라에 들어가지 못했습니다. 그는 열정이 있었고 종교적 지식이 있었으며, 지위가 있었습니다. 그럼에도 하나님 나라에 들어가지 못했습니다. 왜 그랬을까요? 그가 한 말에 힌트가 담겨 있습니다.

그의 질문을 보면 이렇게 되어 있습니다. "제가 영원한 생명을 얻으려면 어떻게 해야 합니까? 무엇을 해야 영원한 생명을 얻을 수 있습니까? 어떻게 해야 하나님 나라에 들어갈 수 있습니까?"

무엇, 어떤 행위를 해야 하나님 나라에 들어갈 수 있다고 생각한 것입니다. 예수님은 "선하신 분은 오직 한 분만 있다"라고 계명을 가르쳐 주셨습니다. 그랬더니 제가 볼 때는 예수님이 말씀을 끝마치시지도 않았는데, 뭔가 말씀하는 중에 대뜸 끼어들어 "예수님, 저는 어릴 때부터 모든 것을 어김없이 다 지켰습니다"라며 본색을 드러냈습니다.

"어김없이 다 지켰습니다." 이렇게 말할 수 있는 사람이 있을까요? 과연 "어김없이 하나님 말씀을 다 지켰습니다"라고 말할 수 있는 사람이 있을까요? 이 사람에게 있어 영원한 생명, 하나님 나라, 구원은 무엇입니까? 종교적인 사다리를 타고 올라가 맨 꼭대기에 있는 것을 쟁취하는 것입니다. 그래서 "내가 무엇을 더 해야 하나님 나라에 들어갈 수 있습니까?"라고 질문한 것입니다. 예수님은 이런 그에게 어떤 말씀을 해 주십니까?

[예수께서 그를 쳐다보고 사랑스럽게 여기시며 말씀하셨습니다. "네게 한 가지 부족한 것이 있다. 가서 네가 가진 것을 모두 팔아 가난한 사람들에게 나눠 주어라. 그리하면 하늘에서 보물을 얻게 될 것이다. 그리고 와서 나를 따라라."(막 10:21)]

예수님은 놀라운 말씀을 하셨습니다. "너에게 한 가지 부족한 것이 있는데 가진 것을 다 팔아 가난한 사람들에게 주고 나를 따르라." 젊은 관원이 전혀 예상하지 못한 말씀이었습니다. 그는 자신이 가진 율법에 한두 가지를 더 추가해서 '아, 그게 부족한 것이었구나'라고 깨닫게 되기를 기대하고 왔을 것입니다. 그런데 예수님이 말씀한 것은 기대를 초월한, 모든 소유를 팔아 가난한 사람들에게 주고 그분을 따르라고 하신 것입니다.

이 사람에게 "네가 가진 것을 모두 팔아 가난한 사람들에게 나눠 주라"는 것만 말씀한 게 아닙니다. 이 사람에게만 주는, 예수님이 주시는 명령의 숨겨진 의미가 있는 것입니다. 왜 이 사람에게 다 팔아 가난한 자에게 주라고 말씀한 걸까요?

먼저 이 질문에 대답하기 전에 이 충격적인, 도전적인 명령을 주시면서 예수님이 이 사람을 어떻게 대하셨는가 살펴봅시다. 예수님은 그를 어떤 태도로 대하셨습니까? "사랑스럽게 여기시며"라고 표현되어 있습니다. 개인적으로 이 구절에서 얼마나 큰 은혜를 받았는지 모릅니다. 주변에 오만하고, 거만하고, 자기는 모든 것을 다 이루었고, 말씀도 다 지켰다고 하면서 자신을 포장하고 제시하는 사람이 있으면 쳐다보고 싶습니까? 자랑스러운 눈으로 쳐다볼 수 있습니까? 피하게 되지 않습니까?

대부분의 사람들은 교만한 사람들을 슬슬 피해 다닙니다. 그런데 예수님은 그 젊은 관원의 교만과 오만에도 불구하고 '사랑스럽게' 여기셨습니다. 예수님은 이 엄청난 명령, 도전적인 명령 이전에 사랑을 품으셨던 것입니다. 예수님은 그 청년이 거절할 줄을 미리 아셨습니다. 그럼에도 진실을 말해 주신 것입니다.

"네가 하나님 나라에 들어가려면, 구원을 받으려면, 네가 얻기 원하는 영원한 생명을 얻으려면 네가 지금 하나님 나라를 받아들이지 못하고 받아들이지 못하게 만드는 그 장벽을 허물어야 한다. 너에게 그 장벽은 재물이다. 그 재물을 포기해야만 하나님 나라에 들어갈 수 있다." 예수님이 부자를 미워하셨기 때문에 다 팔라고 말씀한 것이 아닙니다.

마음속 우상을 치워라

사랑은 진실을 말해 주는 것입니다. 한 가지 부족한 것, 그것은 무엇입니까? 그것은 율법에 한 가지를 추가하는 것이 아니라 결정적이고 본질적인 한 가지였습니다. 어린아이처럼 하나님 나라를 받아들이는 데 방해가 되는 것은 치워야 한다는 것이었습니다. 이 청년에게는 바로 재물이었습니다.

"종교적인 노력을 하고 아무리 노력해도 마음속에 재물을 하나님처럼 의지하는 마음이 있는 한, 하나님 나라를 받아들일 수 없으니 다 팔아서 주고 나를 쫓으라. 그러면 네가 기대하지 못했던 보물을 발견하게 될 것이다"라고 말씀한 것입니다. 이 말씀을 듣고 청년은 어떻게 반응했습니까?

[이 말씀을 듣자 그 사람은 무척 근심스런 얼굴로 슬퍼하며 떠나갔습니다. 그가 대단한 부자였기 때문입니다.(막 10:22)]

예수님은 이 사람의 중심을 보신 것입니다. 예수님은 각 사람마다 하나님 나라를 받아들이지 못하는 이유가 무엇인지를 정확하게 보고 정곡을 찌르셨습니다. 예수님은 모든 부자에게 다 팔라고 말씀하지 않았습니다.

누가복음 19장에서 만난 삭개오도 부자였습니다. 그런데 그에게는 다 팔라는 요구를 먼저 하시지 않았습니다. 다 팔아서 가난한 사람에게 주라는 이 말씀은 삭개오한테도 어울리는 말씀입니다. 그는 재물을 부정한 방법으로 획득한 사람이기 때문입니다. 이 젊은 부자 관원은 아마도 부모로부터 물려받은, 그것도 뭐 부정하다고 볼 수 있을지 모르겠지만 삭개오처럼 부정한 방법으로 취득한 것은 아닙니다.

만약 삭개오를 만났을 때 "삭개오야, 내려오너라. 네가 가진 모든 재산을 다 팔아 가난한 사람에게 주고 나를 쫓으라"고 하셨으면 박수가 터져 나왔을 것입니다. 예수님이 잘 보셨다고 말입니다. 그런데 예수님은 뭐라고 하셨습니까? "네 집에 머물러야겠다."

그러자 주변 사람들이 수군거리기 시작합니다. 오해하는 것입니다. "돈 많은 삭개오의 집, 편한 침대에서 자고 부잣집에서 호강하고 싶어 하시는구나"라고 말입니다. "예수님이 그러시면 되나?"라고 예수님을 오해하고 수군댄 겁니다.

그런데 삭개오에게 무슨 반응이 일어났습니까? 다 팔라고 말씀하지도 않았는데 "예수님 제 재산의 절반을 가난한 사람들에게 주고 누구에게 토색한 것이 있으면 네 배나 갚겠습니다"라고 말한 것입니다.

회개와 변화가 일어난 겁니다. 왜 그랬을까요? 삭개오는 마음이 가난한 어린아이와 같았기 때문입니다. 재물을 팔라는 요구가 필요하지 않을 정도로 재물에 의지하지 않는 상태가 된 것입니다. 그에게 필요한 것은 위로요, 사랑이요, 용서요, 친구였습니다.

이 말씀을 묵상하면서 맞춤 전도 메시지를 떠올렸습니다. 예수님은 똑같은 포뮬러를 가지고 전도하시지 않았습니다. 어떤 사람에게는 책망하셨지만 어떤 사람에게는 위로와 권면과 사랑을 베푸셨습니다. 똑같은 부자였지만 한 사람에게는 위로와 격려를 주시고, 다른 사람에게는 다 팔라는 도전을 주신 것입니다.

예수님이 정반대로 말씀하신 것처럼 보이지만 정확하게 말씀했습니다. 부자 청년 관원처럼 나이도 비슷하고 건강하고 경건하게 자랐고 누구에게도 흠잡을 데 없는 사람한테는 "내가 네 집에 머물러야겠다"는 말씀이 어울리는 것 같습니다. 그런데 도전적인 말씀을 하셨습니다. 마치 그 사람이 부정한 방법으로 재물을 취한 것처럼 모든 것을 다 팔아 가난한 사람들에게 주고 그분을 쫓으라고 한 것입니다. 그랬더니 그 사람은 근심 어린 표정으로 돌아갔습니다.

예수님은 그 마음속에 무엇이 우상인지를 보신 겁니다. 그러므로 우리도 이제 결단해야 합니다. 예수께 어떤 말씀을 듣고 싶습니까? "네가 가진 것을 다 팔아 가난한 사람들에게 주고 나를 쫓으라"는 도전을 듣고 싶습니까? 아니면 "내가 네 집에 머물러야겠다"는 음성을 듣고 싶습니까?

이는 우리 마음에 달린 것입니다. 우리가 어린아이와 같은 마음으로 재물에 의지하지 않고 산다면, 많은 재물을 가지고 있더라도 그것을 잘 사용할 수 있다면 예수님은 그저 '너의 집에 머물겠다'는 말씀을 하실 거라고 믿습니다. 하지만 우리 마음속이 우상으로 가득 차 있으면, 그것이 물질이든 지식이든 사회적 지위든 간에 우리 마음속에 어린아이와 같이 하나님을 의지하지 못하도록 만드는 것이 있다면 하나님은 그것을 치우기 위해 강하게 도전하며 명령하실 것입니다.

예수님은 돌아가는 그를 보며 제자들에게 "부자가 하나님 나라에 들어가기가 얼마나 어려운지 부자가 하나님 나라에 들어가는 것보다 낙타가 바늘귀를 지나 가는 것이 더 쉽다"고 말씀했습니다. 하지만 불가능하다고 말씀하지 않았습니다.

[제자들은 더욱 놀라서 서로 수군거렸습니다. "그러면 도대체 누가 구원받을 수 있다는 말인가?" 예수께서 그들을 보시고 말씀하셨습니다. "사람은 할 수 없지만 하나님께서는 하실 수 있다. 하나님께는 모든 것이 가능하다."(막 10:26-27)]

예수님의 결론은 무엇입니까? '안 된다'가 아니라 '할 수 있다', '가능하다'는 것입니다. 예수님의 이 위트 있는 말이 유명해져 "낙타가 바늘귀를 지나가는 것이 부자가 하나님 나라에 들어가는 것보다 더 쉽다"는 말씀이 더 강하게 인식됐습니다. 그래서 뒤에 "하실 수 있다"는 것을 다 빼 버립니다. 이것은 사탄의 장난입니다.

하나님은 어떤 사람도 구원하실 수 있습니다. 하나님은 모든 것이 다 가능하십니다. 이 말씀을 더 크게 받아들여야 합니다. 예수님은 분명히 하실 수 있습니다. 아무리 완고한 사람, 아무리 이 세상에 사로잡힌 사람, 아무리 흉악한 교회에 빠져 있는 사람도 하나님은 하실 수 있습니다.

이것을 믿어야 합니다. 이것을 믿고 기도하면 역사가 일어납니다. 우리 주변에 이러한 사람들이 변화될 줄로 믿습니다. 삭개오와 같은 사람들이 돌아올 줄로 믿습니다. 이 젊은 관원과 같은 사람이 돌아올 줄로 믿습니다. 하나님은 하실 수 있습니다.

이 젊은 관원이 예수님을 따르는 데 실패하고 돌아가자 베드로가 재빨리 나섭니다. 복음서를 읽는 재미는 역시 베드로가 만들어 줍니다. 나서기 좋아하는 베드로 때문에 많은 교훈을 얻게 됩니다.

["베드로가 예수께 말했습니다. "보시다시피 우리는 모든 것을 버리고 주를 따랐습니다!"(막 10:28)]

제자들은 모든 것을 버렸다는 것입니다. 젊은 관원에게 모든 것을 버리고 따르라고 해서 포기하고 돌아가니까 베드로가 자랑스럽게 얘기한 것입니다. 대본으로 말하자면 시나리오 작가가 지문을 이렇게 쓸 것입니다. '자랑스럽게, 뽐내듯이'라고 말입니다.

우리는 예수께 모든 것을 버렸다고 했는데 사실 부자 관원이 버릴 것과 베드로가 버린 것이 비교가 됩니까? 그랬지만 어쨌든 모든 것을 버린 것은 맞습니다. 아마 자랑스럽게 얘기했을 겁니다. 베드로의 그다음 말에 숨어 있는 뜻은 무엇일까요? "잘했죠?"가 아닐까 합니다.

이 말씀은 마태복음 19장에도 동일하게 나오는데, 그 말씀에는 이렇게 기록되어 있습니다.

[베드로가 대답했습니다. "보십시오. 우리는 모든 것을 버리고 선생님을 따랐습니다! 그렇다면 우리는 무엇을 얻겠습니까?"(마 19:27)]

베드로의 보상 심리가 숨어 있습니다. 공로 심리가 숨어 있습니다. 그 틈을 타서 무엇이든 얻어 보려고, 유대인의 선천적인 종교 심리가 숨어 있었습니다. 베드로도 유대인은 유대인이었습니다. "우리가 모든 것을 버렸으니, 이제 무엇을 얻을 수 있겠습니까?" 베드로는 하나님 나라를 받아들인 사람입니다. 모든 것을 버리고 예수님을 따랐습니다. 하나님 나라를 받아들였지만 그곳에 합당하지 못한 생각으로 가득 차 있었습니다.

[예수께서 말씀하셨습니다. "내가 너희에게 진실로 말한다. 나와 복음을 위해 집이나 형제나 부모나 자식이나 자기 땅을 버린 사람은 지금 이 세상에서 집과 형제자매와 어머니와 자녀와 땅을 100배나 더 받되 핍박도 함께 받을 것이고 이제 올 세상에서는 영원한 생명을 받을 것이다."(막 10:29-30)]

이 말씀을 듣고 베드로는 '100배나 더 받는구나'라는 생각에 엄청나게 기분이 좋았을 것입니다. 그런데 예수님은 그다음에 "핍박도 함께 받을 것이요"라고 말씀했습니다. 순간 베드로는 가슴이 철렁 내려앉았을 겁니다.

"핍박도 함께 받을 것이요, 이제 올 세상에서는 영원한 생명을 받을 것이다." 이게 무슨 말입니까? 물질적인 100배의 보상이 아니라는 것입니다. 핍박도 함께 받는, 이 세상에서 하나님 나라의 백성으로 사는 것은 결코 승승장구 하는 삶이 아닌 것입니다. 때로는 핍박이 있을 수 있습니다. 복음과 함께 받는 고난도 있습니다. "무릇 경건하게 살고자 하는 자는 핍박을 받으리라."

먼저 된 사람이 나중 되고 나중 된 사람이 먼저 되다

예수님은 제자들을 이끌기 위해 물질적인 보상으로 끌고 가시지 않았습니다. 세상적인 보상을 가지고 하나님 나라의 공동체를 끌고 가시지 않았다는 말씀입니다. 이런 보상 의식에 사로잡혀 있는 베드로와 제자들에게 예수님은 의미 있는 말씀을 하셨습니다.

["그러나 먼저 된 사람이 나중 되고 나중 된 사람이 먼저 되는 일이 많을 것이다."(막 10:31)]

베드로는 지금 가장 먼저 예수님을 따른 자, 먼저 하나님 나라에 들어간 자, 먼저 된 자입니다. 어느 누구보다도 예수님 말씀을 듣고 그분의 기적을 체험하고 자신의 삶을 모두 예수께 바친 먼저 된 자입니다. 그런데 지금 베드로의 마음속에 어떤 생각이 자리하고 있습니까? '내가 무엇을 받을 수 있겠습니까?'라는 이 세상에서의 보상적인 생각으로 가득 차 있으니 "너희는 지금 하나님 나라의 나중 된 자"라는 것입니다.

이 먼저와 나중이란 말은 일등과 꼴등이라는 말이 아니라 헬라적인 원어로 말하면 '먼저'란 것은 영광스러운, 존귀함을 받는 것을 의미합니다. 그리고 '나중'이라는 것은 무가치한, 아주 쓸모없다는 뜻입니다. "너는 지금 하나님 나라의 쓸모없는 모습을 갖추고 있다. 너는 분명히 모든 것을 버리고 먼저 된 자였지만 지금은 나중 된 자가 되었다."

마태복음에서는 이것을 깨닫게 하기 위해 포도원 일꾼의 비유를 주셨습니다. 이른 아침부터 나온 일꾼과 오후 5시에 나와 한 시간밖에 일하지 않은 일꾼에게 동일한 품삯을 줬습니다. 마지막에 온 사람부터 품삯을 주는데, 한 시간 일했는데 1데나리온을 받았습니다. 옆에 있는 사람은 세 시간 일한 사람인데, 이것을 보고 기분이 좋아졌습니다. 머릿속으로 벌써 계산이 끝난 것입니다. '나는 세 시간 일했으니까 3데나리온이겠지'라고 생각한 것입니다. 가장 기분 좋은 사람은 12시간 일한 사람으로 '어우! 오늘 진짜 직장 잘 잡았네'라고 쾌재를 불렀을 겁니다. 그런데 옆 사람도 1데나리온을 받는 것입니다. 차례가 점점 다가오는데 전부 1데나리온인 것입니다. 마지막으로 온종일 일한 사람도 품삯을 받았는데, 1데나리온이었습니다.

이런 불공평한 회사가 어디 있습니까. 지금 이런 회사가 있었다면 노조의 항의로 풍비박산 났을 것입니다. 그런데 예수님이 이렇게 말씀했습니다. "주인인 내가 너에게 1데나리온을 약속하지 않았느냐? 내가 선한 것이 자네 눈에 거슬리는가?

이처럼 나중 된 사람이 먼저 되고 먼저 된 사람이 나중 될 것이다."

이는 베드로에게 주시는 예수님의 말씀입니다. 우리가 많은 것을 주 앞에 드리고 먼저 하나님 나라에 들어간 자가 되었지만, 하나님 나라에 들어갔으면서도 하나님 나라의 나중 된 자로 살아가는 사람이 많습니다. 우리는 하루에도 수없이 이런 변화를 겪습니다.

아침에 큐티할 때는 삶의 우선권을 하나님께 드리고 하나님 나라의 백성으로, 먼저 된 자로 시작했다가 퇴근해서 들어올 때는 나중 된 자가 되어 들어오는 것입니다. 예배 때는 먼저 된 자가 되었다가 예배를 마친 뒤에는 나중 된 자가 되는 것입니다. 매일 먼저 된 자, 나중 된 자가 왔다 갔다 하는 것입니다. 예수님이 언제 오실지 모르기 때문에 나중 된 자로 주님을 만나지 않게 되기를 축원합니다.

하나님 나라는 역전시키는 나라입니다. 'Upside down Kingdom'입니다. 스스로 의롭다 여기는 사람은 죄인이 되어 버리고 스스로 죄인이라 여기는 사람은 의인으로 평가되고, 바리새파 사람들은 하나님 나라에 들어가지 못했으나 죄인 취급을 받던 세리장 삭개오는 하나님 나라에 들어갔습니다. 어린아이처럼 하나님 나라를 받아들이는 사람은 하나님 나라의 큰 자가 되고, 젊은 관원처럼 스스로 어른 행세를 하면서 하나님과 거래한 사람은 하나님 나라에 합당하지 못한 사람이 됩니다.

하나님 나라를 받아들였어도 베드로처럼 보상 심리에 사로잡혀 있는 사람은 하나님 나라의 나중 된 자가 되어 버립니다. 하나님 나라를 어린아이처럼 받아들이고 주님을 의지할 때 우리는 먼저 된 사람으로서 하나님 앞에 쓰임 받을 수 있습니다. 하나님 말씀을 어린아이처럼 받아들이며 하나님이 우리에게 주시는 사랑, 그 은혜, 그 용서, 그 축복을 믿음으로 받아들일 때 우리는 하나님 나라의 백성으로서 승리하며 축복을 누릴 수 있습니다.

Pray

하나님, 우리에게 온 하나님 나라, 열려 있는 그 나라의 문을 기억하게 하옵소서. 우리가 복음을 접할 때에 어린아이와 같이 받아들이게 하시고, 오직 선하신 한 분 예수 그리스도만 바라며 살게 하옵소서. 예수님 이름으로 기도합니다. 아멘.

막 10:32-45

³²그들이 예루살렘으로 올라가는 길이었습니다. 예수께서 앞장서서 그리로 향하시자 제자들은 놀랐고 뒤따라가던 사람들도 두려워했습니다. 예수께서는 다시 열두 제자를 따로 불러 놓으시고 앞으로 자신에게 일어날 일을 말씀해 주셨습니다. ³³"우리는 지금 예루살렘으로 올라가고 있다. 인자는 배반당해 대제사장들과 율법학자들에게 넘겨질 것이다. 그들은 인자를 죽이기로 결정하고 이방 사람들에게 넘겨줄 것이고 ³⁴이방 사람들은 인자를 조롱하고 침을 뱉고 채찍으로 때린 뒤 죽일 것이다. 그러나 3일 만에 다시 살아날 것이다." ³⁵그러자 세베대의 두 아들 야고보와 요한이 예수께 다가와 말했습니다. "선생님, 저희의 소원을 들어주시기 원합니다." ³⁶예수께서 물으셨습니다. "내가 너희에게 무엇을 해주었으면 좋겠느냐?" ³⁷그들이 대답했습니다. "주께서 영광의 자리에 앉으실 때 저희 중 하나는 오른편에, 하나는 왼편에 앉게 해 주십시오." ³⁸예수께서 그들에게 말씀하셨습니다. "너희가 지금 무엇을 구하고 있는지 알고 있느냐? 내가 마시는 잔을 너희가 마시며 내가 받는 세례를 너희가 받을 수 있겠느냐?" ³⁹그들이 대답했습니다. "할 수 있습니다." 예수께서 그들에게 말씀하셨습니다. "너희도 정말 내가 마시는 잔을 마시고 내가 받는 세례를 받을 것이다. ⁴⁰그렇지만 내 오른편이나 왼편에 앉는 것은 내가 정해 주는 것이 아니다. 그 자리는 미리 정해 놓은 사람들에게 돌아갈 것이다." ⁴¹다른 열 명은 이 말을 듣고 야고보와 요한에게 분개했습니다. ⁴²예수께서는 그들을 함께 불러 놓고 말씀하셨습니다. "너희도 알듯이 이방 사람의 통치자라는 사람들은 백성들 위에 군림하고 그 고관들도 권력을 행사한다. ⁴³그러나 너희는 그렇게 해선 안 된다. 오히려 누구든지 너희 중에서 큰 사람이 되고 싶은 사람은 너희를 섬기는 자가 돼야 하고 ⁴⁴누구든지 으뜸이 되려는 사람은 모든 사람의 종이 돼야 한다. ⁴⁵인자 역시 섬김을 받으러 온 것이 아니라 섬기러 왔고 많은 사람들을 구원하기 위해 치를 몸값으로 자기 생명을 내어 주려고 온 것이다."

섬기러 오신
예수님

하나님의 사랑은 내리사랑입니다. 우리를 사랑하심으로써 낮아지고 또 낮아지셔서
십자가까지 낮아지신 사랑입니다. 그 사랑으로 우리를 높여 주시고 우리를 높여 주셔서
하늘 보좌에까지 우리를 높여 주시는 그 사랑, 이것이 십자가의 역설인 것입니다.

예수님이 주신 핵심적인 진리의 말씀은 역설, 영어로는 'paradox(패러독스)'라는 형태로 주어졌습니다. 역설이란 무엇입니까? 서로 상반되는 것 같은 두 가지 주장이 서로 만나 진실을 이루고, 진리를 이루게 되는 것이 역설입니다. 성경에 나타난 이 역설적인 진리 몇 구절을 살펴보겠습니다.

["누구든지 자기 생명을 구하려는 사람은 잃을 것이요, 누구든지 나를 위해 자기 생명을 잃는 사람은 구하게 될 것이다."(눅 9:24)]

["그러나 먼저 된 사람이 나중 되고 나중 된 사람이 먼저 되는 일이 많을 것이다."(막 10:31)]

["근심하는 사람 같으나 항상 기뻐하고 가난한 사람 같으나 많은 사람을 부유하게 합니다. 아무것도 없는 사람 같으나 모든 것을 가진 사람입니다."(고후 6:10)]

[그러므로 나는 그리스도를 위해 약한 것들과 모욕과 궁핍과 핍박과 곤경 가운데 있으면서도 기뻐합니다. 왜냐하면 내가 약할 그때에 곧 강하기 때문입니다.(고후 12:10)]

성경의 많은 진리들이 왜 역설의 형태로 주어졌을까요? 그것은 바로 우리 믿음

의 중심에 있는 그 십자가가 역설이기 때문입니다. 십자가의 진리는 역설적인 진리입니다. 십자가는 패러독스입니다. 모든 만물을 창조하시고 모든 영광을 받으셔야 할 분이 받지 말아야 할 고난과 죽음을 당하시고 그로 말미암아 마땅히 죽음을 받아야 할 우리 인간이 하나님의 자녀가 되었다는 것은 지상 최대의 역설입니다. 십자가의 사랑은 역설의 사랑인 것입니다.

세 번째 수난 예고를 하시다

마치 지진과 쓰나미의 근원, 발원지가 있었던 것처럼 성경의 모든 진리를 만들어 내는 영적 지진의 근원지에는 십자가가 있습니다. 이 십자가의 진리를 깨닫는 사람은 성경 어느 곳을 펴도 이해가 됩니다. 하지만 십자가를 깨닫지 못한 사람은 아무리 성경을 많이 읽어도 깨닫지 못합니다. 우리가 이해하기 어려운 역설적인 진리를 깨달을 수 있는 것, 그것은 바로 십자가를 통해서만 깨달을 수 있습니다. 다음 말씀에도 예수님의 십자가로 말미암아 주어진 역설적 진리가 나와 있습니다.

["그러나 너희는 그렇게 해선 안 된다. 오히려 누구든지 너희 중에서 큰 사람이 되고 싶은 사람은 너희를 섬기는 자가 돼야 하고 누구든지 으뜸이 되려는 사람은 모든 사람의 종이 돼야 한다."(막 10:43-44)]

이 말씀에도 역설이 나타납니다. 큰 자가 되려면 섬김을 받는 것이 아니라 섬겨야 한다고 말씀합니다. 왜 이런 역설이 주어졌습니까? 그것은 바로 십자가에 못 박혀 죽으신 주님께서, 모든 인간의 섬김을 받으셔야 하는 그분께서 모든 인간을 섬기시는 이 섬김의 역설 때문입니다. 섬김을 받으셔야 하는 예수님이 섬기셨기 때문에 우리도 동일하게 섬겨야 위대한 자가 되고 큰 자가 될 수 있습니다.

예수님은 굳이 섬기시지 않아도 섬김을 받으셔야 하는 분입니다. 종이 되시지 않아도 모든 높임을 받으셔야만 하는 분입니다. 하지만 주님은 스스로 낮아짐으로써 섬기셨습니다. 하나님은 바로 이런 분입니다. 하나님은 겸손하십니다. 하나님은 섬기시는 분입니다. 하나님은 역설의 하나님이십니다. 그래서 하나님을 섬긴다고 할 때는 매사에 조심해야 합니다.

분명히 성경에서 하나님을 섬기라고 말씀하고 있습니다. 하지만 우리가 올바른 태도로 하나님을 섬기지 않을 때 그분을 섬기는 것이 아니라 자신을 섬기는 것이 되고 그분을 무시하는 것이 됩니다. 하나님은 우리의 도움을 필요로 하는 분이 아닙니다. 하나님은 우리의 도움을 필요로 하시지 않습니다. 하나님은 스스로 존재하시는 분이기 때문입니다. 모든 것을 하실 수 있는 분이기 때문입니다. 하나님은 섬김을 필요로 하시지 않습니다.

그런데 왜 우리에게 섬기라고 하시는 걸까요? 그것은 우리의 도움이 필요해서가 아니라 우리를 통해 일하기를 원하시기 때문입니다. 하나님을 섬긴다고 하는데, 대개는 우리가 방해될 때가 더 많습니다.

교회 공동체가 성장하는 데 있어 목회자가, 교회 리더십들이 하나님을 방해만 하지 않으면 교회가 성장합니다. 대개 열심히 섬긴다고 하는데, 하나님을 방해하는 섬김을 더 많이 하기 때문에 그것을 해결하느라 하나님은 새로운 일들을 행하실 수 없다는 말입니다.

[하나님께서는 뭔가 부족해서 인간의 손으로 섬김을 받으실 분이 아닙니다. 하나님께서는 바로 모든 사람에게 생명과 호흡과 다른 모든 것을 주시는 분이시기 때문입니다.(행 17:25)]

세상의 소위 다른 신들은 인간에게 무엇을 준다고 말하지만, 실상은 인간에 의지해서 만들어진 신이기 때문에 인간에게 의존합니다. 인간이 뭔가를 줘야 하는 신은 더는 신이 아닙니다. 하나님은 우리가 아무리 많은 것을 그분 앞에 드린다고 해도 그것으로 도움이 되는 분이 아닙니다. 하나님은 여전히 주시는 분입니다. 그러므로 하나님이 찾으시는 사람은 그분을 도와드리는 사람이 아니라 그분이 맘껏 사용할 수 있도록 내어 드리는 사람, 그분의 통로가 되는 사람을 찾으시는 것이지 그분을 도와드리는 사람을 찾는 것이 아닙니다.

우리가 아무리 하나님을 섬겨도 그분은 여전히 우리를 섬기시고 있습니다. 예수님은 바로 이런 분입니다. 예수님은 "내가 섬김을 받으러 온 것이 아니라 섬기러 왔다"라고 말씀했습니다.

["인자 역시 섬김을 받으러 온 것이 아니라 섬기러 왔고 많은 사람들을 구원하기 위해 치를 몸값으로 자기 생명을 내어 주려고 온 것이다."(막 10:45)]

이 말씀은 예수님 인생의 모토요, 비전이요, 사명 선언문입니다. 마가복음에서 가장 중요한 구절이고, 복음서 전체에서도 가장 중요한 구절 가운데 하나입니다. 인자의 온 것은 섬김을 받으러 온 것이 아니요, 섬기러 왔다는 것입니다. 이는 하나님의 속성입니다.

하나님은 섬기는 분이요, 겸손한 분이요, 낮아지는 분입니다. 그리고 하나님은 어디까지 섬기셨습니까? 우리를 구원하기 위해 생명을 몸값으로 내어 주시기까지 섬기는 분입니다.

이 구절에서 중요한 단어가 '내어 주셨다'는 단어입니다. '내어 주셨다'는 자발적인 선택이요, 의도적인 헌신이라는 뜻입니다. 예수님의 죽음과 관련해 많이 나오는 단어가 '넘겨졌다'라는 단어입니다. 성경에도 "예수께서 넘겨질 것이다", "대제사장들과 율법학자들에게 넘겨질 것이다", "이방 사람들에게 넘겨 줄 것이다"라고 곳곳에 '넘겨지다'라는 단어가 나옵니다.

점점 구체화되는 십자가의 죽음

가룟 유다를 통해 유대 지도자들에게 예수님이 넘겨졌습니다. 유대 지도자들에 의해 빌라도에게 넘겨졌습니다. 빌라도에 의해 로마 군병에게 넘겨지시고 십자가에 못 박혀 죽으셨습니다. 하지만 예수님은 이렇게 말씀했습니다. "내가 생명을 다시 얻기 위해 생명을 내놓았기 때문이다."

["내 아버지가 나를 사랑하시는 까닭은 내가 생명을 다시 얻기 위해 생명을 내놓았기 때문이다. 누가 내게서 생명을 빼앗는 것이 아니라 내가 스스로 내놓는 것이다. 나는 그것을 내놓을 권세도 있고 또다시 얻을 권세도 있다. 이 계명은 내가 내 아버지께로부터 받은 것이다."(요 10:17-18)]

예수님은 힘이 없어 끌려가 넘김을 당한 것이 아닙니다.

예수님이 그분의 생명을 내어 놓지 않았다면 그 어떤 권세자도 예수님을 넘길 수 없습니다. 겉으로 볼 때, 인간의 차원으로 볼 때는 유다가 지도자들에게, 지도자들이 빌라도에게, 빌라도가 군병들에게 넘겨 예수님이 못 박혀 죽으신 것 같지만 그 모든 과정에서 예수님이 스스로 내어 주시지 않았으면 모든 것은 아무 의미가 없습니다.

누가 예수님을 죽음에 넘겨 주었습니까? 돈을 위해 유다가 넘긴 것이 아닙니다. 비겁함 때문에 빌라도가 넘긴 것이 아닙니다. 시기심 때문에 유대 지도자들이 넘긴 것도 아닙니다. 바로 하나님께서 그 큰 사랑으로 말미암아 우리를 구원하기 위해 십자가에 넘겨 주신 것입니다.

그리고 그 아들 예수께서 아버지의 뜻을 온전히 기쁘게 순종함으로써 자신의 생명을 우리 몸값으로 내어 주신 것입니다. 예수 그리스도의 내어 주시는 사랑 때문에 십자가로 말미암아 우리가 구원을 얻게 된 것입니다. 이것이 십자가의 역설입니다.

의로우신 그분이 불의한 자를 대신함으로써 불의한 자가 의롭게 되는 것, 이것이 성경의 핵심적 역설입니다. 십자가는 하나님의 사랑이 만들어 낸 역설입니다. 물은 높은 곳에서 낮은 곳으로 흐릅니다. 하나님의 사랑도 높은 곳에서 낮은 곳으로 흐릅니다.

흔히 내리사랑이라고 하지 않습니까. 하나님의 사랑은 내리사랑입니다. 우리를 사랑하심으로써 낮아지고 또 낮아지셔서 십자가까지 낮아지신 사랑입니다. 그 사랑으로 우리를 높여 주시고 우리를 높여 주셔서 하늘 보좌에까지 우리를 높여 주시는 그 사랑, 이것이 십자가의 역설인 것입니다.

예수님은 이런 하나님의 사랑에 온전히 순종해서 그분 앞에 높여 있는 그 십자가를 두려움 없이 받아들이셨고, 십자가를 향해 당당히 걸어가셨습니다.

[그들이 예루살렘으로 올라가는 길이었습니다. 예수께서 앞장서서 그리로 향하시자 제자들은 놀랐고 뒤따라가던 사람들도 두려워했습니다. 예수께서는 다시 열두 제자를 따로 불러 놓으시고 앞으로 자신에게 일어날 일을 말씀해 주셨습니다.(막 10:32)]

이 구절에서 중요한 단어가 바로 '앞장서서'라는 단어입니다. 물론 평소에도 예수님은 걸으실 때 앞장섰을 것입니다. 하지만 제자들이 두려울 정도로 예수님의 모습은 비장하셨습니다. 진지하셨습니다. 제자들도 느낌으로 알고 있었습니다. 예수께서 두 번씩이나 말씀했기 때문에 예루살렘에 가면 장차 어떤 일이 일어날지 알았습니다. 하지만 제자들은 다른 기대를 갖고 있었습니다.

예수님의 그 신비한 능력으로, 말 한 마디로 파도를 잠잠케 하고 오병이어의 기적을 일으키고 죽은 자를 일으키시는 능력으로 다 제압해 버릴 거라고 기대했습니다. 그로써 장차 메시아의 왕국이 임할 것이라고 기대했습니다. 그런데 한편으로는 두려웠습니다. 예수님이 앞장서시는 그 모습을 보면서 왠지 모를 두려움에 사로잡혔습니다. 그때 예수님은 세 번째 수난 예고를 제자들에게 주셨습니다.

["우리는 지금 예루살렘으로 올라가고 있다. 인자는 배반당해 대제사장들과 율법학자들에게 넘겨질 것이다. 그들은 인자를 죽이기로 결정하고 이방 사람들에게 넘겨줄 것이고 이방 사람들은 인자를 조롱하고 침을 뱉고 채찍으로 때린 뒤 죽일 것이다. 그러나 3일 만에 다시 살아날 것이다."(막 10:33-34)]

세 번째 수난 예고를 보면 마가복음에 나타난 첫 번째 예고와 두 번째 예고보다 훨씬 더 구체적입니다. 첫 번째와 두 번째 예고는 유대 사람들에게 넘겨짐을 당하고 고난당하고 죽음을 당한다고 아주 간단하게 설명했지만, 세 번째 수난 예고는 아주 구체적입니다. 이방 사람들에게 넘겨져 그들이 조롱하고 침을 뱉고 채찍으로 때린 뒤 죽게 한다고 말씀했습니다. 예수님은 로마 군병들이 침 뱉을 것까지도 아시고 예언하셨던 것입니다. 그들은 본능적으로 침을 뱉었지만, 예수님은 침 뱉음을 당할 것까지 다 아시고 예언하셨습니다.

예수님은 이렇게 점점 구체적으로 자신의 죽음에 대해 설명하셨고, 부활에 대해 설명하셨는데 제자들의 반응은 어땠습니까? 제자들은 변함이 없었습니다. 첫 번째 말씀을 주실 때나, 두 번째 말씀을 주실 때나 제자들은 언제나 변함없이 자기 생각만 하고 있었습니다. 오히려 그 생각이 더 노골화되었습니다.

두 번째 수난 예고에는 누가 더 높은 자가 될까 다퉜는데, 세 번째 수난 예고 때는 야고보와 요한이 와서 구체적인 위치까지 짚어 말했습니다. "나는 오른쪽, 저 사람은 왼쪽"이라고 말입니다. 얼마나 노골적입니까.

예수님은 지금 전혀 흔들림 없이 확고하게 십자가의 길을 걸어가시고 낮아지는 길로 가고 계신데, 제자들은 변함없이 확고하게 세상의 길로 가고 있었습니다. 흔들림 없이 가고 있었습니다.

그러나 이것은 제자들만의 모습이 아닙니다. 우리에게도 이렇게 벗겨지지 않는 영적 무지함이 있습니다. 십자가의 길, 내려가는 길, 낮아짐으로 가는 예수 그리스도의 길로 가기보다는 끊임없이 올라가는 길, 높아지는 길, 자기중심의 길로 가고 있는 우리의 모습을 보고 있다는 생각이 듭니다.

이 제자들의 벗겨지지 않는 영적 무지함, 자기중심적인 이기심은 어디에서 비롯된 것일까요? 지구상에는 두 가지 중력이 존재합니다. 지구 중심에서 끌어당기는 중력의 영향을 받습니다. 어느 누구도 예외가 될 수 없습니다. 예외적인 사람이 있다면 예배 도중 한 사람이 확 올라가야 될 겁니다. 우리 모두는 중력의 법칙에 적용받고 있습니다.

그런데 그 중력의 법칙보다 더 무서운 중력이 있습니다. 그것은 우리 마음의 중심에서 끌어당기는 이기심이라는 중력입니다. 지구상 어떤 사람도 이 이기적인 중력으로부터 벗어날 수가 없습니다. 제자들을 비난하고 나무라지만 우리 마음속에 있는 이기심이라는 중력도 우리 힘으로 해결할 수가 없습니다. 제자들도 불안하고 두려웠지만, 두려움 가운데서도 이기적인 욕망이 나오면 그 중력에 끌려갔던 것입니다.

놀라운 것은 지구에 있는 중력도 벗어나는 법칙이 있다는 겁니다. 인간들이 그 법칙을 발견했습니다. 하늘을 나는 비행기를 발명함으로써 중력의 법칙을 벗어날 수 있는 어떤 역학의 법칙을 발견했습니다. 구체적으로 어떤 법칙인지는 모르겠지만, 어떤 공기역학의 법칙을 적용함으로써 일정한 에너지를 태우면서 일정한 속도로 달려가면 중력에서 벗어날 수 있는, 계속해서 연료를 공급하고 엔진이 소멸되지 않는다면 계속 하늘을 날 수 있지 않습니까. 중력의 법칙을 벗어나 하늘을 나는 법칙이 있다는 것입니다.

영적으로도 마찬가지입니다. 우리 마음의 중심에서 끌어당기는 이기심이라는 법칙을 벗어날 수 있는 영적 법칙을 적용하면, 우리도 예수님처럼 살 수 있습니다. 그것은 바로 십자가의 법칙입니다. 역설의 법칙입니다.

성령의 힘으로 우리의 이기적인 중력을 끊으면 자유케 되고, 십자가를 붙잡고 있으면 하늘을 나는 비행기처럼 이기심이라는 중력에 붙잡히지 않을 수 있습니다. 우리 옛사람을 십자가에 못 박고 우리 이기심을 십자가에 못 박고 나아가면 놀랍게도 하늘을 나는 영적 능력을 발휘할 수 있습니다.

으뜸이 되려는 자, 모든 사람의 종이 되어라

제자들은 아직 이러한 체험을 하지 못했습니다. 그래서 이기적인 중력에 사로잡혀 있었습니다. 그리고 "예수님, 우리의 소원을 들어 주십시오"라고 소원을 말했습니다.

예수님이 보셨을 때 얼마나 한심하고 얼마나 답답한 제자들입니까? 하지만 책망하지 않고 "그래 내가 너희들에게 무엇을 해 주면 되냐?"라며 제자들과 대화를 나누셨습니다. 이때 우리는 어떤 기대감을 갖게 됩니다. "예수님이 고난당할 때 우리도 그 고난을 잘 감당할 수 있는 믿음을 주시옵소서"라고 요청하지 않을까 하는 기대를 해 봅니다. 그런데 야고보와 요한은 "예수님, 저희 중 하나는 오른편에, 하나는 왼편에 앉게 해 주십시오"라고 말하는 것이 아닙니까.

이 말에도 예수님은 흥분하시지 않았습니다. 책망하시지 않았습니다. "그래 너희가 지금 무엇을 구하고 있는지 알고 있느냐? 내가 받을 잔과 내가 받을 세례를 너희가 받을 수 있겠느냐." 잔과 세례라는 말에 야고보와 요한이 언뜻 생각한 것이 축배의 잔입니다. 맛있는 샴페인을 떠올린 것입니다. 제자들은 '잔과 세례'라는 말씀에 그 당시 고관대작들이 취임할 때 하는 정결 예식인 줄 알았을 것입니다. 하지만 예수님이 말씀한 잔은 진노의 잔이요, 고난의 잔이요, 죽음의 잔이었습니다. 예수님이 말씀한 세례는 단지 잔으로 마시는 정도가 아니었습니다.

'세례'는 영어로 'baptism', 헬라어 'baptizo'에서 나왔는데, 'baptizo'는 '물에 잠기다'라는 뜻입니다. 죽음의 잔을 맛보는 것이 아니라 죽음에 잠기는 그런 세례를 받을 수 있느냐고 물으신 겁니다. 아무것도 알지 못하는 야고보와 요한은 "할 수 있습니다"라고 대답했습니다. 야고보와 요한은 나중에 순교할 때 이 말씀을 떠올렸을 것입니다. '우리가 왜 그때 할 수 있다고 했을까'라고 말입니다.

야고보가 가장 먼저 순교했습니다. 사도행전에 보면 헤롯 아그리파 1세 때 가장 먼저 순교당한 제자가 야고보이고, 가장 마지막에 순교한 제자가 요한입니다. 처음과 마지막을 장식했습니다. 그들은 아마 순교하기 직전에 예수님과 나눈 이 대화를 떠올렸을 것입니다.

그러나 예수님이 이들의 소원, 정말 으뜸이 되고자 하는 이들의 소원 자체를 부정하지 않으셨다는 것이 놀랍습니다. 그것은 헛된 일이라고 말씀하지 않았습니다. 교만하기 짝이 없는 그들의 으뜸이 되고자 하는 열망 그 자체를 부정하시지 않았습니다. 왜냐하면 권위 자체가 악한 것은 아니기 때문입니다. 영향력 있는 위치와 권위를 가진다는 것, 그것 자체는 악한 것이 아닙니다. 어떤 권위를 갖느냐에 달린 것입니다.

우리가 조심해야 할 것은 그런 위치에 오르는 것 자체를 우상화하는 것입니다. 그 위치 자체는 선한 것입니다. 하나님은 권위로 그 영역에 있는 위치로 말미암아 세상을 바꿔 나가시기를 원하기 때문입니다. 예수님은 진정으로 어떻게 으뜸이 되는 사람이 될 수 있는지 가르쳐 주셨습니다. 예수님은 모든 사람의 종이 되어야 한다고 말씀했습니다.

["그러나 너희는 그렇게 해선 안 된다. 오히려 누구든지 너희 중에서 큰 사람이 되고 싶은 사람은 너희를 섬기는 자가 돼야 하고 누구든지 으뜸이 되려는 사람은 모든 사람의 종이 돼야 한다."(막 10:43-44)]

핵심 구절은 모든 사람의 종이 되는 사람입니다. 모든 사람의 종이 되는 사람은 어떤 사람입니까? 세 가지로 그 의미를 살펴보았습니다. 첫 번째로 지배하는 사람이 아니라 청지기 의식을 가진 사람입니다. 권력을 소유하는 사람이 아니라 권위의 청지기가 되는 사람입니다.

어떤 위치에 있든지 우리가 가진 그 권위는 우리의 것이 아닙니다. 하나님의 것입니다. 부모의 권위도 우리의 권위가 아니라 하나님의 권위인 것입니다. 예수님은 권위의 청지기로 사셨습니다. 지금 가진 권위가 우리의 것이라고 생각할 때, 그 권위는 권력이 되고 맙니다.

권력이 강해지면 권위는 사라집니다. 이 세상의 권력을 가진 사람에게 진정한 권위가 있습니까? 사람들이 무서워서 따르는 것이지, 자신에게 피해가 있을까 봐 따르는 것이지 정말 마음으로부터 우러난 존경심을 갖고 따르는 것이 아닙니다. 이런 사람에게는 권위가 없습니다.

예수님은 권력자가 아니라 권위자로 사셨습니다. 위에서 지배하고 군림하는 것이 아니라 사람들 속으로 들어가서 그들 앞에 참된 권위를 보여 주심으로써 그들의 사랑과 존경을 받았던 것입니다. 종을 다른 말로 하면 청지기가 됩니다. 모든 사람의 종이 되는 사람은 모든 사람으로부터 존경받는 권위를 가진 사람이라는 뜻입니다.

두 번째로 모든 사람의 종이 된 사람은 자기에게 주어진 힘으로 다른 사람을 힘 있게 만듭니다. 만나고 나면 힘이 빠지는 사람이 있고, 만나고 나면 힘이 생기는 사람이 있습니다. 어떤 사람이 되고 싶습니까? 모든 사람의 종 된 마음을 가진 사람은 다른 사람에게 힘을 북돋아 줍니다. 하지만 다른 사람의 힘을 빼는 사람은 아무것도 아닌 권력을 일대일의 관계에서도 주장합니다. 세상의 권력은 다른 사람을 희생시켜 자신의 힘을 강화시킵니다. 하지만 하나님 나라에서 으뜸이 되는 사람은 다른 사람을 힘 있게 세워 주는 데 자신의 힘을 사용합니다.

세 번째로 모든 사람의 종이 되는 사람은 모든 사람을 대할 때 주께 하듯 대할 것입니다. 모든 사람을 대할 때 주님을 대하듯 대합니다. 그 사람이 나를 좋아하는 사람이든 싫어하는 사람이든, 나를 대적하는 사람이든 지지하는 사람이든, 대접 받을 자격이 있는 사람이든 없는 사람이든 상관없이 모든 사람을 대할 때 주님께 대하듯 대하라고 말씀합니다.

["종들이여, 육신의 주인에게 모든 일에 순종하십시오. 사람을 기쁘게 하는 사람들처럼 눈가림만 하지 말고 주를 경외함으로 진실한 마음으로 하십시오. 무슨 일을 하든지 사람에게 하듯 하지 말고 주께 하듯 마음을 다해 하십시오." (골 3:22-23)]

그 당시에는 대부분의 성도들이 종의 신분이었습니다. 종의 신분인 그들에게 하나님은 무엇이라고 말씀했습니까? 육신의 주인에게 눈가림 하듯 하지 말고, 주님께 하듯 하라고 말씀했습니다. 눈가림만 하는 종은 청소하다가도 카펫 밑으로 쓰레기를 집어넣습니다. 하지만 주께 하듯 하는 사람은 카펫 밑까지 철저히 청소하는 사람입니다.

보는 데서만 열심히 일하고, 보이지 않는 데서는 일하지 않는 사람이 아니라 육신의 상전이 보든 보지 않든 간에 하나님이 보시는 눈앞에서 일하는 사람입니다. 까다로운 주인이나 까다롭지 않은 주인이나 상관없이 주님을 대하듯 충성하는 사람입니다.

이 말씀을 전할 때면 "그럼 하나님은 노예제도를 인정하셨다는 말씀입니까?"라는 질문을 하는 사람이 있습니다. 아닙니다. 어떤 사회나 어떤 문화, 어떤 제도 가운데 있든지, 어떤 신분이나 어떤 지위에 있든지 간에 윗사람이나 아랫사람이나 동료들이나 어떤 사람인가에 상관없이 주님께 하듯 대해야 합니다. 이는 인생에 놀라운 삶의 변화가 일어나는 비밀입니다.

"주께 하듯 하라."

이 명령을 들은 크리스천들은 그렇게 행했습니다. 그리고 어떤 일이 일어났습니까? 로마 사회를 뒤엎었습니다. 로마 권력을 뒤엎은 것은 또 다른 정치 세력이 아니었습니다. 주께 하듯 행하는 크리스천을 통해 로마의 권력이 무너졌습니다.

왜 권력이 무너졌습니까? 이 세상의 권력은 권위가 없기 때문입니다. 하지만 하나님의 권위가 있는, 주께 하듯 하는 사람들은 비록 종의 신분이었지만 그들에게는 권위가 있었습니다. 진리를 순종하는 삶이었기 때문에, 하나님이 함께하시는 삶이었기 때문에 그들의 삶에는 권위가 있었습니다. 그래서 로마의 강력한 권력이 크리스천의 권위 앞에 무너져 내렸던 것입니다.

유대교의 권력이 무너졌습니다. 권위가 권력을 무너뜨리지 않으면 권력이 권위를 무너뜨립니다. 참된 권위자가 될 때 이 세상의 권력을 넘어서서 하나님의 의를 이룰 수 있습니다. 이것은 꼭 국가나 사회뿐 아니라 우리 가정에서도 마찬가지입니다. 부부 싸움의 본질은 권력다툼입니다. 다음 말씀에서 보듯 순종하지 않아서입니다. 부부 싸움의 본질로부터 벗어날 수 있는 것은 주께 하듯 부부가 서로에게 복종하는 것입니다.

[그리스도를 경외함으로 서로 복종하십시오.(엡 5:21)]

그리스도를 경외함으로써 서로한테 복종해야 합니다. 이 말씀을 전한 다음에 아내는 남편에게 순종하고 남편은 아내를 사랑하고 자녀들은 부모에게 순종하고 부모는 자녀들을 노엽게 하지 말라는 말씀이 쭉 이어집니다. 이것이 가장 중요한 말씀입니다. 행복한 부부 생활의 비결, 행복한 가정생활의 비결은 가족끼리도 서로를 대할 때 주께 하듯 순종하는 겁니다. 이것이 곧 주님을 경외하는 것입니다.

"나는 주님을 경외하는데 내 남편은 안 돼"라고 말할 것이 아니라 까다로운 남편도 잔소리하는 아내도 주께 하듯 순종하라는 것입니다. 이것이 주님을 경외하는 사람의 자세입니다. 이렇게 할 때 가정에 진정한 화평이 옵니다. 십자가의 역설은 우리를 역설적인 삶으로 초청하는 것입니다.

제자들은 아직 십자가의 역설을 깨닫지 못해 이 세상의 방법대로 살아갔던 것입니다. 하지만 이제는 십자가의 능력으로, 부활의 능력으로, 성령의 능력으로 우리 모두는 십자가의 역설을 붙잡고 살 수 있게 되었습니다. 따라서 우리 삶의 원리는 십자가의 역설이 되어야 합니다. 섬김의 역설이 되어야 합니다. 섬김을 받을 수 있는 사람이 섬기려고 나갈 때 세상은 변화되고 하나님 나라가 우리를 통해 이뤄질 것입니다.

우리 삶의 행복을 역설에서 찾아야 합니다. 우리 신앙은 역설의 신앙이 되어야 합니다. 그렇게 될 때 "근심하는 사람 같으나 항상 기뻐하고 아무것도 없는 사람 같으나 모든 것을 가진 사람"이 되는 것입니다. 이것이 바로 섬김의 역설을 통해 우리에게 주신 주님의 교훈입니다.

Pray

하나님, 섬기러 오신 예수님을 기억합니다. 철저히 낮아지심으로 온 인류를 구원하신 예수님의 그 자리를 기억하며, 남을 섬기는 우리들의 삶 되게 하옵소서. 서로를 존중하고 서로를 높게 여기는 삶 되게 하옵소서. 예수님 이름으로 기도합니다. 아멘.

막 10:46-52

⁴⁶그들은 여리고로 갔습니다. 예수와 제자들이 많은 사람들과 함께 그 성을 떠나려는데 디매오의 아들 바디매오라는 눈먼 사람이 길가에 앉아 구걸하고 있다가 ⁴⁷나사렛 예수라는 말을 듣고 소리치기 시작했습니다. "다윗의 자손 예수여, 나를 불쌍히 여겨 주십시오!" ⁴⁸많은 사람들이 그를 꾸짖으며 조용히 하라고 했습니다. 그러나 그는 더욱더 큰 소리를 질렀습니다. "다윗의 자손이여, 나를 불쌍히 여겨 주십시오!" ⁴⁹예수께서 걸음을 멈추시고 말씀하셨습니다. "저 사람을 불러오너라." 그러자 그들이 그 사람에게 말했습니다. "안심하고 일어나라! 예수께서 너를 부르신다." ⁵⁰그는 겉옷을 던져 버리고 벌떡 일어나 예수께로 갔습니다. ⁵¹예수께서 그에게 물으셨습니다. "내가 무엇을 네게 해 주기 원하느냐?" 앞을 못 보는 사람이 대답했습니다. "선생님, 제가 보기를 원합니다." ⁵²예수께서 말씀하셨습니다. "가거라. 네 믿음이 너를 구원했다." 그러자 그 즉시 그는 보게 됐고 예수를 따라 길을 나섰습니다.

바디매오를
고치신 예수님

믿음은 단순한 것입니다. 하나님 앞에 나아가는 것입니다.
그리고 불쌍히 여겨 달라고 간청하는 것입니다. 우리는 왜 기도하지 않습니까?
교만해서입니다. 믿음이 없어서입니다.

신약에서 믿음은 보는 것으로 표현되고 있습니다. 우리 신앙은 영적인 눈이 열
려야 합니다. 죄로 말미암아 우리 눈에는 영적 베일이 덮여 있습니다. 그러므로 덮
여진 베일을 벗겨 내야 합니다. 믿음의 목표는 예수님이 과연 누구이신지 밝히 보
는 것입니다. 정확하게 보는 것입니다. 그리고 예수님을 계속 바라보며 살아가는
것입니다. 믿음의 주요, 온전케 하시는 주를 바라보는 것, 끊임없이 계속해서 일평
생 주님을 눈과 눈을 대하고 마주볼 때까지 바라보며 살아가는 것이 우리 신앙의
목표입니다.

사도 바울이 다메섹으로 가는 길에 주님의 음성을 듣고 그분을 만났을 때 강렬
한 빛으로 실명하고 말았습니다. 3일 동안 앞을 보지 못하는 상태로 지내야 했습니
다. 아나니아라는 사도에 의해 안수 받았을 때, 그의 눈에서 비늘 같은 것이 벗겨졌
다는 표현이 나옵니다. 눈에서 비늘 같은 것이 벗겨짐으로써 그가 새로운 삶을 누
리게 되고, 부활하신 예수님과 동행하는 삶을 살게 되었습니다.

우리 신앙의 변화는 우리 눈에서 비늘이 벗겨지는 그런 체험을 하는 것입니다.
결혼할 때는 눈에 뭔가가 덮여 결혼을 하지 않습니까? 그런데 우리 믿음의 세계에

서는 비늘이 벗겨져야 합니다. 우리 삶 속에 날마다 이런 비늘이 벗겨지는 체험이 있기를 축원합니다.

어두운 방에 창문을 열고 빛을 받아들여라

유명한 305장 찬송가 〈나 같은 죄인 살리신〉, Amazing Grace를 한글로 번역할 때 번역이 안 된 것이 있습니다. 영어 가사에서는 계속 반복되고 있지만 한글 버전에서는 번역되지 않은 구절이 있습니다. "내가 예전에는 보지 못하였으나 이제는 봅니다(I was blind, but now I see)." 이 가사가 계속해서 반복되는데, 핵심 가사입니다. "예전에는 제가 앞을 보지 못했지만 이제는 보게 되었습니다." 이것이 바로 신앙 변화의 체험인 것입니다.

예수님이 세상에 오셔서 십자가를 지심으로써 일어난 많은 역설들이 있다고 말했습니다. 또 하나의 역설이 바로 눈먼 사람이 보게 되고, 본다고 하는 사람들은 눈이 먼 채로 보지 못했다는 것입니다. 이는 또 하나의 역설입니다.

[예수께서 말씀하셨습니다. "나는 이 세상을 심판하러 왔다. 못 보는 사람은 보게 하고 보는 사람은 못 보게 하려는 것이다." 이 말씀을 듣고 예수와 함께 있던 몇몇 바리새파 사람들이 물었습니다. "우리도 눈이 먼 사람이란 말이오?" 예수께서 말씀하셨습니다. "너희가 눈이 먼 사람이었다면 죄가 없었을 것이다. 그러나 너희가 지금 본다고 하니 너희의 죄가 그대로 남아 있다."(요 9:39-41)]

예수님이 오셨을 때 보지 못했던 사람들은 보게 되고, 스스로 본다고 하는 사람들은 보지 못하고 그대로 보지 못한 상태로 있게 되었다는 역설적인 사건이 일어났습니다. 예수님 당시에 스스로 본다고 하는 사람이 많이 있었습니다. 율법을 잘 안다고 생각하는 사람이 많이 있었습니다. 멀쩡한 두 눈을 가지고 있고, 스스로 모세의 제자들이라고 생각하는 사람이 많이 있었습니다.

구약을 분명히 보고 있다고 말했음에도 그들은 예수님이 다윗의 자손으로 오신 메시아라는 것을 알지 못했습니다. 스스로 본다고 하는 사람들이 보지 못했다는 것입니다. 그들은 마치 대낮에 태양이 중천에 떠 있는데도 자신의 눈을 꼭 감고 태양은 없다고 외치는 사람과도 같습니다. 자신들의 신학과 전통과 고정관념에 사로잡혀 예수님을 보지 못했던 것입니다.

십자가 앞에서 올바른 태도를 갖지 못하면 이런 역설의 주인공이 되고 맙니다.

십자가 앞에서 "내가 바로 저 십자가에 달렸어야 하는 사람입니다"라고 고백하는 사람은 그 십자가에서 우리를 대신해 달리신 예수님의 은혜로 말미암아 십자가에 달리지 않아도 됩니다. 하지만 "저 십자가는 나와 상관없다. 나는 결코 저 십자가에 매달리지 않아야 할 사람이다. 저 십자가는 나와 상관없다"라고 주장하는 사람은 바로 그 십자가에 달리게 되어 있습니다.

스스로 어둠에 속한 자라는 것을 인정하면서 "하나님, 저는 어둠에 속한 자입니다. 눈먼 자입니다. 저는 어둠의 세상에 속해 있어 인생의 해답을 알지 못합니다. 어디로 가야 할지 모릅니다"라고 고백하며 겸손하게 하나님 앞에 나아오는 눈먼 자들은 눈을 뜨게 됩니다. 하지만 스스로 모든 것을 알고 있다고 말하며 스스로 보고 있다고 교만을 떠는 사람은 보지 못한 채로 있게 됩니다.

믿음이란 어두운 방에 창문을 열고 커튼을 열어 빛을 받아들이는 것입니다. 하나님의 빛은 이미 비치고 있습니다. 우리가 문을 열고 커튼을 열고 그 빛을 받아들이는 것, 이것이 바로 믿음의 세계로 들어가는 것입니다. 그럴 때 우리의 어두운 마음에 세상의 빛으로 오신 예수 그리스도의 빛이 비칠 것입니다.

아직 그 문을 열지 않고 창문을 열지 않고 커튼을 열지 않은 사람이 있다면 오늘 이 아침에 활짝 열고 하나님의 빛이 우리를 새롭게 하시고, 우리의 어두운 눈이 밝아지는 역사가 있게 되기를 축원합니다. 성경을 보면 앞을 보지 못하는 바디매오라는 사람이 앞을 보게 될 뿐 아니라 예수님의 제자로 따르게 되는 역사를 말씀하고 있습니다. 보는 사람과 보지 못하는 사람의 역설을 잘 보여 주고 있습니다.

이는 마가복음에 나타난 마지막 기적의 사건입니다. 성경을 연구하는 많은 학자들, 특히 마가복음을 집중적으로 연구하는 학자들은 이 사건의 내용도 중요하지만, 마가복음 전체에서 이 사건이 기록된 배치도 상당히 중요하다는 것을 신중하게 주장하고 있습니다.

그 이유는 마가복음에 나타나는 기적 대부분이 8장 26절에 집중되어 있기 때문입니다. 기적들이 한꺼번에 몰려 있습니다. 여기저기서 일어난 기적들을 마가가 한꺼번에 편집한 것입니다. 그런데 이 기적만큼은 그곳에 포함되지 않고 일어난 사건 순서대로 기록함으로써 따로 떨어진 기적으로 기록되고 있습니다.

이 기적이 일어난 시점은 언제입니까? 예수님이 8장 27절 후반 세 번에 걸쳐 수난을 예고하고 장차 고난을 받으시고 십자가에 못 박히고 부활하실 것을 제자들에게 가르치시고 이제 곧 예루살렘에 입성하기 직전에 일어난 사건입니다. 그래서 학자들은 그 순서와 배치가 굉장히 중요하다고 분석한 것입니다.

예수님이 예루살렘으로 향하는 여정을 시작하고, 이제 예루살렘으로 입성하기 이전에 한 눈먼 자를 고쳐 주시는 사건과 그가 제자가 되는 사건은 무엇을 의미합니까? 장차 예수님이 예루살렘에 들어가셔서 이루는 십자가의 사건을 통해 구원이란 무엇이며, 이것이 우리의 영적 시력을 회복시켜 주는 사건임을 가르쳐 주신다는 것입니다.

눈먼 바디매오의 믿음

바디매오라는 눈먼 사람은 예수님의 여정을 갑자기 방해하는 사람으로 등장합니다. 바디매오는 디매오의 아들이라고 기록되어 있습니다. 여기서 '바'는 아람어로 '아들'이라는 뜻입니다. 히브리어로 아들은 '벤'입니다. 비슷하기는 하지만 발음이 약간 다릅니다. 아람어로 바는 '아들', 디매오는 '존경받는 이'라는 뜻입니다. 존경의 아들이라는 의미입니다. 즉 'son of honor'라고 번역됩니다. 하지만 바디매오는 그 이름과는 다른 인생을 살고 있었습니다.

[그들은 여리고로 갔습니다. 예수와 제자들이 많은 사람들과 함께 그 성을 떠나려는데 디매오의 아들 바디매오라는 눈먼 사람이 길가에 앉아 구걸하고 있다가 나사렛 예수라는 말을 듣고 소리치기 시작했습니다. "다윗의 자손 예수여, 나를 불쌍히 여겨 주십시오!"(막 10:46-47)]

앞을 보지 못했던 바디매오는 구걸하며 살았던 것으로 보입니다. 그가 오랫동안 구걸 생활을 해서 영양실조로 앞을 보지 못했을 수도 있고, 아니면 선천적으로 앞을 보지 못했기 때문에 구걸하는 생활을 했을 수도 있습니다. 어찌 됐든 구걸하는 생활과 앞을 보지 못하는 생활은 서로 연결되어 있습니다. 그 당시에는 의학 수준도 낮아서 앞을 보지 못한 사람이 참 많았다고 합니다.

그리고 도시 여리고는 이러한 사람들이 거주하기에 참 좋은 지역이었습니다. 여리고는 요단 강을 건너 예루살렘으로 올라가는 첫 번째 관문도시로, 많은 사람들이 지나다니는 곳이었습니다. 특히 예루살렘을 방문하는 유월절에는 경건한 유대인들이 여리고 길목에 있는 걸인, 눈먼 사람들을 그냥 지나치지 않았기 때문에 구걸하는 사람들이 살기에 아주 좋은 장소였다고도 합니다.

앞을 보지도 못하고 구걸에 의존해야 하는 바디매오의 고통을 보면서 사람들이 가장 쉽게 던지는 질문이 무엇입니까? "그가 누구의 죄 때문에, 무슨 죄 때문에 고통스러운 삶을 살고 있는가?"라는 질문입니다. 이 질문은 요한복음 9장에도 나옵니다. 날 때부터 보지 못했던 사람에 대해 제자들이 던진 질문입니다.

[제자들이 예수께 물었습니다. "랍비여, 이 사람이 눈먼 사람으로 태어난 것이 누구의 죄 때문입니까? 이 사람의 죄 때문입니까, 부모의 죄 때문입니까?"(요 9:2)]

제자들은 눈먼 사람을 보고 '고통은 죄의 결과다'라는 그들의 세계관을 보여 줬습니다. "부모의 죄 때문입니까?"라고 말하는 것은 부모의 죄가 자녀에게 계속해서 전가된다는, 그 대가를 치러야 한다는 생각을 내비친 것입니다. 그리고 "자기의 죄 때문입니까?"라고 말한 것은 아마도 이전의 삶, 영혼이 이전에도 존재했을 수도 있다는 혼합적 세계관을 보여 주는 것입니다.

여기서 제자들은 부모의 죄든 자신의 죄든 고통의 원인을 과거에서 찾고 있습니다. 고통의 원인을 과거에서 찾았다는 말입니다. 하지만 예수님은 고통의 원인을 과거에서 찾지 말라고 말씀했습니다.

[예수께서 대답하셨습니다. "이 사람의 죄도, 그 부모의 죄도 아니다. 다만 하나님께서 하시는 일들을 그에게서 드러내시려는 것이다."(요 9:3)]

예수님은 "이 사람이 겪는 고통의 원인이 과거에 있는 것이 아니라 미래에 있는 것이다"라고 말씀한 것입니다. 미래에 하나님이 하실 일들을 드러내기 위해 이 사람이 이러한 고통 가운데 있다고 말씀합니다.

많은 사람들이 이 고통의 원인을 이해하기 어려운 것은 과거에서만 고통의 원인을 찾으려고 하기 때문입니다. 물론 과거의 죄에서 비롯된 대가는 틀림없이 있습니다. 하지만 과거의 죄가 아닌, 너무나 많은 고통이 하나님이 미래에 하실 일들을 나타내시고자 하는, 미래에 그 이유가 있다는 것을 우리는 기억해야 합니다.

산모가 겪는 해산의 고통이 대표적인 것입니다. 산모가 왜 산고의 고통을 겪습니까? 과거의 문제 때문에 고통을 겪습니까? 아니면 미래의 생명을 위해 고통을 겪습니까? 미래에 태어날 생명 때문에 고통을 겪는 것입니다.

현재 우리가 당하는 이 고통의 원인이 과거에 있다고 생각하면 과거로부터 벗어날 수가 없습니다. 우리가 겪는 고통의 원인을 미래에서 찾는 우리가 되기를 축원합니다.

고통 속에 있던 바디매오가 나사렛 예수라는 말을 듣고 소리치기 시작했습니다. "다윗의 자손 예수여! 나를 불쌍히 여겨 주십시오!"

그런데 여기서 흥미로운 것, 주목할 것은 무엇입니까? 바디매오는 누구라고 들었습니까? 47절에 보면 '나사렛 예수'라는 말을 듣고 소리쳤다고 했습니다. 아마 그는 앞을 보지 못했기 때문에 사람들이 지나가면서 나사렛 예수가 오셨다는 말을 듣고 알게 되었는데, 그가 예수님을 부를 때는 뭐라고 불렀습니까? "다윗의 자손 예수여!"라고 불렀습니다. 나사렛 예수가 오셨다는 소식을 들었다면 들은 대로 예수님을 뭐라고 불러야 합니까? "나사렛 예수시여!"라고 불러야 하는데 그는 바꿔 불렀습니다. 나사렛 예수가 아니라 "다윗의 자손 예수여"라고 불렀습니다.

비록 바디매오는 앞을 보지 못한 사람이었지만, 많은 사람들이 말했던 나사렛 예수라는 고백과 다른 고백을 했습니다. 이것은 이 사건을 성령님이 자세히 기록한 의미가 되었습니다. 그가 왜 많은 사람들이 예수님을 나사렛 예수라고 부르던 상황에서 혼자 다윗의 자손이라고 불렀을까요? 마가복음에서도 처음 등장하는 말입니다. 마가복음 10장에 이르기까지 다윗의 자손이라는 고백을 어느 누구도 하지 않았습니다. 바디매오가 처음입니다.

놀랍게도 이때 이후로는 다윗의 자손이라는 단어가 종종 등장합니다. 예루살렘에 입성하실 때 예수님은 다윗의 자손으로 입성하셨습니다. 구약의 메시아에 대한 가장 많은 호칭이 바로 다윗의 자손입니다. 메시아는 어떤 모습으로 오십니까? 많은 모습으로 오지만 가장 역사적이고, 가장 언약적이고, 가장 신앙고백적이고, 하나님의 계획에 합당한 호칭은 바로 다윗의 후손으로 오신다는 것입니다. 이사야 9장 7절에 보면 "다윗의 위에 앉아 공평과 정의로 세상을 다스릴 메시아가 올 것이다. 이새의 뿌리에서 이새의 줄기에서 한 뿌리가 나서 온 세상을 다스릴 메시아가 나타날 것이다"라고 말씀합니다.

이사야와 시편 곳곳에서 다윗의 후손으로 오시는 메시아에 대해 크게 강조하고 있습니다. 따라서 이는 단순한 호칭이 아니라 역사적인 호칭, 신앙고백적인 호칭입니다. 예수님이 예루살렘에 입성하실 때 많은 사람들이 이렇게 외쳤습니다.

["복이 있도다! 다가오는 우리 조상 다윗의 나라여! 지극히 높은 곳에서 호산나!"(막 11:10)]

그들은 예수님이 오실 때 다윗의 후손으로, 다윗의 나라가 회복되리라는 희망으로 예수님의 입성을 환영했다는 겁니다. 예수님도 마지막 일주일을 보내실 때 성전에서 가르치면서 이렇게 말씀했습니다.

["예수께서 성전에서 가르치시면서 물으셨습니다. "어째서 율법학자들이 그리

스도를 다윗의 자손이라고 하느냐?"(막 12:35)]

그리스도를 다윗의 자손이라고 불렀다는 겁니다. 따라서 바디매오는 육체의 눈은 보이지 않지만, 율법을 읽을 수도 없지만 유대인으로서 회당에서 들었던 약속의 말씀, 메시아는 다윗의 후손으로 오신다는 그 약속을 굳게 붙잡고 있었습니다. 그런데 율법을 익히 알고 많이 연구했다고 하는 바리새파 사람들은 예수님이 눈앞에 계심에도 그분이 바로 다윗의 자손인 예수 그리스도라는 것을 알아보지 못했습니다.

많은 사람들이 나사렛 예수라는 고정관념에 빠져 나사렛에서 무슨 선한 것이 나겠느냐고 했습니다. 당시 나사렛 사람들은 얼마나 고정관념이 심했습니까. "저 예수는 우리와 함께 공부했던 사람이 아니냐?" "우리와 함께 장난치며 자랐던 예수가 아니냐?" "그의 가족들은 지금도 우리 마을에 사는데 저 사람이 어떻게 메시아가 되느냐"라는 고정관념에 틀어박혀 있다 보니 예수님도 그곳 사람들에게는 기적을 많이 베푸시지 않았습니다.

바디매오의 소원을 일으켜 세우시다

모두가 나사렛 예수라는 고정관념에 사로잡혀 있을 때 바디매오는 예수님에 관한 소문을 눈으로는 볼 수 없었지만 그의 귀로 많은 정보가 들어왔을 때 바로 구약에 예언된 메시아, 다윗의 후손임을 알았습니다. 어쩌면 그는 보지 못했기 때문에 더 정확한 판단을 내릴 수 있었을지도 모릅니다.

듣지 못하는 사람, 보지 못하는 사람이 더 많은 것을 볼 수 있다는 것이 헬렌 켈러 여사를 통해 알려지지 않았습니까? 우리 눈은 너무나 많은 것을 보기 때문에 더 많은 잡념을 가지게 됩니다. 간혹 보지 못하는 사람들이 더 많은 것을 볼 수 있습니다. 바디매오는 구약에 예언된 메시아, 그 언약의 주인공이신 예수님이 바로 다윗의 자손으로 오신 메시아라는 것을 확신하고 있었습니다.

그러므로 나사렛 예수라는 소문을 들었을 때 "다윗의 자손 예수시여"라는 신앙고백을 하나님 앞에, 주님 앞에 할 수 있었던 것입니다. 다윗의 자손 예수 그리스도께 드리는 그의 요청은 아주 단순했습니다. "다윗의 자손 예수여, 나를 불쌍히 여겨 주십시오."

우리가 하나님께 드릴 수 있는 가장 단순하고 호소력 있는 기도는 바로 바디매오의 기도입니다. "나를 불쌍히 여겨 주십시오." 무엇을 기도해야 할지 모르는 막연한 답답함 가운데 있다면 이 기도를 조용히 반복해 보는 겁니다. "하나님, 나를 불쌍히 여겨 주십시오." "하나님, 나를 긍휼히 여겨 주십시오." 하나님 앞에서 이 기도를 반복할 때 그분의 임재, 그분의 긍휼하심이 임할 것입니다.

바디매오는 소리쳤습니다. 소리친 이유는 거리감이 없기 때문에 예수님이 어느 정도 거리에 계신지 몰랐기 때문입니다. 바디매오가 부르짖었을 때 두 가지 반응이 일어났습니다. 예수님을 따르고 있던 많은 사람들은 어떻게 반응했습니까? 그를 꾸짖으며 조용히 하라고 했습니다.

[많은 사람들이 그를 꾸짖으며 조용히 하라고 했습니다. 그러나 그는 더욱더 큰 소리를 질렀습니다. "다윗의 자손이여, 나를 불쌍히 여겨 주십시오!" 예수께서 걸음을 멈추시고 말씀하셨습니다. "저 사람을 불러오너라." 그러자 그들이 그 사람에게 말했습니다. "안심하고 일어나라! 예수께서 너를 부르신다."(막 10:48-49)]

많은 사람들이 바디매오를 꾸짖고 막아 보려고 했습니다. 하지만 그는 포기하지 않았습니다. 더욱더 큰 소리로 외쳤습니다. 성경에 나오는 많은 믿음의 사람들은 주변 환경과 상황에 억눌리지 않고 더욱 간절하게 소리 지르며 하나님 앞에 나아왔습니다. 이 많은 사람들, 예수님을 따르던 많은 사람들은 그저 그분이 나사렛 예수시며 능력이 많은 분으로 알고 있을 뿐 예수님을 바로 보지 못했습니다.

만약 예수님이 어떤 분인지 분명하게 보고 있었다면 바디매오에 대해 예수님이 어떻게 반응할지 알았을 것입니다. 그들은 바디매오가 예수님을 방해하는, 지금 빨리 예루살렘으로 들어가야 하는데 가로막는 방해물로 여겼던 것입니다. 어린아이가 등장했을 때 제자들이 그 어린아이를 방해하고 꾸짖었던 것처럼 말입니다. 하지만 예수님은 그 어린아이를 하나님 나라를 설명하는 아주 중요한 존재라고 말씀했습니다.

마찬가지로 예수님은 바디매오가 방해물이 아니라 예루살렘에 들어가시기 전, 가장 중요하게 만나야 할 대상이라고 여기셨을 것입니다. 오히려 누가 방해물입니까? 많은 사람들, 그들이 오히려 방해물이었던 것입니다. 그들의 눈에 방해자로 보였던 사람들은 예수께 소중한 존재였습니다. 하나님의 역사를 방해하는 사람들은 예수님을 바로 보지 못했던 사람입니다. 예수님의 눈으로 보지 못하면 하나님의 일에, 하나님의 사역에 방해자가 될 수 있다는 것을 기억해야 합니다.

교회를 누가 방해합니까? 불교 신자들이 방해합니까? 세상의 정치인들이 방해합니까? 아닙니다. 예수님이 누구신지 밝히 보지 못하는 사람들이 교회를 방해합니다. 그러므로 우리 스스로 방해자가 될 수 있다는 것을 기억해야 합니다. 우리 사역자들이 방해자가 될 수 있다는 것을 기억해야 합니다.

예수님은 걸음을 멈추고 바디매오를 부르셨습니다. 예수님은 앞서 뭐라고 말씀했습니까? "누구든지 으뜸이 되려면 모든 사람의 종이 되라"고 말씀하지 않았습니까? 예수님은 말씀만 하는 분이 아닙니다. 그런데 예수님은 말씀만 하신 것이 아니라 그대로 행하셨습니다. 모든 사람의 종이 되라고 하신 예수님은 바디매오의 부르짖음에 가던 걸음을 멈추셨습니다.

무엇에 걸음을 멈추느냐 하는 것이 우리의 신앙을 보여 줍니다. 우리의 발걸음이 무엇에 재촉되느냐, 무엇에 발 빠르게 움직이는가 하는 것을 살펴봐야 합니다. 성경에 보면 악을 행하는 데 발이 빠르다고 했습니다. 선을 행하는 데는 발이 더딘 것입니다. 이것이 우리의 본성입니다.

예수님은 바디매오의 부르짖음에 걸음을 멈추고 그를 긍휼히 여겨 주셨습니다. 예수님의 기적만이 놀라운 것이 아니라 그분이 발걸음을 멈추신 것에도 놀라운 하나님의 사랑이 있다는 것을 느낄 수 있습니다. 그때 바디매오는 겉옷을 던져 버리고 벌떡 일어나 예수께로 갔습니다.

[그는 겉옷을 던져 버리고 벌떡 일어나 예수께로 갔습니다.(막 10:50)]

어떤 학자들은 이 구절을 보고 바디매오가 완전히 눈먼 사람이 아니라고 말합니다. 벌떡 일어나 예수님이 어디 계신지 어떻게 알고 달려가느냐는 겁니다. 이것은 앞을 보지 못하는 사람의 감각을 무시하는 겁니다. 앞을 보지 못하는 대신 촉각과 후각, 청각이 대단히 발달했습니다. 예수님의 말씀하시는 소리를 듣고 충분히 그쪽으로 달려갈 수 있었습니다. 예수님은 그에게 이런 질문을 하셨습니다.

[예수께서 그에게 물으셨습니다. "내가 무엇을 네게 해 주기 원하느냐?" 앞을 못 보는 사람이 대답했습니다. "선생님, 제가 보기를 원합니다."(막 10:51)]

얼마나 인격적인 대우입니까? 예수님의 치유 방법은 처음부터 그냥 기적을 베풀어 주시는 것이 아니었습니다. 그 눈에 안수하고 바로 고쳐 주시는 것이 아니라 먼저 질문부터 하셨습니다. 어떤 질문이었습니까? "무엇을 해 주기를 원하느냐?"라고 물으신 겁니다. 예수님의 이 질문이 조금 이상하게 느껴지지 않습니까? 예수님은 지금 바디매오의 필요가 무엇인지 몰라서 이런 질문을 던지신 것일까요? 예수님의 질문은 정보를 얻기 위한 질문이 아닙니다.

그렇다면 왜 바디매오에게 "내가 무엇을 네게 하기 원하느냐"는 질문을 던지셨을까요? 이것은 바디매오에게 질문을 던짐으로써 그 자신의 필요를 깨닫게 하신 것입니다. 그의 진정한 필요가 무엇인지 깨닫게 하신 것입니다. "다윗의 자손 예수여, 나를 불쌍히 여기소서"라고 할 때 사실은 간청하고자 하는 내용을 이미 말했습니다.

이 사람에게 필요한 것은 무엇이었습니까? 앞을 보는 것이었습니다. 하지만 어쩌면 이 사람은 앞을 보기 원한다는 소원이 불가능하다는 생각으로 이미 포기하고 좌절하고 체념한 상태로 하루하루 살아갈 가능성이 높습니다.

예수님은 요한복음 5장에서 38년 된 병자를 고쳐 주실 때도 동일한 방법을 사용하셨습니다. 뭐라고 말씀했습니까? "네가 낫고자 하느냐?" "아니, 그걸 질문이라고 말하신 겁니까? 38년 동안 연못 옆에서 나으려고 온갖 노력을 했는데, 네가 낫고자 하느냐고 하시다니, 지금 농담하시는 겁니까?" 이렇게 얘기했을 수도 있습니다. 아니면 "병든 사람이 병 낫기를 원하는 것이 당연한 일 아닙니까?"라고 말했을 수도 있습니다. 그런데 그렇지 않을 수도 있습니다.

오랫동안 병을 겪어 본 경험이 있습니까? 인간의 의학으로 불가능하다는 질병으로 고통받는 가족이 있습니까? 그것도 1년, 2년이 아니고 수십 년 동안 그 상태가 지속되면 어떻게 되겠습니까? 포기합니다. 체념합니다.

'이제 나에게는 희망이 없어. 다시 눈 뜰 희망이 없어. 다시 일어날 희망이 없어'라며 체념하는 것입니다. 처음에는 병을 고치려고 베데스다 연못에 누워 있지만, 38년 누워 있는 가운데 어느 때부터 그는 체념한 채 구걸 생활로 전환했을 수도 있습니다. 눈먼 바디매오도 어쩌면 여리고 길목에서 한 해 두 해 눈먼 상태로 구걸하면서 처음에는 혹시 눈이 나아지지 않을까 기대했을지도 모릅니다. 그러다가 어느 순간부터 체념의 상태로 들어가 낫고자 하는 소원조차 사라져 버린, 그런 상태에 접어든 것이 분명합니다. 예수님은 그 바디매오의 마음, 38년 된 병자의 마음을 알고 계셨기에 그 마음속에 소원을 일으켜 세우시고자 한 것입니다. 그 소원을 일으켜 세우는 것으로 기적이 일어났을 때, 예수님이 행해 주신 기적에 놀라고 감사하고 그 믿음으로 말미암아 병이 낫게 되기를 원하셨던 것입니다.

믿음은 하나님 앞에 나아가는 것이다

믿음이 있기 전에 먼저 무엇이 있어야 합니까? 먼저 소원이 있어야 합니다. 소원은 믿음이 아닙니다. 하지만 소원이 있어야 믿음으로 나아갑니다. 예수님은 그 믿음을 일으키는 질문을 던져 주신 것입니다. "내가 무엇을 네게 행하여 주기 원하는가?"라는 질문을 들었을 때 바디매오는 '아 내가 지금 예수께 무엇을 간청해야 할까?'라고 생각했을 것입니다.

"나를 불쌍히 여겨 주십시오"라는 것은 너무 막연합니다. 무엇을 불쌍히 여겨 달라는 건지 말해야 합니다.

"내가 무엇을 네게 하여 주기 원하느냐?" 이것은 종의 질문입니다. 겸손한 왕이신 예수님은 종으로서 사람을 섬기실 때 만나는 사람마다 "네게 무엇을 하여 주기를 원하느냐?"라고 물으십니다. 종은 언제나 다른 사람에게 "내가 당신을 위해 무엇을 해드릴까요"라고 질문합니다. "나를 위해 무엇을 해 주겠습니까?"라고 요구하는 사람은 지배자입니다. "내가 당신을 위해 무엇을 해 주기 원하느냐?"라는 것은 겸손한 종의 질문입니다.

이 질문을 들었을 때 바디매오는 '나에게 가장 소중한 필요가 무엇일까?'라고 생각했을 것입니다. 그리고 몇 푼을 얻는 구걸이 아니라는 결론에 도달했을 겁니다. 이런 구걸은 해 봐야 또 구걸해야 하기 때문입니다. 그 사이클을 벗어날 수가 없습니다. 그러면서 단 한 번의 기회를 주신 다윗의 자손인 예수 그리스도께서 "내가 무엇을 네게 하여 주기 원하느냐"라고 물으셨을 때 "보기를 원합니다"라고 대답한 것입니다.

하나님께서 이런 질문을 던지신다면 무엇을 구하겠습니까? "내가 무엇을 네게 하여 주기 원하느냐?"라고 물으신다면 무엇을 구하겠습니까?

가장 간절한 필요는 무엇입니까? 인생 가운데 지금 가장 있어야 할 것이 무엇입니까? 그것이 물질이라면 우선순위가 잘못된 것입니다. 무엇을 구해야 합니까? 바디매오와 같은 것을 구해야 합니다. "주님, 제가 보기를 원합니다. 저의 영안이 밝아지길 원합니다"라고 대답할 수 있어야 합니다. 우리 삶 속에서 심각한 문제가 해결되지 않으면, 능력이 부족해 그런 문제가 생기고 해결되지 않는 것처럼 느껴집니다. 그러나 문제를 제대로 보지 못하기 때문에 생깁니다.

우리의 간절한 기도 제목은 바로 이것입니다. 멀쩡한 두 눈이 있지만 보지 못하고 있습니다. 하나님의 역사를 보지 못하고 있습니다. 우리의 영안이 밝아지기를 원합니다. 하나님이 행하시는 일을 보기 원합니다. 고통 속에 있지만 하나님이 미래에 행하실 일들을 미리 본다면, 그 고통을 이겨 낼 수 있습니다.

보는 것, 그것이 우리의 가장 간절한 기도 제목이 되어야 합니다. 볼 수 있다면 다른 것들은 문제가 되지 않습니다. 이것이 바디매오를 일으키신 예수님의 기적입니다.

[예수께서 말씀하셨습니다. "가거라. 네 믿음이 너를 구원했다." 그러자 그 즉시 그는 보게 됐고 예수를 따라 길을 나섰습니다.(막 10:52)]

바디매오를 고치신 예수님의 기적도 특이합니다. 예수님은 아무 일도 행하시지 않았습니다. 마가복음 8장에서 벳세다의 앞을 못 보는 사람을 고칠 때는 침을 발라 고치셨습니다. 보지 못하기 때문에 직접 몸으로 느끼도록 침을 발라 고쳐 주시는 기가 막힌 방법을 사용하신 겁니다. 또한 요한복음 9장에 보면 진흙을 이겨 앞을 보지 못하는 사람의 눈에 바르셨습니다.

고치는 방법으로는 뭔가 허술합니다. 진흙을 눈 속에 이겼다니, 멀쩡한 사람도 실명할 판입니다. 그런데 예수님은 악화되는 방법을 통해 놀라운 기적을 일으키셨습니다. 그런데 바디매오에게는 아무것도 하시지 않았습니다. "가라!" 마치 능력이 없어 가라고 하신 것 같습니다. 그런데 이때 뭐라고 하셨습니까? "네 믿음이 너를 구원했다"라고 말씀했습니다. 이미 고침을 받았다는 겁니다.

"내가 보기를 원합니다"라는 믿음의 고백으로 충분했던 것입니다. 그리고 "가라"고 말씀한 순간 바디매오의 눈이 떠진 것입니다. 그에게 어떤 믿음이 있었기에 예수님은 이렇게 선포하신 걸까요? 많은 사람들이 '나사렛 예수'라는 호칭을 썼습니다. 그런데 그는 '다윗의 자손인 예수 그리스도'라는 고백, 정확한 믿음의 고백을 했습니다. 그리고 예수께 나아갔습니다. 소리쳤습니다. 절대 포기하지 않았습니다. 불쌍히 여겨 달라고 겸손하게 간청했습니다. 자신이 어떤지를 정확하게 아는 그런 믿음이 있었습니다.

믿음은 이런 것입니다. 믿음은 단순한 것입니다. 하나님 앞에 나아가는 것입니다. 그리고 불쌍히 여겨 달라고 간청하는 것입니다. 우리는 왜 기도하지 않습니까? 절대로 바빠서가 아닙니다. 교만해서입니다. 믿음이 없어서입니다.

바디매오는 즉시 고침을 받았지만, 여기서 사건이 끝나지 않습니다. 육체적 기적과 함께 영적인 변화가 일어납니다. 바디매오는 예수님을 따르는 제자의 삶을 살기 시작했습니다. 이것이 더 중요합니다. 바디매오가 가진 믿음의 완성은 고침을 받는 것에서 끝나지 않았습니다. 예수님을 따르는 제자로의 삶을 살았다는 것입니다.

마지막 절에 보면 그는 그 즉시 보게 됐고, 예수님을 따라 길을 나섰다고 말씀합니다. 흥미로운 것은 예수님은 "가라!"고 하셨는데, 네 갈 길을 가라고 하셨는데 바디매오는 예수님을 따라 나섰다는 겁니다. 바디매오는 약간 반항적인 기질이 있었던 것 같습니다. 처음부터 사람들은 다 "나사렛 예수"라고 부르는데 혼자서 "다윗의 자손 예수여"라고 소리쳤고, 사람들이 조용히 하라고 꾸짖자 더 크게 소리를 질렀고, 예수님이 "가라"고 했더니 예수님을 따라 나섰습니다.

무엇이 이러한 변화를 일으켰습니까? 믿음 때문입니다. 믿음 있는 사람들은 상황과 환경과 사람들에 의해 좌우되는 인생이 아니라 예수님을 따라 나서는 삶을 살게 됩니다. 다른 사람이 이해하지 못하는 기적을 체험하게 됩니다. 그는 마지막으로 예수님을 따르는 제자가 되었습니다.

우리 모두는 주님 앞에 어떤 고백을 해야 합니까? "주님, 저는 눈먼 사람입니다"라고 고백해야 합니다. 성경을 다 안다고 자부해선 안 됩니다. 십자가와 부활의 능력을 다 안다고 말해선 안 됩니다. 그 순간 눈먼 사람이 되는 것입니다. 우리는 주님이 오실 때까지 눈먼 사람이 되어야 합니다.

"주님, 제가 보기를 원합니다"라는 겸손한 고백으로 나아갈 때 눈을 뜨고 하나님의 역사가 우리 가운데 나타나는 진정한 제자의 삶을 살 수 있습니다.

Pray

하나님, 바디매오가 지나가시던 예수님을 향해 소리 높여 고쳐 주시기를 외치던 사건을 기억합니다. 나를 불쌍히 여겨 달라며 간절히 예수님을 부르던 그 바디매오처럼 삶에서 주님께서 오시기를 간절히 바라는 마음 갖게 하소서. 예수님 이름으로 기도합니다. 아멘.

5부

복음을 전하시는 예수님

예수님은 사람들의 환호를 받으며 예루살렘에 입성하셨습니다.
사람들은 "호산나!" 하며 예수님의 뒤를 따랐습니다.
예수님은 그들에게 하나님 나라를 전하셨습니다.

막 11:1-11

¹그들이 예루살렘에 가까이 와서 올리브 산 근처 벳바게와 베다니에 이르렀을 때 예수께서 제자 두 명을 보내시며 ²말씀하셨습니다. "저기 보이는 마을로 들어가라. 그곳에 들어가 보면 아직 아무도 탄 적이 없는 새끼 나귀 하나가 매여 있을 것이다. 그 나귀를 풀어서 이리로 끌고 와라. ³만약 누가 '왜 이러느냐'고 물으면 '주께서 필요하시니 쓰고 제자리에 갖다 놓겠다'고 하라." ⁴그들이 가서 보니 길거리 어느 문 앞에 새끼 나귀가 매여 있었습니다. 그들이 나귀를 풀고 있는데 ⁵거기 서 있던 사람들이 물었습니다. "뭘 하는 것이오? 왜 나귀를 풀고 있소?" ⁶그들이 예수께서 일러 주신 대로 대답하자 그 사람들이 허락해 주었습니다. ⁷그들이 나귀를 예수께 끌고 와서 자기들의 겉옷을 그 위에 얹어 드리자 예수께서 나귀를 타셨습니다. ⁸많은 사람들이 길 위에 겉옷을 깔아 드렸고 또 어떤 사람들은 들에서 나뭇가지를 꺾어 와 길에 깔기도 했습니다. ⁹앞서 가는 사람들과 뒤따라가는 사람들이 외쳤습니다. "호산나! 복이 있으리로다! 주의 이름으로 오시는 분이여!" ¹⁰"복이 있도다! 다가오는 우리 조상 다윗의 나라여!" ¹¹"지극히 높은 곳에서 호산나!" ¹¹예수께서 예루살렘에 도착하시자 성전으로 들어가셨습니다. 예수께서는 모든 것을 둘러보시고는 이미 날이 저물었으므로 열두 제자들과 함께 베다니로 나가셨습니다

예루살렘 입성

우리의 죄와 허물, 모든 염려와 근심, 불안, 우리가 이 땅에서 당하는
모든 시험과 상처, 아픔, 눈물 등 예수님이 원하시는 모든 죄의 짐들을
그분이 지나가시는 그 발 앞에 내려놓아야 합니다. 우리 마음의 겉옷을 다 내려놓는 것입니다.
무거운 짐들을 내려놓는 것입니다. 예수님이 그 모든 짐을 짓밟고 지나가실 때
그 짐은 흔적도 없이 사라질 줄로 믿습니다.

성경에 나타난 예수님의 모습은 지금까지 우리가 살펴본 예수님의 모습과는 전혀 다릅니다. 지금까지 예수님은 자신의 모습을 숨기셨습니다. 어느 곳에 가든 어떤 기적을 일으키든 간에 제자들에게 늘 "아무에게도 알리지 말라. 너희가 본 것을 말하지 말라"고 당부하셨습니다. 이처럼 예수님은 제자들에게 신신당부를 하셨습니다. 그래서 기적을 베푸시고 난 이후에는 줄곧 사람들을 피하기 위해 산으로 가시든지 광야로 나가시든지 혼자 계시기를 원했습니다.

예수님은 듣지 못하고 말하지도 못하던 사람을 고쳐 주신 뒤 제자들한테 이렇게 말씀했습니다.

[예수께서 "이 일을 아무에게도 말하지 말라"고 사람들에게 명령하셨습니다. 그러나 예수께서 하지 말라고 하실수록 그들은 더욱더 말하고 다녔습니다.(막 7:36)]

참 흥미로운 구절입니다. 예수님은 계속 말하지 말라고 말씀했지만, 제자들은 그 받은 말씀과 충격이 너무 커서 말하지 않고는 견딜 수가 없는 사건이었다는 것입니다. 사람들에게 빨리 소문을 내는 방법이 있습니다. 한 사람을 정한 뒤 그 사람에게 "당신에게만 말하는 것이니 절대 아무한테도 말하지 마"라고 말하면 됩니다.

그러면 전해 들은 사람이 어떻게 합니까? 또 다른 사람에게 "내가 당신한테만 하는 말이니 절대 다른 사람에게 말하면 안 돼"라고 말할 것입니다. 이렇게 하면 모든 사람에게 가장 빨리 소문이 퍼집니다.

제자들에게도 마찬가지였을 거라고 생각합니다. 예수님은 말씀하지 말라고 하셨는데 "당신만 알고 있어"라고 말해 결국 모든 사람이 다 알게 되었다는 겁니다. 마태복음에서도 예수님은 "자신에 대한 소문을 내지 말라", 변화산 사건 이후에도 "너희가 본 것을 말하지 말라"고 말씀했습니다. 요한복음을 보면 "내 때가 아직 이르지 아니하였다"라는 독특한 표현을 사용하십니다. 마리아가 예수께 포도주가 떨어졌다고 말하자 "내 때가 이르지 아니하였습니다"라는 표현을 쓰셨습니다. 곳곳에 이런 표현이 계속해서 나옵니다.

하나님이 정하신 때 이전에 예수님은 자신을 나타내는 것을 극구 삼가시고 절제하셨습니다. 그런데 이렇게 자신을 철저히 숨기시고 나타내시지 않던 예수님이 공개적으로 자신을 드러내는 이벤트를 하십니다. 이것은 우리가 가장 주목해야 할 초점입니다. 공생애 기간 내내 자신을 감추셨던 예수님이 왜 예루살렘에 입성하면서 자신을 분명하게 밝혀 많은 사람들이 주목하도록 하셨는가 하는 것입니다.

성경은 예수님은 예루살렘 근처에 있는 두 마을, 벳바게와 베다니부터 나귀를 타고 예루살렘으로 입성하셨다고 말씀합니다. 이 두 마을은 서로 연결되다시피 가까이 있던 예루살렘의 베드타운으로, 예루살렘에 순례객이 한꺼번에 모여 잠잘 곳이 부족할 때 사람들은 잠잘 수 있는 곳을 찾아다니곤 했는데, 그런 지역이 바로 베다니와 벳바게였습니다.

예수님의 예루살렘 입성

예루살렘에 모여 있던 수많은 순례객이 온 성이 떠들썩할 정도로 예수님을 주목하고 그분을 알게 되는 사건이 있었습니다. 우리는 이 사건을 '승리의 입성'이라고 표현합니다. 고난주간이 시작되는 첫 번째 주일을 '종려주일(Palm Sunday)'이라는 명칭으로 교회 절기로 지키기도 합니다.

지금까지 예수님은 항상 걸어 다니셨습니다. 몇 번 배를 타고 갈릴리 호수를 지난 것 외에는 전부 걸어 다니셨습니다. 당연한 일입니다. 그런데 왜 예루살렘으로 들어가시면서 굳이 나귀를 타고 들어가며 많은 사람들의 주목을 받으려고 하신 걸까요? 단지 다리가 아파서 그렇게 하시지는 않았을 겁니다. 이것이 바로 우리가 앞으로 살펴볼 이유입니다.

예수님은 자신이 바로 구약에 예언된 메시아라는 것을 가장 짧은 시간에, 가장 많은 사람들에게 공개적으로 나타내실 때가 되었기 때문에 나귀를 타고 입성하신 것입니다.

[그들이 예루살렘에 가까이 와서 올리브 산 근처 벳바게와 베다니에 이르렀을 때 예수께서 제자 두 명을 보내시며 말씀하셨습니다. "저기 보이는 마을로 들어가라. 그곳에 들어가 보면 아직 아무도 탄 적이 없는 새끼 나귀 하나가 매여 있을 것이다. 그 나귀를 풀어서 이리로 끌고 와라. 만약 누가 '왜 이러느냐'고 물으면 '주께서 필요하시니 쓰고 제자리에 갖다 놓겠다'고 하라."(막 11:1-3)]

당시 유월절에는 수많은 사람들이 예루살렘에 모여들었습니다. 그들의 인원을 세는 방법은 도살된 양의 숫자를 세어 보면 알 수가 있었습니다. 역사가 요세푸스에 따르면 유월절에 평균적으로 25만 마리 이상의 양이 도살되었다고 합니다. 그렇다면 한 마리의 양에 한 가족, 최대 10명이라고 했을 때 150~200만 명의 인원이 유월절 때 정기적으로 모였다고 추산해 볼 수 있습니다.

수많은 사람들이 예루살렘에 모여 있는 이때 예수님은 자신이 구약에 예언된 바로 그 메시아라는 것을 보여 주는 도구로써 사용될 동물로 나귀를 고르셨습니다. 성경을 보면 나귀라는 동물을 끌고 오는 장면, 제자들에게 심부름을 시키시고 그들이 순종해 나귀를 가져오는 장면과 대화가 상당 부분을 차지합니다.

나귀를 가져오는 것이 뭐 그리 특별하다고 그렇게 많은 지면을 할애했을까요? 중요하기 때문입니다. 여기서 가장 중요한 조연이 바로 나귀입니다. 예수님이 주연이고 많은 조연이 나오는데, 이 말씀만큼은 제자들도 중요하지 않습니다. 무리도 중요하지 않습니다. 가장 중요한 조연은 바로 나귀입니다.

예수님은 두 명의 제자한테 나귀를 끌고 오라고 지시하셨습니다. 이 지시를 잘못 이해하면 마치 절도 행위처럼 보일 수도 있습니다. 하지만 예수님은 주인의 동의를 분명히 구하고 그 나귀를 빌려 오라고 지시하셨습니다. 놀라운 것은 어느 장소에 가면 나귀가 있을 것이고, 그 나귀를 가져오려고 할 때 누가 무슨 이야기를 할 것이고, 그때 무슨 말을 해야 그 주인이 나귀를 풀어 줄지 마치 대본을 불러 주듯 상세하게 예수님이 가르쳐 주셨다는 사실입니다.

이것은 완전한 지식과 능력을 가지고 모든 사람의 마음을 주관하시는 예수님이 그 제자들을 통해 일하신다는 것을 보여 줍니다. 흥미로운 것은 제자들에게 나귀를 그냥 가져오라고만 하지 않고 나귀를 뺏어 오는 것도 아니고 나귀를 빌려 오는 것으로 말씀했던 것입니다.

["만약 누가 '왜 이러느냐'고 물으면 '주께서 필요하시니 쓰고 제자리에 갖다 놓겠다'고 하라."(막 11:3)]

이 말씀은 조금 이상하지 않습니까? 하늘과 땅 모든 것의 주인이신 예수님은 이 나귀의 주인이시기도 합니다. 개역 번역에서는 "주가 쓰시겠다 하라 그리하면 즉시 이리로 보내리라"고 설명했는데 우리말성경에는 좀 더 세밀하고 정확한 번역으로 제자리에 갖다 놓겠다고 하라고 표현했습니다. 예수님은 '그냥 쓰겠다'라고 말씀하지 않고 빌려 쓰고 정확하게 제자리에 갖다 놓으시겠다고 했습니다.

예수님의 생애를 보면 평생 빌려 사신 인생이었습니다. 예수님은 시몬의 배를 빌려 가르치셨고, 무덤도 빌려 아리마대 요셉의 무덤에 안치되셨습니다. 물론 영혼이 빌린 것이지만, 예수님은 제자들과 함께 살 때 집도 빌려 사셨습니다. 만찬을 할 때도 빌린 다락방에서 하셨습니다. 이제 나귀도 빌려 타신 것입니다.

예수님은 모든 것에 당연한 권리를 가지셨음에도 제자리에 가져다 놓으시는 겸손한 분이었음을 알 수 있습니다. 이 말씀을 읽으면서 예수님이 빌리신 것을 확실하게 반납하신 것처럼 우리도 그 어떤 것을 빌리더라도 확실하게 제자리에 갖다 놓는 사람이 되어야겠다고 생각했습니다.

예수님처럼 항상 제자리에 갖다 놓겠다는 것이 아름다운 그리스도인의 성품이라고 생각합니다. 제자리에 돌려 주는, 돈 빌린 것을 확실하게 갚을 뿐 아니라 책 하나 빌린 것도 제자리에 돌려 주는 예수님의 모습을 본받아야 하겠습니다.

예수님의 신성을 믿기 싫어하는 사람들은 이미 베다니에 여러 번 다녀가셨기 때문에 미리 한 사람한테 부탁해 놓았을 거라고 말합니다. 얼마 후에 제자들과 함께 와서 그들을 보낼 테니 "주께서 쓰시겠다고 한 뒤 제자리에 갖다 놓을 테니 달라고 하면 선뜻 내줘라. 그러면 내가 굉장한 사람이 되지 않겠느냐"라고 하시며 미리 시나리오를 짠 거라고 누명을 씌우는 사람도 있습니다.

그러나 그때는 오늘날과 같은 환경이 아니었다는 사실을 명심해야 합니다. 오늘날에는 이메일도 있고 휴대전화도 있고 여러 가지 방법이 있습니다. 하지만 당시는 전부 걸어 다니는 상황에서 예수님이 그 작전을 짜려고 여리고나 유대 땅에서 예루살렘과 베다니에 혼자 오셔서 몰래 사람을 섭외하는 그런 바보 같은 삶을 사셨겠습니까? 있을 수 없는 일입니다. 모든 것을 아시고 모든 사람의 마음을 주관하는 분이 아니라면 있을 수 없는 일이 일어난 것입니다.

예수님이 제자들에게 나귀를 가지고 오도록 한 이유는 분명합니다. 그것은 구약성서 스가랴에 나귀를 타고 오시는 왕으로 예언되어 있었기 때문입니다.

[시온의 딸아, 마음껏 기뻐하여라! 예루살렘의 딸아, 소리쳐라! 보아라. 네 왕이 네게로 오신다. 그는 의로우시며 구원을 베푸시는 분이다. 그는 겸손하셔서 나귀를 타시니 어린 새끼 나귀를 타고 오신다.(슥 9:9)]

메시아에 대한 예언 중 하나가 나귀를 타고 오신다는 것입니다. 예수님의 모든 생애와 사역, 심지어 예수님의 교훈까지도 구약에 예언되어 있습니다. 직접적으로 예수님에 대한 예언이 나오는 것이 200여 가지가 넘습니다. 간접적인 것까지 합하면 더 많습니다. 메시아에 대한 모든 예언이 하나도 빠짐없이 예수님 한 분에게서 이루어졌다는 것이 놀랍지 않습니까!

미국의 과학자이자 수학자인 스토우너는 사실 성경을 믿지 않는 사람이었습니다. 그는 《과학은 말한다》에서 확률이 어느 정도까지 될까 증명해 보였습니다. 1단계 작업에서 여덟 개의 서로 다른 문화와 시간에 있는 사람이 미래에 있을 사람에 대한 예언을 하는데, 그 여덟 개의 예언이 한 사람에게 동시에 이뤄질 확률을 계산해 보니 10의 17자승분의 1이 나왔습니다. 놀라는 사람은 수학을 잘하는 사람이고, 놀라지 않는 사람은 수학을 잘 못하는 사람일 겁니다. 10의 17자승분의 1이라는 숫자가 얼마나 큰 숫자냐면, 10의 17자승이라는 계수는 텍사스 주의 넓이, 즉 남한의 세 배 정도 되는 넓이의 공간에 2피트 높이로 동전을 쌓을 수 있는 정도라고 합니다.

아직 놀라지 못한 사람은 조금 더 기다려 보기 바랍니다. 그중 한 개의 동전을 검정색으로 마크해 놓고 그 동전이 어디로 갔는지 모르게 잘 섞습니다. 그리고 스포츠카를 타고 그 동전 위를 종횡무진 누빕니다. 다니고 싶은 만큼 하루 이틀 사흘 나흘, 그리고 그곳이 어딘지 모를 정도로 다니다가 갑자기 차를 세운 뒤 내려 갑자기 주저앉아서 첫 번째 동전을 픽업했는데, 바로 그 동전이 나올 확률입니다. 이것이 10의 17자승분의 1이라는 확률입니다. 이것이 여덟 개의 예언이 한 사람에게 이뤄질 확률입니다. 불가능한 일입니다. 그런데 200여 가지가 넘는 예언이 한 분에게서 이뤄질 확률이라면 이것은 정말 불가능한 일입니다.

겸손과 섬김으로 이 땅에 평화를 가져오시다

자유주의적으로 합리적으로 생각한다는 어떤 학자들은 예수님이 열두 살 되던 해 처음으로 예루살렘에 올라갔을 때 성전에서 수십만 마리의 양들이 도살되고 기드론 골짜기가 피로 물드는 것을 보고 이런 생각을 했다고 주장합니다.

"이것은 낭비다. 이는 종교적 낭비다. 그래서 이 모든 낭비를 없애려면 한 사람이 희생양이 되어 모든 것을 없애는 새로운 종교 시스템을 만들면 되지 않겠는가. 내가 구약에 예언된 메시아가 되어야겠다."

그리고 공교롭게도 자신의 과거를 살펴보니 베들레헴에서 태어났고, 게다가 다윗의 후손이니 괜찮은 출발 조건이었다는 겁니다. 첫 단추를 끼웠으니 나머지는 자신이 만들면 되지 않겠느냐고 생각하게 되었다고 합니다. 그때부터 메시아 의식을 가지고 메시아 예언을 하나씩 하나씩 이뤄가기 시작했다는 겁니다.

과연 이런 일이 가능할까요? 어릴 때 태어나자마자 한 살도 되지 않은 아이가 눈을 부릅뜨더니 "엄마 아빠, 나는 메시아가 되어야 하니 애굽에 잠깐 갔다 와야겠어요"라고 말했다는 겁니다. 거기까지 우연히 맞았다고 합시다. 성장해서 자기 제자들을 불러 모아 놓고 한 제자에게, 가장 배신을 잘할 수 있는 유다를 불러 "메시아는 동료의 배신을 당해야 하는데, 가만히 보니 네가 배신을 잘할 것 같구나. 미안하지만 네가 배신하고 나중에 자살해"라고 부탁해 놓고 말입니다.

로마 군병들한테는 또 이렇게 부탁합니다. "내가 머잖아 이곳에 끌려올 텐데 채찍질할 때 너무 살살하면 안 됩니다. 도살장에 끌려가는 어린양처럼 끌려가야 하니 가차 없이 피부가 찢어지도록 세게 때려 주세요." 빌라도한테는 "죄송하지만 나에게 사형을 언도해 주세요"라고 부탁하고, 아리마대 요셉한테는 "당신이 쓰려던 무덤이 있지 않습니까? 메시아는 부자의 묘실에 안치되어야 하는데 당신 무덤이 가장 좋은 것 같으니 내가 죽거들랑 빌라도에게 찾아가 시체를 빼내서 당신 무덤에 안치해 주세요"라고 말하는 겁니다.

메시아는 눈먼 사람의 눈을 뜨게 해야 하는데 태어나서 한 번도 눈을 떠 보지 못한 사람으로 위장하기 위해 어떤 한 사람을 찾아가 이렇게 부탁하는 겁니다. "한 3년간만 앞을 못 보는 사람처럼 다니다가 내가 안수하면 눈을 뜬 것으로 해 주세요."

이 모든 시나리오를 만드는 게 한 사람의 힘으로 가능할까요? 부활했다는 소문을 내려고 베드로와 요한, 야고보를 따로 불러 "이건 비밀인데 너희가 시체를 좀 훔쳐 줘"라고 말했다는 겁니까? 어떻게 한 사람이 자신을 메시아로 만들기 위해 이 모든 일을 꾸밀 수 있다는 말입니까? 불가능한 일입니다. 아무리 합리적으로 생각해 봐도 불가능한 일입니다.

더 합리적으로 이해하려면 이 모든 예언이 한 분에게서 이루어져야 합니다. 다른 모든 예언은 마치 우연처럼 이루어졌지만, 결코 우연이 아닙니다. 예수님은 가장 적합한 하나님의 때에 가장 적합한 방법으로 메시아의 예언을 하나씩 하나씩 이루어가고 있었던 겁니다. 하나님의 능력이 아니라면, 그 말씀을 하신 분이 아니라면 이루어질 수 없는 일들이 일어났던 겁니다.

스가랴 9장 9절의 겸손하게 나귀를 타고 왕으로 오신다는 말씀이 이루어지기 위해 예수님은 제자들에게 나귀를 가지고 오라고 말씀한 것입니다. 스가랴가 예언한 왕은 나귀를 타는 겸손한 왕이었습니다.

오늘날에는 나귀가 매력적이지 않은 동물이지만, 그 당시 나귀는 왕의 동물 중하나였습니다. 왕이 타는 동물로 말과 나귀가 있는데, 왕이 말을 타고 가면 전쟁 중이라는 것을 암시했다고 합니다. 그런데 왕이 나귀를 타면 평화로운 시대, 염려하지 않아도 되는 평화의 시대였다고 합니다. 왕이 말을 타고 나오면 '지금 나라가 위기에 빠졌구나, 전쟁 중이구나'라고 생각했지만, 그렇지 않은 경우에는 한가하기 때문에 빨리 달리지 못하는 나귀를 탔다는 겁니다. 나귀는 주로 산지에 적합한, 발목이 튼튼해 구릉 지역에 적합한 천천히 걷는 동물입니다.

예수님은 나귀를 타심으로써 무엇을 보여 주시고자 한 것입니까? 예수님은 겸손과 섬김으로 이 땅에 평화를 가져오고 하나님과 인간의 평화, 인간과 인간의 평화, 인간의 모든 평화를 가져오시는 평화의 왕으로 오시는 메시아임을 보여 주신 겁니다.

예수님이 태어나셨을 때 구유에 누이지 않았습니까? 그래서 크리스마스 때 교회학교에서 배운 대로 말 구유로 알고 있는 사람이 많습니다. 그런데 원래 말 구유가 아니라 나귀의 구유였다고 합니다. 예수님은 태어나실 때 나귀의 구유에 누이셨고, 십자가를 향해 나가실 때도 나귀를 타고 들어가셨습니다. 나귀를 타고 오시는 평화의 왕, 그분이 바로 예수님이라는 것을 보여 주신 것입니다.

예수님은 분명 왕으로서 예루살렘 성에 입성하셨습니다. 하지만 군중이 기대하는 정치적 메시아로 입성하신 게 아니라는 것을 보여 주기 위해 예수님은 나귀를 타고 입성하셨습니다. 그런데 주위에 있던 많은 사람들이 보여 준 반응은 예수님을 심각하게 오해하고 있었다는 것을 알 수 있습니다.

[많은 사람들이 길 위에 겉옷을 깔아 드렸고 또 어떤 사람들은 들에서 나뭇가지를 꺾어 와 길에 깔기도 했습니다. 앞서 가는 사람들과 뒤따라가는 사람들이 외쳤습니다. "호산나! 복이 있으리로다! 주의 이름으로 오시는 분이여!" "복이 있도다! 다가오는 우리 조상 다윗의 나라여!" "지극히 높은 곳에서 호산나!"(막 11:8-10)]

우리는 종려주일 찬송을 할 때 "호산나"라는 고백을 합니다. 이들의 고백은 분명 찬양이고 노래였지만, 예수님에 대한 순수한 찬양은 아니었습니다. 오해가 섞여 있는 찬양이었습니다.

많은 사람들이 길 위에 겉옷을 깔고 종려나무 가지를 꺾어 길에 깔고 "호산나! 주의 이름으로 오시는 분이여"라고 찬양했지만, 이들이 쓴 단어와 이들이 한 행동은 예수님의 진정한 모습과는 차이가 있습니다. 우선 '호산나'라는 단어를 보겠습니다. '호산나'는 '지금 구원하소서, 우리를 구원하소서'라는 뜻입니다.

[오 여호와여, 간구합니다. 우리를 구원하소서. 오 여호와여, 간구합니다. 우리가 잘되게 하소서.(시 118:25)]

하나님의 구원에 대한 요청입니다. "우리를 구원하소서, 지금 구원하소서"라는 고백입니다. 하나님에 대한 모든 전인적 구원, 영적인 구원을 포함한 것인데, 지금 예루살렘에 들어가시는 예수님을 보면서 사람들이 "호산나"라고 외칠 때 그것은 사실 정치적 구원을 의미합니다. 로마제국의 압제로부터 자신들을 해방시켜 줄 메시아로서 "호산나!"라고 외쳤다는 것입니다.

이들의 마음속에 있는 동기는 온 세상의 죄로부터 사람들을 해방시켜 줄 영적 구원의 메시아가 아니라 정치적 구원의 메시아로서 호산나를 외쳤던 것입니다. 또한 이들이 길 위에 겉옷을 깔았다고 했습니다. 이는 왕이 지나갈 때 그 주변에 있던 사람들이 겉옷을 벗어 왕이 지나가는 길에 까는, 왕을 인정하는 행위였습니다.

[왕의 신하들은 각각 얼른 자기 옷을 벗어 예후의 발 아래 깔았습니다. 그러고는 나팔을 불며 소리쳤습니다. "예후가 왕이다."(왕하 9:13)]

예후가 제압을 하고 왕으로 세움을 받았을 때 주변의 신하들이 겉옷을 벗어 깔았다는 겁니다. 이것은 오랜 관습 중 하나였습니다. 왕을 인정하고 왕의 권위에 대한 존경의 표시로 겉옷을 벗어 깔았다는 풍습이 있었다는 겁니다.

또 한 가지 행동은 그들이 종려나무 가지를 흔들었다는 것입니다. 이 종려나무 가지를 흔든 것은 상당히 민족주의적인 상징입니다. 종려나무 가지가 이스라엘 유대 민족의 상징이 된 것은 주전 175년 유대 역사에서 가장 치욕적인 사건에서 비롯됩니다.

그것은 시리아의 안티오코스 에피파네스라는 왕이 유대를 멸망시킨 사건입니다. 예루살렘이 멸망당한 것입니다. 또한 에피파네스는 예루살렘 성전을 유린했습니다. 예루살렘 성전을 우상 숭배의 진원지, 행음을 하는 곳으로 만들어 버린 것입니다. 경건한 유대인들은 참을 수가 없었습니다. 그래서 유대의 마카베오라는 사람이 봉기를 일으킵니다. 이것이 바로 마카베 혁명입니다.

그는 이 혁명에서 승리를 거두고 예루살렘을 탈환합니다. 그래서 마카베오가 예루살렘을 탈환하고 개선장군처럼 들어올 때 많은 사람들이 어떻게 환영할까 하다가 종려나무가 많으니 가지를 꺾어 흔들었다는 것입니다. 그때부터 유대인들은 승리하고 돌아오는 정복자, 개선장군을 환영할 때는 이 나뭇가지를 꺾어 흔들었다는 기록이 남아 있습니다.

예수님이 예루살렘에 입성하실 때 한편에서는 시편을 인용하며 노래했고, 또 한편에서는 겉옷을 벗어 깔았는데 이는 구약 시대부터 내려온 관습이었습니다. 신약시대에 시작된 종려나무 가지를 흔드는 관습, 자신들이 경험하고 대대로 내려오는 관습대로 한 것입니다. 시편을 잘 아는 사람은 호산나를 부르고, 종려나무 가지를 흔들고 싶은 사람은 흔들고, 겉옷을 벗어 깔고 싶은 사람은 깔고……. 하지만 이들 행동의 공통점은 뭡니까? 예수님이 예루살렘에 가시는 목적과는 상관이 없었다는 겁니다. 차이가 있었다는 것입니다.

이들이 예수님을 환영하고 왕으로 모셔 들이는 환영은 동일하지만, 동기는 달랐다는 것입니다. 이들은 정치적 메시아, 로마제국으로부터 자신들을 구원해 줄 왕, 유대 민족에 사로잡힌 왕, 유대 민족만의 왕이라고 생각했던 것입니다. 많은 사람들이 예수님을 환영하는 모습은 정복자의 모습, 개선장군의 모습, 이 세상의 정치적인 왕의 모습이었습니다.

예수님은 결코 이들의 환영을 즐기시지 않았습니다. 만약 이들의 환영을 즐기셨다면, 예수님은 진정한 메시아가 아닙니다. 교회에서 종려주일 연극을 하며 호산나를 외칠 때 예수님은 나귀를 타고 오십니다. 그러면 나귀는 대개 건장한 청년이 맡는데, 그것도 사실은 맞지 않습니다. 사실 나귀는 작은데 말입니다. 나귀를 타고 들어오면 종려나무를 흔들고 겉옷을 깔고 호산나를 부르면 예수님 배역을 맡은 사람이 겸연쩍어 손을 흔들며 들어옵니다. 그러면 큰일 납니다. 예수님의 모습을 잘

못 그린 것입니다. 예수님은 열렬한 환영을 받으며 오시지 않았습니다. 제 생각으로는 예수님의 표정은 좀 심각하셨을 것 같습니다.

예수님은 이들의 의도를 알고 있었습니다. 지금 예수님은 정치적 메시아로 들어가시는 것이 아닙니다. 예수님이 기획한 이벤트는 딱 한 가지였습니다. 나귀를 타고 들어가시는 것이었습니다. 그런데 그 모습을 본 사람들이 몰려나온 것입니다.

얼마 전 베다니에서 죽은 나사로를 살리신 사건을 기억한 사람들이 거리로 쏟아져 나오기 시작했습니다. 앞과 뒤에 예수님을 보러 온 사람들이 가득 찼습니다. 개중에는 이유와 상관없이 많은 사람들이 모이면 언제든지 달려 나가는 군중 심리에 휩쓸려 다니는 사람들도 있었을 것입니다. 그리고 실제로 예수님이 정치적 메시아로 오셨다고 확실히 믿는 가룟 유다와 같은 사람들도 분명히 있었을 것입니다. 하지만 예수님의 목적은 그것과 상관없는 예루살렘 입성이었습니다.

마음의 겉옷을 예수님 앞에 내려놓으라

예수님의 얼굴은 매우 심각했습니다. 아마도 군중을 쳐다보지도 않았을 거라고 생각됩니다. 예수님은 홀로 그 군중의 환호에 휩쓸리지 아니하시고 홀로 조용히 나귀를 타고 입성하신 것입니다. 만약 유대인들이 스가랴 9장 9절 한 절만 읽지 않고 나귀 타고 오시는 분이 왕일 뿐 아니라 그 왕이 어떤 일을 하시는지, 왕이 이루는 나라가 어떤 나라인지를 보여 주는 10절까지 읽었다면 이들은 오해하지 않았을 것입니다.

["내가 에브라임에 있는 전차를 없애고 예루살렘에 있는 말을 없애고 전쟁용 활도 부러뜨릴 것이다. 그가 다른 민족들에게 평화를 말하고 그가 바다에서 바다까지 다스리며 유프라테스 강에서 땅 끝까지 다스릴 것이다."(슥 9:10)]

놀라운 말씀입니다. 스가랴서 9장 9절에서 끝나면 안 됩니다. 나귀를 타고 오시는 왕이 어떤 나라를 만들 것인지가 10절에 분명히 나와 있기 때문입니다.

그래서 성경을 읽을 때 어떤 구절을 핀셋으로 콕 집듯이 읽으면 안 됩니다. 앞뒤의 구절을 잘 읽어야 합니다. 큐티할 때도 핀셋으로 집듯이 하다 보면 성경을 오해하기가 쉽습니다. 어떤 사람은 성경을 읽을 때 이런 식으로 읽는다고 합니다. 성경을 무작위로 펴서 그 말씀대로 살기로 결심했는데 "유다가 가서 목을 매니라"는 구절이 나와 깜짝 놀랐다고 합니다. 그래서 '아니, 그럼 내가 목을 매야 하나? 아니겠지, 하나님 아니시겠죠?' 하고 다시 펴니 "너도 가서 이와 같이 하라"는 구절이 나왔답니다. '아니 하나님이 내게 이러실 리가 없는데…' 하고 삼세 번 해야겠다 싶어서 다시 펴니 "네가 하고자 하는 일을 속히 하라"는 구절이 나왔다고 합니다.

모두 성경에 나오는 말씀인데 핀셋처럼 콕 집어 읽으면 안 된다는 겁니다. 앞뒤 문맥을 잘 살펴야 합니다. 나귀를 타고 오시는 데서 그치는 것이 아닙니다. 그 나귀를 타고 오시는 메시아가 어떤 분인지 여기에 나와 있습니다. 전차를 없애고 말을 없애고 전쟁용 활도 부러뜨린다고 했습니다. 그리고 유대 민족의 평화만이 아니라 다른 민족들에게도 평화를 말해야 한다고 했습니다. 이처럼 그분이 다스리는 영역은 바다에서 바다까지, 온 세상입니다.

이렇게까지 하고도 부족하다고 느껴 "유프라테스 강에서 땅 끝까지 다스릴 것이다"라고 말씀합니다. 나귀를 타고 오시는 왕은 유대 민족의 메시아가 아니라 유대 민족만의 메시아가 아니라 온 민족의 메시요, 온 열방에서 다시는 창과 활과 전차가 필요 없는 평화의 나라 그리고 땅끝까지 다스리는 메시아의 나라가 된다는 것입니다.

무엇을 통해 이루신다고 했습니까? 칼과 활과 전차가 아니라 온유와 겸손으로 십자가를 지심으로써 이루는 평화의 나라를 예언하셨습니다.

이것을 보여 주시기 위해 예수님은 나귀를 타고 예루살렘에 입성하신 것입니다. 더 놀라운 것은 예수님이 나귀를 타고 입성하심으로써 많은 사람들에게 자신이 메시아 됨을 보여 주신 것뿐 아니라 예루살렘에 있는 자신의 대적들한테도 자신을 나타내신 것입니다.

만약 어느 도시에 당신에게 대적하고 해하려는 사람이 음모를 꾸미고 있다는 것을 안다면, 어떻게 하겠습니까? 안 갔을 겁니다. 왜 그 도시에 가겠습니까? 그럼에도 자신이 가야 하는 이유가 있다면 어떻게 하겠습니까? 숨어서 갈 겁니다. 조용히 갈 것입니다. 몰래 갈 것입니다. 그런데 예수님은 예루살렘에 그분을 죽이려는 음모를 꾸미는 사람들이 있다는 것을 알면서도 자신을 나타내 보이셨습니다.

공개적으로 자신을 노출시키신 것입니다. 비밀 첩보원이 필요 없도록 만드신 것입니다. 예수님을 미행하는 사람이 필요하지 않게 과감히 자신을 드러내신 것입니다.

개인적으로 "내가 여기 있다, 너희들이 하고 싶은 대로 하라"고 자신을 노출시킨 이 모습은 또 하나의 큰 은혜로 다가왔습니다. 그런데 그날이 바로 10일이었습니다. 유월절은 그달 14일인데, 10일은 양을 선택하는 날입니다. 유월절에 바쳐질 제물은 5일 전인 10일에 선택했습니다.

바로 그날에 예수님은 예루살렘에 입성하면서 "내가 바로 유월절에 희생되어야 할 유월절 양이다"라는 것을 만천하에 선포하신 것입니다. 제자들보다 앞장서서 예루살렘으로 걸어가신 것입니다. 나귀를 타고 겸손한 왕으로, 하지만 유대 민족의 왕이 아니라 온 열방, 온 땅을 평화로 다스릴 왕으로 오신 예수님은 십자가를 향해 당당하게 나아가셨습니다. 이런 예수님의 행진 앞에서 우리는 어떻게 반응해야 합니까?

우리도 당시의 사람들처럼 "호산나, 주의 이름으로 오시는 이여" 하며 그분을 환영해야 합니다. 하지만 우리는 다른 의미로 호산나를 외쳐야 합니다. 이들은 유대 민족을 로마제국의 압제로부터 구원해 줄 메시아라는 믿음으로 호산나를 외쳤지만, 우리는 그렇지 않습니다. 나 자신으로부터 나를 구원해 줄 주님으로 모시며 호산나를 외치면서 그분을 환영해야 합니다. 그리고 죄와 허물로부터 우리를 건져낼 분으로 모시며 호산나를 외쳐야 합니다. 고난만 찾아오면 쉽게 변해 버리는 변덕에서 우리를 구원해 달라고 믿으면서 호산나를 외쳐야 합니다. 헛된 영광을 기대하는 어리석음에서 우리를 구원해 달라고 요청하며 호산나를 외쳐야 합니다.

당시 군중은 겉옷을 벗어 길 위에 깔고 종려나무 가지를 흔들고 예수님을 환영했습니다. 우리는 예수님이 나가시는 십자가의 그 길 앞에 무엇을 깔아 드리겠습니까? 우리가 가진 그 무엇으로도 예수께 영광을 더해 드릴 수는 없습니다.

우리의 죄와 허물, 모든 염려와 근심, 불안, 우리가 이 땅에서 당하는 모든 시험과 상처, 아픔, 눈물 등 예수님이 원하시는 모든 죄의 짐들을 그분이 지나가시는 그 발 앞에 내려놓아야 합니다. 우리 마음의 겉옷을 다 내려놓는 것입니다. 무거운 짐들을 내려놓는 것입니다. 예수님이 그 모든 짐을 짓밟고 지나가실 때 그 짐은 흔적도 없이 사라질 줄로 믿습니다.

주님 앞에 우리의 죄 지음을 맡겨 드리고 호산나, 주의 이름을 부르며 그 주님이 바로 우리의 주님이심을 기뻐하며 즐거워하는 것이 예수님이 예루살렘에 입성하시는 것을 참되게 기념하는 줄로 믿습니다. 호산나 주의 이름으로 오시는 이여, 영원히 그리고 땅끝까지 다스리시는 다윗의 나라의 왕으로 오신 주님을 찬양하며, 우리의 삶 속에 날마다 호산나를 외치며 진정한 메시아가 되시는 주님을 찬양하며 살아가는 우리가 되기를 주의 이름으로 축원합니다.

Pray

하나님, 이 땅에 평화를 가져오신 겸손과 섬김의 왕, 예수 그리스도를 기억합니다. 우리의 삶 또한 그 평화의 왕의 제자답게 평화를 전하고 이루는 삶 되게 하옵소서. 우리 마음을 주 앞에 겸손히 내려놓는 신앙인 되게 하옵소서. 예수님 이름으로 기도합니다. 아멘.

막 11:12-21

¹²이튿날 베다니를 떠나시려는데 예수께서 배가 고프셨습니다. ¹³예수께서 멀리 잎이 무성한 무화과나무를 보시고는 열매가 있을까 해서 가 보셨습니다. 가까이 다가가 보시니 잎만 무성할 뿐 무화과 열매는 없었습니다. 무화과 철이 아니었기 때문입니다. ¹⁴예수께서 그 나무에게 말씀하셨습니다. "이제부터 어느 누구도 네 열매를 따 먹지 못할 것이다." 예수의 제자들도 이 말씀을 들었습니다. ¹⁵예루살렘에 도착하시자마자 예수께서 성전으로 들어가 거기서 장사하던 사람들을 내쫓기 시작하셨습니다. 예수께서는 돈 바꿔 주는 사람들의 상과 비둘기를 파는 사람들의 의자를 둘러엎으셨습니다. ¹⁶그리고 어느 누구라도 장사할 물건들을 들고 성전 안으로 지나다니지 못하게 하셨습니다. ¹⁷그리고 예수께서 사람들을 가르치시며 말씀하셨습니다. "내 집은 모든 민족들이 기도하는 집'이라 불릴 것이다"라고 성경에 기록돼 있지 않느냐? 그런데 너희는 이곳을 '강도의 소굴'로 만들고 말았다." ¹⁸이 말을 듣고 난 대제사장들과 율법학자들은 예수를 죽일 방도를 궁리하기 시작했습니다. 그들은 모든 사람들이 예수의 가르치심에 놀라는 것을 보고 예수를 두려워했던 것입니다. ¹⁹저녁때가 되자 예수와 제자들은 성 밖으로 나갔습니다. ²⁰이튿날 아침 예수와 제자들이 지나가다 뿌리째 말라 버린 무화과나무를 보았습니다. ²¹베드로는 생각이 나서 예수께 말했습니다. "선생님, 보십시오! 저주하셨던 무화과나무가 말라 버렸습니다."

무화과나무와 성전

기도를 통해 하나님의 뜻을 깨닫고, 기도를 통해 하나님의 뜻을 분별하고
우리 삶을 맞춰 가는 것이 바로 참된 신앙의 모습입니다.
기도를 통해 우리의 뿌리가 하나님과 연결되는 것입니다.
기도야말로 가지가 나무에 붙어 있게 되는 것입니다.
참된 기도를 드리면 열매가 맺어지는 것입니다.

역사적으로 타락한 시대에는 꼭 두 가지 현상이 나타났습니다. 첫째는 권력을 종교화하는 것입니다. 대부분의 독재자들은 이를 시도했습니다. 얼마 전 리비아의 독재자 카다피의 마지막 모습은 비참함 그 자체였습니다. 그는 황금 권총을 가지고 황금 옷을 입고 자신을 신격화했던 사람입니다. 이집트의 바로, 로마제국의 시저 등 절대 권력자들은 자신의 권력을 종교로 만들기 원했습니다. 북한의 정권도 마찬가지입니다. 자신의 권력이 영원할 것처럼 포장하는 것입니다. 하지만 어떤 권력이든지 종교화함으로써 생존한 권력은 하나도 없습니다.

둘째는 종교를 권력화하는 것입니다. 종교개혁 이전 중세 교회가 전형적인 예입니다. 종교가 그 종교의 기능과 목적을 잃어버릴 때 종교는 권력을 향하게 되어 있습니다.

종교개혁자 마르틴 루터가 당시 교황 레오 10세에게 보낸 공개 서한에 보면 권력화된 로마 교회의 부패를 이렇게 지적했습니다. "언젠가 모든 종교 가운데 가장 거룩했던 로마 교회는 가장 방탕한 도적들의 소굴, 가장 수치스러운 곳, 죄와 사망과 지옥의 왕국이 되었습니다."

무화과나무로 파괴의 기적을 보이시다

예수님이 예루살렘으로 들어가셨을 때 성전을 중심으로 한 유대 교회의 모습을 한마디로 표현하면 바로 종교개혁 이전의 로마 교회 모습과 같았다고 말할 수 있습니다. 성전은 하나님 백성들의 영적 상태를 가장 잘 보여 주는 곳이었습니다.

성경에 보면 두 가지 사건이 등장하는데, 이 두 가지 사건이 서로 연결되어 그 당시 하나님 백성들의 영적 상태를 잘 보여 주고 있습니다. 예수님이 열매 없는 무화과나무를 저주하신 사건입니다.

[이튿날 베다니를 떠나시려는데 예수께서 배가 고프셨습니다. 예수께서 멀리 잎이 무성한 무화과나무를 보시고는 열매가 있을까 해서 가 보셨습니다. 가까이 다가가 보시니 잎만 무성할 뿐 무화과 열매는 없었습니다. 무화과 철이 아니었기 때문입니다. 예수께서 그 나무에게 말씀하셨습니다. "이제부터 어느 누구도 네 열매를 따 먹지 못할 것이다." 예수의 제자들도 이 말씀을 들었습니다.(막 11:12-14)]

이 사건은 신학에서 가장 해석하기 어려운 난제로 알려져 있습니다. 무화과나무의 열매를 기대하고 가신 예수님이 그 열매가 없음을 보고 저주하셨다는 것입니다. 예수님이 나무를 저주하셨다는 것 자체도 용납하기 어려운데, 그저 한낱 식물일 뿐인 무화과나무의 열매 없음을 보고 저주하셨다는 것은 예수님의 선하신 성품과 전혀 어울리지 않습니다. 이러한 저주는 이튿날 그대로 이루어졌습니다.

[이튿날 아침, 예수와 제자들이 지나가다 뿌리째 말라 버린 무화과나무를 보았습니다. 베드로는 생각이 나서 예수께 말했습니다. "선생님, 보십시오! 저주하셨던 무화과나무가 말라 버렸습니다."(막 11:20-21)]

베드로가 볼 때 예수님의 그 말씀은 분명 저주였습니다. 지금까지 예수님의 기적은 모두 살리는 기적, 생명을 주시는 기적이었습니다. 그런데 무화과나무를 뿌리째 말라 버리게 하신 것은 파괴의 기적이었습니다. 파괴적인 기적을 행하셨던 것은 이것이 처음입니다.

물론 거라사의 광인이라고 귀신 들린 사람을 고쳐 주실 때, 그 귀신을 돼지 떼에 들어가게 하셔서 돼지 떼가 몰살당하는 장면이 있습니다. 이 사건 역시 파괴적이라고 볼 수 있지만 한 영혼이 살아났습니다. 그러므로 파괴적인 기적은 무화과나무를 저주한 사건이 유일합니다. 참새 한 마리도 귀히 여기시고 오늘 피었다 지는 들풀도 키우시는 하나님의 아들로서 합당하지 않은 성품처럼 보이신 것입니다. 성경에 보면 우리의 이러한 의구심을 강화시키는 두 가지 단어가 나옵니다.

첫째는 그때 예수님이 배가 고프셨다는 것입니다. 예수님이 아침밥을 드시지 못하고 길을 나섰다가 너무 배가 고파서 마침 눈에 띈 무화과나무 열매를 기대하셨는데 열매 없음을 보고 화가 난 나머지 나무를 저주하신 것 아니냐 하는 오해가 있습니다.

《왜 나는 크리스천이 아닌가》로 엄청난 반향을 불러일으켰던 유명한 무신론자 버트런드 러셀에 관한 얘기입니다. 그는 이 말씀을 끄집어내어 이것이야말로 예수님을 믿지 말아야 할 중요한 이유 중 하나라고 했습니다. 이렇게 인내심 없는 사람이 어떻게 메시아가 될 수 있느냐고 한 것입니다. 그 사람은 표면적으로 예수님은 배가 고팠고, 무화과나무 열매를 따 먹으려 했는데 열매가 없자 홧김에 그 나무를 저주했다고 본 것입니다.

의문을 일으키는 다른 단어가 있습니다. 13절 마지막에 보면 "무화과 철이 아니었기 때문입니다"라는 말씀이 있습니다. 무화과나무의 철이 아닌데, 무화과나무가 열매 맺는 철이 아닌데 예수님은 무화과나무 열매를 기대하셨고, 열매 없는 것이 당연한데 열매가 없다고 저주하신 것은 너무나 비상식적인 행동이 아니냐는 것입니다. 그래서 휴머니스트였던 슈바이처 박사도 이 말씀을 보면서 예수님이 십자가의 죽음을 앞두고 극도의 긴장 상태에서 순간 이성을 잃었을 거라면서 인간적인 관점에서 해석을 내립니다.

그러나 이 모든 것은 오해입니다. 오해를 풀기 위해서는 이 무화과나무가 어떻게 열매를 맺는지 알아봐야 합니다. 무화과나무는 유월절이 있는 4월부터 10월까지 다섯 번에 걸쳐 열매를 맺습니다. 한 열매가 나고 떨어지면 다른 열매가 나고 또 다른 열매가 나고 다섯 번 열매를 맺는 독특한 나무입니다. 그런데 유월절에 열린 첫 번째 열매는 작고 당도가 떨어져 맛이 없습니다.

이 첫 번째 열매를 일컬어 히브리어로 '파게'라고 합니다. 이 파게가 나오면 무화과나무 주인은 내다팔 수가 없습니다. 수익성도 없습니다. 사 가는 사람도 없습니다. 그렇다 보니 열매를 따 내야 합니다. 파게를 따 내지 않으면 두 번째부터 다섯 번째까지 열리는 진짜 무화과나무 열매가 열리지 않기 때문입니다. 그래서 지나가는 행인들이나 배고픈 가난한 사람들이 자유롭게 따 먹어도 뭐라고 하지 않습니다. 오히려 따 먹는 것이 주인을 도와주는 것입니다. 수고를 덜어 주기 때문에 주인도 환영했습니다. 지나가는 사람들이 맛은 없지만 배고플 때 허기를 면하기 위해 따먹었던 것이 첫 번째 무화과나무 열매인 파게입니다.

두 번째부터 다섯 번째까지 열리는 무화과 열매는 '테에나'라고 합니다. 다른 명칭을 사용합니다. 이처럼 무화과나무는 두 개의 명칭이 있습니다. 우리가 생각하는 탐스러운 무화과 열매인 테에나가 있고, 볼품없고 작지만 배고픈 사람들이라면 누구나 따먹을 수 있는 파게라는 열매가 있습니다.

중요한 것은 첫 번째 무화과 열매가 열리지 않으면 나머지 무화과나무 열매는 보장되지 않습니다. 예수님은 벳바게와 베다니에서 예루살렘으로 향해 가십니다. '벳바게'의 '벳'은 '베이트', 집이라는 뜻입니다. 히브리어로 뒤에 있는 '바게'는 바로 무화과나무의 첫 번째 열매를 상징하는 '파게'로 베이트와 바게가 합쳐져 '벳바게'라고 한 것입니다. 베다니는 '베이트'와 '헤나'가 합쳐져 벳하니, 곧 베다니가 된 것입니다. 그러므로 벳바게와 베다니 모두 무화과나무 열매의 집입니다. 예루살렘 주변에 무화과나무 열매가 많이 열려 지역 이름을 그렇게 붙였던 것입니다.

[예수께서 멀리 잎이 무성한 무화과나무를 보시고는 열매가 있을까 해서 가 보셨습니다. 가까이 다가가 보시니 잎만 무성할 뿐 무화과 열매는 없었습니다. 무화과 철이 아니었기 때문입니다.(막 11:13)]

예수님이 기대하신 열매는 진짜 무화과나무 열매가 아니라 파게, 첫 번째로 열리는 무화과나무 열매였던 것입니다. 왜냐하면 그것이 열리는 유월절 시즌이었기 때문입니다. 그런데 잎만 무성할 뿐 무화과나무 열매가 없었던 것입니다. 무엇이 열리지 않았습니다. 파게라고 하는 첫 번째 열매가 열리지 않았던 겁니다. 마지막에 무화과 철이 아니었기 때문이라는 것은 아직 진짜 열매가 열리는 시즌이 아니었다는 의미입니다. 그러므로 13절은 논리적으로 문제가 없습니다. 예수님은 첫 번째 무화과나무 열매인 파게를 기대하고 가셨는데, 테에나 진짜 무화과나무 열매가 열릴 때가 아니라는 것은 너무나 당연한 일입니다.

예수님이 화가 나서 저주하신 것도 아니고, 철을 몰라 오해하신 것도 아닙니다. 단지 번역상의 문제입니다. 이것은 영어 성경에서도 많이 오해하고, 영어권 학자들도 이 부분에 대해 많이 혼동하는데, 이는 원어적으로 해석해야 합니다.

이런 오해를 해결했다고 해도, 아무리 그렇다고 해도 열매가 없다고 뿌리부터 저주하신 것은 여전히 충격적인 일입니다. 굳이 저주까지 할 필요가 있었을까 하는 생각이 드는 겁니다. 배고픔 때문에 터뜨린 분노도 아니고 심리적 불안정 때문에 우발적으로 일어난 일도 아니라면 왜 한 나무를 뿌리부터 말라 버리게 하셨을까요? 나무가 마르면 어디서부터 마릅니까? 잎부터 마릅니다. 보통 잎부터 마르고 뿌리가 마르게 되는데, 뿌리부터 마르게 하셨다는 겁니다.

이것은 예수님이 어떤 충격적인 교훈을 주시기 위한 방법이라는 것입니다. 이것은 유대 교회를 향해, 권력화되고 영적 생명을 잃어버린 유대 교회를 향해 하나님의 교훈을 주시기 위해서입니다. 뿌리부터 마른 나무, 진정한 생명을 잃어버린 영적 공동체는 뿌리부터 말라 버립니다. 잎은 무성하게 살아 있는 것 같지만 영적 근원이 말라 버린 것이 바로 종교의 타락이요, 영적 공동체의 타락입니다.

예수님은 오늘 우리한테도 동일한 교훈을 주기 위해 상징적인 행동을 하신 것입니다. 사람을 먼저 저주하지 않고 나무를 저주하심으로써 우리에게 교훈을 주셨다는 것은 놀라운 일입니다. 하나님이 기대한 것이 무엇인지 우리에게 가르쳐 주시고자 나무를 선택한 것입니다.

하나님이 기대하신 것은 무엇입니까? 철을 따라 열매를 맺는 나무처럼 우리 인생 속에도 철을 따라 맺는 열매가 있어야 한다는 겁니다. 우리 신앙의 목표는 열매가 되어야 합니다. 열매 맺는 신앙, 이것이 우리 삶에서 하나님이 기대하시는 것입니다.

참된 종교는 언제나 열매가 열리지만, 거짓된 종교는 열매 없이 잎만 무성합니다. 예수님이 기대하고 가셨던 파게를 맺지 못했던, 잎만 무성했던 나무처럼 잎은 무성한데 열매가 없는 모습인 것입니다. 우리 신앙의 본질, 신앙의 목표는 뿌리가 하나님과 연결되어 있어 열매를 맺는 것입니다. 열매라는 단어를 중심으로 우리 신앙을 설명한 유명한 두 개의 구절이 있습니다.

["그러나 여호와를 의지하고 여호와를 신뢰하는 그 사람은 복을 받을 것이다. 그는 물가에 심어서 시냇가에 뿌리를 내린 나무 같을 것이다. 더위가 닥쳐와도 두려워하지 않으며 그 잎이 항상 푸르다. 가뭄의 해에도 걱정이 없으며 그치지 않고 열매를 맺는다."(렘 17:7-8)]

여기 물가에 심은 나무는 그 뿌리가 시냇가에 연결되어 있어 어떤 더위와 가뭄이 와도 걱정 없이 열매를 맺는다는 겁니다. 시절을 좇아 열매를 맺을 수 있는 나무는 그 뿌리가 시내와 연결되어 있어야 합니다. 우리 인생의 보이지 않는 뿌리, 보이지 않고 드러나지 않는 우리 마음의 내면이 하나님과 연결되지 않으면 열매를 맺지 못한다는 것입니다.

["내 안에 머물러 있으라. 그러면 나도 너희 안에 머물러 있을 것이다. 가지가 포도나무에 붙어 있지 않으면 스스로 열매를 맺지 못하는 것처럼 너희도 내 안에 있

지 않으면 열매를 맺을 수 없다."(요 15:4)]

예수님은 포도나무와 가지가 서로 연결된 채 붙어 있어야만 그 가지가 열매를 맺을 수 있다고 말씀했습니다. 개역 번역에 따르면 가지가 나무에 붙어 있으면 스스로 열매를 맺어야 하는 것이 아닙니다. 열매는 맺어지는 것입니다. 참된 신앙은 언제나 무엇인가를 해야 한다고 가르치지 않습니다. 되어지게 되어 있습니다. 'to do'가 아니라 'to be'로 되어지는 것입니다.

'해야 한다'는 신앙과 '되어지는' 신앙

우리가 참된 신앙 안에 거할 때 우리 삶에는 인격 변화의 열매가 맺어집니다. "내가 사랑해야 해, 사랑해야 해, 내가 용서해야 해. 용서해야 해. 내가 헌신해야 해. 헌신해야 해." 이런 관념으로 사는 것이 아니라 어느 순간부터 우리가 하나님 안에 거하고 주님 안에 머물렀더니 사랑하게 되어지는 것입니다. 용서하게 되어지는 것입니다. 기도하게 되어지는 것입니다.

해야 한다는 신앙에 머무는 사람은 율법적인 종교에 머물게 됩니다. 하지만 열매 맺는 신앙은 언제나 되어지는 것입니다. 포기가 되어지는 것입니다. 양보가 되어지는 것입니다. 해야 한다는 것에 머무는 것은 진정한 신앙이 아닙니다. 거짓 종교일수록 무엇 무엇을 해야 한다고 강조합니다. 화려합니다. 복잡합니다. 하지만 하나님이 우리에게 주신 참된 신앙의 길은 너무나 단순합니다. 예수님을 닮아가는 것입니다. 예수 그리스도를 받아들이고 그분을 통해 그리스도의 사람이 되고, 그리스도와 함께 십자가에 못 박히고, 그리스도 안에서 살아가고, 그리스도를 위하여 살아가고, 그리고 마지막에 되어지는 것은 무엇입니까? 그리스도처럼 되는 것입니다.

그리스도처럼 되는 것은 목표를 세운 뒤 해야 할 목록을 만들어 되는 것이 아닙니다. 그것은 하나의 여정입니다. 나무가 심겨지면, 씨앗이 심겨지면 나무가 자라서 나중에 열매가 맺히듯이, 열매라는 것은 시간을 투자해야 하는 것입니다. 오늘 씨앗을 심고 내일 열매를 거둘 수는 없습니다. 우리가 예수 그리스도를 받아들인다고 해서 바로 내일 예수처럼 되는 것이 아닙니다. 하나님은 우리를 기다려 주십니다. 우리에게 시간을 주십니다. 단 우리가 해야 할 것은 그리스도 안에 머물러 있는 것입니다.

우리의 유일한 길이 되시고 진리가 되시고 생명이 되어 주신 그 예수님을 바라보고 붙잡고 머물기만 하면 우리에게 놀라운 변화가 일어납니다. 우리가 예수 그리스도와 함께 십자가에 못 박히고 그리스도 안에 거하게 되고 그리스도를 위하여 살아가고 싶어지고 그리스도를 향해 살아가고 그렇게 살다 보면 나중에 어느 순간 주변 사람들이 우리를 바라볼 때 "당신을 보고 있으면 예수님을 보는 것 같습니다"라고 말하는 것입니다. 우리 인격과 삶이 그리스도처럼 되어지는 것입니다. "그리스도와 같아야 한다"에 머무는 것은 종교의 수준입니다. 참된 종교는 되어지는 것입니다. 우리 삶 속에 이러한 열매 맺는 신앙이 날마다 넘쳐나기를 바랍니다.

예수님이 열매 없는 무화과나무를 저주하신 것은 참된 종교의 열매를 맺어야 하는 유대 교회가 때에 맞춰 열매 맺지 못한 것에 대한, 하나님이 충분한 시간을 주시고 충분한 은혜를 베풀어 주시고 충분한 영양분을 주셨음에도 열매를 맺지 못하는 것에 대한 경고인 것입니다.

성경 말씀의 구조 자체가 그것을 보여 줍니다. 이 구조를 다시 한번 보면, 예수님이 무화과나무를 저주하신 사건은 두 부분으로 나뉩니다. 12절부터 14절까지 무화과나무에 대해 나오고, 20절부터 21절까지 또 무화과나무 얘기가 나옵니다. 그 사이에 성전에 들어가신 예수님이 성전을 청결하게 하신 사건이 등장합니다. 샌드위치처럼 양쪽에 무화과나무 사건이 나오고 중간에 성전을 청결하게 하신 사건이 나오는데, 왜 이런 복잡한 구조를 사용했을까요?

마가는 마가복음을 기록하면서 이런 구조로 기록하는 것을 좋아했습니다. 이는 서로 연결되는 사건이라는 것입니다. 이것은 우연이 아닙니다. 의도적인 것입니다. 예수님이 식물을 싫어하기 때문이 아닙니다. 기분이 나빠서도 아닙니다. 그 당시 성전이 바로 무화과나무 같다는 상징을 보여 주기 위해서입니다. 성전에서 이루어지는 유대 교회의 모습이 마치 열매 맺지 못하는 무화과나무를 보여 주는 예라는 것입니다. 그래서 무화과나무 사건은 성전을 청결하게 하는 사건으로 해석하고, 성전을 청결하게 하는 것을 무화과나무를 저주하는 사건으로 연결해 해석하라는 의도가 이 구조에 들어 있는 것입니다.

구약에도 보면 하나님이 타락한 하나님 백성들의 모습을 지적하면서 첫 번째 무화과나무 열매가 없다는 것을 한탄하시는 내용이 여러 번 나옵니다. 이 첫 번째 무화과나무 열매가 바로 파게입니다.

[내가 얼마나 비참한지! 나는 여름 과일을 다 따 간 뒤와 같고 포도를 다 거두

고 난 뒤와 같구나. 먹을 만한 포도 한 송이 없고 먹고 싶은 무화과 첫 열매도 없구나. 경건한 사람들이 이 땅에서 사라졌고 의인이라고는 한 사람도 남지 않았구나. 그들은 모두 피를 보려고 숨어서 기다리고 있고 각자 자기 형제를 그물로 잡는구나. 두 손은 악을 행하는 데 뛰어나고 관리와 재판관은 뇌물을 요구하며 권력자들은 자기의 욕망이 내키는 대로 지시하고 그것을 위해 함께 일을 꾸미는구나.(미 7:1-3)]

여기서 예수님이 기대하셨던 열매는 첫 번째 열매입니다. 그 이유가 있습니다. 이스라엘에서는 12월부터 4월까지는 열매가 전혀 열리지 않습니다. 그러니 12월부터 4월까지 5개월 동안 사람들이 얼마나 열매를 기대했겠습니까.

배부르게 먹을 수 있는 사람들은 먹을 열매, 즉 음식을 비축해 놓았겠지만 가난한 사람들과 나그네들은 굶주린 상태일 것입니다. 그래서 비록 상품 가치는 없지만 이 첫 열매, 배고픔을 해결해 주고 자유롭게 따먹을 수 있는 무화과나무의 첫 열매를 기대했다는 것입니다. 사람들의 마음속에 기대감이 가장 크게 일어날 때가 바로 이 무화과나무의 첫 열매가 열리는 시기인 것입니다. 하나님은 그 기대감을 비유로 말씀한 것입니다.

하나님이 얼마나 이스라엘 백성을 기대하시는가 하면, 마치 이스라엘 백성들이 무화과나무 첫 열매를 기대한 것처럼 이스라엘 백성들을 향한 기대를 가지고 계셨습니다. 어떤 기대입니까? 그 무화과나무의 첫 열매가 맺어져야 제2, 제3, 제4, 제5의 진짜 무화과 열매가 맺어진다는 것입니다. 이것은 무엇을 의미합니까? 모든 민족이 열매 맺는 하나님의 백성이 된다는 겁니다. 첫 열매가 이스라엘 백성인데, 그 첫 열매가 하나님을 올바로 예배하지 않으면 어떻게 두 번째 세 번째 열매가 맺어지겠느냐하는 것입니다. 하나님이 이스라엘을 향한 기대가 컸던 것은 이런 이유 때문입니다.

"너희가 무화과나무의 첫 열매인데, 그렇게 기대하고 있는데 그 열매가 맺어지지 않으면 모든 민족이 하나님 나라의 백성이 되는 열매를 맺을 수 없지 않겠느냐." 그래서 하나님은 이스라엘 백성들을 특별히 주목하고 기대하셨던 것입니다.

["마치 광야에서 만난 포도송이처럼 내가 이스라엘을 발견했다. 내가 너희 조상들을 무화과나무에 처음으로 열린 첫 무화과처럼 여겼다. 그러나 그들이 바알브올에게 가서 그들 스스로 수치스러운 것에게 바쳤고 그들이 사랑했던 그것들만큼이나 혐오스러운 것이 됐다."(호 9:10)]

이스라엘 조상들을 무화과나무의 첫 열매, 바로 파게처럼 여기셨다는 것입니다. 무슨 뜻입니까? 그 열매뿐 아니라 제2, 제3, 제4 계속해서 이어지는 무화과나무 열매는 무엇입니까? 모든 민족, 모든 열방이 열매 맺는 하나님의 백성이 되기를 기대하셨다는 것입니다.

그러나 이스라엘 백성들의 모습은 어떠했습니까? 성전에서 일어난 일을 보면 그 백성이 어떻게 되었는지 잘 보여 주고 있습니다. 예수님이 무화과나무에서 보신 것과 성전에서 보신 것은 같습니다. 그것은 잎만 무성한 모습이었습니다. 열매 없이, 열매는 보이지 않고 잎만 무성해서 겉으로 볼 때는 분명 열매가 있을 것 같습니다. 그런데 가까이 가서 보면 열매가 없는 겁니다. 이것이 거짓 종교, 진정한 의미를 잃어버린 종교의 모습입니다.

열매 없는 종교일수록 겉이 화려합니다. 성전도 화려합니다. 활동도 많습니다. 어떻게 보면 뭔가 있을 것 같습니다. 하지만 들어가 보면 열매가 없습니다. 이스라엘 백성들이 그랬습니다.

역사가 요세푸스에 따르면 그 당시 예수님이 보셨던 예루살렘 성전은 이미 황금 돔으로(지금도 황금 돔으로 되어 있음) 지어져 얼마나 화려한지 모릅니다. 거짓 종교일수록, 진리가 아닌 종교일수록 화려하고 복잡합니다. 절차가 복잡합니다. 이방 신전에 들어가면 귀신이 나올 것 같습니다. 뭐가 그리 복잡한지 모릅니다. 또한 공간을 신성시합니다. 공간을 신성시하는 종교일수록 헛된 종교일 가능성이 많습니다. 모든 공간이 하나님의 장소이고, 하나님의 영이 임하는 곳입니다. 공간 자체를 절대시하고 신성시하는 것, 어떤 의복 자체를 신성시하는 것은 위험한 생각입니다.

2006년 미국에 있을 때 바티칸에서 열리는 성탄 미사를 TV로 본 적이 있습니다. 생중계를 하는데 유심히 봤습니다. 다 좋았는데 마지막 장면이 제 마음속에 좀 걸렸습니다. 미사를 마치고 퇴장하는 장면인데, 교황이 다리가 불편하신지 큰 마차, 번쩍번쩍 하는 큰 마차에 오르자 차처럼 움직이는 겁니다. 실내인데 마차가 움직이자 그 미사에 참석한 많은 사람들이 환호하면서 교황의 손을 잡으려고 달려드는 것입니다. 그러자 교황이 손으로 축복하면서 지나가는 겁니다.

가장 마지막에 젊은 사제가 안고 나온 분이 예수님이었습니다. 아무도 예수께는 환호하지 않았습니다. 주객이 바뀐 겁니다. 성탄 미사인데, 예수님을 상징하는 아기 예수는 가장 마지막에 아무런 환호 없이 나오는데, 가장 앞에 있는 교황은 수많은 사람들에 둘러싸여 화려하게 퇴장하는 것입니다. 로마 가톨릭을 전면적으로 비판하는 것은 아닙니다. 어떻게 하다 보니 이렇게 된 겁니다. 사람들이 그쪽으로 몰리는 것을 어떻게 하겠습니까? 하지만 성탄의 의미를 잃어버린 모습이었습니다. 오늘날 성탄은 구세주가 산타가 되어 버렸습니다. 예수님은 온데간데없고 산타가 되어 버렸습니다. 이것이 개신교의 모습입니다. 징글벨, 산타클로스 노래만 울려 퍼지고 있습니다.

물론 산타는 좋은 사제로부터 시작되었으니 완전히 비기독교적인 것은 아닙니다. 너무 사탄적이라고 말할 필요까지 없지만 주객이 전도된 모습, 우리 신앙도 주객이 전도되어 버릴 수 있다는 겁니다. 하나님이 기대하시는 것은 열매이지 잎이 아닙니다. 우리의 교회들 가운데도 잎으로 여겨지는 것이 있고, 열매로 여겨지는 것이 있습니다.

하나님이 기대하시는 열매는 단 한가지입니다. 복잡한 것이 아닙니다. 우리가 예수 그리스도를 닮아가는 것입니다. 그 한 가지를 기대하시는 것입니다. 그것을 버리고 다른 어떤 많은 활동을 한다고 할지라도 그것은 잎만 무성한 것일 뿐입니다. 하나님이 우리에게 보시고자 하는 것은 예수 그리스도를 닮아가는 하나님의 백성입니다. 다른 어떤 잎을 기대하시는 것이 아닙니다.

한국 교회가 하나님이 기대하시는 열매를 맺고 있습니까? 하나님이 기대하시는 열매를 맺고 있는지 되돌아보아야 할 것입니다.

성전을 청결케 하시다

다음 성경을 보면 예수님이 성전에 들어가 행하신 일을 볼 수 있습니다. 무화과 나무 사건을 저주하신 것도 특이하지만, 성전에 들어가서 행하신 일도 특이합니다. 둘러엎으셨습니다. 유일하게 예수님이 과격한 행동을 보이신 장면입니다.

[예루살렘에 도착하시자마자 예수께서 성전으로 들어가 거기서 장사하던 사람들을 내쫓기 시작하셨습니다. 예수께서는 돈 바꿔 주는 사람들의 상과 비둘기를 파는 사람들의 의자를 둘러엎으셨습니다. 그리고 어느 누구라도 장사할 물건들을 들고 성전 안으로 지나다니지 못하게 하셨습니다.(막 11:15-16)]

사람들을 내쫓고 장사하는 사람들의 의자를 둘러엎으시는 모습은 우리가 생각하는 예수님의 모습과는 다릅니다. 요한복음을 보면 노끈으로 채찍을 만들어 양과 소를 밖으로 내쫓으셨다고 했습니다. 그리고 돈 바꾸는 사람들의 동전을 쏟고 탁

자를 둘러엎으셨습니다. 어떤 사람은 이 말씀을 잘못 적용해 교회에서 바자회를 하는 데 가서 둘러엎습니다. 그런 의미는 아닙니다. 목적과 상황이 전혀 다릅니다.

그런데 왜 예수님은 이렇게 하셨을까요?

성전 안에 있던 이방인의 뜰에서 장사하던 사람들은 제물을 팔았습니다. 유월절이 되면 250만 명이 넘는 수많은 사람들이 모여들었다고 했는데, 그 많은 사람들이 제사를 드리려면 용품이 있어야 하지 않겠습니까. 여러 가지 제사용품들이 필요하기 때문에 당연히 시장이 필요했을 겁니다. 원래 그 시장은 감람 산, 올리브 산에 있어야 했습니다. 원칙적으로 예루살렘 성 건너편에 있는 올리브 산에 있어야 했습니다. 그 성의 시장은 산헤드린 공회에서 관리했습니다. 거기서 나오는 수익금을 성전을 관리하는 데 사용되는데, 거기까지만 해도 어떤 조직체가 관리해서 괜찮았습니다.

어떤 일이든지 교회 안에서 조직 중심으로 관리하는 것이 중요합니다. 한 사람이 모든 것을 운영하는 것은 위험할 수 있습니다. 그런데 산헤드린 공회가 관리하는 시장이 있었는데, 그 당시 제사장이었던 가야바가 이득을 챙길 목적으로 성전 뜰, 이방인의 뜰에 그 시장을 열 수 있도록 한 것입니다. 거기서 무엇을 팔았냐 하면 제사의 제물로 드릴 것들을 팔았습니다.

제사장들은 어떤 책임이 있습니까? 제사장들은 그 제물이 흠이 있지 않은지 율법대로 판단하는 검사관 역할을 했습니다. 사람들이 자기 집에서 길러 온 비둘기, 양과 소, 제물들을 끌고 와 검사를 받는데 아주 정성들여 흠 없이 기른 양임에도 불합격 판정을 내렸습니다. 억울해하고 있는데 눈이 찢어지고 코가 삐뚤어진 양을 끌고 온 사람한테 오히려 합격 도장을 찍어 주는 겁니다. 그래서 어떻게 해야 합격시켜 주느냐고 물었더니 저기 가서 사면 된다는 겁니다. 저기서 파는 양을 사야 합격 도장을 찍어 준다는 겁니다.

이런 상황이라면 집에서 불합격 도장을 받을지도 모르는 제물을 가져오겠습니까? 아니면 편하게 지갑에 돈만 넣어 가지고 성전에 와서 성전 뜰 바로 앞에서 사는 것을 선택하겠습니까?

제사장들은 사람들의 편리주의를 이용해 엄청난 이득을 챙겼습니다. 그리고 그 수익금은 모두 가야바의 것이 되었습니다. 대제사장 가야바가 만든 그 시장에서 그런 일들이 일어나고 있었던 것입니다. 흠 없이 제물을 준비하라는 하나님이 내린 율법의 의도를 완전히 망가뜨리고 강도의 소굴로 바꿔 버린 겁니다.

게다가 돈 바꾸는 사람이 왜 필요합니까? 환전상이 필요한 것은 각처에서 온 사람들이 각자 헬라 화폐, 로마 화폐를 가지고 있었기 때문입니다. 성전세는 이방인들의 왕이 새겨진 화폐로 받을 수가 없었습니다. 그래서 당시 반 세겔이던 성전세를 성전에서만 받는 유대 화폐로 바꿔야 했습니다. 이때 환전 수수료가 어마어마하게 붙었습니다. 그런데 바꾸지 않으면 낼 수 없는데 어떻게 합니까? 기록에 따르면 스무 배 이상의 프리미엄을 붙였다는 겁니다. 엄청난 폭리를 취한 것입니다. 이런 이유로 예수님은 성전에 들어가 상징적으로 그것을 둘러엎으셨던 것입니다. 그렇다고 예수님이 요즘처럼 폭력을, 각목을 휘두르셨다는 기록은 없습니다. 성경은 상징적으로 둘러엎으셨다고 말씀합니다.

그렇다고 해서 그 사람들이 다 물러났겠습니까? 아닙니다. 예수님은 영적 권위로 사람들을 내쫓으셨지만 시장이 폐쇄될 만한 물리적인 힘은 행사하시지 않았습니다. 상징적인 행동이었습니다.

[그리고 예수께서 사람들을 가르치시며 말씀하셨습니다. "'내 집은 모든 민족들이 기도하는 집이라 불릴 것이다'라고 성경에 기록돼 있지 않았느냐? 그런데 너희는 이곳을 '강도의 소굴'로 만들고 말았다."(막 11:17)]

예수님이 분노하신 이유가 여기에 있습니다. 하나님을 예배하는 장소가 맘몬 신을 섬기는 장소가 되어 버렸다는 겁니다. 하나님께 기도하는 집이 강도의 소굴로 변하고 말았다는 겁니다. 말씀을 읽다가 기도와 강도라는 단어가 문득 눈에 들어왔습니다. 발음도 비슷합니다. '아, 기도를 잃어버리면 강도가 되는구나'라는 생각이 들었습니다.

한순간에 강도가 되지 않습니다. 한 교회가 한꺼번에 강도의 소굴이 되지 않습니다. 하지만 참된 기도와 참된 예배를 잃어 가는 순간, 서서히 강도들의 소굴이 되어 가고 맙니다. 그래서 예루살렘 성전에서 이루어지고 있는 일로 말미암아 그들은 당연하다고 생각하고 괜찮다고 생각하고 편리하다고 생각했는데 어느 한 순간 강도의 소굴이 되고 만 것입니다.

중세 교회도 한순간에 강도의 소굴이 되지 않았습니다. 면죄부를 팔면서, 면죄부를 사 가면 먼저 죽은 사람도 천국으로 갈 수 있다고 한순간에 그렇게 가르치지 않았습니다. 초대교회의 신앙과 순수한 기도, 순수한 예배를 조금씩 잃어버리면서 서서히 강도가 되어 갔습니다.

우리 개인의 신앙도 강도 신앙이 될지 모릅니다. 진정한 기도 신앙을 잃어버리면 강도 신앙이 되는 겁니다. 기도는 무엇입니까? 우리 뜻을 고집하는 것이 아니라 하나님의 뜻에 우리를 맞춰 가는 겁니다. 하나님의 뜻이 우리 삶을 통해 이루어지는 것이 기도입니다.

강도 같은 신앙은 무엇입니까? 자신의 뜻을 하나님의 뜻에 맞추지 않고, 하나님의 뜻이 무엇인지 전혀 생각하지 않고, 자신이 원하는 것을 하나님을 이용해 온전히 그분의 이름으로 포장한 뒤 위장하는 것, 자신의 탐욕을 하나님의 이름으로 이끌어 내려는 것, 하나님의 집 하나님의 공동체를 자신이 원하는 탐욕의 수단으로 이루어내려는 것이 강도 신앙입니다. 바로 성전에서 이루어지고 있던 모습입니다.

["내 이름으로 불리는 이 집이 너희가 보기에 강도들의 소굴이 됐느냐? 내가 똑똑히 지켜보고 있다. 여호와의 말이다."(렘 7:11)]

기도는 프로그램이 아닙니다. 기도는 비전을 이루는 도구도 아닙니다. 기도는 그 자체가 신앙의 목적입니다. 무엇인가를 하기 위해 기도회를 열어서는 안 됩니다. 기도 그 자체가 하나님의 목적입니다. 기도를 통해 하나님의 뜻을 깨닫고, 기도를 통해 하나님의 뜻을 분별하고 우리 삶을 맞춰 가는 것이 바로 참된 신앙의 모습입니다.

기도를 통해 우리의 뿌리가 하나님과 연결되는 것입니다. 기도야말로 가지가 나무에 붙어 있게 되는 것입니다. 참된 기도를 드리면 열매가 맺어지는 것입니다.

참된 기도를 잃어버리면 우리는 헛된 종교생활을 하게 됩니다. 결국 우리 모임은 강도의 소굴이 될지도 모릅니다.

우리 신앙이 강도 같은 신앙이 될지도 모릅니다. 분명히 겉은 예배이고 화려하고 웅장하지만 한순간에 어느 모임을 보면, 어느 집단을 보면, 어느 교회를 보면 강도의 소굴이 되어가고 있습니다. 교회 안에 강도가 없기를 바랍니다.

배가 닻을 고정시키지 않으면 조금씩 흘러가는 물에 떠내려 가서 바다 한가운데 나아가고 맙니다. 한순간에 바다로 나아가는 것이 아닙니다. 조금씩 밀려가는 것입니다. 닻을 딱 붙잡아 놓지 않으면 어느 한순간 떠내려가는 겁니다. 히브리서에 보면 "닻을 내리지 않으면 흘려 떠내려갈까 조심하라"는 말씀이 나옵니다.

기도하는 신앙에 붙어 있지 않으면, 우리의 예배당이 기도하는 장소 그리고 참된 기도가 드려지는 예배의 장소에서 멀어지면 강도의 소굴이 되어 버립니다. 이 지적을 들었을 때 대제사장들과 율법학자들의 반응은 어땠습니까? 회개하는 것이 아니라 예수님을 죽일 방법을 찾았습니다.

[이 말을 듣고 난 대제사장들과 율법학자들은 예수를 죽일 방도를 궁리하기 시작했습니다. 그들은 모든 사람들이 예수의 가르치심에 놀라는 것을 보고 예수를 두려워했던 것입니다.(막 11:18)]

그들은 예수님의 행하신 일을 보면서 그분이 누구신지 알았을 것입니다. 하지만 그들은 오히려 예수님을 죽이려고 했습니다. 왜입니까? 그들은 강도였기 때문입니다. 기도를 잃어버렸기 때문입니다. 그들이 정말 기도하는 사람이었다면 예수님을 그렇게 대우하지 않았을 것입니다. 하지만 그들은 강도가 되어 버려 예수님을 죽일 방도를 찾았습니다.

겉으로는 지도자요, 종교인이요, 하나님을 섬기는 사람처럼 보였습니다. 하지만 속으로는 기도를 잃어버리고 참된 예배를 잃어버린 강도가 되어 있었습니다.

정직한 기도, 신령한 예배를 잃어버리면 우리도 교회 안에서 강도가 될 수 있다는 것을 기억해야 합니다. 기도를 잃어버리면 교회는 권력화됩니다. 교회 내부에서 권력싸움이 일어납니다. 많은 교회에서 일어나고 있는 갈등은 무엇입니까? 교회의 권력싸움입니다. 교회와 교회끼리, 교회에서 교인끼리 권력다툼을 하는 것입니다.

교회가 권력화되면 그것은 마치 권력이 종교화되는 것과 똑같습니다. 그러면 강도들의 소굴이 되어 버립니다. 우리는 교회 안에 감춰진 이 권력의 요구를 철저히 제거해야 합니다. 참된 기도를 통해 우리의 뜻이 아니라 하나님의 뜻이 이루어지고, 교회 안에서 이루어지는 결정도 우리가 하고 싶은 것이 아니라 하나님이 하기 원하시는 것에 순종해야 합니다. 이런 모습일 때 교회는 하나님의 집이 되고, 만민이 기도하는 집이 됩니다. 또한 첫 무화과 열매가 되어 우리를 통해 제2, 제3의 열매를 맺고, 모든 민족이 하나님의 백성이 되는 역사가 일어날 줄로 믿습니다.

Pray

하나님, 우리의 삶과 우리의 교회가 주 앞에서 바로섰는지 돌아봅니다. 성전을 청결하게 하신 예수님을 기억합니다. 우리의 교회가 여러 프로그램에 둘러싸여 교회답지 못한 모습을 보인 것은 없는지 회개하게 하소서. 우리 역시 주 앞에 산 교회가 되게 하옵소서. 예수님 이름으로 기도합니다. 아멘.

막 11:22-26

²²예수께서 대답하셨습니다. "하나님을 믿어라. ²³내가 너희에게 진실로 말한다. 누구든지 저 산에게 '들려서 바다에 빠져라!' 하고 마음에 의심하지 않고 말한 대로 될 줄 믿으면 그대로 이루어질 것이다. ²⁴그러므로 내가 너희에게 말한다. 무엇이든지 너희가 기도하고 간구하는 것은 이미 받은 줄로 믿으라. 그러면 너희에게 그대로 이루어질 것이다. ²⁵서서 기도할 때에 어떤 사람과 등진 일이 있다면 그 사람을 용서해 주라. 그러면 하늘에 계신 너희 아버지께서도 너희 죄를 용서해 주실 것이다." ²⁶(없음)

민음, 기도, 용서

모든 영혼에는 기도하고자 하는 욕구가 있습니다.
영혼이 하나님을 만나고자 하는 간절한 소망이 있는 것입니다.
그래서 기도가 시작되는 것입니다. 우리가 하나님의 응답을 기대하는 것보다
하나님이 더욱 우리의 기도에 응답하시기를 원합니다.
우리에게 기도하고자 하는 마음을 넣어 주신 분이 하나님이시기에
우리가 응답을 기대하는 것보다 하나님이 더욱 응답하기를 기다리신다는 것입니다.
이것이 기도의 놀라운 비밀입니다.

이 말씀을 읽을 때 놀라운 약속으로 말미암아 우리 마음에 큰 기대와 소망이 일어납니다. 동시에 마음 한편으로는 우리의 연약함으로 말미암아 의심과 실망이 함께 일어납니다.

성경을 읽으면서 가장 마음에 와 닿는 단어가 무엇입니까? "그대로 이루어질 것이다", "말한 대로 될 줄 믿으면 그대로 이루어질 것이다"에서 '그대로'라는 단어가 가장 먼저 눈에 띕니다. 예수님은 두 번씩이나 반복해 우리가 기도한 대로 될 줄 믿으면 "그대로 이루어질 것이다"라고 말씀했습니다.

이 약속의 말씀을 있는 그대로 붙잡고 믿는다면 우리 기도는 달라질 것입니다. 기도하고 싶은 마음이 불일 듯 일어날 것입니다. 얼마나 큰 소망과 기대가 우리 마음속에 일어나겠습니까? 하지만 이 말씀을 있는 그대로 받아들이지 못하는 우리 마음에 악함, 불신앙이 있습니다. 예수님이 제자들에게 "깨어 있으라, 기도하라"고 말씀했지만, 제자들은 예수님이 겟세마네 동산에서 기도하실 때에 깨어 있지 못했습니다.

잠들어 있는 그들을 보고 예수님은 "마음에는 원이로되 육신이 약하도다"라고

말씀했습니다. 위로의 말씀처럼 보이지만, 사실은 책망입니다. 우리 마음속에 기도하고 싶은 마음이 있지만, 그 기도의 소원이 금방 사라져 버리는 육신의 악함이 있다는 것입니다. 그래서 '육신이 약하다'는 말은 '육신이 악하도다'라고 해석하는 것이 더 정확합니다.

응답하시는 하나님에 대한 믿음을 가져라

우리 마음속에 기도하고 싶은 마음이 조금씩 일어나지만 어느새인가 기도하지 않는 모습, 그 악함이 우리 속에 있다는 것입니다. 기도를 막는, 그 악한 불신앙이 우리 마음속에 있습니다. 하지만 그 말씀을 있는 그대로 믿고 의지하고 기도했던 사람들은 놀라운 기도 응답의 체험을 했습니다.

고아들의 아버지였던 조지 뮬러는 이 말씀을 그대로 믿고 의지했기 때문에 5만 번의 기도 응답을 체험했습니다. 나치수용소에서 믿음을 지켰던 네덜란드의 작가 코리 텐 붐 여사, 그녀의 간증을 보면 20명이 있는 감방 안에 작은 비타민 병이 하나 있었는데 놀랍게도 그 병은 마시고 마셔도 비타민이 마르지 않았답니다. 오병이어의 기적과도 같은 놀라운 기적이 일어나 그 감방 안에 있던 많은 사람들이 생명을 유지하는 데 큰 도움이 되었다는 겁니다.

이러한 놀라운 간증을 들으면 이것이 정말 살아 있는 말씀임을 깨닫게 되고 도전을 받게 됩니다. 그러나 우리의 기도 생활을 돌아보면, 이러한 기도의 응답을 체험하고 있지 못하기 때문에 솔직히 의심과 실망이 일어납니다. 과연 우리가 기도한 그대로 이루어질 것인가? 우리 삶을 보면 그렇게 이루어지지 않은 모습이 더 많지 않은가? 이러한 의심과 실망이 찾아옵니다.

어거스틴의 《고백록》에 보면 어린 시절 학교 선생님께 맞지 않게 해달라고 간절히 기도했지만, 항상 선생님께 매를 맞았다고 합니다. 기도한 대로 응답되지 않은 겁니다. 아마 어거스틴 자신도 응답되지 않은 이유를 잘 알고 있을 것입니다. 그 이유가 무엇입니까? 항상 매 맞을 짓을 했기 때문입니다.

하나님을 믿지 않는 어느 영국인이 기도를 과학적으로 분석해 보겠다고 나섰습니다. 그는 영국성공회에서 드려지는 기도문을 살펴보았는데, 그 기도문에 보면 왕실을 위한 기도가 끊이지 않고 나옵니다. 만약 많은 성공회 교도들이 왕실의 건강과 장수를 위해 계속해서 기도했다면 왕실 가족들은 오래 살아야 할 것 아닙니까? 과연 오래 살았는가를 비교해 본 것입니다. 다른 사회집단과 왕실의 가족들을 비교해 본 결과, 왕실의 가족들이 수명이 짧았다는 겁니다. 그래서 그 사람은 "기도의 효과는 없다"는 결론을 내렸습니다. 이 말씀에 감동받고 은혜 받으면 안 됩니다. 여기까지 듣고 주무시면 큰일 납니다. '기도의 효과는 없는 것이구나.' 이러한 불신자들의 도전에 대해 우리의 기도가 응답되고 있다는 것을 자신 있게 말할 수 있습니까?

과연 예수님의 말씀대로 "너희가 기도하고 말한 그대로 응답된다"고 자신 있게 말할 수 있습니까? 어떤 믿음의 사람들은 그런 기도의 응답을 받지만, 때론 그런 기도 응답을 받지 못하는 사람이 있는 것을 볼 때 어떤 차이가 존재하는 것일까요?

성경에 보면 예수님의 말씀을 통해 기도한 모든 것이 그대로 응답받을 수 있는 이유가 나와 있습니다.

첫 번째는 하나님에 대한 의심 없는 믿음입니다. 다음 말씀은 무화과나무가 마른 사건을 실제로 일어난 것을 보고 제자들이 놀라 그 마음에 '어떻게 이러한 일이 일어날 수 있는가'라는 의문을 가진 것을 보고 예수님이 이렇게 대답하셨다고 했습니다.

[예수께서 대답하셨습니다. "하나님을 믿어라."(막 11:22)]

성경을 읽을 때 가장 먼저 "그대로 이루어지리라"는 구절이 눈에 들어왔지만, 예수님은 가장 먼저 "하나님을 믿으라"고 말씀했습니다.

기도의 시작은 우리가 아니라 하나님입니다. 우리는 이것을 뒤바꿔 생각합니다. 우리가 기도한다고 생각하고, 우리가 하나님께 나간다고 생각하지만 진정한 기도는 하나님이 우리에게 찾아오심으로 시작됩니다. 누군가 기도를 시작했다면, 그것은 그 사람이 시작한 것이 아니라 그 사람을 먼저 찾아오셔서 그 사람을 잡아당기시는 하나님께 응답한 것입니다. 반응하기 시작한 것입니다.

우리 마음속에 기도하고 싶은 마음이 일어나고 있다면 그것은 우리를 찾고 계신, 우리를 찾아오신 하나님께 우리가 반응하기 시작한 것입니다. 기도의 시작은 우리가 아니라 하나님이십니다. 믿음의 시작도 우리가 아니라 하나님이십니다. 믿음이란 우리가 만드는 것이 아니라 우리 믿음의 대상이 우리에게 만들어 주시는 것입니다.

누군가 낯선 사람이 강단에 올라 "지금 가지고 있는 모든 지갑을 저에게 잠시 맡겨 주십시오"라고 말한다면 그 사람을 믿겠습니까? 그런데 제가 "지금 가진 지갑을 저에게 잠시 맡겨 주십시오"라고 말했을 때 웃는 사람들은 믿는 분이고, 안 웃는 사람들은 의심하는 분입니다. 대부분이 믿을 거라고 생각합니다. 왜일까요? 믿지 않으려고 해도 앞에 서 있는 사람이 어떻게 살아왔는가를 통해 믿음이 전해진 것입니다. 믿음은 우리가 만드는 것이 아니라 믿음의 대상이 우리에게 가져다 주는 것입니다.

그러므로 진정한 믿음은 믿어지는 것입니다. 누군가를 보면 믿지 않으려고 해도 믿음이 가고, 어떤 사람은 믿어 보려고 애를 써도 믿음이 가지 않습니다. 믿음은 우리가 만드는 것이 아니라 믿음의 대상이 우리에게 가져다 주는 것입니다.

우리가 하나님을 믿는 것은 하나님을 믿어 보려고 해서 믿는 것이 아니라 하나님이 행하신 일 때문에 우리에게 믿음이 찾아오는 것입니다. 기도도 마찬가지입니다. 기도는 우리가 시작한 것이 아니라 하나님이 기도하고자 하는 갈망, 영혼의 욕구, 하나님을 찾고자 하는 그 갈망을 우리 마음속에 부어 넣어 주셨기에 이루어지는 것입니다.

모든 영혼에는 기도하고자 하는 욕구가 있습니다. 영혼이 하나님을 만나고자 하는 간절한 소망이 있는 것입니다. 그래서 기도가 시작되는 것입니다. 우리가 하나님의 응답을 기대하는 것보다 하나님이 더욱 우리의 기도에 응답하시기를 원합니다. 우리에게 기도하고자 하는 마음을 넣어 주신 분이 하나님이시기에 우리가 응답을 기대하는 것보다 하나님이 더욱 응답하기를 기다리신다는 것입니다. 이것이 기도의 놀라운 비밀입니다.

많은 성도들에게 스트레스로 다가오는 말씀이 "쉬지 말고 기도하라"는 것입니다. 우리 마음속에 항상 부담이 되는 말씀 아닙니까? 이것을 부담으로 여기지 말고, 바꾸어 생각해 보면 쉬지 말고 기도하라고 말씀하시는 하나님은 어떤 분입니까? 쉬지 않고 응답하실 수 있는 하나님입니다. 쉬지 않고 응답하실 준비를 하고 계신 분입니다. 그래서 우리에게 쉬지 말고 기도하라고 말씀할 수 있는 겁니다.

우리 기도의 중심에는 믿음이 있습니다. 기도는 믿음의 표현입니다. 기도는 믿음의 행동입니다. 믿음은 반드시 기도로 나타납니다. 그리고 기도를 통해 우리의 믿음은 더 강해집니다.

[믿음이 없이는 하나님을 기쁘게 할 수 없습니다. 그러므로 하나님께 나아가는 사람은 하나님이 계신 것과 하나님은 그분을 간절히 찾는 사람들에게 상 주시는 분임을 믿어야 합니다.(히 11:6)]

우리는 응답하시는 하나님에 대한 믿음을 가져야 합니다. 한 선교사에게 편지를 썼던 소녀의 이야기입니다. 이 소녀는 선교사님에게 기도의 편지를 썼습니다. 이 사실을 알게 된 소녀의 부모님은 선교사님이 너무 바쁘시기 때문에 답장을 요구하지 말라고 말했습니다. 선교사님이 그 편지를 받고 웃었습니다. 왜냐하면 그 편지에 이렇게 적혀 있었기 때문입니다.

"선교사님, 우리는 선교사님을 위해 기도하고 있습니다. 그러나 우리는 선교사님으로부터 어떤 대답도 기대하고 있지 않습니다."

축하 메시지를 보낸 어떤 성도가 문자 메시지로 이런 문자를 첨부했습니다. '목사님, 너무 바쁘시니까 제 문자에는 절대로 회신하지 마십시오.' 하지만 그 문자를 본 순간 문자를 얼마나 기다리는지 그 마음이 느껴졌습니다.

우리는 하나님께 이렇게 말해서는 안 됩니다.

"하나님 제가 간절히 기도하지만, 하나님이 너무 바쁘시니 응답은 기대하지 않습니다."

이것은 기도가 될 수 없습니다. 하나님은 우리의 기도를 들으십니다. '듣는다'는 히브리어로 '쉐마'인데, 들을 뿐 아니라 따라 움직인다는 뜻도 있습니다. 신명기 6장 4절에 보면 "이스라엘아, 들으라. 우리 하나님 여호와는 오직 한 분인 여호와시다"(6:4)라고 말씀합니다. '들으라', 곧 쉐마는 귀로 듣는 것만을 뜻하지 않고 들은 대로 움직인다는 것을 뜻합니다. 우리가 자녀들에게 "너 말 좀 들어라"고 말할 때는 귀로 들으라는 것이 아니라 듣는 대로 움직이라는 뜻을 포함하고 있습니다. 하나님이 우리 기도를 들으신다는 이 확신은 부모와 자녀의 관계를 통해 확실히 알 수 있습니다.

하나님의 뜻을 구하는 기도를 하라

자녀가 부모에 대해 갖는 확신은 두 단계로 나뉠 수 있습니다. 첫 번째는 어릴 때 가지는 확신입니다. 이때는 무조건적인 확신입니다. 무엇이든 부모님이 다 해 주실 거라는 확신을 가지고 있습니다. 어떻게 보면 지극히 자기중심적인 확신입니다. 하지만 이것도 분명 믿음의 한 요소입니다. 유치원에 다니는 어린 자녀가 부모에게 이렇게 구하는 것을 들어 보셨습니까?

"제가 혹시 어머니께 부탁 하나를 해도 될까요? 제가 이런 부탁을 하면 어머니가 힘들어하실까 봐 오랫동안 말씀드리지 못했는데, 혹시 힘드시면 대답을 안 해 주셔도 됩니다. 혹시 저에게 아이스크림 하나를 사 주실 수 있겠습니까?" 어떻게 말해야 정상적인 자녀의 요청입니까?

"엄마, 아이스크림!"

무엇이든 해 줄 수 있다는 믿음으로 부모님한테 이렇게 간구하지 않겠습니까.

부모와 하나님의 차이점은 무엇입니까? 어린아이가 자라면서 부모에 대해 점점 깨닫는 것은 부모님이 해 줄 수 있는 것보다 해 줄 수 없는 것이 더 많다는 사실입니다. 하지만 우리는 하나님을 더욱 알아 갈수록 어떤 것을 깨닫습니까? 하나님은 못 하실 것이 없는 전능하신 분이라는 것을 점점 깨닫게 됩니다. 자랄수록 부모님한테는 점점 기대를 하지 않게 되고, 하나님께는 점점 더 기대하게 되는 것이 정상적인 믿음의 성장입니다. 그러므로 영적 생활의 초기 단계에서는 하나님의 뜻을 잘 분별하지 못합니다. 어린아이처럼 '그러므로 무엇이든지' 어떻게 보면 좀 이기적인 기도 제목일지라도 무엇이든 구하고 구하는 것이 기도의 깊이를 체험할 수 있는 비결입니다.

때로 하나님이 응답하시기도 하지만, 때로 하나님의 뜻에 합당하지 않은 것은 응답하시지 않으므로 '아! 이럴 때는 하나님이 응답하시지 않는구나, 아! 이럴 때는 응답하시는구나'라고 깨닫게 되면서 기도 생활을 깊이 체험하는 것입니다. 이러한 체험을 계속하다 보면 하나님의 뜻을 알게 됩니다.

이러한 체험을 계속하게 되면 두 번째 단계인 확신에 이르게 되는데, 그것은 자신의 뜻이 아니라 하나님의 뜻을 담대히 구하는 것입니다.

우리가 받아들이기 어려운 하나님의 뜻일지라도, 그것이 우리의 희생을 요구하는 것일지라도 그것이 하나님의 뜻이라면 그 뜻을 구하는 것이 바로 두 번째 기도의 확신입니다.

예수님이 기도하실 때 "아버지여, 할 수만 있거든 이 잔을 내게서 지나가게 하옵소서"라고 기도하셨지만 곧이어 하나님의 뜻임을 깨달았기에 "내 뜻대로 마옵시오 아버지의 뜻대로 하옵소서"라고 말씀했습니다. 예수님의 기도 속에는 하나님의 뜻을 구하는 기도가 있었습니다. 아버지의 뜻을 진정으로 구하는 것이 우리의 희생을 요구할지라도 하나님의 뜻을 구하는 것이라면 그 기도는 바로 응답됩니다.

[하나님을 향해 우리가 갖는 확신은 이것입니다. 곧 무엇이든지 우리가 그분의 뜻을 따라 구하면 하나님께서 우리가 구하는 것을 들어주신다는 것입니다. 그리고

우리가 무엇을 구하든지 하나님께서 들어주시는 것을 알면 우리는 우리가 구한 것들을 그분으로부터 받는다는 것도 압니다.(요일 5:14-15)]

다음 말씀도 동일한 맥락입니다.

["만일 너희가 내 안에 있고 내 말이 너희 안에 있으면 너희가 원하는 것이 무엇이든지 구하라. 그러면 그대로 이루어질 것이다."(요 15:7)]

우리가 무엇을 구하든지 그대로 이루어진다는 말씀입니다. 하지만 조건이 있습니다. "너희가 내 안에 있고 내 말이 너희 안에 있으면"이라는 것은 우리 마음이 하나님의 마음이 될 때, 우리가 기도하는 것이 하나님의 뜻에 가까워질 때 우리 기도가 그대로 이루어진다는 것입니다. 우리가 기도한 그대로 모두 이루어진다는 것 이전에 하나님과의 올바른 교제가 전제조건인 것입니다.

["내가 너희에게 진실로 말한다. 누구든지 저 산에게 '들려서 바다에 빠져라!' 하고 마음에 의심하지 않고 말한 대로 될 줄 믿으면 그대로 이루어질 것이다."(막 11:23)]

여기서 "산에게 명하여 바다로 빠지라, 그대로 이루어질 것이다"는 당시 유대 사회의 격언입니다.

정말 감당하기 어려운 일들이 이루어질 때, 유대인들은 산이 바다로 던져졌다고 표현했습니다. 인간의 힘으로 넘어설 수 없는 인생의 장벽 앞에서 포기하지 않고 하나님의 능력을 믿고 의지할 때 그대로 이루어질 거라는 뜻입니다. 이것은 격언이지만 우리는 실제로 하나님이 하실 수 있다고 믿어야 합니다.

그런데 다음 말씀을 보면 하나님을 믿는 믿음이 기도를 통해 한 단계 더 깊어지는 믿음이 있다고 말씀합니다.

["그러므로 내가 너희에게 말한다. 무엇이든지 너희가 기도하고 간구하는 것은 이미 받은 줄로 믿으라. 그러면 너희에게 그대로 이루어질 것이다."(막 11:24)]

이 말씀은 무엇이든 구하는 대로 받는데, 거기서 한 단계 더 나아가는 것은 이미 받은 줄로 믿는 믿음이 있다는 것입니다. 이것은 기도 생활의 클라이맥스입니다.

첫 번째 단계에서는 무엇이든 구하는 믿음이 있습니다. 두 번째 단계는 무엇이든 구하는 것이 다 하나님의 뜻대로 구하는 믿음입니다. 세 번째 클라이맥스 단계는 하나님의 뜻대로 구한 모든 것을 이미 받은 줄로 믿는 것입니다. 이 믿음의 단계에 우리 모두 이르게 되기를 바랍니다.

이미 받은 줄로 믿고 기다리는 사람과 받을 것인가 말 것인가를 확신하지 못하는 사람 사이에는 큰 차이가 있습니다. 우리나라에는 국내선이 많지 않지만, 미국은 국내선이 많습니다. 미국에서 공항 게이트까지 갔는데 갑자기 일정이 바뀌면 대기자 명단에 이름을 올리고 기다리면 됩니다. 대기자 명단에 올라가면 언제 이름을 부를지 모르기 때문에 그 앞을 떠나지 못합니다. 화장실도 제대로 못 갑니다. 이름을 몇 번 불렀는데도 나타나지 않으면 다른 사람에게 그 자리를 주기 때문에 그 앞에서 꼼짝도 못 하고 기다려야 합니다. 하지만 좌석표를 받은 사람은 그 앞에서 편안하게 앉아 책을 읽고, 잠을 자고, 쇼핑도 하며 휴식을 취할 수 있습니다. 하지만 대기자 명단에 있는 사람은 좌석이 언제 주어질지 모르기 때문에 불안함 가운데 어디도 가지 못한 채 안절부절 못하며 기다릴 수밖에 없습니다.

우리의 기도 생활이 이미 받은 줄로 믿는 믿음의 삶이라는 것은 바로 이러한 삶을 말합니다.

내가 구하는 것에 이미 하나님이 응답하셨다는 믿음, 그 믿음이 기도 생활의 목표인 것입니다. 이 말씀과 짝을 이루는 구약의 말씀이 있습니다.

["그들이 부르기 전에 내가 대답하고 그들이 아직 말하고 있을 때 내가 들어주겠다."(사 65:24)]

이 얼마나 놀라운 말씀입니까! 이미 받은 줄로 여기는 믿음이 가능한 것은 우리에게 응답하고 계신, 부르기 전에 응답하고 아직 말하고 있을 때에 들어주시는 하나님이 계시기 때문입니다. 부모의 마음을 보면 이해할 수 있습니다. 부모는 자녀가 무엇을 구하고 무엇을 필요로 하는지 다 알고 있습니다. 또한 무엇을 구할지 기다리지 않습니다. 그리고 부모는 자녀가 무엇을 구할 때까지 기다리지 않고 자녀가 구하기 전에 들어주기도 합니다. 우리 하나님의 사랑은 얼마나 충만하신지, 우리가 부르기 전에 대답하시는 하나님입니다.

예수님도 산상수훈에서 이런 말씀을 하셨습니다. "중언부언하지 말라, 너희 하나님께서는 너희에게 있어야 할 것을 이미 다 알고 계시는 하나님이시다." 이 얼마나 놀라운 하나님입니까!

정확한 연도는 기억할 수 없지만 교회학교에 다닐 때 이 말씀에 큰 은혜를 받았습니다. "우리 하나님은 있어야 할 것을 다 아시는 하나님이다." 이 말씀에 너무 큰 은혜를 받아서 기도하지 않았습니다. 그때부터 저의 기도는 아주 간단했습니다. 기도하면서 '다 아시죠'라고 했습니다. 놀라운 믿음이었습니다. 감동적인 믿음이 아닙니까? 구차하게 열거할 필요가 없습니다. '하나님 다 아시죠?' 그래서 어렸을 때 교회 철야예배에서 눈물을 흘리며 통성기도로 간구하는 어른들을 보면서 속으로 이렇게 생각했습니다.

'참 철없는 성도들이다. 다 아시는데 왜 저렇게 하나님 앞에 부르짖는 거지?'

성인이 되어서야 제 기도생활의 문제점을 깨달았습니다. 어느 날 평소처럼 눈을 감고 기도하면서 '다 아시죠'라고 기도하는데 천둥 같은 소리가 들려오는 것 같았습니다. 하나님이 말씀하셨습니다. "그래, 다 안다. 그런데 너는 알고 있니? 네가 모르고 있는구나. 나는 다 아는데, 너는 몰라."

하나님은 다 아시는데 왜 기도하라고 하십니까? 오랫동안 이 신학적인 문제가 풀리지 않았습니다. 다만 한 가지만 확실하게 믿었습니다. 그래서 기도하지 않게 됐습니다. 그런데 한편으로는 "기도하라, 부르짖으라, 간구하라, 쉬지 않고 기도하라"고 하십니다. 왜 그러십니까? 그것은 하나님이 우리 기도 제목을 몰라서가 아니라, 우리가 굳이 말씀드려야 하나님이 듣고 일하실 수 있는 분이라서가 아니라 우리가 모르기 때문입니다.

우리가 우리의 필요를 안다고 생각합니까? 우리의 인생에 가장 중요한 것이 무엇인지 스스로 대답할 수 있습니까? 한 시간 이후에 우리가 해야 할 일을 알고 있습니까? 우리를 향한 하나님의 뜻을 알고 있습니까? 무엇을 해야 우리를 향한 하나님의 뜻인지 알고 있습니까?

기도는 하나님이 모르시기 때문에 하는 것이 아니라 우리가 우리의 문제를 모르기 때문에 해야 하는 것입니다. 기도하는 중에 우리는 하나님 말씀을 듣게 됩니다. 우리의 필요가 정말 이것인 줄 알았는데, 이것이 아니라 다른 것이라는 것을 하나님이 가르쳐 주시는 겁니다. 그래서 우리는 끊임없이 기도하고 기도하는 가운데 하나님의 뜻을 구하는 단계에 이르게 된다는 것입니다. 그것을 구할 때 우리 기도가 그대로 이루어진다는 것입니다.

그러므로 우리는 이미 있어야 할 것을 다 아시며, 우리가 구하기도 전에 이미 응답하시는 하나님께 기도할 때 쉬지 않고 끊임없이 간청하며 매달리며 기도함으로써 그분의 뜻을 깨닫고 그분의 뜻대로 기도하며 응답받는 크리스천이 되어야 합니다.

의심은 믿음을 무너뜨린다

이러한 믿음을 무너뜨리는 것이 있습니다. 바로 의심입니다. 그러므로 우리는 의심을 제거해야 합니다.

[오직 믿음으로 구하고 조금도 의심하지 마십시오. 의심하는 사람은 바람에 밀려 요동하는 바다 물결 같습니다.(약 1:6)]

의심은 왜 생깁니까? 의심은 자기 자신을 속이는 데서 시작됩니다. 의심은 마음이 나뉘는 것입니다. 그래서 두 마음을 품었다고 말합니다. 의심 없는 참된 기도를 드리려면 다음과 같은 질문을 끊임없이 던져야 합니다.

첫째로 내가 진심으로 원하는 것이 무엇인가? 대학 시절에 성령충만한 기도회 때, 성령이 임하셨을 때 체험한 것은 '내가 입술로 기도한 것'과 '실제로 내가 원하는 것'이 달랐다는 사실입니다. 입으로는 "아골 골짝 빈들에도 복음이 증거 되고 나를 사용해 주시옵소서"라고 기도했지만 마음속으로는 진정으로 원하지 않았습니다. 마음이 나뉘어 있었습니다. 이러한 기도는 의심의 기도이므로 응답되지 않습니다.

둘째로 하나님의 성품에 어긋나는 일을 구하지는 않는가? 우리 기도가 하나님의 성품에 어긋나지 않은가 하는 질문입니다. 농부들은 땅이 메말라서 비를 간절히 간구하고 있습니다. 가뭄이 계속되어 온 나라가 비를 간구하고 있는데, '내일 운동하러 가야 하는데, 하나님 비를 그치게 해 주십시오.'라는 기도는 하나님의 성품에 합당하지 않은 기도입니다.

셋째로 스스로 해야 할 일을 다 했는가? 넷째로 하나님과의 관계는 어떠한가? 편안하게 대화를 나누는 사이인가를 묻는 질문입니다. 다섯째로 하나님께서 이 기도에 응답하신다면 누가 더 영광을 받는가? 하나님이 영광을 받으시는지 우리가 영광을 받는지 묻는 것입니다. 마지막으로 정말 이 기도가 응답되기를 원하는가?

대개 우리의 기도 내용을 보면 들어 주셔도 그만이고 안 들어 주셔도 그만이고 들어 주시면 좋고 안 들어 주셔도 오케이입니다. 이런 기도 제목이 훨씬 더 많지 않습니까? 이것은 의심이 가득한 기도입니다. 하나님은 진심으로 기도에 응답하시길 원합니다. 그런 기도의 마음이 우리에게 있습니까? 그런 의심 없는 마음을 가지고 기도해야 합니다.

구하는 것이 그대로 응답되는 기도의 성경에 특징이 나와 있습니다. 그것은 용서의 열매가 맺어지는 기도입니다.

["서서 기도할 때에 어떤 사람과 등진 일이 있다면 그 사람을 용서해 주라. 그러면 하늘에 계신 너희 아버지께서도 너희 죄를 용서해 주실 것이다."(막 11:25)]

믿음은 기도로 나타납니다. 그리고 그 기도는 용서로 나타납니다. 응답받는 기도는 용서하는 마음에서 나오는 기도입니다. 기도할 때 우리 기도를 방해하고 하나님과의 관계를 단절시키고 하나님의 응답을 가로막는 장벽이 있다면 용서하지 않는 마음으로 하는 기도입니다. 용서하지 않는 마음이 가득 차 있으면서 한편으로는 하나님의 긍휼을 바라는 마음, 이 두 가지는 양립될 수 없습니다.

만약 우리가 긍휼을 구하고 자비를 베풀어 주실 것을 기도한다면 우리도 하나님의 마음을 품고 우리를 등진 다른 사람에 대해 자비와 긍휼을 베푸는 마음으로 기도해야 합니다. 이 두 가지는 서로 연결되어 있다는 것입니다.

"서서 기도할 때에 어떤 사람과 등진 일이 있다면"이라는 말씀을 상상하며 서서 기도하고 있습니다. 기도하는데 문득 생각지도 않던 나와 등진 사람의 얼굴이 떠오르면 그것은 성령님이 네 기도가 응답되려면 그 사람과의 문제를 해결하라는 하나님의 신호입니다.

그 사람을 용서하고, 그 사람과 화목하게 되는 것이 이 기도가 응답되는 조건인 것입니다.

[사랑하는 여러분, 만일 우리 마음에 가책 받는 것이 없다면 우리는 하나님 앞에서 떳떳하고 우리가 구하는 것은 무엇이든지 하나님에게서 받습니다. 우리가 하나님의 계명을 지키고 하나님 앞에서 기뻐하시는 일을 행하기 때문입니다. 하나님의 계명은 이것이니, 곧 하나님의 아들 예수 그리스도의 이름을 믿고 하나님께서 우리에게 계명을 주신 대로 서로 사랑하라는 것입니다.(요일 3:21-23)]

여기서 가장 먼저 "마음에 가책 받는 것이 없다면" 이 부분에 밑줄을 쳐야 하고 "구하는 것은 무엇이든지 하나님에게서 받습니다"라는 말씀에 밑줄을 치고, 마지막으로 "서로 사랑하라는 것입니다"에 밑줄을 쳐야 합니다. 구하는 것은 무엇이든 받는 비결, 기도의 응답 조건은 우리 마음에 가책 받을 일이 없을 정도로 다른 사람을 사랑하는 것입니다. 이것이 하나님의 기도 응답을 속히 가져오는 비결임을 믿으시기 바랍니다.

우리 마음속에 누구와 등진 일, 해결해야 할 문제, 마음에 가책 받을 것이 없을 정도로 다른 사람을 사랑할 때 하나님은 우리가 기도하는 모든 것을 듣고 응답하는 것을 기뻐하십니다. 산상수훈에서도 동일한 맥락의 말씀을 주셨습니다.

["너희가 너희에게 죄지은 사람을 용서하면 하늘에 계신 너희 아버지께서도 너희를 용서하실 것이다. 그러나 너희가 남의 죄를 용서하지 않으면 너희 아버지께서도 너희 죄를 용서하지 않으실 것이다."(마 6:14-15)]

이 말씀을 보면 다른 사람에 대한 죄 용서가 하나님의 용서를 받는 조건처럼 보입니다. 그래서 이 말씀은 우리에게 참으로 어렵게 다가옵니다. 이 말씀을 이해하기 위해서는 하나님의 용서에 두 가지가 있음을 알아야 합니다.

첫째는 우리가 하나님의 자녀가 되기 위한 용서입니다. 예수 그리스도의 십자가 앞에 나아와서 우리가 죄인 됨을 인정하고 고백할 때 하나님은 우리를 무조건적으로 용서하십니다. 예수님의 십자가 때문에 우리를 용서하시는 것이지 우리가 회개했기 때문에 용서하시는 것이 아닙니다. 그러므로 그 용서는 무조건적인 용서입니다.

둘째는 하나님과 우리와의 관계가 친밀한 관계로 들어가기 위한 용서입니다. 매일 매일의 삶 속에 허물이 있습니다. 갈등이 있습니다. 문제가 있습니다. 그것을 해결해야만 하나님과의 친밀함으로 들어가기 위해 필요한 용서가 있다는 것입니다. 예수님의 이 말씀은 그런 용서를 뜻하는 것입니다. 우리가 하나님의 자녀가 되느냐 안 되느냐의 용서가 아니라 하나님과의 친밀함에 들어가는, 하나님이 주시는 기도 응답을 체험하는 단계에 들어가기 위해 우리는 용서를 받아야 하는데, 그 용서는 조건적인 용서입니다.

그 조건은 무엇입니까? "너도 다른 사람을 용서하라. 너도 다른 사람과의 문제를 해결해라. 등진 일이 있다면 화목하라. 그러면 내가 너희의 죄를 용서하고 네게 기도의 응답을 주겠다. 내가 너와 친밀한 관계를 회복하겠다"는 말씀입니다. 만약 마음속에 용서하는 마음 없이 기도한다면 이렇게 기도하는 것과 마찬가지입니다.

"하나님 저의 죄를 용서하시되, 저 사람에게 원수 갚는 죄만 빼놓고 나머지 죄만 용서하십시오."

하나님은 이렇게 용서하실 수는 없습니다. 하나님께 죄를 용서받는 것과 다른 사람에 대한 죄 용서는 이렇게 서로 연결되어 있습니다. 따라서 다른 사람에 대한 용서 없이 기도 응답을 받는 일은 어렵습니다. 용서는 쉽지 않습니다. 하지만 용서하지 않는 것이 더 어렵습니다. 용서에는 고통이 따르지만, 용서할 때 우리는 자유하게 되고, 하나님의 응답을 체험하게 되고, 하나님과 더 가까워질 것입니다.

현대의 가장 영향력 있는 기독교 사상가 P.T. 포사이스는 《영혼의 기도》에서 다음과 같은 맥락의 말을 했습니다.

"하나님께서 우리 기도에 응답하지 않는 이유는 바로 우리가 하나님과 하나님의 기도에 응답하지 않았기 때문이다. 그분의 기도는 주님께서 우리에게 당부하셨던 것처럼 서로 화목하라는 것이다."

하나님이 우리 기도에 응답하시지 않는 이유는 우리가 하나님의 기도에 응답하고 있지 않기 때문입니다. 하나님은 우리에게 응답하기 원하시는 분입니다. 우리가 기도한 그대로 응답하시는 분입니다.

조건이 있습니다. 우리가 하나님의 기도에 응답하고, 우리가 의심 없는 믿음으로 하나님 앞에 나아가고, 우리의 마음속에 용서해야 할 것을 다 용서하고, 하나님의 마음으로 그분의 뜻을 구할 때 우리 삶은 우리가 구한 그대로 이루어지는 역사가 일어날 것입니다.

Pray

하나님, 우리가 주 앞에 기도하지만 주님의 뜻을 기다리지 못하고 조급해하던 모습을 회개합니다. 우리의 기도를 응답하시는 하나님을 굳게 믿고 나아가게 하옵소서. 또한 우리의 기도가 우리의 편함과 이득만을 생각하는 것이 아닌 하나님의 뜻을 구하는 기도 되게 하옵소서. 예수님 이름으로 기도합니다. 아멘.

막 11:27-33

²⁷나그들이 다시 예루살렘으로 들어갔습니다. 예수께서 성전을 거닐고 계시는데 대제사장들과 율법학자들과 장로들이 다가와서 ²⁸물었습니다. "당신이 무슨 권세로 이런 일을 하는 것이오? 누가 이런 권세를 주었소?" ²⁹예수께서 대답하셨습니다. "나도 한 가지 물어보겠다. 대답해 보라. 그러면 내가 무슨 권세로 이런 일을 행하는지 말해 주겠다. ³⁰요한의 세례가 하늘로부터 왔느냐, 사람으로부터 왔느냐? 말해 보라." ³¹그들은 자기들끼리 의논하며 말했습니다. "만약 우리가 '하늘로부터 왔다'라고 하면 저 사람이 '그러면 왜 요한을 믿지 않았느냐?' 할 것이다. ³²그렇다고 해서 '사람으로부터 왔다'라고 할 수도 없지 않은가?" 많은 사람들이 요한을 진정한 예언자로 믿고 있었기 때문에 그들은 백성들이 두려웠던 것입니다. ³³그래서 그들은 예수께 "잘 모르겠소"라고 대답했습니다. 예수께서 말씀하셨습니다. "그렇다면 나도 무슨 권세로 이런 일을 하는지 너희에게 말하지 않겠다."

권세 논쟁

우리는 하나님의 질문에 날마다 대답해야 합니다. 하나님의 주권을 인정하고,
하나님의 권세를 인정하고, 하나님의 섭리하심 앞에 우리 삶을 내려놓고
말씀을 통해 주시는 수많은 하나님의 질문에 정직하고 진실하게 응답해 가면
풀리지 않던 인생의 질문들이 하나씩 하나씩 풀리게 될 것입니다.

복음서에 나타난 예수님의 모습에서 주목할 만한 한 가지 사실은 예수님이 질문을 참 많이 던지셨다는 것입니다. 마가복음서만 해도 67개 정도의 장면에서 50개의 질문을 던지셨습니다. 이러한 패턴은 다른 복음서에도 동일하게 나타납니다. 이들 질문은 대답하기 쉬운 질문부터 수수께끼 같은 질문까지 다양합니다. 대부분은 대답하기 쉬운 질문을 던짐으로써 예수님이 가르치시고자 하는 교훈을 강조하시는 경우가 많습니다. 예를 들어 "눈먼 사람이 눈먼 사람을 인도할 수 있느냐?"라고 질문하셨습니다.

누구나 할 수 없다는 것을 알고 있습니다. 그리고 너무나 뚜렷한 비유를 드시고 "둘 중에 누가 아버지의 뜻대로 행하였느냐?"라고 너무나 대답하기 쉬운 질문으로 강조하셨습니다. 또한 질문을 통해 책망하시는 경우도 있습니다. 마가복음 8장 10절부터 21절까지 보면 다섯 구절 안에 7개의 질문을 속사포같이 쏟아내신 경우도 있었습니다. 몇 가지 질문을 보면 이렇습니다. "왜 빵이 없는 것을 두고 말하느냐? 너희가 아직도 알지 못하고 아직도 깨닫지 못하느냐? 너희 마음이 둔해졌느냐? 너희가 눈이 있어도 보지 못하고 귀가 있어도 듣지 못하느냐? 기억하지 못하

느냐? 너희가 아직도 깨닫지 못하느냐?" 계속적인 질문을 통해 책망하시고 있습니다.

그리고 정곡을 찌르는 질문으로 교훈하시는 경우도 있습니다. 우리 마음속에 깊숙이 두고두고 새겨 두어야 할 질문입니다. "누가 강도 만난 사람의 이웃이라고 생각하느냐?" "그리스도께서 마땅히 이런 고난을 겪고서 자기 영광에 들어가야 할 것이 아니냐?" 이처럼 정곡을 찌르는, 십자가와 복음에 관련된 진리의 핵심을 보여 주는 질문들도 있습니다.

한편 예수님을 대적하는 무리들의 공격적인 질문도 많이 나옵니다. 이러한 질문들, 즉 함정이 있고 예수님을 넘어뜨리려는 질문에 예수님은 질문으로 대답하셨습니다.

마가복음에는 8번의 공격적인 질문이 나옵니다. 이들의 질문에 예수님은 전부 질문으로 대답하셨습니다. 그 중 몇 가지를 살펴보면, 2장 18절에 사람들은 예수께 이런 질문을 합니다. "왜 당신의 제자들은 금식하지 않습니까?" 이 질문에 예수님은 "신랑이 함께 있는데 어떻게 결혼 잔치에 초대받은 사람들이 금식할 수 있겠느냐?"라는 질문으로 대답하셨습니다. 결혼식에 참석한 사람이 식을 마치고 피로연장에 내려갔더니 문 앞에 '오늘은 금식입니다'라는 글이 적혀 있습니다. "어울리지 않지 않느냐?"라는 질문으로 진리의 핵심을 가르쳐 주시기도 합니다.

하나님의 권위와 이 세상의 권세

마가복음 2장 24절에 "어째서 저들이 안식일에 해서는 안 될 일을 하는 것입니까?"라는 바리새파 사람들의 질문에 예수님은 "다윗과 그 일행이 배가 고파 먹을 것이 필요했을 때 다윗이 어떻게 했는지 읽어 보지 못했느냐?"라고 질문하셨습니다.

10장 2절에 보면 어떤 사람이 질문합니다. "남자가 자기 아내와 이혼해도 됩니까?"라고 질문했을 때 예수님은 "모세가 어떻게 하라고 명령했느냐"라고 질문으로 대답하셨습니다.

예수님을 죽이려는 대적자들은 예수님이 예루살렘에 들어가셨을 때 그분을 죽이기 위한 일종의 트랩을 강구해 놓았습니다. 부비트랩처럼 어떻게 대답해도 예수께 올가미를 씌울 수 있는 교묘한 질문으로 공격해 온 것입니다. 하지만 예수님은 오히려 그들에게 더 중요하고 깊이 있는 교훈을 주는 진리의 질문을 던지심으로써 그 질문을 피하셨을 뿐 아니라 그들을 가르치셨습니다.

성경에 대적자들의 첫 번째 질문, 예수님이 예루살렘에 들어가서서 받은 첫 번째 질문이 등장하고 있습니다.

[그들이 다시 예루살렘으로 들어갔습니다. 예수께서 성전을 거닐고 계시는데 대제사장들과 율법학자들과 장로들이 다가와서 물었습니다. "당신이 무슨 권세로 이런 일을 하는 것이오? 누가 이런 권세를 주었소?"(막 11:27-28)]

예수님을 대적하기 위해 당시 유대 사회의 권세 있는 자들이 모두 모였습니다. 그들은 당시 유대 사회에서 가장 권세를 가진 세 그룹의 사람들이었습니다. 그런데 선한 일이 아니라 악한 일에 서로 연합했습니다. 주로 사두개인들로서 사독의 후예로 구성된 (이것은 혈통으로만 이루어진) 대제사장 그룹, 율법을 연구하는 바리새파 사람으로 이루어진 율법학자들, 각 지파와 종족의 대표로 구성된 장로들입니다. 이 세 그룹은 그 당시 유대 사회의 최고 권위기관이었던 산헤드린 공회의 주요 멤버들이었습니다.

산헤드린 공회원으로 모였을 때 그들은 서로 화합하고 대화하고 축복하고 존경했을까요? 그렇지 않습니다. 여러 가지 신학적 이슈뿐 아니라 사회적 이슈로 서로 대립각을 세우곤 했습니다. 부활에 관한 이슈만 해도 바리새파 사람들과 사두개인들은 첨예하게 대립했습니다. 그들은 서로 자신들의 이권을 확보하려고 늘 언쟁을 일삼았습니다. 그런데 그들이 하나가 되었습니다. 그들이 연합했습니다. 무엇을 위해서입니까? 예수님을 제거하기 위해서, 예수님을 공동의 적으로 삼아 서로 연합한 것입니다.

악한 일에 연합하는 권세자들의 모습을 볼 수 있습니다. 역사상 가장 악한 정치적 연합입니다. 사회에서 악한 자들은 대개 이기적입니다. 그래서 자신에게 도움이 된다고 생각하면 평소 싸우던 사람들과도 쉽게 연합합니다. 하지만 그 목적을 달성하면 다시 싸우는 자리로 돌아갑니다. 이것이 정치적 연합이요, 권세 있는 자들의 악한 연합입니다.

악한 일에는 쉽게 연합하고 선한 일에는 연합이 되지 않습니다. 교회가 타락하고 망한 시기에도 언제나 이런 현상이 일어났습니다. 선한 일에는 연합이 잘 안 되고 누군가를 정죄하고 분열을 일으키는 일에는 연합이 잘 됩니다. 기도하고 이웃을 돌보고 섬기는 일에 참여하자고 하면 잘 모이지 않던 사람들이 교회를 분열시키고 싸우는 일에는 열심히 연합하여 참여합니다. 교회가 망하는 증거입니다. 우리 모두 악한 일에는 연합하지 말고 선한 일에는 힘써 연합하는 사람이 되어야 합니다.

대제사장들과 율법학자들과 장로들이 함께 모였습니다. 무엇을 위해 모였습니까? 예수님을 대적하기 위한 악한 일에 연합하기 위해서입니다. 그들은 타락한 세상의 권세에 중독된 사람들입니다. 예수님이 성전에서 돈 바꾸는 사람들과 제물을 파는 사람들을 내쫓은 행동을 하신 것이 도대체 무슨 권세로, 누구의 권세로 하느냐고 질문했습니다. 그것은 자신들이 결정한 일이기 때문입니다. 자신들이 최종적인 권세를 가지고 있다고 생각했기 때문입니다. 자신들이 내린 결정을 누구도 막을 수 없다고 생각했기 때문입니다.

교만은 인생의 최종적인 결정권이 자신에게 있다고 생각하는 것입니다. 지도자의 교만은 모든 최종적인 결정권이 자신에게 있다고 생각할 때 시작됩니다. 최종적인 권세가 하나님께 있다는 것을 인정하지 않는 사람은 바로 세상의 타락한 권세에 의지해 살아갑니다.

그들은 로마 황제조차 문제 삼지 않고 인정해 준 성전을 관리하는 권한에 대해 예수님이 도전하신 것에 대해 분개했습니다. 이는 타락한 세상의 권세를 의지하며 살아가는 사람들의 모습입니다.

타락한 권세에 의지하며 살아가는 사람들에게는 특징이 있습니다. 세상 권세를 의지하며 살아가는 사람들은 자기보다 뛰어나고 자기보다 인기 있는 사람이 나타나면 질투하고 제거하려고 합니다. 사울의 리더십이 그랬습니다. 사울이 죽인 자는 천천이요, 다윗이 죽인 자는 만만이라는 노래가 들려왔을 때 사울의 눈은 질투로 어둡게 변했습니다. 그는 다윗을 제거하기로 마음먹었는데, 권세를 지키는 데 자신의 모든 에너지를 썼습니다.

이 세상의 권세자들이 어떤 일에 자신의 에너지를 씁니까? 자신의 대적자가 될 수 있는 사람을 제거하고 흠집 내고 무너뜨리기 위해 자신의 모든 에너지를 사용합니다. 겉으로는 점잖은 척하면서 이렇게 질문했습니다.

"누가 부요한 권세입니까?" 누구의 권세냐고 질문했지만 그들의 마음속에는 질투심과 악한 탐심, 자존심, 헛된 교만, 하나님의 권세를 인정하지 않는 인간의 어리석음이 숨어 있었습니다.

이처럼 세상 권세를 의지하는 사람들은 모두 자신의 배경을 의지하고 과시합니다. 대제사장들은 사독의 후예라는 신분에 의지합니다. 율법학자들은 그들이 쌓아

온 율법 지식에 의지합니다. 장로들은 각 종족과 지파의 대표라는 혈통에 의지합니다. 세상 권세에 의지하면 진정한 권위는 사라지고 맙니다. 권위의 주인이신 하나님을 모르는 사람이 권세를 잡으면 이처럼 악한 일에 하나 되는 무서운 권력을 갖게 됩니다. 예수님이 십자가로 향하심으로써 세상 권세에 사로잡힌 사람들의 정체가 드러난 것입니다.

세상의 권세를 두려워하지 마라

악한 무리들은 예수께 질문을 던졌지만 이 질문은 사실 그들 무리가 들어야 할 것이었습니다. "누구의 권세로, 어떤 권세로 이런 일을 하는 것인가?" 이 질문은 그들 무리가 들어야 할 질문이었습니다. "만민이 기도하는 하나님의 집으로 세워진 성전을 강도의 굴혈로 만들다니, 도대체 당신들은 어떤 권세로 이런 일을 행하는가? 누구의 권세로 이런 일을 행하는가?" 다름 아닌 그들 무리가 들어야 할 질문을 오히려 예수님이 던지고 있습니다.

그들은 어리석은 질문으로 권세의 주인이신 예수께 도전했습니다. 이 장면을 보면 군에서 군사령관이 예하부대를 시찰하기 위해 사복을 입고 나타났는데 계급장을 단 초급 장교들, 사령관의 얼굴을 모르는 장교들이 사복 입은 사령관에게 "당신은 어떤 권한으로 이곳에 들어오는 것이오?"라고 야단치는 것과 똑같습니다. 추궁하는 것과 똑같습니다.

그들은 세상 권세에 사로잡혀 세상의 계급장을 달고 오시지 않았지만 하늘의 권세를 가진 예수님을 알아보지 못했습니다. 우리는 모두 세상의 계급장으로만 서로를 평가하는 사회에 살고 있습니다. 예수님은 세상의 계급장을 달지 않고 사셨습니다. 하지만 예수님은 권위 있는 분이었습니다. 그분의 가르침은 권세가 있었습니다. 그분의 행하심에 하나님의 권세가 나타난 것입니다. 이 세상의 권세가 아니라 하나님의 권세가 나타나는 우리의 삶이 되어야 합니다.

성전에 찾아오는 모든 사람은 이 세 그룹이 함께 나타나면 두려워했습니다. 대제사장들과 율법학자들과 장로들이 함께 나타나 누군가에게 질문하면 그 사람은 벌벌 떨었을 것입니다. 세상의 권세를 보여 주는 사람들이었기 때문입니다. 이 세상의 가장 강력한 권세를 가진 사람들이었기 때문입니다. 그래서 그들은 연합해 질문하면 예수님도 두려워할 거라고 상상했을지도 모릅니다.

그러나 예수님은 두려워하지 않았습니다. 왜냐하면 예수님은 하나님만 두려워하시는 분이기 때문입니다. 하나님의 권세만 의지하며 사시는 분이었기 때문입니다. 하나님의 권세에 의지하며 살아가면 세상의 권세를 두려워하지 않게 됩니다. 하나님의 권세를 의지하지 않고 살아갈 때 우리는 세상의 권세를 두려워하는 사람들이 될 것입니다. 어떤 권세를 의지하고 살아갑니까? 하나님의 권세를 의지하며 삽니까? 아니면 세상의 권세와 계급장에 의지하며 삽니까?

예수님은 그들의 교묘한 질문에 질문으로 대답하셨습니다. 그로써 예수님은 그 트랩에서 벗어나시고, 오히려 진리를 가르쳐 주셨습니다.

[예수께서 대답하셨습니다. "나도 한 가지 물어보겠다. 대답해 보라. 그러면 내가 무슨 권세로 이런 일을 행하는지 말해 주겠다. 요한의 세례가 하늘로부터 왔느냐, 사람으로부터 왔느냐? 말해 보라."(막 11:29-30)]

이 공격적인 질문에 대한 예수님의 대답은 질문이었습니다. 대적자들의 질문인데 무시해도 되지 않겠습니까? 그냥 침묵해도 되지 않겠습니까? 어리석은 질문인데 그냥 못 들은 척해도 되지 않겠습니까? 예수님은 이 질문에 대답하실 의무가 없었습니다. 하지만 예수님이 그들의 질문에 질문으로 대답하신 이유가 있습니다. 그들을 사랑해서입니다.

단지 그들과 논쟁하기 위해 이런 질문을 던지신 것이 아닙니다. 예수님의 "요한의 세례가 하늘로부터 왔느냐, 사람으로부터 왔느냐"라는 질문에 진실하고 정직하게 대답했다면 그들은 예수님을 믿을 수 있었을 것입니다. 이것은 그 당시 권세자들에게 예수님이 던지신 전도 질문이었습니다.

예수님은 두려워서 다시 질문하신 것이 아닙니다. 어떤 지식이나 정보가 필요해서 질문하신 것도 아닙니다. 예수님이 알고 계신 지식을 전달해 주려고 질문하신 것이 아닙니다. 예수님은 그들과의 관계를 원하셨습니다. 그들도 회복되기를 원하셨습니다. 예수님이 누구인지 그들도 알기 원하셨던 것입니다. 그래서 예수님은 많은 질문을 던지신 것입니다. 그들의 현주소를 깨닫게 하기 위해 질문을 던지신 것입니다.

구약에 보면 하나님은 범죄를 저지른 아담에게 "아담아, 네가 어디 있느냐?"라고 질문하셨습니다.

두려움으로 나무 뒤에 숨어 있는 아담이 어디 숨어 있는지 몰라서 질문하신 것이 아닙니다. "아담아, 네가 어디 있느냐?"라는 질문은 "너의 현주소가 왜 이런 지경이 되었느냐? 네가 왜 먹지 말라고 한 과실을 먹었느냐?"라고 물으신 겁니다. "어디 있느냐?"는 질문은 이제 나와 너의 관계를 끊겠다는 의도가 아니라 다시 관계를 회복하고자 하는 아버지의 마음으로 하신 것입니다. 여자한테도 "네가 어째서 이런 일을 저질렀느냐?"라고 추궁하시고 질문하셨습니다. "왜 그랬느냐?"라는 질문은 회복하고 싶은 마음이 있다는 겁니다.

재미있는 것은 창세기 3장에 보면 타락을 주도한 당사자들이 있습니다. 아담과 하와가 있고, 사탄의 도구가 된 뱀이 있습니다. 그런데 뱀에게는 질문하시지 않았습니다. "왜 그랬냐?"고 추궁도 하시지 않았습니다. 저주만 내리셨습니다. 왜입니까? 사탄에게는 회복의 기회가 이미 없었기 때문입니다. 질문이 던져졌다는 것, 이것은 관계 회복을 위한 하나님의 호소라는 사실을 기억해야 합니다. 예수님도 그분을 부인한 베드로에게 "네가 나를 사랑하느냐? 사랑하느냐?"라고 질문하셨습니다. 이것은 "너의 사랑이 회복되기를 원한다"는 예수님의 호소요, 간곡한 외침인 것입니다.

대답하시지 않고 질문을 던지시다

우리 믿음 생활은 주님의 질문에 대답해 가는 것입니다. 성경에 수많은 하나님의 질문, 예수님의 질문이 나오는 이유가 여기 있습니다. 하나님의 질문에 정직하고 진실하게 대답하면 우리 삶은 변화됩니다. 이것이 믿음 생활입니다. "누가 강도 만난 자의 이웃이 되겠느냐?" 이 질문을 기억하고 대답하는 사람은 이웃을 돌보고 섬기는 삶을 살게 됩니다. "네가 나를 사랑하느냐?"는 질문에 정직하게 대답하는 사람은 주님을 사랑하는 삶을 살게 됩니다. 이사야 6장에 나오는 말씀대로 "내가 누구를 보낼까? 누가 우리를 위해 갈까?"라는 질문에 정직하게 대답하는 사람은 "제가 여기 있습니다. 저를 보내 주십시오!"라고 응답합니다.

우리는 무슨 질문이든지 주님께 던질 수 있습니다. 하지만 믿음이 더욱 깊어질수록 우리가 던지는 질문보다 하나님이 우리에게 던지시는 질문에 대답하며 사는 것이 믿음 생활입니다.

하나님은 우리를 깨닫게 하기 위해, 우리가 하나님의 길로 가도록 하기 위해 질문하시는 것입니다. 우리는 자신이 드리는 질문에 하나님이 대답하셔야 한다고 생각합니다. 고난당할 때, 힘들 때, 인생의 문제가 풀리지 않을 때 "하나님, 왜 대답이 없으십니까?"라고 부르짖지만 그분은 우리 질문에 다 응답하실 필요가 없습니다. 그런 의무가 없습니다. 만약 우리가 드리는 질문에 하나님이 다 응답하셔야 한다면 그분은 천지를 주관하시는, 우리의 삶을 주관하시는 주관자가 아닙니다. 바로 나 자신이 주관자입니다.

대부분의 경우 하나님은 대답하시지 않을 것입니다. 그리고 우리에게 오히려 질문하실 것입니다. 욥의 인생을 보면 그는 극심한 고통 가운데 한탄하며 많은 질문을 던졌습니다. 우리말성경이 좋은 게 물음표를 넣어 놓았다는 겁니다. 개역성경에는 물음표가 없어 뭐가 질문인지 알기가 어렵습니다.

그래서 욥기를 다시 한 번 살펴보는데, 이런 각도에서 보니 욥이 얼마나 많은 질문을 던졌는지 알 수 있습니다. 앞부분에 보면 욥의 질문이 마구 쏟아져 나오는데, 다음은 몇 가지만 살펴본 것입니다. "내가 왜 모태에서 죽지 않았던가? 그 뱃속에서 나오면서 숨을 거두지 않았던가?" 자신의 생애를 저주하면서 드린 질문입니다. "왜 비참한 사람들에게 빛을 주시고 고통스러워하는 영혼에게 생명을 주시는가?" 비참한 영혼들은 그냥 죽게 하시지 어둠 속에 왜 빛을 주셔서 아침을 맞이하게 하느냐는 것입니다. "내게 무슨 힘이 남아 있어 소망이 있겠는가? 내가 결국 어떻게 되길래 살아야 하는가?" 삶을 비관하는 질문입니다. "오, 사람을 감시하는 분이여, 내가 죄를 지었다 해도 그것이 주께 무슨 일이 되겠습니까? 주께서 왜 나를 과녁으로 삼으셔서 내가 내 자신에게 짐이 되게 하십니까?" 사는 것이 그냥 짐이라는 것입니다. "하나님, 왜 나를 살려 두십니까?"라고 계속 질문합니다.

흥미로운 것은 이렇게 많은 욥의 질문에 하나님이 일일이 대답하셨을 거라고 생각합니까? 하나도 대답하시지 않았습니다. 그 질문에 하나도 대답하시지 않았습니다.

하나님이 폭풍 가운데 임하셨을 때, 하나님은 욥의 질문에 대답하신 것이 아니라 그분의 질문이 쏟아져 나옵니다. 욥기 38장 41장까지 4개의 장이 모두 하나님의 대답입니다. 우리말성경으로 보면서 일일이 세어 봤습니다. 95개의 질문이 나옵니다. 혹시 실수로 잘못 세었을지도 모르지만, 제가 세어 본 바로는 95개의 질문이 4개의 장에 걸쳐 쏟아져 나옵니다. 뭐라고 질문하시는지 알고 있습니까?

"내가 땅의 기초를 놓을 때 네가 어디 있었느냐? 천지가 창조되었을 때 네가 보았느냐? 빛의 근원지로 가는 길이 어디냐? 번개가 내려가는 길을 네가 아느냐? 어둠이 있는 자리는 어디냐? 네가 번개를 보내 번개가 가면서 '우리가 여기 있다'고 말하게 할 수 있느냐? 까마귀 새끼들이 하나님께 부르짖고 먹이가 없어 돌아다닐 때 누가 그 까마귀를 위해 먹이를 주겠느냐? 네가 내 판결을 무너뜨리겠느냐? 네가 나를 비난해서 의롭게 되려느냐? 네게 하나님같이 우레 같은 음성이 있느냐?"

한 절도 빠지지 않고 계속해서 하나님은 질문을 던지십니다. 어떤 의도가 있는 것일까요? 욥의 질문에 대답할 수 없어 그런 것일까요? 아닙니다. 하나님이 욥의 질문에 대답해 줘도 그는 알아듣지 못합니다. 이해하지 못합니다. 왜 고난당하는지 그 이유를 설명해 주면 깨달을 것 같지만 연속되는 인생의 고난과 아픔에는 우리가 다 이해할 수 없는 하나님의 신비스러운 섭리가 있고, 하나님의 주권이 있고, 하나님의 권세 하에 우리가 있는 것입니다. 하나님은 욥에게 "너의 질문에 내가 대답할 것을 기대하지 말고 나의 질문을 네가 생각해 봐라. 그러면 네 인생의 해답이 해결될 것이다"라고 말씀했습니다.

예수님의 질문에 정직하게 대답하라

우리 인생의 해답은 우리가 만들어 낸 질문에 하나님이 응답하시기를 기다리기보다는, 그분의 질문에 우리가 응답해 가며 해결되는 것이 많습니다. 왜냐하면 질문 자체가 말이 안 되기 때문입니다. 인생을 비관하며 질문을 던진 욥에게 질문으로 대답하신 하나님. 결국 욥은 하나님의 질문을 들으면서 회개합니다. 뭐라고 고백합니까? 욥기 42편에 보면 "내가 알지도 못하는 일들을 말하고 너무 기이해서 알 수 없는 일들을 내가 내뱉었습니다. 내가 스스로 한탄하며 티끌과 재를 뒤집어쓰고 회개합니다"라고 고백합니다. 그러고 나서 욥의 회복이 시작됩니다.

우리 인생의 회복을 가져오는 길이 여기 있습니다. 수많은 질문을 하나님 앞에 쏟아 내면서 "하나님 대답하십시오"라고 말하는 것이 아니라 하나님이 우리에게 던지시는 질문을 듣고 질문에 응답해 가면 회복의 길이 빨라질 줄로 믿습니다.

예수님도 그분의 권세를 모르고 대적하는 그들에게 질문으로 대답하셨습니다. 그들을 단지 곤란하게 할 목적으로, 무너뜨릴 목적으로 질문하신 것이 아닙니다. 그런 목적이었으면 차라리 무시하고 침묵하셨을 것입니다. 만약 그들이 예수님의 질문에 정직하게 대답하고 진실하게 대답했다면 진리를 깨닫고 그분을 받아들일 수 있었을 것입니다. "요한의 세례가 하늘로부터 왔느냐, 사람으로부터 왔느냐?" 대답이 분명한 질문이었습니다. 모든 사람이 다 알고 있는 질문이었습니다.

마가복음 1장에서 온 유대 사람들이 세례자 요한에게 나와서 세례를 받았던 이유는 무엇입니까? 세례자 요한의 모든 사역은 하나님께로부터 온 것이라는 사실을 알았기 때문입니다. 요한이 하나님이 보내신 선지자라는 것을 부인할 수 있는 사람은 아무도 없었습니다. 하지만 그들은 로마의 권세자들에 의해 세례자 요한의 목이 잘릴 때 침묵했습니다. 그들은 하나님께로부터 온 선지자가 죽임당하는 것을 방임했습니다. 자신들의 지위를 위해서, 자신들의 권세를 지키기 위해서 말입니다. 모든 사람이 그것을 알고 있었습니다.

만약 그들이 요한의 세례가 하나님께로부터 왔다고 대답했다면 왜 하나님께로부터 온 선지자가 죽임을 당하도록 방치했느냐, 왜 요한을 믿고 따르지 않았느냐는 책망을 받았을 것입니다.

만약 사람에게서 왔다고 대답한다면 요한이 분명 하나님께로부터 온 선지자라고 믿는 대중들로부터 버림받을까 봐 두려웠던 것입니다.

[그들은 자기들끼리 의논하며 말했습니다. "만약 우리가 '하늘로부터 왔다'라고 하면 저 사람이 '그러면 왜 요한을 믿지 않았느냐?' 할 것이다. 그렇다고 해서 '사람으로부터 왔다'라고 할 수도 없지 않은가?" 많은 사람들이 요한을 진정한 예언자로 믿고 있었기 때문에 그들은 백성들이 두려웠던 것입니다.(막 11:31-32)]

그들은 예수님의 질문에 정직하게 대답하지 못했습니다. 왜 그랬습니까? 세례자 요한은 이렇게 예수님을 소개했습니다.

"나는 너희에게 물로 세례를 주지만 내 뒤에 오시는 이는 성령과 불로 세례를 줄 것이다. 나는 그분의 신발끈도 풀 자격이 없다. 보라 세상 죄를 지고 가는 하나님의 어린 양이다!"

세례자 요한이 분명히 예수님을 메시아로 증거 했기 때문에 요한의 세례를 인정한다고 정직하게 대답했다면, 그들은 예수님의 권세를 인정해야만 하는 것입니다. 하지만 그들은 알면서도 서로 의논했습니다. 왜 의논했겠습니까? 그것은 정답을 몰라서 의논한 것이 아니라 어떻게 하면 정답을 말하지 않고 빠져 나갈 수 있는지 의논한 것입니다. 그래서 그들이 내린 결론은 무엇입니까? "우리는 이렇게 답하기로 결정합시다. 잘 모르겠다고 말입니다." 이는 불가지론자의 대답입니다. 비겁하고 정직하지 못하고 진실하지 못한 대답입니다. 정답을 알면서도 그들은 정답을 회피했습니다. 왜 그랬습니까? 자신들의 권세를 지키기 위해서였습니다.

[그래서 그들은 예수께 "잘 모르겠소"라고 대답했습니다. 예수께서 말씀하셨습

니다. "그렇다면 나도 무슨 권세로 이런 일을 하는지 너희에게 말하지 않겠다."(막 11:33)]

그들은 회복할 수 있는 길을 놓쳐 버렸습니다. 예수님은 십자가에 못 박혀 돌아가시기 전 그들을 마지막으로 전도하신 것입니다. "요한의 세례가 하늘로부터 왔느냐, 사람으로부터 왔느냐?"라는 질문에 정직하게 대답했다면 그들은 예수님의 권위를 인정하는 길로 나아갔을 것입니다.

예수님의 질문에 정직하게 대답하면 우리 영혼이 살아나고 하나님과의 관계가 회복됩니다. 하지만 예수님의 명백한 질문 앞에 "잘 모르겠다"라고 대답하면 하나님도 우리 질문에 대답하시지 않습니다. 하나님의 대답을 얻기 원합니까? 하나님의 질문에 먼저 대답해야 합니다. 이는 우리 기도에 하나님의 응답이 없는 이유는 하나님의 기도에 응답하지 않았기 때문이라는 말과 연결되어 있습니다.

왜 우리가 하나님께 던지는 많은 질문에 그분의 응답이 없습니까? 하나님은 "나의 질문에 먼저 대답해 보라. 그러면 그것이 곧 응답이다"라고 말씀합니다. 이 세상은 권세 다툼으로 가득 차 있습니다. 누구의 권세가 더 큰 권세인가 확인하고자 합니다. 심지어 하나님 앞에서 자신의 권세를 내세우기도 합니다. 자신이 원하는 길이 열리지 않을 때 하나님 앞에서 질문하고 따집니다.

우리는 하나님의 질문에 날마다 대답해야 합니다. 하나님의 주권을 인정하고, 하나님의 권세를 인정하고, 하나님의 섭리하심 앞에 우리 삶을 내려놓고 말씀을 통해 주시는 수많은 하나님의 질문에 정직하고 진실하게 응답해 가면 풀리지 않던 인생의 질문들이 하나씩 하나씩 풀리게 될 것입니다. 욥처럼 회복되는 역사도 있을 것입니다. 우리가 해결할 수 없는 인생의 많은 문제도 하나님의 권세로, 하나님의 섭리하심으로 해결되는 응답을 얻게 될 것입니다.

Pray

하나님, 우리가 세상의 권세를 추구하고, 세상의 권세에 눌리는 삶을 살지 않도록 인도하여 주옵소서. 그러나 이 세상 만물을 지으시고 주관하시는 하나님의 권세에는 철저히 엎드리는 삶 살게 하옵소서. 예수님 이름으로 기도합니다. 아멘.

막 12:1-12

¹예수께서 그들에게 비유를 들어 말씀하기 시작하셨습니다. "어떤 사람이 포도원을 하나 만들어 울타리를 치고 땅을 파서 포도즙 짜는 틀 자리를 만들고 망대를 세웠다. 그러고는 어떤 농부들에게 포도원을 세주고 멀리 떠났다. ²수확할 때가 되자 주인은 포도원에서 난 소출 가운데 얼마를 받아 오라고 종을 농부들에게 보냈다. ³그런데 그들은 그 종을 잡아다가 때리고는 빈손으로 돌려보냈다. ⁴그러자 주인은 그들에게 다른 종을 보냈다. 그러나 그들은 그 종의 머리를 때리고 모욕했다. ⁵주인은 또 다른 종을 보냈지만 그들은 그 종을 죽여 버렸다. 그리고 나서도 주인은 계속해서 다른 종들을 많이 보냈는데 농부들은 그 종들을 때리고 더러는 죽이기도 했다. ⁶주인에게는 이제 단 한 사람, 바로 사랑하는 자기 아들이 남아 있었다. 그는 마지막으로 아들을 보내면서 '그들이 내 아들은 존중하겠지'라고 말했다. ⁷그러나 농부들은 자기들끼리 수군거렸다. '이 사람은 상속자다. 가서 그를 죽이자. 그러면 그 유산은 우리 차지가 될 것이다.' ⁸그리하여 농부들은 아들을 데려다가 죽이고 포도원 밖으로 내던져 버렸다. ⁹이렇게 되면 포도원 주인이 어떻게 하겠느냐? 그가 와서 그 농부들을 죽이고 다른 사람들에게 포도원을 줄 것이다. ¹⁰너희는 성경에서 이런 말씀을 읽어 보지 못했느냐? '건축자들이 버린 돌이 집 모퉁이의 머릿돌이 됐다. ¹¹주께서 이렇게 하셨으니 우리 눈에 놀랍게 보일 뿐이다.'"
¹²그러자 그들은 예수께서 말씀하신 이 비유가 자기들을 가리켜 말씀하시는 것임을 알아차리고 예수를 체포할 방도를 모색했습니다. 그러나 백성들을 두려워해 예수를 그대로 두고 가 버렸습니다.

버려진 돌이
머릿돌이 되다

인내란 무엇입니까? 정의보다 사랑이 앞설 때 인내할 수 있습니다.
하나님은 언제나 사랑이 앞서기에 인내하십니다. 기다리십니다.
그리고 오래 참으십니다. 사랑은 오래 참는 것입니다. 사랑은 모든 것을 견디는 것입니다.
정의가 무엇인지, 보복할 수 없어서가 아니라 사랑이 앞서기 때문에 참고 인내하시는 것입니다.

성경에 나오는 예수님의 비유는 악한 포도원 농부의 비유로 일컬어집니다. 1절에서 예수님이 그들에게 비유를 들어 말씀했다고 하는데, 그들은 누구겠습니까? 바로 예수께 누구의 권세, 무슨 권세로 이런 일을 하느냐고 공격하고 질문했던 대제사장들과 율법학자들, 장로들입니다.

예수님은 그들에게 질문으로 대답하심으로써 그들의 죄를 깨우쳐 주셨는데, 거기서 그치지 않고 그들에게 비유까지 들어 말씀해 주셨습니다. 이것은 예수님이 그들도 사랑하신다는 증거입니다. 그들도 변화되기를 원하는 하나님의 마음을 보여 주신 것입니다. 예수님은 이 비유를 통해 진실을 가르쳐 주기를 원하셨습니다. 그들의 모습을 보여 주기 원하셨습니다. 그리고 그들이 변화되기를 기대하셨습니다.

이 비유의 내용을 보면 슬픕니다. 왜냐하면 여기에는 배신이 나옵니다. 폭력이 나옵니다. 그리고 살인까지 등장합니다. 무자비한 폭력과 살인이 등장하기에 우리 마음에 두려움과 무서움이 찾아드는 비유입니다.

예수님의 비유 중에서 자연을 소재로 한 비유가 참 많습니다. 식물, 나무, 동물 등 자연을 소재로 한 비유는 대개 좋은 것들, 선한 것들입니다. 그런데 인간을 중심으로 한 비유는 한결같이 긴장감이 돌고 갈등이 있고 아픔이 있고 폭력이 있습니다. 이것은 인간의 죄악 때문에 역사의 현실이 그처럼 비참하다는 증거입니다.

포도원 농부를 통해 인내를 말씀하시다

이 비유에서 가장 이해되지 않는 부분이 있습니다. 바로 포도원 주인의 태도입니다. 자신이 보낸 종들이 계속해서 희생당함에도 주인은 끊임없이 종들을 보냅니다. 포도원 주인이 세를 준 농부들, 소작농들에게 소출을 요구하는 것은 지극히 정당한 것입니다. 당연한 것입니다.

그 당연한 요구를 무시하고, 주인의 신임을 배신하고, 폭력과 살인으로 주인이 보낸 종들을 제거하는 악한 농부에 대해 이상하게도 주인은 바로 조치를 취하지 않습니다. 계속해서 종들을 보낼 뿐입니다. 그리고 가장 이해하기 힘든 것은 보내지 않아도 되는 아들까지 악한 농부들에게 보냈다는 것입니다.

이 비유에 나타난 주인은 힘이 없고 연약해 보입니다. 어리석어 보이기까지 합니다. 힘이 없고 패배자처럼 보이기도 합니다. 종들이 희생당했으면 바로 조치를 취했어야지, 첫 번째 종이 빈손으로 모욕을 받고 돌아왔으면 곧바로 조치를 취했어야지 정당한 일이 아닙니까? 왜 바보처럼 이렇게 계속 당하고만 있는 것입니까? 우리는 이 비유를 읽으면서 포도원 주인이 하나님을 비유하고 있다는 것을 어렵지 않게 알 수 있습니다. 포도원 주인의 이해할 수 없는 이러한 대응은 악한 인간들을 사랑하시며 인내하시는 하나님의 사랑을 보여 줍니다.

이 주인은 왜 이렇게까지 인내합니까? 왜 바로 복수하지 않고, 보복하지 않고, 대응하지 않고 바보처럼 당하고 있느냐 하는 생각이 드는 이유는 우리가 보복적인 사회에 익숙해져 있기 때문입니다. 우리의 마음속에도 보복하고자 하는 마음이 가득 차 있기 때문입니다. 그것은 정의를 추구하는 것일 수도 있습니다. 정당한 보복일 수도 있습니다. 하지만 우리의 모습을 보면 때로 사랑 없는 정의를 추구하기도 합니다. 어쩌면 대부분의 정의는 사랑이 없는 정의일 수 있습니다. 정의라는 기준에서만 보면 이 주인의 행동은 너무나 바보스러운 행동입니다.

이 사회에서는 보복은 자연법칙처럼 여겨집니다. 자신에게 조금이라도 손해를 끼치는 사람에 대해서는 참고 인내하지 못합니다. 이웃집에서 조금만 큰 소리가 들려 와도 곧바로 항의합니다. 운전 중에 갑자기 끼어드는 차를 보면 화가 납니다.

창문을 열고 한 마디 하고 싶습니다. 큰 싸움이 될까 봐 말하지 못하지만 째려보기라도 합니다. 경적을 울리기도 합니다. 보복입니다.

미국에서 유학할 때 여러 가정이 모여 사는 기숙사에 살았습니다. 몇 개월 혼자 있을 때가 있었는데 요리할 일이 거의 없었습니다. 그런데 환풍구 배기팬이 가정마다 연결되어 있었나 봅니다. 식사 때만 되면 이웃에 사는 인도 가정의 소스 냄새 같은데, 그 감당하기 어려운 소스 냄새가 방 안으로 들어오는 것이었습니다. 그래서 식사 시간만 되면 보복의 충동이 일어났습니다. 우리나라 음식 중에서 가장 냄새가 나는 것이 청국장인데, 인도 사람들에게 이 청국장 맛을 보여 줘야겠다는 보복 충동이 끊임없이 일어났습니다. 그때 신학교에서 공부하고 있는 목사였는데 말입니다.

우리가 사는 이 세상은 인내하는 사회가 아닙니다. 언제나 사랑보다는 정의가 앞섭니다. 정의는 중요한 것입니다. 정의는 옳은 것입니다. 정의로운 사회가 되어야 합니다. 그러나 하나님은 언제나 정의보다 사랑이 앞서셨습니다. 하나님이 정의로운 분이 아니라서가 아니라 언제나 사랑이 앞서는 분이기 때문에 때로는 정의롭지 못한 것처럼 보일 수도 있습니다.

이 주인은 얼마나 정의롭지 못합니까? 종들이 희생당하는데도 가만히 있는 것처럼 보입니다. 이 주인은 왜 가만히 있었습니까? 왜 바로 보복하지 않았습니까? 이 주인은 정의보다 사랑이 앞서는 주인이었기 때문입니다. 인내란 무엇입니까? 정의보다 사랑이 앞설 때 인내할 수 있습니다.

하나님은 언제나 사랑이 앞서기에 인내하십니다. 기다리십니다. 그리고 오래 참으십니다. 사랑은 오래 참는 것입니다. 사랑은 모든 것을 견디는 것입니다. 정의가 무엇인지 몰라서, 보복할 수 없어서가 아니라 사랑이 앞서기 때문에 참고 인내하시는 것입니다.

누군가 하나님의 심판을 받고 징벌을 받았다면, 그것은 그 사람이 범한 잘못으로 말미암아 곧바로 징벌이 이루어진 것이 아닙니다. 하나님의 징벌은 언제나 오랜 인내의 기간이 있다는 것을 기억해야 합니다. 하나님의 벌을 받았다면 그분이 이전에 오랫동안 인내하셨다는 것을 알아야 합니다.

노아의 홍수 사건을 예로 들겠습니다. 홍수의 심판이 일어났을 때 노아의 당대에 하나님이 심판할 것이니 방주를 준비하라 말씀하시고 곧바로 심판하시지 않았습니다. 창세기 5장을 면밀히 살펴보면 하나님은 심판이 있으리라는 예고를 이미 에녹 시대부터 주셨습니다. 유다서에 보면 에녹이 하나님의 심판을 당대 사람에게 예언했다는 기록이 나옵니다. 에녹은 어떻게 300년 동안 하나님과 동행했을까요? 그는 하나님의 심판이 있으리라는 것을 알고 그분과 동행했다는 것입니다. 아마도 에녹은 그 자손들에게 하나님의 심판이 올 것을 틀림없이 가르쳤을 것입니다.

그의 후손인 노아 시대에 하나님은 방주를 준비하라고 하셨고, 이 말씀에 순종해 노아는 방주를 준비했습니다. 홍수 심판은 그 당대의 심판으로 바로 보응된 것이 아닙니다. 1,000년 이상 하나님의 인내와 사랑과 용서의 기간이 있은 이후에 주어진 심판입니다. 하나님의 심판은 언제나 사랑과 인내의 기간이 있고 난 이후에 주어졌습니다.

[그러나 사랑하는 사람들이여, 이 한 가지를 잊지 마십시오. 주께는 하루가 1,000년 같고 1,000년이 하루 같습니다. 약속하신 주께서는 어떤 사람들이 더디다고 생각하는 것처럼 더딘 분이 아닙니다. 오히려 여러분을 위해 아무도 멸망하지 않고 모두 회개에 이르기를 바라십니다.(벧후 3:8-9)]

여기 하나님의 독특한 시간 계산법이 나옵니다. 하루가 천년 같고 천년이 하루 같습니다. 하나님의 시간 계산법에 대입하면 현재 우리가 살고 있는 이 시간은 예수님이 승천하시고 이틀이 조금 지난 것이 됩니다. 베드로후서가 기록될 당시 예수님이 승천하신 지 몇 십 년도 되지 않았던 그때 많은 사람들이 질문했습니다. "다시 오신다고 했는데, 왜 예수님은 오시지 않는 거지? 예수님의 약속이 거짓말이 아니냐"라고 하며 항의했습니다. 이런 사람들에게 말씀을 주신 것입니다.

오래 참고 인내한 포도원 주인

하나님의 약속은 더딘 것이 아니라 오래 참으시는 것입니다. 만약 하나님이 최후의 심판을 하루만 연기해 주신다면 어떻게 됩니까? '에이, 하루만 더 참자'라고 하면 우리에게는 천년이라는 기간이 허락될 수도 있다는 것입니다. 문자적으로 1000년이 아니라 그렇게 천년을 하루처럼 인내하시는 하나님 사랑의 인내가 우리에게 주어졌다는 것입니다.

만약 우리가 이 말씀을 읽으면서 드는 생각대로, 맨 처음 보낸 종이 매 맞고 돌아왔을 때 바로 보복해야지 왜 아무런 행동도 취하지 않느냐는 마음을 하나님이 가지셨다면 우리가 행한 악행, 하나님에 대한 배신, 하나님에 대한 모욕, 하나님에 대한 불순종이 있을 때마다 우리를 징벌하셨다면 어떻게 되었겠습니까?

살아남지 못합니다. 어느 누구도 살아남지 못합니다. 우리 모두가 다 살아남을 수 없는 존재들입니다. 따라서 하나님이 지금 우리에 대해서도 포도원 주인이 악한 농부들에 대하여 오래 참고 인내하는 것처럼 동일하게 인내하고 계시다는 것을 알아야 합니다. 그런데 사람들은 하나님의 이런 인내를 이용합니다. 하나님이 우리에 대해 오래 참고 인내할수록 더욱 담대하게 악을 행합니다. 하나님의 인내를 이용하는 것입니다. 다음 말씀을 개역개정 번역으로 읽어 보겠습니다.

[악한 일에 관한 징벌이 속히 실행되지 아니하므로 인생들이 악을 행하는 데에 마음이 담대하도다.(전 8:11)]

사람들이 왜 담대하게 악을 행합니까? 악한 일에 하나님이 징벌을 속히 행하시지 않기 때문에, 징벌할 능력이 없어서가 아니라 그분 자신이 사랑이시기 때문에, 공의로우시지만 언제나 공의보다 사랑이 앞서는 분이시기 때문에, 오래 인내하시기 때문에 사람들은 '하나님은 나를 처벌할 능력이 없을 거야'라는 생각으로 악을 담대히 행하고 있다는 것입니다.

성경에 나온 악한 농부들이 그랬습니다. 하고 싶은 대로 악하게 행동했습니다. 주인이 아무 반응을 하지 않자 멀리 있는 주인이 올 수도 없고, 우리에게 대응할 능력도 없다고 생각한 채 끊임없이 악을 행하고 마지막에는 주인의 아들까지 죽였습니다. 왜 이 주인은 아들까지 보냈을까요? '아들은 존중할 것이다'라는 생각 때문이었습니다.

하나님은 그 아들 예수 그리스도를 이 땅에 보내셨습니다. 왜 아들까지 보내셨습니까? 이해할 수 없는 상상을 초월하는 하나님의 사랑 때문입니다. 미국에 간 지 몇 달 되지 않아서 아들이 급성신장염으로 소변색이 콜라색이 될 정도로 신장이 망가졌습니다. 상황이 너무 다급해서 한국 병원에 와서 치료를 받게 되었습니다. 혼자 미국에 남아 있으면서 많이 걱정했습니다. 기도하기는 했지만, 염려한 것도 사실입니다.

그때 갑자기 이런 질문이 떠올랐습니다. '만일 아들이 더 어려운 지경에 이른다면 어떻게 할 것인가? 만약 내가 죽어서 아들을 살릴 수 있다면 나는 어떤 결정을 내릴 것인가?' 이런 질문을 마음속으로 한 것입니다. 제가 어떤 대답을 내렸을까요? '나라도 살아야지……'라는 결정을 내렸을까요? 만약 당신이라면 어떤 결정을 내렸을 것 같습니까? 아들이 병에 걸렸는데 자신의 죽음으로 자녀를 살릴 수 있다면 어떤 결정을 내리겠습니까?

이 질문에 대답하는 데 몇 초도 걸리지 않았습니다. 이런 질문에 40일 특별새벽기도를 해야만 응답을 얻는 것이 아닙니다. 이 질문이 주어짐과 동시에 '당연히 내가 죽어야지, 당연히 내가 죽고 아들을 살려야지'라는 결정을 내렸습니다. 조금의 갈등도 없었습니다. 제가 훌륭한 사람이어서가 아니라 정상적인 부모라면 자신의 죽음을 대신해 자녀를 살릴 것입니다. 당신이라면 어떻게 하겠습니까? 너무나 당연히 같은 의견일 겁니다.

그때 깨달은 것이 있습니다. 하나님이 그 아들을 보내셨다는 것은 하나님 그 자신을 주신 것보다 더 큰 사랑을 주신 것입니다. 자신이 기꺼이 죽어 아들을 살린다면 그 아들은 저보다 더 중요한 존재가 아니겠습니까? 저도 중요한 존재가 아닙니까? 그런데 제가 기꺼이 죽을 수 있는 자녀가 있다면 제 아들은 제 자신보다 훨씬 더 중요한 존재입니다. 하나님이 그 아들을 보내 주셨다는 것은 이처럼 그분 자신을 주신 것보다 훨씬 더 소중한 존재를 보내 주신 것입니다.

이보다 더 큰 사랑은 없습니다. 이것은 최고의 사랑이요, 궁극적인 사랑이요, 모든 것 위에 모든 것을 주신 사랑입니다. 자신의 모든 것 위에 모든 것이었습니다. 이것은 바로 자녀입니다. 우리의 모든 것은 우리 자신이지만, 그 모든 것보다 더 중요한 것은 우리의 자녀입니다. 그러므로 자녀를 준 사랑, 아들을 준 사랑은 최고 위에 최고의 사랑을 주신 것입니다.

악한 농부들이 주인의 아들까지 죽였을 때, 주인은 무력하게 패배한 것처럼 보였습니다. 하나님의 아들 예수께서 십자가에 죽으셨을 때 온 세상의 권세를 가진 하나님이 실패하신 것처럼 보였습니다. 하지만 그 실패는 무능력해서 일어난 실패가 아닙니다. 정의를 행하지 못해 실패한 것이 아닙니다. 사랑 때문에 실패한 것처럼 보일 뿐입니다.

이런 말이 있습니다. "사랑이 가장 많은 사람이 패배자가 된다." 가정에서 누가 가장 참습니까? 누가 가장 잘 양보합니까? 사랑이 가장 많은 사람이 패배자가 되는 것입니다. 하지만 그 패배는 비참한 패배가 아닙니다. 굴욕적인 패배가 아닙니다. 왜냐하면 그것으로 끝나지 않기 때문입니다.

인간의 역사는 이렇게 하나님의 권세를 거부한 역사입니다. 인간의 타락이란 하나님이 주시는 그런 권세를 인간의 권세로 대체하려는 것입니다. 구원이란 무엇입니까? 우리 삶에 하나님의 권세를 구하는 것이 구원입니다. 인간은 이 비유에 등장하는 대로 소작농, 농부일 뿐입니다. 하나님이 맡겨 주신 포도원에서 일정한 소출, 일정한 열매를 하나님 앞에 드려야 하는 청지기일 뿐입니다. 그러므로 인간의 마음속에는 근본적으로 이 책임감이 있습니다. 어떤 도덕적인 의무감이 있습니다. 철학자들은 인간에게 있는 도덕률, 모든 인간에게 있는 양심과 책임이 어디서 오는 것인지를 고민합니다.

이것은 책임을 맡긴 분이 있기 때문에 생긴 것입니다. 인간에게 있는 도덕적 의무감은 책임을 맡기신 하나님이 계시기 때문에, 인간이 청지기이기 때문에, 인간이 포도원의 농부이기 때문에 주어진 것입니다. 하지만 인간은 주인을 모욕했습니다. 우연한 모욕이 아니라 계획적인 모욕입니다. 모욕을 넘어 배신이요, 도둑질이요, 악한 반역이었습니다. 주인의 넓은 마음, 오래 참는 인내, 그 끝없는 사랑을 이용해 오히려 권세를 차지하려고 했던 것입니다. 인간은 스스로 포도원의 주인이 되려고 했던 것입니다. 스스로 자기 생명의 주인이 되고, 이 세상의 주인이 되려고 했던 것입니다. 이것이 구약에는 바벨탑으로 나타났습니다.

하나님 인내의 한계점, 십자가

예수님의 십자가는 인간들이 하나님을 향해 가한 최고의 모욕입니다. 최고의 아들을 죽임으로써 세상의 주인이 되려고 했던 것입니다. 반대로 하나님이 아들을 주신 사랑은 최고 위에 최고의 사랑입니다. 더 이상의 사랑은 존재하지 않습니다. 그 아들을 주신 사랑마저 거부한다면, 이제는 공의밖에 남지 않습니다. 하나님이 사용할 수 있는 모든 사랑을 주셨다면 이제 남아 있는 것은 그분의 공의와 정의와 심판밖에 없습니다.

많은 사람들은 예수님을 믿지 않으면 심판을 받게 된다는 말에 기분 나빠합니다. 그 뒤(behind)를 모르기 때문입니다. 그 뒤에 하나님이 얼마나 인내하셨고 얼마나 사랑하셨고 얼마나 오래 참으셨는지 모르기 때문에, 얼마나 큰 사랑, 즉 최고의 사랑을 주셨는지 알지 못하기 때문에 "예수님을 안 믿으면 지옥 간다고"라며 기분 나빠하는 겁니다. 이는 자신의 현실을 모르는 것입니다. 얼마나 인간이 하나님에게 모욕을 가했고, 하나님을 무시했고, 스스로 하나님의 권세를 차지하려고 했는지 알지 못하기 때문입니다. 따라서 하나님의 아들을 이 세상에 보내신 희생은 인내의 한계점입니다. 아들까지 죽였을 때 주인은 더 이상 인내할 수가 없었습니다.

인내의 한계점은 이제 그리스도의 십자가를 받아들이느냐 받아들이지 않느냐 하는 것입니다. 이제 십자가는 우리에게 선포된 하나님의 마지막 카드입니다. 하나님 사랑의 마지막 표현입니다. 이 사랑을 받아들이지 않으면 하나님의 인내는 더 이상 허용되지 않습니다. 하나님 인내의 한계점이 바로 십자가인 것입니다.

이 예수님의 권세가 무슨 권세냐고 질문하던 지도자들은 예수님이 하나님의 아들이심을 알았습니다. 그럼에도 예수님을 죽이려고 계획을 세웠습니다. 그리고 십자가에 못 박았습니다. 예수님의 이 비유가 시나리오처럼 그대로 이루어지지 않았습니까? 자신들의 모습을 보여 주었음에도 자신들의 모습을 감추고 스스로를 속이고 하나님의 아들을 못 박은 악한 농부들입니다.

오늘 이 시대에 우리가 그리스도 십자가의 사랑, 자기보다도 더 소중한 아들을 내어 주신 그 사랑을 받아들이지 않는다면 하나님의 진노를 받을 수밖에 없습니다. "아들을 모신 사람은 생명이 있고 하나님의 아들을 모시지 않는 사람은 생명이 없습니다." 그 아들 예수 그리스도를 믿지 않는 그 자체가 하나님의 심판이 되는 이유가 바로 여기 있습니다.

주인의 아들이 죽임을 당했지만, 그것으로 끝나지 않았습니다. 십자가로 끝나지 않았습니다. 십자가로 끝났다면 이 이야기는 비극일 것입니다. 성경을 보면 슬픈 비극처럼 보이는 이야기가 갑자기 희극으로 변합니다.

["너희는 성경에서 이런 말씀을 읽어 보지 못했느냐? '건축자들이 버린 돌이 집 모퉁이의 머릿돌이 됐다. 주께서 이렇게 하셨으니 우리 눈에 놀랍게 보일 뿐이다.'"(막 12:10-11)]

우리 눈에 놀라운 일이 일어났습니다. 그것은 건축자들이 버린 돌이 집 모퉁이의 머릿돌이 되는 사건이 일어났다는 것입니다. 이것은 바로 그 당시의 종교지도자들과 백성들이 하나님의 아들 예수 그리스도를 버리고, 버린 돌처럼 되어 버린 예수 그리스도께서 영문 밖에서 십자가에 못 박혀 버려진 돌과 같이 버려졌다가 다시 살아나심으로써 교회의 머리가 되시고 집 모퉁이의 머릿돌이 되셨다는 것입니다.

포도원 이야기를 하다가 갑자기 돌 이야기가 나와서 이것이 충돌되는 것처럼 보입니다. 하지만 발음상으로 아들이 '벤'이고, 돌은 '에벤'입니다. 발음상의 연결성이 있습니다. 그보다 더 중요한 것이 무엇이냐 하면 유월절만 되면 이스라엘 백성들은 시편 118편 22절, 예수님이 인용하신 이 말씀을 암송했습니다. "건축자들이 버린 돌이 집 모퉁이의 머릿돌이 됐다." 다윗의 인생 고백에서 그는 광야의 도망자로 살다가 왕이 되는 순간 이런 고백을 했습니다. "건축자의 버린 돌이 모퉁이의 머릿돌이 됐습니다." 이것은 예수님의 십자가와 부활을 가장 잘 설명하는 말씀입니다.

그 당시 사람들은 예수 그리스도 하나님의 아들을 버린 돌처럼 버렸지만 죽음 가운데 부활의 능력으로 다시 살아나신 예수님은 건축자의 머릿돌이 되셨다는 것입니다. 예수님은 이 비유를 통해 자기 자신을 정확하게 소개하고 계십니다. 예수님은 자신을 사랑하는 아들이라고 표현하셨습니다. 미워하는 아들일지라도 누군가에게 죽임당하면 분노가 일지 않겠습니까? 그런데 그분은 바로 하나님의 사랑하는 아들이었습니다.

하나님의 사랑하는 아들이 십자가에 못 박혀 죽었다면 더 이상의 인내는 없습니다. 심판밖에 남아 있지 않습니다. 그 사랑을 받아들이지 않는다면 하나님의 인내는 더 이상 허용되지 않습니다. 예수님은 사랑하시는 그 아들이 버려진 돌처럼 십자가에 못 박혀 돌아가실 것을 알고 계셨으며, 이를 예언하셨습니다. 게다가 자신이 모퉁이의 머릿돌이 되는 역사처럼 부활하셔서 교회의 머리가 되시고, 온 세상의 주님이 되신다는 것을 미리 알고 예언하셨습니다.

이제 우리가 드려야 할 질문은 무엇입니까? 예수님은 비유 가운데 이런 질문을 주셨습니다. "이렇게 되면 포도원 주인이 어떻게 하겠느냐?" 이렇게 되면, 아들까지 받아들이지 않으면, 아들까지 못 박아 죽였다면 어떻게 되겠느냐 하는 질문을 하신 것입니다.

그 아들까지 주신 사랑을 받아들이지 않으면 어떻게 되겠습니까? 그렇게 되면 심판밖에 남아 있지 않습니다. 마음을 다한 하나님의 인내와 하나님의 사랑을 받아들이지 않으면 예수 그리스도를 어떻게 받아들이느냐 하는 것이 영원한 생명을 결정 짓게 됩니다. 이제는 영원한 진노만이 남아 있을 수밖에 없습니다. 이렇게 분명한 진리를 보여 주고 있음에도 이 말씀을 들은 종교지도자들은 어떻게 반응했습니까?

[그러자 그들은 예수께서 말씀하신 이 비유가 자기들을 가리켜 말씀하시는 것임을 알아차리고 예수를 체포할 방도를 모색했습니다. 그러나 백성들을 두려워해 예수를 그대로 두고 가 버렸습니다.(막 12:12)]

이 비유가 자기들을 가르치기 위한 것임을 알았다면 어떻게 해야 합니까? 뉘우치고 회개해야 하지 않겠습니까? 하지만 그들은 마치 이 시나리오처럼 그 아들까지 십자가에 못 박아 죽였습니다.

이 말씀을 통해 결론적으로 우리 마음속에 어떤 진리를 적용해야 합니까? 하나님의 사랑은 언제나 정의보다 앞선다는 것입니다. 따라서 하나님의 자녀들도 정의롭게 살아야 합니다. 자기 일에서도 다른 사람에 대해서도 정의로워야 합니다. 하지만 정의보다도 사랑이 앞서야 합니다. 이것은 형법을 집행할 때, 법원에서 법을 집행할 때 그래야 한다는 것이 아닙니다.

우리의 인간관계 속에서, 보복이 자연스럽게 된 이 사회 속에서 정의보다 언제나 사랑을 앞세우는 크리스천이 되어야 합니다. 인내하는 우리가 되기를 바랍니다. 하나님이 우리를 그렇게 인내하셨다면 우리도 사랑의 마음으로 인내해야 합니다.

하나님의 사랑이 가진 인내의 한계는 십자가였습니다. 이 십자가를 받아들이지 않을 때, 이 사랑을 받아들이지 않을 때 더 이상의 인내는 허용되지 않습니다. 따라서 그리스도를 받아들이는 것은 대단히 중요한 일입니다. 그리스도와 십자가를 받아들이지 않을 때 하나님의 진노와 심판이 기다리고 있습니다. 믿지 않는 사람들에 대해 사랑을 갖고 인내함으로써 그리스도 앞으로 인도해 그들도 우리처럼 아들까지 주신 사랑을 체험하도록 해야 합니다.

하나님, 버려진 모퉁잇돌을 머릿돌이 되게 하신 일을 기억합니다. 우리 모두가 그렇게 주님께 귀하게 쓰임 받기를 원합니다. 또한 서로의 모습을 지금의 모습으로 기억하지 않고, 모두 주님께서 귀히 쓰시는 존재라는 사실을 기억하며 대하게 하옵소서. 예수님 이름으로 기도합니다. 아멘.

막 12:13-17

¹³그들은 예수의 말씀을 트집 잡아 보려고 바리새파 사람들과 헤롯 당원들을 예수께로 보냈습니다. ¹⁴그들은 예수께 다가와 말했습니다. "선생님, 우리는 선생님을 참된 분으로 알고 있습니다. 선생님은 사람을 겉모습으로 판단하지 않기 때문에 사람으로 인해 동요되지 않고 하나님의 진리를 참되게 가르치신다고 들었습니다. 그런데 우리가 가이사에게 세금을 내는 것이 옳습니까, 옳지 않습니까? ¹⁵우리가 세금을 내야 합니까, 내지 말아야 합니까?" 예수께서는 위선적인 그들의 속셈을 다 아시고 말씀하셨습니다. "왜 너희가 나를 시험하느냐? 데나리온 동전 하나를 가져와 내게 보이라." ¹⁶그들이 동전 하나를 가져오자 예수께서 그들에게 물으셨습니다. "동전에 있는 얼굴과 새겨진 글자가 누구의 것이냐?" 그들은 "가이사의 것입니다" 하고 대답했습니다. ¹⁷그러자 예수께서 그들에게 말씀하셨습니다. "가이사의 것은 가이사에게 바치고 하나님의 것은 하나님께 바치라." 그들은 예수께 몹시 감탄했습니다.

하나님과 가이사

우리 믿음이 실패하는 이유가 여기 있습니다. 우리의 것과 하나님의 것을 구분하기 시작할 때,
세상과 하나님을 구분하기 시작할 때, "하나님이 모든 세상의 주관자요,
하나님이 우리의 모든 것을 소유하신 분이다"라는 것을 잃어버릴 때,
첫 단추가 잘못 끼워져 우리의 모든 삶이 흔들리는 것입니다.

언제부터인가 우리는 국회의 인사청문회를 보면서 안타까움을 느낍니다. 왜냐
하면 그 청문회를 통과할 수 있는 사람이 많지 않다는 생각이 들기 때문입니다. 그
리고 또 하나는 그 청문회의 분위기가 어떻게 하면 흠집을 낼까, 어떻게 하면 트집
을 잡아 몰아낼까 하는 데 집중되어 있기 때문입니다. 의도적으로 트집을 잡고 흠
집을 내려고 한다면 누가 버틸 수 있겠습니까?

그런데 이러한 트집 잡기에도 조금도 흔들리는 않는 분이 계십니다. 바로 예수
그리스도입니다. 예루살렘에 입성하신 예수께 관심을 집중시킨 산헤드린 공회의
모습을 보면 마치 한 사람을 무너뜨리려고 의도적으로 트집 잡고 흠집을 내려 혈
안이 되어 있다는 생각이 듭니다.

예수님은 교묘한 질문들로 많은 공격을 받으셨지만 어떤 흠도 잡히시지 않았고,
어떤 말실수도 하시지 않았고, 어떤 허물도 드러내시지 않았습니다. 이러한 질문
들에 대답하면 대답하실수록 예수님이 어떤 분인지 더욱 분명하게 드러났습니다.

이 과정을 통해 예수님은 결코 자신의 죄와 허물 때문에 십자가에 못 박히신 분
이 아니라는 것이 드러났습니다. 이것 역시 하나님의 섭리입니다. 이 과정을 통해

나타난 예수님은 바로 흠이 없는 하나님의 어린양이셨습니다. 유월절 제물이 될 어린양은 흠이 없어야 합니다. 그래서 첫 달 열흘에 각 가정은 유월절 어린양을 선택해야 합니다. 그리고 14일에 이르기까지 그 양에 흠이 있는지 없는지 살펴보는 기간으로 삼았습니다.

예수님을 찾아온 바리새파 사람들과 헤롯 당원들

유대의 종교지도자들이 예수님으로부터 흠을 찾아내어 그분을 무너뜨리고 죽이려는 음모를 계획하고 무수한 조사를 벌이고 질문을 던졌지만, 예수님한테서는 조금의 흠도 발견할 수 없었습니다. 조금의 허물도 발견할 수 없었습니다. 오히려 예수님이 조그만 흠도 없는 하나님의 아들이시라는 사실만 분명하게 드러났습니다.

성경은 산헤드린 공회에서 파견한 사람들이 예수님을 트집 잡기 위해 세금을 가지고 질문하는 내용에 대해 말씀합니다. 세금은 시대를 막론하고 가장 민감한 주제입니다. 영어권에는 "세상에서 가장 확실한 것은 죽음과 세금뿐이다"라는 속담이 있을 정도입니다.

당시 팔레스타인에는 로마가 부과한 세금 때문에 폭동까지 일어날 정도로 세금 문제가 아주 예민한 상황이었습니다. 대부분의 유대인들은 로마에 세금을 내는 것을 싫어했습니다. 민족적인 굴욕이었기 때문입니다. 또한 세금으로 보내는 상당수의 돈이 로마의 이교 신전이나 로마 상류층의 사치스러운 생활을 유지하는 데 쓰였기 때문입니다. 이런 민감한 이슈를 가지고 예수님을 넘어뜨리려고 산헤드린 공회에서 사람들을 보냈습니다. 두 부류의 사람들이 왔습니다. 바리새파 사람들과 헤롯 당원입니다.

[그들은 예수의 말씀을 트집 잡아 보려고 바리새파 사람들과 헤롯 당원들을 예수께로 보냈습니다.(막 12:13)]

이 바리새파 사람들과 헤롯 당원들이 함께 왔다는 것은 놀라운 일입니다. 왜냐하면 이 두 그룹은 물과 기름 같은 사람들이었기 때문입니다. 바리새파 사람들은 근본적으로 팔레스타인의 로마 지배를 반대했습니다. 겉으로는 세금을 내는 것에 반대했습니다. 하지만 속으로는 자신들의 위치를 보존하기 위해, 타협하기 위해 묵인했던 사람들입니다. 적극적으로 세금 내는 것에 반대하던, 소위 열혈 당원들이 있었지만 바리새파 사람들은 겉으로 반대하고 속으로는 타협했습니다.

여기 헤롯 당원들은 당의 이름 자체가 헤롯 아닙니까. 그 이름처럼 로마의 정치 지배에 호의적인 친로마주의자였습니다. 세금 내는 것을 당연하고 합당하게 여겼던 사람들입니다. 이렇게 반로마주의자들과 친로마주의자들이 한 팀으로 예수께 왔다는 것이 놀랍습니다. 지금 그들은 예수님을 제거하려는 공통된 목표를 가지고 하나가 된 것입니다. 선한 일에 하나가 되는 것보다 악한 일에 하나가 되는 것이 훨씬 더 쉽습니다.

지금 그들에게는 자신들이 친로마 세력이냐 아니면 반로마 세력이냐 하는 것은 그리 중요하지 않았습니다. 공통의 위기의식을 가지고 있었기 때문입니다. 무슨 위기의식입니까? 자신들의 위치가 무너진다는 것입니다. 자기들의 더러움과 추함이 드러날지 모른다는 위기의식 때문이었습니다.

그들이 예수께 와서 인사하는데, 인사가 얼마나 거창한지 한번 보겠습니다.

[그들은 예수께 다가와 말했습니다. "선생님, 우리는 선생님을 참된 분으로 알고 있습니다. 선생님은 사람을 겉모습으로 판단하지 않기 때문에 사람으로 인해 동요되지 않고 하나님의 진리를 참되게 가르치신다고 들었습니다. 그런데 우리가 가이사에게 세금을 내는 것이 옳습니까, 옳지 않습니까?"(막 12:14)]

그들의 인사는 멋지기는 하지만 대단히 위선적이었습니다. 이 얼마나 거짓된 아첨입니까. 사탄은 늘 독을 꿀과 함께 줍니다. 다음 말씀은 악한 그들이 위선적으로 한 말을 기록한 것입니다.

[그가 하는 말은 버터보다 부드러웠지만 그 마음에는 전쟁을 품고 있었습니다. 그의 말은 기름보다 매끄러웠지만 실은 뽑힌 칼이었습니다.(시 55:21)]

버터보다 부드럽고 기름보다 매끄러운 말을 조심해야 합니다. 그 마음에는 전쟁을 품고 있으며, 사실 그 말은 뽑힌 칼과 같습니다.

그들은 예수님을 "선생님", "랍비"라고 불렀지만 진심으로 그렇게 생각한 것은 아니었습니다. 그들은 예수님이 참된 분이라고 말했고, 사람이 아니라 하나님의 진리를 참되게 가르친다고 말했지만 그들의 마음은 참된 것이 아니었습니다. 말로는 예수님의 말씀을 그대로 받아들일 것처럼 보였지만 실상은 위선이요, 거짓된 아첨이었습니다.

이 모든 위선과 아첨으로 예수님의 마음을 방심하게 만들고, 그 뒤에 숨어 있는 질문에 대한 판단력을 흐리게 할 목적으로 이런 아첨을 한 것뿐입니다. 우리가 누군가를 질투하고 까닭 없이 미워하고 트집 잡으려는 마음을 품으면 도와주는 이가 나타납니다. 누구입니까? 사탄이 나타납니다. 누군가를 미워하고 트집 잡으려고 하면 사탄이 지혜를 줍니다. 사탄의 지혜를 두르게 됩니다. 사탄의 협력자가 됩니다.

사람을 넘어뜨리려고 할 때 사탄이 쓰는 전형적인 방법이 뭔지 알고 있습니까? 겉으로는 거짓으로 칭찬하면서 방심하도록 유도합니다. 사람들의 마음이 얼마나 약하냐 하면, 상대방이 진심으로 칭찬한 것이 아님에도 칭찬을 좋아합니다. 저도 몇 번 경험해 보았습니다. 기분이 나쁘지 않았습니다. 진심이 아니라는 것도 느낍니다. 어느 때는 그 마음이 조금 보이기도 합니다. 그럼에도 칭찬을 즐깁니다.

《칭찬은 고래도 춤추게 한다》라는 책이 있습니다. 고래는 춤을 춰도 별 문제가 없습니다. 고래가 춤춘다고 바닷물이 넘치겠습니까? 무슨 문제가 일어나겠습니까? 하지만 사람은 칭찬에 춤추면 문제가 생깁니다. 교만해지고 방심하게 되고 판단력이 흐려지고 실수하게 됩니다. 칭찬이 들려올수록 칭찬에 감사하되 춤을 추면 안 됩니다. 그들은 지금 예수님을 칭찬하면서 춤을 추게 하려는 것입니다.

그런데 예수님이 그 칭찬에 춤추시겠습니까? 사람의 마음을 꿰뚫어보시는 예수님이 그 칭찬을 기뻐 받으실 리가 없습니다. 그들은 예수님에 대한 아첨과 칭찬 이후에 이런 질문을 내놓았습니다.

"가이사에게 세금을 내는 것이 옳습니까, 옳지 않습니까?"

세금을 내는 것이 옳습니까, 옳지 않습니까? 어떻게 대답하겠습니까? 세금을 내는 것이 옳습니까, 내지 않는 것이 옳습니까? 혹시 마음속으로 '가급적 내지 않는 것이 좋습니다'라고 생각하는 건 아닙니까?

이것은 어리석은 질문입니다. 세금은 내야 합니다. 불의하고 공의롭지 못한 세금까지 내라는 말은 아니지만 공정한 절차를 통해 매겨진 세금은 내야 합니다. 하지만 이 질문은 그냥 세금의 정당성 유무가 아니라 '가이사에게'라는 것이 포인트입니다. 여기에는 역사적 배경이 있습니다. '가이사에게' 세금을 내는 것이 옳으냐, 옳지 않냐 하는 것이 중요 포인트입니다.

기원후 유대는 로마제국에 기원후 6세기경부터 세금을 내기 시작했습니다. 이제 헤롯 아켈라우라는 분봉왕이 폐위가 된 이후부터 직할 체제가 되면서 세금을 내기 시작했습니다. 유대인들은 이 세금을 다 싫어했습니다. 세금의 종류가 세 가지나 되었다고 합니다. 토지세가 있었고 소득세가 있었고 인두세, 즉 인구조사세라고 해서 남자는 12~65세, 여자는 14~65세까지 1데나리온을 내야 했습니다.

그런데 내는 것 자체가 문제가 아니라 그 데나리온 동전에 가이사의 얼굴이 그려져 있다는 것이었습니다. 그리고 그 동전에는 이런 문구가 적혀져 있었다고 합니다. '가이사가 바로 신의 아들이고 대제사장(highest priest)이다.'

유대인들이 혐오할 만한, 우상 숭배의 동전을 세금 내는 동전으로 만들어 내도록 강요한 것입니다. 이것은 유대인들을 혐오하게 만들었습니다. 그런데 그들이 와서 내는 질문이 "가이사에게 세금을 내는 것이 옳습니까, 옳지 않습니까?"라는 것이었습니다. '세금'을 원어로 보면 인구 조사를 할 때 내는 세금, 인두세를 의미했습니다. 정확하게 번역하면 "인두세를 내는 것이 옳습니까, 내지 않는 것이 옳습니까?"라고 질문했다는 말입니다.

이 질문은 예수님을 딜레마에 빠뜨리고자 한 질문임에 분명합니다. 만약 예수님이 "가이사에게 세금 내는 것이 옳다"라고 대답하면 예수님은 그 당시 대부분의 유대인들이 싫어하고 증오하는 것을 인정하게 됩니다. 그러면 그곳에 있던 바리새파 사람들이 가만히 있었겠습니까. "하나님께 대한 반역자다!"라고 유대인들을 선동했을 것입니다. 이런 이유로 바리새파 사람들을 보낸 것입니다.

그런데 예수님이 옳지 않다고 말하면 그 자리에 누가 있었습니까? 헤롯 당원들이 있었습니다. 세금을 내야 한다고 주장한다는 헤롯 당원들은 "로마에 대한 반역이다!"라며 로마에 고소할 겁니다. 실제로 세금을 거부하는 폭동이 일어났을 때 로마가 잔혹하게 진압했다는 기록이 있습니다. 틀림없이 로마 군인한테 잡혀 갔을 겁니다.

가이사에게 바치는 세금

왜 산헤드린 공회에서 이 두 그룹을 한 팀으로 만들어 보냈는지 이제야 알았을 겁니다. 맞춤 Task Force Team이었던 겁니다. 어떻게든 대답해도 문제를 걸 수 있는 두 그룹을 보낸 것을 알 수 있습니다.

다음은 예수님의 대답입니다.

["우리가 세금을 내야 합니까, 내지 말아야 합니까?" 예수께서는 위선적인 그들의 속셈을 다 아시고 말씀하셨습니다. "왜 너희가 나를 시험하느냐? 데나리온 동전 하나를 가져와 내게 보이라." 그들이 동전 하나를 가져오자 예수께서 그들에게

물으셨습니다. "동전에 있는 얼굴과 새겨진 글자가 누구의 것이냐?" 그들은 "가이사의 것입니다" 하고 대답했습니다. 그러자 예수께서 그들에게 말씀하셨습니다. "가이사의 것은 가이사에게 바치고 하나님의 것은 하나님께 바치라." 그들은 예수께 몹시 감탄했습니다.(막 12:15-17)]

예수님 대답의 핵심은 여기 있습니다. 가이사의 것은 가이사에게 바치고 하나님의 것은 하나님께 바치라는 것입니다. 이 말씀에 대한 많은 오해가 있는데, 몇 가지 중요한 오해를 벗기고 지나가겠습니다.

이 말씀을 얼핏 보면 가이사의 영역과 하나님의 영역을 양분한 것처럼 보입니다. "가이사의 것은 가이사에게, 하나님의 것은 하나님에게"라는 말씀을 통해 볼 때 가이사의 것이 있고 하나님의 것이 따로 있다고 오해할 수 있습니다. 가이사가 다스리는 세상의 영역이 있고, 하나님이 다스리는 교회나 영적 영역이 있다고 양분하는 이분론을 생각하는 사람들이 역사적으로 많습니다.

그래서 교회는 이 세상의 권세는 가이사에게 맡기니 교회는 세상의 정치에 대해 무관해야 한다, 관심을 갖지 말고 교회 일과 영적인 일에만 신경을 써야 한다고 오해할 수도 있습니다. 하지만 이런 말씀이 아닙니다.

예수님은 우리 삶을 성과 속으로 이분하시지 않았습니다. 하나님은 모든 것을 다스리시는 분입니다. 우리 개인의 삶을 다스리시고 가정을 다스리시고 교회를 다스리시고 국가도 하나님의 영역에 속해 있습니다. 이 세상의 모든 것은 다 하나님께 속해 있습니다. 가이사의 것과 하나님의 것을 양분할 수 있다는 생각이 어떻게 적용되느냐 하면 우리의 것과 하나님의 것을 양분할 수 있다고 생각하게 됩니다. 우리의 것이 따로 있고, 하나님의 것이 따로 있다고 생각하게 됩니다. 실제로 우리는 많은 경우 그런 생각을 가지고 살아가고 있습니다.

이런 이야기를 어느 책에서 읽는 기억이 있습니다. 젖소를 소유하고 있는 농부가 있었습니다. 어느 날 그 농부의 소가 쌍둥이 송아지를 낳았습니다. 이 농부는 크리스천이었습니다. 한 마리는 하얀색이고 한 마리는 검은색이었는데, 주님이 두 마리를 주셨으니 한 마리는 주님께 바치기로 했습니다. 아내가 이 얘기를 듣고 질문했습니다.

"어느 소를 주님께 바치겠습니까?"

이 농부는 이렇게 대답했습니다. "어느 소를 바치건 그게 중요한 것이 아니라 둘 중 한 마리는 분명히 주님의 소라는 것이 중요하오. 어느 소를 바칠지 꼭 정해야 하는 건 아니오. 둘 중 한 마리는 주님의 소라는 거요."

그러던 어느 날 한 마리 소가 병들어 죽었습니다. 그 농부는 아내에게 아주 슬픈 표정으로 이렇게 말했습니다.

"여보, 방금 주님의 소가 죽었소."

우리 마음속에 우리의 것과 주님의 것을 양분하는 것, 가이사의 것과 하나님의 것을 양분할 수 있다는 것은 잘못된 해석입니다. "가이사의 것은 가이사에게 바치고 하나님의 것은 하나님께 바치라." 이 말씀의 의미는 매우 깊습니다.

예수님의 대답을 피상적으로 보면 세금을 잘 내는 모범시민이 되라는 말씀으로 들립니다. 물론 예수님이 내지 말라고 한 것은 아닙니다. 하지만 예수님은 세금이라는 단어를 쓰시지 않았습니다. 그들이 말한 "세금을 내야 합니까? 인구조사세를 내야 합니까?"라는 질문에 나온 단어는 절대 쓰시지 않았습니다. 정확히 말하면 그들의 "내야 합니까, 내지 말아야 합니까?"라는 질문에는 대답하시지 않았습니다. 오히려 그들에게 질문을 던지셨습니다.

"무엇이 가이사의 것이라 생각하느냐? 그리고 무엇이 하나님의 것이라 생각하느냐?"

이 말씀을 들으면 우리 역시 '그럼 가이사의 것은 무엇이고, 하나님의 것은 무엇이지?'라는 생각을 하게 됩니다. 하지만 우리는 이것을 구분하지 않고 생각해야 합니다. 역사적으로 어느 시대에는 이 구절을 잘못된 권력, 불의한 권력이라도 무조건적으로 복종하고 이 세상의 잘못된 법에 무조건 충실히 따라야 한다는 의미로 잘못 사용하기도 했습니다. 예수님의 말씀은 그런 의미가 아닙니다.

몇 가지 이유가 있는데, 우리말로는 '바치라'고 번역했는데 예수님이 말씀하신 원어의 의미로는 '빚을 갚다'라는 단어를 사용했습니다. 그들이 질문할 때는 "세금을 내야 합니까? 내지 말아야 합니까"라고 물었는데, 예수님은 우리가 보통 쓰는 '세금을 내다'라는 단어를 쓰시지 않고 독특한 단어를 쓰셨습니다. 그 단어는 무엇입니까? '빚을 갚다'라는 단어입니다.

예수님은 지금 가이사에게 주는 것은 로마가 가지고 있는 그 당시의 팍스로마나, 로마의 평화 시대, 로마의 길, 로마의 법, 로마의 질서를 통해 팔레스타인 사람들이 혜택을 받고 있는 부분은 '빚을 갚는 것이다', '빚진 것이 있다', '가이사에게 빚진 것은 갚아야 한다'는 차원으로 해석하신 것입니다.

그러나 단지 그곳으로 그치시지 않았습니다. "가이사의 것은 가이사에게 돌려 주라", "하나님의 것은 하나님에게 바치라"라는 말에는 더 깊은 의미가 있습니다. 그것을 이해하는 단서가 무엇이냐 하면, 예수님이 그 말씀을 하시기 전에 어떤 지시를 내리셨냐 하는 것입니다. 데나리온 동전 하나를 가져오라고 하셨습니다. 데나리온 동전 하나를 가져와 그 동전에 무엇이 있느냐, 얼굴과 글자가 무엇이냐고 질문하셨습니다.

이 부분이 아주 중요합니다. 이 부분의 의미를 통해 우리는 뒷부분의 말씀을 해석해야 합니다.

당시 데나리온 동전에는 티베리우스 황제의 얼굴이 있었습니다. 앞면에는 신적인 아우구스투스의 아들 티베리우스 가이사라는 글이 있었습니다. 뒷면에는 최고의 대제사장이라는 단어가 있었습니다. 가이사 당시에 로마제국은 사교화되고 있었습니다. 국가가 종교화되고 있었습니다. 그리고 스스로를 대제사장으로 여겼습니다. 우상 숭배였습니다.

진정한 하나님의 아들이요, 진정한 대제사장인 예수 그리스도 앞에서 가이사의 얼굴이 하나님의 아들처럼, 대제사장처럼 숭배당하는 동전을 보여 주고 있는 모습은 실로 아이러니컬한 일이 아닐 수 없습니다. 예수님이 그 동전에 쓰여 있는 글씨와 그려진 얼굴을 보여 주신 이유가 무엇입니까?

가이사는 지금 우상 숭배를 하고 있다는 사실을 드러내신 것입니다. 지적하신 것입니다. 책망하신 것입니다. 당시 유대인들은 싫어하고 혐오하고 피했지만, 두려움이 앞서 어느 누구도 그것을 우상 숭배라고 드러내 놓고 말하지 않았습니다. 공개적으로 말하지 않았습니다. 바리새파 사람들은 타협했습니다. 헤롯 당원들은 그것을 지지하는 데 열심이었습니다. 그들에게 가이사의 얼굴이 그려진 동전을 보여 줌으로써 무엇을 말씀하고자 한 것입니까?

"가이사의 권력은 하나님을 모독하는 참람한 권력이다. 그리고 언젠가는 하나님께서 그 우상을 숭배하는 자신을 신격화하는 권력을 무너뜨릴 것이다"라는 메시지를 주기 원하셨던 것입니다. 겉으로 보면 가이사에게 세금을 내라고 말씀한 것 같지만 그 이면에 있는 예수님의 의도는 무엇입니까?

"스스로를 우상화하는 그 더러운 돈, 더러운 우상이 새겨져 있는 동전을 가이사에게 돌려 주어라. 가지고 있지 말고 돌려 주어라. 가이사의 권한은 그 동전을 소유할 수 있는 권한이 있지만, 영혼을 소유할 수 있는 권한은 없다. 하나님처럼 신이 될 수는 없다."

예수님은 가이사의 것을 바치라고만 하시지 않고 뒷부분에 뭐라고 말씀합니까? 하나님의 것은 하나님에게 바치라고 말씀했습니다. 그런데 이 우리말성경에 보면 접속사가 잘 나타나 있지 않습니다. "가이사의 것은 가이사에게 바치고 하나님의 것은 하나님에게 바치라"는 말씀에도 나타나 있고, 영어 성경에도 'and' 즉 '그리고'라는 접속사만 있습니다. 하지만 최근 성경학자들의 번역에 따르면 정확한 번역에는 '그러나'라는 접속사가 들어가야 한다는 것입니다.

다시 읽으면 "가이사의 것은 가이사에게 되돌려 주라. 그러나 하나님의 것은 하나님께 드려야 한다." 여기서 '그러나'는 앞의 것을 제한하고 뒷부분을 강조합니다. 예수님 말씀에서 강조점은 무엇입니까? 단지 세금을 잘 내는 모범시민이자 로마 시민이 되라는 말씀이 아니라 뒷부분의 "하나님의 것을 하나님께 바쳐야 한다"는 것입니다. 이 말씀은 가이사에게는 경고의 말씀입니다. 로마제국에 대한 경고의 말씀입니다.

지금 예수님은 동전을 가지고 예수님을 시험하려는 사람들한테는 동전을 통해 교훈을 주고 계십니다. "가이사가 스스로를 우상화하고 스스로를 신격화하는데 언젠가는 무너질 것이다. 하나님의 권세, 하나님의 권한을 넘어서려는 것, 하나님의 것을 자기의 것으로 취하려는 가이사! 그냥 돌려 줘라. 언젠가는 멸망할 것이다"라는 메시지가 숨어 있습니다. 만약 가이사가 하나님께 속한 것을 취하려고 한다면 결코 허용할 수 없고, 있을 수도 없고 언젠가는 이 동전과 함께 멸망할 거라는 경고의 말씀이 주어져 있습니다.

하나님은 모든 것의 주인이시다

어떤 지도자나 어떤 국가, 어떤 교회, 어떤 제도, 어떤 이데올로기도 신적인 권한은 없습니다. 중세 로마 교황권이 절정에 달했을 때 교회는 하나님의 이름으로 국가에 권력을 행사하고자 했습니다. 국가에 권력을 행사하기 원하는 교회는 영적인 능력을 잃어버리게 됩니다. 정반대의 경우도 마찬가지입니다. 나치 치하에서 국가는 교회를 시녀로 만들었습니다. 그때도 문제가 생겼습니다. 교회와 국가는 적절한 긴장관계 속에 있어야 합니다.

가이사는 스스로 주장하는 것처럼 신이 아닙니다. 신이 아닌 존재가 신처럼 군림하면, 하나님의 권세와 하나님의 것에 도전하면 반드시 무너집니다. 하나님의 것은 무엇입니까? 하나님의 것은 모든 것입니다. 모든 것이 하나님의 것입니다. 가이사도 하나님의 것입니다. 만약 가이사가 스스로를 하나님의 것이 아니라고 여기는 순간, 그가 멸망할 거라는 사실이 이 말씀에 숨겨져 있습니다.

동전에는 가이사의 얼굴이 새겨져 있습니다. 하지만 우리에게는 하나님의 형상이 새겨져 있습니다. 우리는 하나님의 화폐입니다. 하나님의 동전입니다.

그러므로 하나님께 드려져야 합니다. 예수님이 마음을 다하여 힘을 다하여 뜻을 다하여 모든 것을 다하여 하나님을 사랑하라고 말씀한 이유가 여기 있습니다. "나는 하나님의 소유입니다. 우리 가정은 하나님의 소유입니다. 나의 기업은 하나님의 소유입니다. 이 국가도 하나님의 소유입니다. 모든 만물이 하나님의 소유입니다." 하나님의 것을 그분의 것으로 인정하는 것에서부터 우리의 진정한 삶이 시작됩니다.

C.S. 루이스가 쓴 《스크루테이프의 편지》라는 책이 있습니다. 여기서 스크루테이프는 사탄인데, 조카 웜우드를 코치해 주는 편지 내용입니다. 21번째 편지를 보면 "인간을 무너뜨리려면 소유 의식을 불어 넣어라"는 코치가 나옵니다. 잠깐 그 내용을 보면 너는 열심을 다해서 인간들이 '내 시간은 나의 것이다'라는 생각을 불어 넣으라고 말합니다. "직장에서 일하는 시간은 억지로 떼 줘야 하는 부담스러운 세금처럼 여기게 하고, 종교적인 의무에 할애하는 시간은 너그러운 기부금으로 여기게 하라." 인간들한테 늘 자신이 주인이라고 주장하도록 해야 한다는 것입니다. 내 돈, 내 친구, 내 강아지, 내 권리를 생각하라는 것입니다.

심지어 "나의 하나님"이라고 말할 때도 내가 복종하고 순종해야 하는 하나님이 아니라 내 간구, 내 기도 제목을 반드시 들어 줘야 하는, 내가 조종하는 하나님처럼 생각하라는 것입니다. 하나님이 나를 소유하는 것이 아니라 내가 하나님을 소유하는 것처럼 만들라는 것입니다. 실로 큰 차이가 있습니다. 나의 하나님을 고백할 때 그것은 내가 소유한 하나님이 아니라 하나님이 나를 소유하셨다는 뜻입니다. 사탄이 주는 이 어리석음에 속지 않기를 바랍니다.

다음에 나온 위대한 고백이 우리의 신앙고백이 되기를 바랍니다.

[땅과 그 안에 있는 모든 것, 세상과 그 안에 사는 모든 것들이 여호와의 것입니다.(시 24:1)]

땅과 그 안에 있는 모든 것, 세상과 그 안에 있는 모든 것이 다 하나님의 것이므로 아버지께 드려져야 합니다. 이 위대한 신앙고백으로 승리하며 살아가는 그리스도인이 되기를 바랍니다.

우리 믿음이 실패하는 이유가 여기 있습니다. 우리의 것과 하나님의 것을 구분하기 시작할 때, 세상과 하나님을 구분하기 시작할 때, "하나님이 모든 세상의 주관자요, 하나님이 우리의 모든 것을 소유하신 분이다"라는 것을 잃어버릴 때 첫 단추가 잘못 끼워져 우리의 모든 삶이 흔들리는 것입니다.

하나님이 땅과 그 안에 있는 모든 것, 세상과 그 안에 있는 모든 것의 주인이신 것과 우리가 그분의 소유임을 고백하며 살아야 합니다.

Pray

하나님, 모든 것의 주인 되신 하나님을 찬양합니다. 가이사의 것은 가이사에게, 하나님의 것은 하나님께 바치라는 예수님의 말씀을 기억합니다. 우리의 주인 되시고, 이 세상의 주인 되신 하나님께 온전히 충성하는 일꾼 되게 하옵소서. 예수님 이름으로 기도합니다. 아멘.

막 12:18-27

¹⁸부활이 없다고 주장하는 사두개파 사람들이 예수께 와서 물었습니다. ¹⁹ "선생님, 모세가 우리를 위해 쓰기를 '만약 형이 자식 없이 아내만 남겨 놓고 죽으면 동생이 그 형수와 결혼해서 형의 대를 이을 자식을 낳아야 한다'고 했습니다. ²⁰ 그런데 일곱 형제들이 있었습니다. 첫째가 결혼을 했는데 자식 없이 죽었습니다. ²¹ 둘째가 그 형수와 결혼을 했는데 그도 역시 자식 없이 죽었습니다. 셋째도 마찬가지였습니다. ²² 그렇게 일곱 형제 모두가 자식 없이 죽었고 결국 그 여자도 죽었습니다. ²³ 일곱 형제들이 다 이 여자와 결혼을 했으니 부활할 때에 이 여자는 누구의 아내가 되겠습니까?" ²⁴ 예수께서 대답하셨습니다. "너희가 성경도 모르고 하나님의 능력도 몰라서 그렇게 잘못 생각하는 것이 아니냐? ²⁵ 죽은 사람들이 살아날 때에는 시집도 가지 않고 장가도 가는 일이 없다. 그들은 마치 하늘에 있는 천사들같이 될 것이다. ²⁶ 죽은 사람의 부활에 대해서는 모세의 책에 가시떨기나무가 나오는 곳에서 하나님께서 모세에게 말씀하시기를 '나는 아브라함의 하나님, 이삭의 하나님, 야곱의 하나님이다' 하신 것을 읽어 보지 못했느냐? ²⁷ 하나님께서는 죽은 사람들의 하나님이 아니라 살아 있는 사람들의 하나님이시다. 너희가 크게 잘못 생각하고 있다."

살아 있는 사람들의
하나님

영원하신 하나님을 만남으로써 우리 시각이 영원으로 바뀌게 되고,
전능하신 하나님을 만남으로써 우리 능력이 아니라 하나님의 능력을 의지하며 살게 되고,
모든 것을 아시는 아버지를 만남으로써 우리의 지혜가 아니라
아버지의 지식에 의지한 채 살아가는 인생이 되고, 모든 것을 사랑하시는 아버지의 사랑을 받아
우리의 좁은 마음이 점점 더 넓어지는 삶을 살아야 합니다. 이것이 바로 영생입니다.

우리가 경계해야 할 사항 중 하나는 자신의 생각에 갇히는 것입니다. 사람들은 지금까지 자신이 살아 온 과거의 경험으로 말미암아 자신의 생각에 갇힙니다. 자신의 위치나 자신이 원하는 이익 때문에 자신이 원하는 생각에 갇힙니다.

자신의 생각에 갇히면 다른 사람들이 나를 어떻게 보는가에 대해 관심을 갖지 않게 됩니다. 심지어 하나님이 나를 어떻게 보시는가에 대해서도 관심을 갖지 않게 됩니다. 모든 기준이 자기 자신이 됩니다. 그리고 그 생각에 갇혀 행동하고 판단하고 살아가게 됩니다.

영어 표현에 'out of the box'라는 표현이 있습니다. '상자 밖으로 나오라'는 뜻인데 자기 생각의 상자 속에, 기억의 상자 속에 갇혀 살지 말고 'out of the box', 즉 상자에서 나온 삶을 살라는 표현입니다.

자신이 갇혀 있는 상자 속에서 벗어나려면 길은 단 하나밖에 없습니다. 살아 계신 하나님을 만나는 것입니다. 영원하신 하나님을 만나야 자신의 유한한 시간 속에 갇히지 않게 됩니다. 전능하신 하나님을 만나야 인간의 유한한 능력에 갇히지 않게 됩니다. 모든 것을 다 아시는 하나님을 만나야 자신의 그 얕은 지식에 갇히지

않게 됩니다. 그리고 사랑이 풍성하신 하나님을 만나야 우리의 이기심, 유전자 속에 스며들어 있는 이기심에 갇히지 않게 됩니다.

자신 속에 갇힌 사두개파 사람들

예루살렘에서 예수께 다가와 질문을 던진 사람들은 모두 당시 사회의 지도층 인사였습니다. 그런데 그들이 예수께 던진 질문, 예수님과 나눈 대화를 객관적으로 살펴보면 그들은 한결같이 자신의 생각에 갇힌 사람들이었습니다.

자신들의 경험에 갇히고, 자신들의 지식에 갇히고, 자신들의 관점에 갇힌 사람들이었습니다. 또한 어두운 사회 속에서 자신들의 사회적 이득, 사회적인 이권에 갇혀 있었습니다. 세상의 권세 속에서 자신들이 누리고 있는 권력에 갇혀 있었습니다. 그리고 예수님에 대한 시기심에 갇혀 있었습니다. 예수님을 인정하고 받아들이지 않는 한 갇혀 있는 세상에서 빠져나올 수가 없었습니다.

바리새파 사람들과 헤롯 당원들은 세금을 이슈로 예수께 교묘한 질문을 던졌습니다. 하지만 예수님은 놀라운 지혜로 질문에 대답하셨고 그 지혜를 드러내어 보여 주셨습니다. 마가복음 12장은 논쟁의 장이라고 불릴 정도로 예수님을 공격하는 많은 질문이 연속해서 나오는데, 예수님은 한 번도 지지 않았습니다. 예수님은 목소리를 높여 이기시지 않았습니다. 군중을 동원해서, 군중을 충동질해서 이기시지 않았습니다. 예수님은 진리로 그들을 이기셨습니다. 사랑으로 이기셨습니다. 그리고 지혜로 그들을 이기셨습니다.

이 세상은 우리를 넘어뜨리려는 악한 음모들로 가득 차 있습니다. 무엇으로 세상의 이 흉악한 간계를 이기겠습니까? 오직 참된 진리만이 우리를 승리로 인도할 것입니다. 오직 사랑만이 우리를 승리하도록 인도할 것입니다. 오직 하나님의 지혜만이 우리가 넘어지지 않도록 붙잡아 줄 것입니다.

성경에 보면 사두개파 사람들이 등장합니다. 바리새파 사람들과 헤롯 당원들이 실패하고 돌아가자 사두개파 사람들이 다음 타자로 등장합니다. 그들은 부활을 주제로 예수님을 넘어뜨리려는 질문을 던집니다. 사두개파 사람들은 신명기 25장에 나오는 고대 근동에 존속했던 독특한 법을 가지고 예수께 질문합니다. 그것은 어떤 한 남자가 자녀 없이 죽었을 경우 그 미망인을 가장 가까운 형제가 책임짐으로써 그 기업을 잇도록 하는 법이었습니다.

["선생님, 모세가 우리를 위해 쓰기를 '만약 형이 자식 없이 아내만 남겨 놓고 죽으면 동생이 그 형수와 결혼해서 형의 대를 이을 자식을 낳아야 한다'고 했습니다. 그런데 일곱 형제들이 있었습니다. 첫째가 결혼을 했는데 자식 없이 죽었습니다. 둘째가 그 형수와 결혼을 했는데 그도 역시 자식 없이 죽었습니다. 셋째도 마찬가지였습니다. 그렇게 일곱 형제 모두가 자식 없이 죽었고 결국 그 여자도 죽었습니다. 일곱 형제들이 다 이 여자와 결혼을 했으니 부활할 때에 이 여자는 누구의 아내가 되겠습니까?"(막 12:19-23)]

이 질문에 뭐라고 대답하겠습니까? 세상 문화대로 쉽게 대답하면 한 여자가 일곱 남편을 가진 것입니다. 생각하기는 쉽겠지만 당시 생각으로는 도저히 있을 수 없는 일이었습니다.

이 법이 생겨난 배경은 이렇습니다. 그 당시에는 여성을 굉장히 비하했기 때문에 여성은 자산을 가질 수 없었습니다. 재산을 소유할 수 있는 권리가 없었습니다. 여성을 물건처럼 취급했기 때문입니다. 그러므로 남편이 죽으면 아들이 없는, 자식이 없는 부인은 큰 어려움을 겪게 됩니다. 남편이 많은 재산을 축적해 놓았다고 해도 하루아침에 잃게 됩니다. 그 재산을 이어받을 방법은 가까운 남편 형제와 결혼해서 그 자녀가 재산을 상속 받도록 하는 것이었습니다. 이것은 오늘날 우리가 생각하는 근친결혼이 아닙니다. 근친결혼이지만 그 부인, 미망인을 보호하기 위한 제도였던 것입니다.

고대 근동의 여인들을 비하하는 사회 분위기 속에서 어떻게 하면 여인들을 보호할 수 있을까 하는 배경에서 나온 법입니다. 이 법에 근거해 결혼한 사람이 룻입니다. 구약에 따르면 룻이 보아스와 결혼할 수 있었던 것은 이 법에 근거해서입니다. 나오미 남편의 가장 가까운 친족이었던 보아스가 룻과 결혼함으로써 그 유업을 이어받을 수 있게 된 것입니다. 그리고 그 사이에서 태어난 사람이 다윗이고, 예수 그리스도입니다. 따라서 이 법은 그 당시 매우 좋은 법으로, 건강한 법으로 장려되었습니다.

그런데 이 사두개파 사람들이 질문한 의도는 무엇입니까? 신명기 25장의 법을 잘 지키는 한 가정이 있었습니다. 일곱 형제가 있는데 첫째부터 일곱째까지 형제가 모두 자녀 없이 죽었다는 겁니다. 그리고 첫째 형제의 부인이 계속해서 여섯 형제들과 결혼했는데도 자녀 없이 죽었습니다. 만약 부활이 있다면 부활한 후 세상에서 그들이 다 만나게 될 텐데 그녀는 누구의 아내가 되겠냐고 질문한 것입니다.

이것은 "이상한 광경이 아니냐? 따라서 부활은 있을 수 없다"는 것입니다.

이 율법을 곤란하게 하는, 이 율법을 무용지물로 만드는 부활은 있어서는 안 되고, 있을 수도 없다는 논리로 질문을 던진 것입니다. 율법을 무너뜨리는 그 어떤 현상이나 상황도 있어서는 안 된다는 것이 사두개파 사람들의 주장이었습니다. 사두개파 사람들이 부활을 믿지 않았던 것은 모세오경이라는 율법에 집착했기 때문입니다. 모세오경에는 직접적으로 부활이라는 단어가 등장하지 않았기 때문입니다.

그 이후의 선지서나 시편, 역사서에는 부활에 대한 사상이 등장하지만 사두개파 사람들은 모세오경만을 성경으로 인정했습니다. 그것 외에는 인간들이 만들어 낸 책이고 따라서 부활도 인간들이 만들어 낸 자유주의적 생각이고 새로운 신앙이라고 여긴 채 거부했던 것입니다.

율법을 주신 하나님은 그 이후로도 율법을 계속 해석할 수 있는 역사를 주셨는데, 율법을 받은 사람들은 "율법만 받겠다", "모세오경만 성경으로 인정하겠다"는 자신들의 생각에 갇혀 버린 것입니다. 모세오경에만 갇혔던 것이 아니라 사실은 자신들의 생각, 자신들의 해석에 갇혀 버렸던 것입니다. 그로써 부활의 영광스러운 하나님의 능력, 부활을 통해 보여 주시는 하나님의 놀라운 신비를 그들은 깨달을 수가 없었습니다.

이렇게 모세오경에 갇힌 사두개파 사람들이 예수께 던진 질문에 나타난 문제점은 무엇입니까? 그들은 이 세상에서의 생활이 부활 이후의 세상에서도 그대로 이어진다고 생각했다는 것입니다. 천국을 이 세상의 업그레이드 버전이라고 생각했던 것입니다. 천국은 이 세상보다 더 나은 세상이 아닙니다. 완전히 새로운 세상입니다. 그런데 많은 사람들이 천국을 이 세상에서의 연장선상으로 생각합니다.

이렇다 보니 먹을 것을 좋아하는 사람들은 '천국은 먹고 싶은 것을 마음대로 먹는 곳이다'라고 생각합니다. 옷을 좋아하는 사람들은 '수많은 옷을 마음대로 입고 다니는 곳이다'라고 생각합니다. 집을 좋아하는 사람들은 '멋진 집이 있는 곳이다'라고 생각합니다. 이처럼 천국에 대해 이 세상에서의 연장선상으로 생각합니다.

아메리칸 인디언들이 천국에 대해 쓴 글을 보니, 그들은 마음껏 사냥하는 수렵장처럼 생각했습니다. 그리고 어느 목사님이 주석을 하면서 바이킹들이 생각하는 천국은 온종일 싸움하고 서로를 죽고 죽이는데 다음날 모두 부활해서 다시 싸우고 부상당한 사람도 금방 회복되어 터미네이터처럼 일어나 싸우는 그런 세상이 천국이라고 생각했다고 합니다. 마호메트 교도들은 이 땅에서 극단적인 금욕을 가르치기 때문에 천국에 가면 마음껏 육체적 쾌락을 누릴 수 있다고 생각했다고 합니다. 자신의 몸을 자살폭탄 무기로 제공하는 사람들은 천국에서는 많은 아내를 거느린 채 감각적이고 쾌락적인 삶을 살 수 있다고 가르치기 때문에 그것을 믿고 자신의 생명을 바치는 것입니다.

사람들은 이 세상에서 하기 싫은 것이 천국에는 없을 거라고 생각합니다. 혹시 주부들은 천국에는 설거지와 빨래가 없는 곳, 이렇게 소망하고 있지 않습니까? 학생들은 시험이 없는 곳이라고 생각하지 않습니까? 어느 아내가 잠에서 깨어났습니다. 남편한테 꿈에서 천국을 다녀왔다고 말했습니다. 남편이 "어떻게 그곳이 천국인 줄 알아?"라고 물었습니다. 그러자 아내가 "당신이 없는 것을 보니 천국이지"라고 대답했답니다. 우리 중에 이런 아내가 없기를 바랍니다. 거꾸로 되어야 합니다. "당신이 없어 나는 지옥인 줄 알았어"라고 말하는 크리스천이 되기를 바랍니다. 이런 고백이 있는 크리스천이 되기를, 이런 말을 듣는 남편이 되기를 바랍니다.

일하기 싫어하는 사람들은 천국은 일이 없는 곳이라고 생각합니다. 그런데 천국에는 일이 있습니다. 해야 할 일이 있고 목적이 있고 성취가 있는 곳입니다. 잠언에 보면 일도 없고 계획도 없는 그런 곳은 음부, 지옥이라고 했습니다. 지옥은 계획 없이 사는 곳입니다. 이 세상에서 지옥을 경험하려면 아무렇게나 일하고 계획 없이 살면 지옥을 맛보게 됩니다. 천국에는 일이 있습니다. 하지만 일로 인해 피곤하지 않고, 일로 인해 고통 받지 않고, 일로 인해 경쟁하지 않는 아름다운 곳입니다.

어떤 사람들은 천국이 지루할 것이라고 생각합니다. 교회를 열심히 다니는 사람인데도 천국에 대한 소망이 없습니다. 왜 그런지 압니까? 가만히 보면 그 성도가 다니는 교회가 너무 지루합니다. 그런데 성경에는 영원토록 하나님을 예배하는 곳이라고 되어 있어 '이렇게 지루한 예배를 영원토록 드려야 하나?'라는 생각이 들어 천국에 가고 싶어 하지 않는다는 것입니다.

이것은 모두 이 세상에서의 연장선상으로 천국을 생각하기 때문입니다. 사두개파 사람들도 이런 생각에서 벗어나지 못했습니다. 예수님은 천국은 이 세상과 다른 세상이 될 거라고 말씀했습니다.

["죽은 사람들이 살아날 때에는 시집도 가지 않고 장가도 가는 일이 없다. 그들은 마치 하늘에 있는 천사들같이 될 것이다."(막 12:25)]

시집과 장가가 없으므로 결혼제도도 없습니다. 그러므로 사두개파 사람들이 만들어 낸 이야기는 아무 의미가 없습니다. 이전에는 부부였다면 천국에서도 부부입니다. 가족은 역시 가족입니다. 하지만 전혀 새로운 관계로 만나게 됩니다.

살아 있는 신앙과 죽은 신앙

우리는 이 세상에서와 부활 후의 세상에서 무엇이 단절되고 무엇이 연결되는지를 잘 알아야 합니다. 그대로 모두 연결되는 것이 아닙니다. 이 지상에서만 단절되는 것이 무엇입니까? 이 지상에서의 기억이 부활한 후 세상에서 그대로 이어지는 것은 맞습니다. 기억이 사라진다면 먼저 간 사랑하는 사람들을 어떻게 만나겠습니까? 기억은 존재합니다. 하지만 그 기억이 만들어 내는 상처는 없습니다.

우리가 이 세상에서 힘든 것이 무엇입니까? 우리 기억 속에 상처가 있어 힘든 것입니다. 우리의 과거는 기억입니다. 기억에 감춰진 아픔과 상처와 미움이 있기 때문에 힘든 것입니다. 죄가 붙어 있기 때문에 힘든 것입니다. 천국에 가면 기억은 남지만 상처는 사라집니다.

우리는 이 세상에 사는 동안 때로는 가족으로부터 상처를 받습니다. 결혼으로 말미암아 상처를 받습니다. 하지만 천국에는 아름다운 관계만 있습니다. 그러니 천국을 두려워하지 않게 되기를 바랍니다. '나와 관계가 불편했던 사람을 천국에서도 만나면 그곳은 천국이 아닐 거야.' 이런 불필요한 생각을 하지 않아도 됩니다.

아름다운 추억, 아름다운 기억, 아름다운 사랑, 이전보다도 더 사랑하는 관계가 될 것입니다. 천국에 결혼이 없는 것이 아닙니다. 그리스도와의 결혼이 있습니다. 지상에서 많은 사람들이 결혼으로 말미암아 후회하고 아파하고 상처받고 고민하고 있습니다. 하지만 그것은 완전한 결혼이 아닙니다. 천국에는 완전한 결혼이 기다리고 있습니다. 바로 예수 그리스도와 신부된 우리가 결혼하는 것입니다. 이 세상에서 "나는 이 보다 더 좋은 결혼이 있을 수 없어, 이보다 더 만족스러운 결혼이 있을 수 없어"라고 말하는 사람도 천국에 가면 "이것이 진짜 결혼이구나"라고 말할 수 있는 날이 올 것입니다. 그러므로 우리는 이 세상에서의 연장선상으로 천국을 생각해서는 안 됩니다.

사두개파 사람들은 자신들이 만들어 낸 이상한 이론으로 가상적인 세상을 만들어 냈습니다. 그들은 믿고 싶어서가 아니라 자신들의 불신앙을 합리화하기 위해, 부활을 믿지 않는 그들의 불신을 합리화하기 위해 이 질문을 만들어 낸 것입니다.

의심에는 두 가지 종류가 있습니다. 믿고자 할 때 자연스럽게 생겨나는 의심입니다. 이것은 건강한 의심이요, 믿음을 강화시키는 의심입니다. 그런데 불신앙을 합리화하기 위해 자신이 만들어 낸 의심은 자신을 망하게 합니다.

믿으려고 할 때는 반드시 의심이 생기게 되어 있습니다. 관심이 없으면 의심도 없습니다. "나는 아무 의심도 없어"라는 말을 바꾸어 표현하면 "나는 아무 관심도 없다"라는 것입니다. 적절하고 건강한 의심을 통해 우리는 확신을 얻게 됩니다. 우리는 질문을 통해 대답을 얻게 됩니다. 하지만 이 사두개파 사람들은 자신들의 불신앙, 모세오경에 갇힌, 율법의 지식에 갇힌, 자신들의 해석에 갇힌 자신들의 생각을 합리화하기 위해 예수께 질문을 던졌습니다.

예수님은 "너희가 지금 잘못 생각하고 있다"라고 두 번씩이나 말씀했습니다. 잘못 생각하고 있다는 말은 "너희는 지금 스스로를 속이고 있다"라고 말씀한 것입니다. 우리의 의심 중에 자기 자신을 속이는 의심이 있다는 겁니다. 이러한 의심이 모두 떠나가게 되기를 바랍니다. 우리를 건강하게 만드는 의심, 확신에 이르게 하는 의심, 정말 믿고 싶은데 마음속에 떠오르는 의심은 하나님이 반드시 응답해 주실 줄로 믿습니다.

예수님은 그들이 스스로를 속이는 자들이 된 이유를 이렇게 설명하셨습니다.

[예수께서 대답하셨습니다. "너희가 성경도 모르고 하나님의 능력도 몰라서 그렇게 잘못 생각하는 것이 아니냐?"(막 12:24)]

예수님은 사두개파 사람들을 가리켜 성경도 모르고 하나님의 능력도 몰라 잘못 생각한 거라고 말씀했습니다. 하나님을 믿는 사람들 중에 네 종류의 사람이 있습니다. 첫 번째는 성경은 아는데, 하나님의 능력을 모르는 사람들입니다. 이런 사람들은 지식적 신앙에 갇혀 있습니다. 성경의 지식은 너무나 잘 아는데 살아 역사하시는 하나님의 그 능력을 체험하지는 못한 것입니다. 이들에게는 체험이 없습니다. 지식에 갇혀 있고, 지식이 모든 것의 기준입니다. 살아 있는 체험이 없기 때문에 지식적 신앙에 갇혀 삽니다.

두 번째는 첫 번째와 정반대의 경우입니다. 성경은 아무것도 모른 채 체험만을 추구합니다. 또한 체험을 합니다. 이런 사람들은 자신의 체험을 절대시할 가능성이 있습니다. 자신이 체험한 것만이 신앙이라고 말할 수 있습니다. 자신의 신앙 체험을 다른 사람에게 강요할 수도 있습니다. "내가 이러한 신앙을 체험했다면, 너도 이래야 한다"라고 하면서 그러지 않으면 안 된다고 강요할 수 있습니다.

일대일 양육을 할 때 자신의 신앙 체험을 다른 사람에게 강요해선 안 됩니다. 체험은 강요한다고 되는 것이 아닙니다. 체험이 있다는 것으로 우열을 가릴 수 있는 것이 아닙니다. 하나님의 말씀인 성경을 통해 그 체험을 식별하고 분별하고 지혜를 얻어야 합니다. 이런 체험 중심의 신앙은 신비적 신앙에 치우칠 수 있습니다.

우리에게 필요한 것은 무엇입니까? 성경도 알고 하나님의 능력도 알아야 합니다. 성경 지식도 충만하고 체험도 충만해야 합니다. 이것이 살아 있는 신앙입니다. 그런데 사두개파 사람들은 어땠습니까? 성경도 모르고 능력도 몰랐습니다. 그러면서도 하나님을 믿는다고 말합니다. 이는 죽은 신앙입니다. 자신의 생각 속에 갇힌 신앙입니다. 그들이 말하는 하나님, 그들이 주장하는 하나님은 자신들이 만들어 낸 존재입니다. 우리 자신 속에 하나님을 가두는 일이 없게 되기를 축원합니다.

예수님이 사두개파 사람들은 성경도 모른다고 한 이유가 무엇입니까? 사실 그들이 모세오경만을 믿었기 때문에 부활을 믿지 못한 것이 아닙니다. 모세오경도 제대로 몰랐습니다. 모세오경의 시작은 무엇입니까? 창세기 1장 1절은 "하나님께서 태초에 하늘과 땅을 창조하셨습니다"입니다. 무에서 유를 창조하신, 천지를 창조하신 이 말씀 한 구절을 받아들인다면 죽은 자를 살리는 것이 무엇이 어렵겠습니까? 부활이 어렵겠습니까? 창조가 어렵겠습니까? 당연히 창조가 어렵습니다. 그러므로 그들은 모세오경의 첫 번째 구절도 믿지 않았고, 하나님의 능력도 믿지 않았습니다. 이렇게 모세오경의 율법에 따르면 부활이 일어날 수 없기 때문에 믿을 수 없다고 주장하는 그들에 대해 예수님은 모세오경 중 한 구절을 끄집어 내어 부활에 대해 설명하셨습니다.

["죽은 사람의 부활에 대해서는 모세의 책에 가시떨기나무가 나오는 곳에서 하나님께서 모세에게 말씀하시기를 '나는 아브라함의 하나님, 이삭의 하나님, 야곱의 하나님이다' 하신 것을 읽어 보지 못했느냐? 하나님께서는 죽은 사람들의 하나님이 아니라 살아 있는 사람들의 하나님이시다. 너희가 크게 잘못 생각하고 있다."(막 12:26-27)]

예수님은 출애굽기 3장 6절의 말씀을 인용하셨습니다. 하나님이 모세를 부르실 때 가시떨기나무 아래서 그 불타는 떨기나무 가운데 자신을 소개하십니다. "나는 아브라함의 하나님, 이삭의 하나님, 야곱의 하나님이다." 어떻게 이 말씀으로 부활이 가능하다고 설명할 수 있습니까? 아브라함과 이삭과 야곱은 모세 시대의 기준으로 봤을 때 과거의 사람입니까? 현재의 사람입니까? 미래의 사람입니까? 과거의 인물들입니다. 그러므로 하나님께서 다음과 같이 말씀해야 했다고 생각할 수도 있습니다.

"나는 아브라함의 하나님, 이삭의 하나님, 야곱의 하나님이었다."

과거 시제로 쓰면 맞는 것 같습니다. 그런데 이미 한참 지나간 세대의 사람을 설명하면서 "나는 아브라함의 하나님, 이삭의 하나님, 야곱의 하나님이다"라고 현재형으로 설명하셨다는 겁니다. 왜 그러셨을까요? 하나님이 보실 때는 아브라함과 야곱과 이삭은 죽은 자들이 아니라는 것입니다. 그들은 살아 있다는 것입니다. 살아 있는 자들이라는 것입니다. 과거에 그들의 하나님이었다는 것이 아니라 지금도 그들의 하나님이라는 것입니다. 우리 눈에는 보이지 않지만 그들은 죽은 자들이 아니라 살아 있는 자들입니다. 먼저 간 믿음의 사람들은 죽은 자가 아니라 살아 있는 자입니다.

믿습니까? 과거에 하나님을 섬겼던 믿음의 선조들의 하나님이 지금도 그들의 하나님인 것입니다. 인간에게는 과거와 현재와 미래, 세 가지 시제가 있지만 하나님께는 한 가지 시제만 있습니다. 하나님께는 현재 시제만 있습니다. 과거에 일하신 하나님은 동일한 능력으로 역사하시는 분이기 때문에, 미래에 이루실 약속은 지금 이루어진 것과 다름없기 때문에 하나님은 언제나 현재 시제밖에 없습니다. 하나님은 아브라함의 하나님, 이삭의 하나님, 야곱의 하나님이십니다. 반면에 사두개파 사람들은 몸이 죽으면 영도 죽는다고 믿었습니다.

믿는 자의 죽음은 죽음이 아니라 과정이다

오늘날 신학자들 가운데서도 몸이 죽으면 영도 죽다고 말하는 사람이 있습니다. 그렇게 믿는 사람들이 있습니다. 하지만 아닙니다. 영은 죽지 않습니다. 부활의 몸을 기다리고 있습니다. 그리고 그 영은 주님의 품에 있습니다. 부활의 약속이 확실하기에 하나님은 아브라함과 이삭과 야곱을 살아 있는 자들이라고 부르신 것입니다. 그러므로 약속과 믿음 가운데 살아가는 사람들한테 죽음은 큰 의미가 없습니다. 죽음은 과정일 뿐입니다. 살아 있는 자들의 것입니다.

아브라함과 이삭과 야곱의 하나님을 묵상할 때 놀라운 메시지가 참 많다는 생각이 듭니다. 얼마나 은혜로운 말씀인지 모릅니다. 많은 사람들은 시대가 바뀌고 상황이 바뀌고 사람이 바뀌면 새로운 신이 필요하다고 생각합니다. 과거의 신은 열등한 신이고 현대로 갈수록 더 우수한 신이라고 말합니다. 초대교회 때도 이렇게 말하는 이단이 있었습니다. 말시온이라는 사람은 "구약을 믿을 수 없다, 구약의 하나님은 열등한 하나님이요, 신약의 하나님은 우수한 하나님이요, 예수 그리스도의 하나님만 사랑의 하나님이기 때문에 구약에 보면 진멸하지 않는가? 여호수아서를 보면 정복하지 않는가? 전쟁하는 신, 나쁜 신이다. 신약의 하나님만 진화되어 훨씬 더 좋은 신이다"라고 주장했습니다. 이는 사람의 이성을 가지고 하나님을 판단한 것입니다.

시대마다 더 나아지는 신이라면, 그것은 신이 아닙니다. 하나님은 아브라함 시대나 이삭 시대나 야곱 시대나 오늘 이 시대에도 동일한 하나님이셔야 합니다. 모든 세대에 걸쳐 동일한, 변하시지 않는 영원한 하나님이셔야 진정한 하나님입니다. 게다가 모든 세대의 하나님, 개개인의 하나님이라는 것이 얼마나 은혜로운지 모릅니다.

말씀을 읽다 보면 이 부분에서 정말 가슴 깊이 은혜가 밀려 옵니다. 하나님은 아브라함의 하나님이라 불리는 것을 부끄러워하시지 않았습니다. 이삭의 하나님이라 불리는 것을 부끄러워하시지 않았습니다. 야곱의 하나님이라 불리는 것을 기꺼이 기뻐하셨습니다.

아브라함과 이삭과 야곱의 하나님이시고 우리의 하나님이 되시는 분입니다. 그 하나님이 우리를 살아 있는 자로 여기시는 것입니다. "나를 믿는 자는 죽어도 살겠고 살아서 나를 믿는 자는 영원히 죽지 아니하리라." 진정 살아 있는 자는 누구입니까? 그리스도를 믿고 영원한 생명을 소유한 사람만이 진정 이 세상에서 살 때 살아 있다고 말할 수 있습니다.

그러면 믿지 않고 죽은 자는 영생이 없습니까? 그렇지 않습니다. 영원한 형벌, 영원한 심판이 있습니다.

하나님은 아브라함과 이삭과 야곱을 죽은 사람으로 여기시지 않았습니다. 그들은 살아 있는 사람입니다. 그리고 예수님은 마태복음 8장 11절에서 아브라함과 이삭과 야곱과 함께 우리가 식탁에 앉아 식사할 거라고 말씀했습니다. 어디 이 세 사람뿐이겠습니까! 바울도 만날 것이고 베드로와 야고보, 요한도 만날 것이고 노아로부터 방주 얘기도 듣게 될 것입니다. 그리고 엘리야한테서는 병거를 타고 하늘로 올라가는 얘기를 들을 것입니다. 이런 기대를 한번 가져 보기 바랍니다.

성경에 나타난 인물들 가운데 가장 만나고 싶은 인물이 누구입니까? 어떤 인물을 만나고 싶습니까? 저는 베드로를 꼭 만나고 싶습니다. 물 위를 걸었을 때 느낌이 어땠는지 한번 묻고 싶습니다. 요나를 만나 물고기 속에 있을 때 어떤 냄새가 났는지 물어보고 싶습니다. 식탁에 둘러앉아 영원토록 아름다운 이야기를 나누고 싶습니다.

미국의 어느 장례식 순서지에 보니 장례 예배를 이렇게 표현했습니다. 'A service of witness to the resurrection', 즉 부활의 증인의 예배, '부활의 증인을 위한 예배'라는 뜻입니다. 장례 예배란 단어는 이제 사라져야 합니다. 우리 크리스천들은 천국 환송 예배라고 하지만, 사실 더 정확한 명칭은 부활의 증인을 위한 예배입니다. 부활의 증인으로서 시작하는 예배인 것입니다. 믿는 자의 죽음은 죽음이 아닙니다. 살아 있는 자이기 때문입니다. 우리에게 죽음은 하나의 과정일 뿐입니다.

이제 우리 모두는 그리스도 안에 있는 자들을 살아 있는 자라고 말씀한 하나님이 바로 우리의 하나님이심을 믿고 사두개파 사람들처럼 자신의 생각에 갇히고 경험에 갇히고 자신의 신학에 갇히고 자신이 만들어 놓은 해석에 갇힌 채 살아가는 인생을 살아선 안 됩니다.

영원하신 하나님을 만남으로써 우리 시각이 영원으로 바뀌게 되고, 전능하신 하나님을 만남으로써 우리 능력이 아니라 하나님의 능력을 의지하며 살게 되고, 모든 것을 아시는 아버지를 만남으로써 우리의 지혜가 아니라 아버지의 지식에 의지한 채 살아가는 인생이 되고, 모든 것을 사랑하시는 아버지의 사랑을 받아 우리의 좁은 마음이 점점 더 넓어지는 삶을 살아야 합니다. 이것이 바로 영생입니다.

영생은 죽음 이후부터 시작되는 것이 아니라 오늘 그리스도 안에 있을 때부터 시작됩니다. 영생을 사는 사람들, 이들의 하나님이 바로 살아 있는 사람들의 하나님입니다.

Pray

하나님, 자신들의 율법과 자신들의 경험과 생각에 사로잡힌 사두개파 사람들의 모습을 통해 우리의 삶을 돌아봅니다. 주님 뜻이 아닌 내 뜻에서 생각하고, 내 생각의 범주 안에 가두어 두었던 모습을 용서하여 주옵소서. 그래서 죽어 있는 신앙이 아닌 살아 있는 신앙의 모습을 보이게 하시고, 살아 있는 사람들의 하나님이심을 고백하게 하소서. 예수님 이름으로 기도합니다. 아멘.

막 12:28-34

²⁸율법학자들 가운데 한 사람이 와서 그들이 논쟁하는 것을 들었습니다. 예수께서 그들에게 대답 잘 하시는 것을 보고 예수께 물었습니다. "모든 계명들 가운데 어떤 것이 가장 중요한 계명입니까?" ²⁹ 예수께서 대답하셨습니다. "첫째로 중요한 계명은 이것이다. '이스라엘아, 들으라! 주 우리 하나님은 오직 한 분이시다. ³⁰네 마음과 네 목숨과 네 뜻과 네 힘을 다해 주 네 하나님을 사랑하라'는 것이고 ³¹ 두 번째로 중요한 계명은 이것이다. '네 이웃을 네 몸과 같이 사랑하라'는 것이다. 이것보다 더 중요 한 계명은 없다." ³²그 사람이 대답했습니다. "선생님, 옳은 말씀입니다. 하나님은 오직 한 분이시고 하나님 한 분 외에는 다른 신이 없다는 말씀이 옳습니다. ³³온 마음과 모든 지혜와 온 힘을 다해 하 나님을 사랑하는 것과 이웃을 자기 몸같이 사랑하는 것이 모든 번제물과 희생제물보다 더 중요합 니다." ³⁴예수께서는 그가 지혜롭게 대답하는 것을 보시고, "너는 하나님 나라로부터 멀리 있지 않구 나"라고 말씀하셨습니다. 그 뒤로는 감히 예수께 더 묻는 사람이 없었습니다.

가장 중요한 계명

마음을 다해 하나님을 사랑하는 사람은 절대적으로
정상적인 욕구의 영역을 벗어나지 않습니다. 탐심을 품지 않습니다.
우리가 마음을 다해 하나님을 사랑할 때만이 우리가 사랑해서는 안 되는 것을 버릴 수 있습니다.
그래서 우리는 마음을 다해 하나님을 사랑해야 하는 것입니다.

사람은 무엇을 사랑하느냐에 따라 그 사람의 인생 가치가 달라집니다. 사람은 자기가 사랑하는 것을 닮고 싶어 하기 때문입니다. 가치 없고 쓸모없는 것을 사랑한다면 우리 인생은 가치 없는 것이 되고 맙니다. 반면 가치 있는 것을 사랑한다면 우리 인생은 가치 있게 될 것입니다. 하나님을 사랑하면 우리 인생은 하나님과 같이 가치 있는 인생이 됩니다. 그러므로 인생에 있어 가장 중요한 일은 무엇이 사랑할 만한 가치가 있는가 하는 것을 분별하고 사랑할 만한 것을 사랑하는 것입니다.

성경에 보면 예수님은 율법학자들 가운데 한 사람한테서 "모든 계명들 가운데 어떤 것이 가장 중요한 계명입니까?"라는 질문을 받으셨습니다. 이 율법학자는 이전에 나온 다른 사람들과는 다른 것 같습니다. 이전에 예수님을 찾아온 사람들은 모두 그룹을 지어 예수께 질문을 했습니다. 두려웠기 때문입니다. 어떻게 하면 예수님을 무너뜨릴까 공모했기 때문입니다. 그런데 이 율법학자는 혼자서 "모든 계명들 가운데 어떤 것이 가장 중요한 계명입니까?"라고 질문했습니다.

어떤 영역이든지 간에 그 영역을 가장 간단한 원리로 설명하려면 그 영역을 통달하고 있어야 합니다. 만약 당신이 과학자라면 "과학의 가장 중요한 원리는 무엇입니까?"라는 질문에 어떻게 대답하겠습니까? 만일 문학가라면 "문학의 가장 중요한 원리는 무엇입니까?"라는 질문에 무엇이라고 대답하겠습니까? 모든 것을 통달해야만 요약할 수 있고, 간단하고 명확하게 설명할 수 있습니다.

설명을 들을수록 더 복잡해진다면 설명하는 사람도 아직 모르는 것입니다. 명확하게 아는 사람은 명확하게 설명할 수 있습니다.

모든 계명을 하나로 요약할 수 있는 계명

"어떤 것이 가장 중요한 계명입니까?" 이 질문에 예수님은 현대 철학자들이 대답하는 것처럼 애매모호하게 대답하시지 않았습니다. 현대의 많은 철학자들은 이런 질문을 받으면 다음과 같이 대답할 것입니다. "중요하지 않은 것이 어디 있겠습니까? 다 중요합니다. 지금 당신의 마음에 가장 와 닿는 것이 가장 중요한 계명입니다. 그리고 당신이 가장 필요로 하는 것이 가장 중요합니다." 심지어는 "당신이 가장 좋다고 느끼는 것이 가장 중요한 것입니다"라는 식으로 대답할 것입니다. 그런데 예수님은 모든 계명을 하나로 요약할 수 있는 계명이 있다고 말씀했습니다.

[예수께서 대답하셨습니다. "첫째로 중요한 계명은 이것이다. '이스라엘아, 들으라! 주 우리 하나님은 오직 한 분이시다. 네 마음과 네 목숨과 네 뜻과 네 힘을 다해 주 네 하나님을 사랑하라'는 것이고 두 번째로 중요한 계명은 이것이다. '네 이웃을 네 몸과 같이 사랑하라'는 것이다. 이것보다 더 중요한 계명은 없다."(막 12:29-31)]

예수님은 율법학자가 전혀 모르는 새로운 말씀을 하시지 않았습니다. 신명기 6장에 나오는 이스라엘의 '쉐마', 여기서 쉐마는 국민교육헌장과도 같은 내용입니다. 어린 시절에 국민교육헌장을 암송하지 않았습니까? 그것은 바로 하나님을 사랑하고 이웃을 사랑하는 것입니다. 아무리 시대와 문화가 바뀌어도 절대로 변하지 않는, 가장 중요한 계명은 바로 하나님을 사랑하고 이웃을 사랑하는 것입니다. 이는 이스라엘 백성들에게만 가장 중요한 것이 아니라 모든 사람에게 가장 중요한 계명입니다.

예수님이 가장 중요하다고 하셨으므로, 진실로 그분의 말씀을 믿고 가장 중요한 계명을 실제로 순종하고 실천하는 사람에게 큰 축복이 있을 것입니다. 대대로 하나님을 사랑하고 이웃을 사랑하는 사람들이 불행하게 산 것을 본 적이 없습니다.

우리 인생의 가장 큰 기쁨, 가장 큰 축복을 누리는 길은 이 말씀에 순종하는 것입니다.

그런데 예수님은 그냥 사랑하라고만 말씀하지 않고 어떻게 사랑해야 하는지 말씀했습니다. 하나님을 사랑하는데 어떻게 사랑하라고 하셨습니까? 마음을 다해, 목숨을 다해, 뜻을 다해, 힘을 다해 사랑하라고 말씀했습니다. 또한 이웃을 사랑할 때는 어떻게 하라고 하셨습니까? 자기 몸과 같이 사랑하라고 말씀했습니다. 하나님을 사랑할 때는 마음과 목숨과 뜻과 힘을 다해 사랑하고, 이웃을 사랑할 때는 자신의 몸과 같이 사랑하라고 말씀했습니다.

사랑한다고 말하기는 쉽습니다. 그런데 남편이 아내에게 "당신을 사랑해"라고 말했을 때 다음과 같이 질문한다면 어떻게 하겠습니까? "정말 모든 것을 다해 사랑해?" 아마 불안해지기 시작할 겁니다. 사랑한다고 말하기는 쉽지만 모든 것을 다했느냐는 질문을 받으면 마음속에 조금이나마 불안한 생각이 듭니다.

"하나님을 사랑합니까? 모든 것을 다해 사랑합니까?" 이 질문에는 불안감을 느낄 것입니다. 하나님이 원하시는 사랑은 모든 것을 다하는 사랑입니다. 구약을 보면 이 사랑이라는 단어가 여러 가지로 나옵니다. 우리는 '사랑'이 한 단어밖에 없습니다. 구약에서 가장 많이 사용된 단어는 '헤세드'입니다. 변치 않는 사랑, 무너지지 않는 사랑, 견고한 사랑이 헤세드의 사랑입니다. 무조건적인 사랑입니다.

그다음으로 많이 사용된 단어는 신명기에서 집중적으로 사용되는데 '아하브'라는 사랑입니다. 이스라엘에 가면 아하브라는 머드팩을 만드는 화장품 회사가 있습니다. 아주 유명한 회사입니다. 마음을 다하여 드리는 사랑, 마음이 나누어지지 않는 사랑, 독점적인 사랑이 바로 아하브의 사랑입니다.

따라서 네 마음과 목숨과 뜻과 힘을 다하여 하나님을 사랑하라고 할 때는 "아하브의 사랑을 하라. 아하브하라"고 하면 됩니다. 그런데 왜 마음과 목숨과 뜻과 힘을 다해 하나님을 사랑하라는 것이 가장 중요할까요? 성경에 그 이유가 나와 있습니다. 첫째로 하나님은 오직 한 분이신 하나님이시기 때문입니다. 예수님은 이렇게 말씀했습니다. "첫째로 중요한 계명은 이것이다. 이스라엘아, 들으라! 주 우리 하나님은 오직 한 분이시다."

이것이 바로 아하브의 사랑으로 마음을 다해 하나님을 사랑해야 할 첫 번째 이유입니다. 하나님은 오직 한 분이라고 말씀한 것은 하나님 외에 참된 신은 없다는 뜻입니다. 하나님만이 우리에 대한 권리를 가지고 계시다는 뜻입니다. 우리는 그분의 소유입니다. 우리를 온전히 소유할 자격이 있는 분은 오직 하나님 한 분밖에 없습니다. 이것이 바로 우리가 하나님을 마음을 다해 사랑해야 하는 이유입니다.

하나님은 하나님 중심적인 분입니다. 성경에 보면 하나님 중심적인 표현이 많이 나옵니다. 기독교에 대한 많은 도전들도 바로 하나님 중심적인 말씀입니다.

"종교다원주의자들은 하나님 중심적인 말씀을 무너뜨리려는 세력입니다. 하나님만 사랑하고, 하나님만 홀로 영광을 받으셔야 하고, 하나님만이 참된 신입니다. 그 외에 다른 신은 없습니다."

하나님의 이 유일성에 도전하는 것이 종교다원주의입니다. 하나님을 믿는 사람들도 이 부분에 대해서는 명쾌하게 대답하지 못합니다. 왜 하나님만 사랑하라고 하십니까? 다른 신도 조금 사랑하는 관용을 베푸시면 안 됩니까?

오프라 윈프리라는 유명한 흑인 토크쇼 진행자가 있습니다. 그녀는 많은 사람들에게 신실한 크리스천으로 알려져 있는데, 몇 년 전에 "나는 자신만을 사랑하라고 하는 하나님은 배타적인 하나님이기 때문에 그런 하나님은 안 믿는다. 내가 믿는 하나님은 모든 신을 다 포용하는 그런 신이다. 내가 믿는 하나님은 그런 하나님이다"라고 말해 크게 이슈가 되었습니다.

그녀의 이 신앙은 잘못된 신앙입니다. 그녀는 하나님만이 참된 신이라는 배타적으로 보이는, 하나님 중심적인 말씀을 받아들이지 않은 것입니다. 그리고 자기 식대로 해석한 것입니다. "내가 믿는 하나님은 힌두교의 신도 불교의 부처도 다 포용하는, 어떤 신을 섬겨도 용납하는 그런 하나님이다"라는 그녀의 고백은 한동안 여러 사람들의 입에 오르내렸습니다.

그 이후로 오프라 윈프리의 생각이 바뀌었는지 안 바뀌었는지는 모르겠습니다. 하지만 그런 생각을 가지고 있다면 분명 잘못된 신앙입니다. 그 생각을 추종해서는 안 됩니다. 이 시대에는 유명한 사람의 말, 잘 알려진 사람의 말이 진리가 되어 버리곤 합니다. 저명한 철학자나 유명한 학자, 물리학자들이 주장하면 그것이 진리라도 되는 양 생각하는 시대가 되어 버렸습니다.

질투하시는 하나님

이 질문에 대답하려면 두 번째 이유를 알아야 합니다. 두 번째 이유는 오직 한 분이신 하나님이 모든 것을 다해 우리를 사랑하시기 때문입니다. 하나님이 천지를 창조하신 목적은 우리를 사랑하시기 때문입니다. 하나님은 우리와 사랑에 빠지셨습니다. 하나님은 사랑 때문에 우리를 쫓아 다니셨고, 우리를 대신해 죽기까지 하셨습니다. 그리고 우리를 신부라고 부르시면서 자신을 신랑이라고 소개하셨습니다. 게다가 스스로를 질투하는 하나님이라고 소개하셨습니다.

질투에는 두 가지 종류가 있습니다. 나에게 속하지 않은 것을 향한 질투가 있고, 나에게 속한 것에 대한 질투가 있습니다. 내가 갖지 않은 것을 다른 사람이 가졌다고 질투하는 것, 내 것이 아님에도 그 사람의 것을 그 사람이 누린다고 질투하는 것은 파괴적이고 있어선 안 되는 질투입니다.

반면 마땅히 나에게 속한 것을 가지고 질투하는 것은 건강한 질투, 정당한 질투입니다. 대표적인 것이 부부관계입니다. 부부는 서로 언약의 맹세를 했습니다. 한평생 괴로울 때나 즐거울 때나 변치 않는 마음으로 사랑할 것을 맹세했습니다. 그러므로 배타적인 사랑을 받을 권리가 있습니다. 당신의 배우자가 다음과 같이 말한다면 어떤 생각이 듭니까?

배우자가 다른 사람을 사랑한다고 했을 때 "괜찮아, 나는 마음이 넓은 사람이야. 나는 당신이 꼭 나만을 사랑하지 않아도 괜찮아. 당신이 하고 싶은 대로 해. 나는 당신을 사랑하니까 당신이 원하는 대로 해"라고 말한다면 과연 정상적인 사람일까요? 이게 과연 진정한 사랑일까요?

서로 한 사람만을 사랑해야 하는데, 다른 사람을 사랑한다고 했을 때 화도 내지 않고 분노도 하지 않고 "괜찮아"라고 말한다면 그것이 과연 포용일까요? 어떻게 해야 합니까? 뭔가 물건이 날아가고, 접시라도 좀 깨져야 하지 않겠습니까? 이것이 사랑의 표현입니다. 이때의 분노는 사랑에서 나오는 것입니다. 그리고 이 질투는 파괴적인 질투가 아니라 건강한 질투입니다.

그러므로 하나님이 "나는 질투하는 하나님이다"라고 말씀할 때 그것은 마땅히 하나님께 속한 모든 만물이 하나님만을 사랑해야 하는데, 그분 이외의 것을 사랑할 때 하나님이 느끼시는 감정입니다. 그러므로 하나님의 질투는 그분의 사랑이 가진 또 다른 얼굴인 것입니다. 하나님은 우리의 일부만 사랑하시지 않습니다.

뭔가를 잘해 하나님이 우리를 사랑하신다면, 우리도 하나님을 사랑할 때 그분이 우리에게 잘해 주실 때만 사랑하면 됩니다. 하지만 하나님은 우리가 잘했을 때뿐 아니라 잘못 행할 때도 사랑하십니다. 우리는 하나님을 사랑하되, 하나님이 우리가 보기에 좋은 일을 해 주실 때만 사랑하는 것이 아니라 우리가 보기에 좋지 않은 일, 원치 않는 일을 해 주실 때도 사랑해야 하는 것입니다.

십일조가 있습니다. 돈에서 10분의 1을 드리는 것입니다. 그런데 사랑에는 십일조가 없습니다. 사랑은 모든 것이 아니면, 아무것도 아닙니다. 사랑은 부분적인 것만을 줄 수 없습니다. 사랑은 나누어지지 않습니다. 우리가 무엇인가를 사랑하면 다른 무엇인가를 미워하고 있는 것입니다.

그러므로 하나님은 "나와 돈을 겸하여 섬길 수 없다"고 말씀했습니다. "네 형제와 가족까지 미워하지 않으면 나를 사랑할 수 없다"고 말씀했습니다. 이는 미워하라는 것이 아니라 모든 마음으로 하나님을 사랑할 때 다른 사람들이 볼 때는 마치 미워하는 것처럼 느낄 수 있다는 것입니다.

모든 것을 다해 하나님을 사랑하는지 알아내는 방법은 우리 마음속에 만족이 있는지 살펴보면 됩니다. 우리 마음속에 아쉬움이 있는지 없는지를 보면 압니다. 하나님을 마음과 목숨과 뜻과 힘을 다해 사랑하는 사람은 늘 만족감이 있습니다. 그리고 하나님 앞에 두려움이 없습니다.

하나님은 왜 마음을 다해 그분을 사랑하라고 하셨습니까? 우리가 마음을 다해 하나님을 사랑하지 않으면 문제가 생깁니다. 어떤 문제가 생기는지 압니까? 우리에게 하나님이 주시는 자연스러운 욕구들이 있습니다. 정당한 욕구들이 있습니다. 그런데 마음을 다해 하나님을 사랑하지 않으면 하나님이 우리 마음속에 주신 정당하고 자연스러운 욕구가 탐욕으로 변합니다. 탐심으로 변합니다. 하나님에 대항하는 반역하는 마음으로 변해 버립니다. 자연스러운 식욕은 식탐이 됩니다. 자연스러운 성욕은 성 중독이 됩니다. 자연스러운 다스림의 욕구, 만물을 다스리라고 주신 욕구가 권력의 욕구가 됩니다.

마음을 다해 하나님을 사랑하는 사람은 절대적으로 정상적인 욕구의 영역을 벗어나지 않습니다. 탐심을 품지 않습니다. 우리가 마음을 다해 하나님을 사랑할 때만이 우리가 사랑해서는 안 되는 것을 버릴 수 있습니다. 그래서 우리는 마음을 다해 하나님을 사랑해야 하는 것입니다.

세 번째 이유로 우리가 마음을 다해 한 분 하나님만을 사랑해야 하는 것은 마음을 다해 그분을 사랑하는 것이 우리가 가장 행복해지는 길이기 때문입니다. 신앙의 터닝 포인트는 우리가 마음을 다해 하나님을 사랑하는 것이 가장 행복한 길이라는 사실을 깨닫게 될 때입니다. 역사상 많은 사람들이 이 과제를 가지고 고민했습니다.

하나님이 그분 한 분만을 사랑하라고 하셨는데, 하나님 중심적인 말씀이 너무 이기적인 것은 아닌지 고민하게 됩니다. 고린도전서 13장에 보면 사랑은 자기의 유익을 구하지 않는다고 말씀했는데 하나님이 "나만 섬기라, 나만 예배하라, 나만 영광을 받아야 한다"라고 말씀한 것이 독점적이고 배타적이고 이기적인 것은 아닌가 하는 오해로 말미암아 그 말씀을 이해하기 힘들었습니다. 많은 사람들이 고민했습니다.

청교도로서 미국의 대각성운동을 일으킨 조나단 에드워즈도 이런 고민을 했습니다. 그의 책《하나님의 천지창조의 목적》에 보면 창조의 목적을 이렇게 설명하고 있습니다.

"하나님의 모든 창조 섭리에서 하나님의 최상 그리고 최고의 목적은 무엇인가? 하나님 창조의 목적은 피조물들의 최고 행복 속에서 하나님께서 영광을 나타내시는 것이다."

하나님이 홀로 영광 받으시는 것과 우리가 행복해지는 것은 별개가 아니라 하나라는 것입니다. 왜 하나님은 그분 한 분만을 영광스럽게 하라고 명령하신 걸까요? 하나님께만 영광을 돌릴 때 우리가 가장 행복해지기 때문입니다. 인간이 행복해지는 것은 본성과 목적이 하나가 될 때입니다. 창조된 목적대로 살아갈 때 행복해집니다. 인간은 하나님만을 사랑하도록 창조되었고, 그 목적대로 행할 때 행복해집니다.

C.S. 루이스도 이 문제에 대해 심각하게 고민했습니다. 시편에 대한 그의 책을 보면, 신앙의 초기 단계 때 가장 이해할 수 없었던 문제가 바로 이 문제였다고 고백합니다. 하나님이 최고의 영광을 받으시고 찬양 받으실 분이라는 많은 시편의 고백을 이해하기 힘들었다는 것입니다. 어떤 부분에서는 순종을 강요하고, 하나님에 대한 순종에 대한 명령을 이해할 수 있습니다. 하지만 하나님이 홀로 높임을 받으셔야 한다, 모든 영광을 받으셔야 한다, 하나님만 사랑해야 한다는 말씀을 이해하기 어려웠다는 것입니다.

그런데 믿음이 깊어가면서 왜 하나님이 그분만을 온전히 놓고 그분에게만 영광을 돌리라고 하는지 깨닫게 되었다고 합니다. 그것은 바로 하나님이 찬양받기에 합당한 분이기 때문일 뿐 아니라 우리가 하나님만을 예배하고 하나님만을 찬양하고 하나님만을 사랑할 때 그것이 바로 우리가 가장 행복하고 기쁘고 즐거운 순간이 된다는 것입니다. 이러한 행복을 함께 경험할 수 있게 되기를 바랍니다.

이렇게 모든 것을 다해 하나님을 사랑하는 사람은 사랑이 흘러넘칩니다. 그러므로 다른 사람한테도 그 사랑이 흘러넘치게 됩니다. 사랑은 "해야 한다! 해야 한다!"라고 말한다고 해서 할 수 있는 것이 아닙니다. 사랑은 흘러넘치는 것입니다. 마음을 다해 하나님을 사랑할 때 놀랍게도 우리는 다른 사람을 사랑할 수 있습니다. 그러므로 이것은 두 가지가 아니라 한 가지입니다.

무엇이 가장 중요한 계명입니까? 두 가지를 답변하신 것처럼 보이지만, 사실 한 가지만 답변하신 것입니다. 두 번째로 중요한 계명은 "네 이웃을 네 몸과 같이 사랑하라"는 말씀입니다.

["두 번째로 중요한 계명은 이것이다. '네 이웃을 네 몸과 같이 사랑하라'는 것이다. 이것보다 더 중요한 계명은 없다."(막 12:31)]

이는 다음 말씀을 인용한 것입니다.

["너는 네 형제에게 복수하거나 원한의 마음을 품지 마라. 다만 너는 네 이웃을 네 자신처럼 사랑하여라. 나는 여호와다."(레 19:18)]

하나님을 사랑하라고 하실 때는 어떻게 하라고 하셨습니까? 마음을 다해 사랑하라고 하셨습니다. 하지만 이웃을 사랑할 때는 네 몸보다 더 사랑하라고 하지 않으셨습니다. "네 몸과 같이 사랑하라"고 말씀했습니다. 어떤 사람들은 이 말씀을 묵상하면서 '네 몸과 같이'를 지나치게 강조합니다. 그래서 자신을 사랑하는 것이 우선이라고 말합니다.

물론 자신을 사랑하지 못하는 사람이 다른 사람을 사랑할 리가 없습니다. 할 수가 없습니다. 하지만 너무 지나치게 강조하다 보니 자기를 사랑해야만 한다, 자기를 사랑하라는 명령으로 강조하게 됩니다. 하지만 강조할 필요가 없습니다. 왜일까요? 강조하지 않아도 잘합니다. 이미 잘하고 있습니다. 가르쳐 주지 않아도 잘하는 것이 바로 자기를 사랑하는 일입니다.

"자신을 사랑하고 있는 방식대로 다른 사람을 사랑하라"는 황금률에 나오는 말입니다. "너희가 대접받고자 하는 대로 다른 사람을 대접하라." 이렇게 이웃을 자신처럼 사랑하는 것이 왜 가장 중요한 계명입니까? 하나님은 사도 바울을 통해 이 계명을 통해 모든 율법이 완성되기 때문이라고 말씀했습니다.

[서로 사랑하는 것 외에는 누구에게든지 아무 빚도 지지 마십시오. 남을 사랑하는 사람은 율법을 다 이루었습니다. "간음하지 말라, 살인하지 말라, 도둑질하지 말라, 탐내지 말라"고 하는 계명과 그 밖에 다른 계명이 있을지라도 이 모든 계명

들은 "네 이웃을 네 자신과 같이 사랑하라"고 하는 이 말씀 가운데 다 요약돼 있습니다. 사랑은 이웃에게 악을 행하지 않습니다. 그러므로 사랑은 율법의 완성입니다.(롬 13:8-10)]

남을 사랑하는 사람은 율법을 다 이루었다고 말씀했습니다. 도둑질하지 말라, 살인하지 말라, 탐내지 말라 등 여러 가지 계명이 있지만, 이 계명은 "네 이웃을 자신과 같이 사랑하라"는 계명에 다 요약되어 있습니다. 그러므로 사랑은 율법의 완성입니다. 너무나 명쾌한 설명이 아닐 수 없습니다. 예수님은 남을 사랑하는 것이 왜 가장 중요한 계명인지 로마서 13장에서 사도 바울을 통해 명확하게 설명해 주셨습니다.

마음을 다해 사랑하면 자유하게 된다

율법은 어떻게 되어 있습니까? '하라, 하지 말라'는 많은 계명들로 구성되어 있습니다. 그러면 율법에 나오는 모든 '하라, 하지 말라'는 계명을 다 지키면 어떤 사람이 됩니까? 사랑하는 사람이 됩니다. 그 계명을 다 지키면 남을 사랑하는 사람이 됩니다.

율법의 목표는 어떤 사람을 만드는 것입니까? 사랑하는 사람을 만드는 것입니다. 하나님을 사랑하고 이웃을 사랑하는 사람을 만드는 것이 목표이지, 어떤 다른 형태의 종교적 인간을 만들어 내는 것이 목표가 아닙니다. 구약에 나오는 하나님의 모든 계명은 사랑을 목표로 합니다. 어떤 사람은 지능이 낮아서 십계명을 못 외운다고 합니다. 물론 지능이 높다고 해서 십계명을 다 외우는 것은 아닙니다. 많은 사람들이 지능은 높지만, 십계명을 외우라고 하면 외우겠습니까? 관심이 있어야 외웁니다.

지능이 높아서 구약에 나오는 모든 계명을 외운다고 합시다. 줄줄이 암송합니다. 하지만 남을 사랑하고 있지 않다면 그 모든 지식은 아무 소용이 없습니다. 하지만 지능이 너무 낮아서 십계명도 제대로 못 외운다고 해도 다른 사람을 사랑하고 있다면, 마음을 다해 하나님을 사랑하고 있다면 그는 계명을 몰라도 이미 다 지키고 있는 것입니다. 계명을 몰라도 그 계명을 가져다 놓고 체크리스트를 만들어 체크해 보면, 그는 틀림없이 그 모든 계명을 지키는 사람이 되어 있을 것입니다.

왜 살인하지 말라고 말씀합니까? 사랑을 행하는 것이 아니기 때문입니다. 왜 간음하지 말라고 말씀합니까? 진정한 사랑이 아니기 때문입니다. 구약의 모든 계명은 사랑을 행하도록 하는 것이기 때문에 사랑을 행하면 계명을 다 몰라도 계명을 모두 지킨 것이 됩니다. 그러므로 사랑은 율법의 완성이 됩니다.

만약 하나님을 사랑하지 않는다면 이 모든 계명을 다 알아도 아무 의미가 없습니다. 하지만 하나님을 사랑한다면 그 어떤 계명을 행하는 데 있어 어려움이 없을 것입니다.

그러므로 예수님은 하나님을 사랑하고 이웃을 사랑하는 게 가장 중요한 계명이라고 말씀했습니다. 이 한 가지 중요한 계명을 가슴에 새기고 날마다 전심으로 하나님을 사랑하고 이웃을 자신의 몸과 같이, 자신을 아끼는 만큼 사랑한다면 우리는 하나님 앞에 합당한 삶을 살게 될 것입니다.

예수님의 대답에 힘이 있었던 것은 예수님 자신이 행하며 말씀했기 때문입니다. 우리 같은 설교자의 메시지가 힘이 없는 것은 설교자가 행하지 않는 것을 설교하기 때문입니다. 예수님은 자신이 행하지 않는 것을 말씀한 적이 한 번도 없습니다.

원수를 사랑하라고 말씀한 예수님은 원수를 사랑하셨습니다. "이웃을 네 몸과 같이 사랑하라"고 말씀한 예수님은 자신의 몸같이 사랑하셨습니다. 마음과 뜻과 목숨과 힘을 다해 하나님을 사랑하라고 말씀한 예수님은 하나님을 사랑하셨습니다. 그래서 십자가에 못 박혀 죽으신 것입니다. 이웃을 사랑하기에, 하나님을 사랑하기에 예수님은 십자가에 못 박히신 것입니다.

예수님의 이 대답에 율법학자는 "옳습니다"라고 동의했고, 그 말씀을 반복했습니다. 그러자 예수님은 이 사람을 가리켜 "하나님 나라로부터 멀리 있지 않구나"라고 말씀했습니다. 들어갔다고 말씀하지 않은 이유는 무엇입니까? 그가 지식적으로 알고 동의한 것은 믿음이 아니기 때문입니다. 믿음은 체험입니다. 이 말씀을 행하고 말씀을 지키고 말씀이 그의 삶 속에 나타날 때 그가 하나님 나라 안에 있는 것입니다.

하나님 나라는 사랑의 나라입니다. 하나님 나라는 누구에게 체험됩니까? 마음을 다하여 하나님을 사랑하고 이웃을 네 몸과 같이 사랑하는 사람들이 체험하는 곳이 하나님 나라입니다. 마음을 다해 하나님을 사랑한다고 할 때 종교적으로 집착하는 것이 아닙니다. 심리적으로 집착하는 것은 질병입니다. 사랑과 집착은 다른 것입니다.

마음을 다해 하나님을 사랑할 때 하나님께 얽매이고 종교적으로 얽매이게 됩니까? 그렇지 않습니다. 마음을 다해 사랑하는 사람은 유아기적이고 미성숙한 모습을 보이지 않습니다. 마음을 다해 하나님을 사랑한 사람은 무한한 자유를 느낍니다. 하나님은 우리를 더욱 자유케 해 주십니다. 다른 사람을 사랑하는 사람들 역시 얽매이지 않습니다. 풍요로운 하나님의 사랑을 누리게 해 주십니다.

마음을 다해 사랑하는 것, 이웃을 네 몸과 같이 사랑하는 것은 의무적으로는 할 수 없습니다. 우리가 사랑을 선택하고 자발적으로 드릴 때만 가능한 것입니다. 그 때 정말 하나님이 우리를 창조하실 때 계획하셨던 그 행복, 기쁨, 즐거움, 아름다움을 느낄 수 있게 될 것입니다. 마음을 다해 하나님을 사랑해야 합니다. 그리고 자신을 사랑하듯 이웃을 사랑해야 합니다.

Pray

하나님, 하나님 사랑과 이웃 사랑을 말씀하신 것을 기억합니다. 마음과 목숨과 뜻과 힘을 다해 하나님을 사랑하고 경배하는 삶 살게 인도하여 주옵소서. 또한 우리의 이웃을 정말 내 몸과 같이 사랑하는 믿음의 사람들 되게 하옵소서. 예수님 이름으로 기도합니다. 아멘.

막 13:1-13

¹예수께서 성전을 떠나실 때 제자들 가운데 한 사람이 말했습니다. "선생님, 저것 좀 보십시오! 저 큰 돌들 하며 웅장한 건물 좀 보십시오!" ²예수께서 그에게 말씀하셨습니다. "이 훌륭한 건물들을 보느냐? 여기 있는 돌 하나라도 그냥 쌓여 있지 않고 하나같이 모두 무너질 것이다." ³예수께서 성전 맞은편 올리브 산에서 앉아 계실 때에 베드로와 야고보와 요한과 안드레가 따로 나아와 예수께 물었습니다. ⁴"말씀해 주십시오. 그런 일이 언제 일어납니까? 그런 일이 다 이루어질 무렵에는 어떤 징조가 있겠습니까?" ⁵예수께서 대답하셨습니다. "어느 누구에게도 현혹되지 않도록 조심하라. ⁶많은 사람들이 내 이름으로 와서 '내가 바로 그다'라며 많은 사람들을 속일 것이다. ⁷전쟁이 일어난 소식과 소문이 들려도 놀라지 말라. 그런 일은 반드시 일어나야 하지만 마지막은 아직 아니다. ⁸민족과 민족이 서로 대항해 일어나고 나라와 나라가 서로 대항해 일어날 것이다. 곳곳에서 지진이 일어나고 기근이 들 것이다. 그러나 이런 일은 해산하는 고통의 시작일 뿐이다. ⁹너희는 정신을 바짝 차려야 한다. 너희는 법정에 넘겨지고 회당에서 매질당할 것이다. 그리고 나로 인해 왕과 총독들 앞에 서서 그들에게 증언하게 될 것이다. ¹⁰먼저 복음이 세상 모든 민족에게 전해져야 한다. ¹¹너희가 붙잡혀 가서 재판을 받게 될 때에 무슨 말을 할지 미리 걱정하지 말라. 때에 맞게 너희에게 주시는 말만 하면 된다. 말하는 분은 너희가 아니라 성령이시다. ¹²형제가 형제를, 아버지가 자식을 배신해 죽게 내어 줄 것이다. 자식들이 부모를 배역해 죽게 만들 것이다. ¹³모든 사람들이 나로 인해 너희를 미워할 것이다. 그러나 끝까지 견디는 사람은 구원받을 것이다.

마지막 때를
준비하라

역사적으로 위대한 인생을 살았고 역사를 변화시킨 사람들을 보면
한결같이 마지막 때를 의식하며 살았습니다. 우리 개인의 인생도 마찬가지입니다.
인생의 마지막 때를 의식하며 사는 사람은 날마다 새로운 인생을 삽니다.
역사의 마지막 때를 인식하며 사는 사람은 역사를 변화시키는 인생을 살게 됩니다.

사람들은 미래에 대한 많은 호기심을 가지고 있습니다. 그래서 이런 사람들의
호기심을 이용한 비즈니스가 성행하고 있습니다. 오늘 같은 과학기술시대에도 여
전히 신문에는 '오늘의 운세' 난이 빠지지 않고 등장하고 있습니다. 그처럼 넓은
지면을 할애해 오늘의 운세를 밝히는 이유는 무엇입니까? 사람들이 찾는다는 것
입니다. 그것에 의지하는 사람들이 있다는 것입니다. 아이러니컬한 이야기가 아닐
수 없습니다.

또한 미래 트렌드를 예측한다는 미래학자들의 책은 지나고 보면 별로 맞는 것이
없음에도 언제나 베스트셀러가 됩니다. 미래에 대한 호기심을 이용한 비즈니스 마
케팅이 적중한 때문입니다.

역사의 미래에 대해 사람들은 두 가지 잘못된 생각을 가지고 있습니다. 첫 번째
는 과학기술의 발전과 함께 미래가 점점 더 좋아지고, 점차 유토피아를 향해 나아
가고 있다는 생각입니다. 유토피아는 헬라어로 '후토포스', 번역하면 '그런 곳은
없다'라는 뜻입니다. 헬라어로는 분명 그런 곳은 없다고 하는데, 지상낙원을 상징
하는 단어가 된 것이 이상한 일입니다.

세상은 점점 나아지고 있습니까? 과학기술, 문화 측면에서는 그런 것처럼 보이지만 이 세상의 악도 함께 증가하고 있습니다. 많은 사람들이 "미래는 점점 나아질 것이다, 좋아질 것이다"라는 진화론적 낙관주의에 빠져 있습니다. 소위 미래학자들이라는 사람들의 책을 읽어 보면 그런 성향이 강합니다.

반대로 두 번째 견해는 이 세상이 점점 나빠지고 있기 때문에 현실로부터 도피해야 한다는 현실도피주의적인 생각입니다. 플라톤의 이원론인 "육은 악하고 영은 선한 것이다. 영적인 것만 선한 것이다. 육적인 것인 피해야 하는 것이다"와 같은 금욕주의를 신봉하는 사람들이 있습니다.

성경의 견해는 무엇입니까? 이 두 가지 극단적인 견해가 아니라 역사에 대한 하나님의 주관과 하나님의 주권, 하나님이 역사를 창조하셨고 시작하셨고 마지막 마무리를 하실 것이라는 생각을 우리에게 가르쳐 줍니다. 그리고 우리는 그 역사에 대한 책임을 가지고 있다는 것입니다. 타락한 사회는 마지막 때에 대한 관심이 없었습니다. 중세의 암흑시대는 바로 역사의 마지막 때를 생각하지 않아서 도래했던 것입니다.

종말과 해산의 고통

초대교회 성도들의 마음을 사로잡았던 것은 무엇입니까? 그들의 마음을 사로잡았던 것은 바로 마지막 때에 대한 기대와 생각이었습니다. 언제부터 초대교회 성도들은 이 마지막 때에 대한, 이 종말의 의식을 잃어버렸습니까? 그들은 핍박과 고난 속에서 마지막 때에 주님이 다시 오실 날을 사모하며 살았습니다.

그런데 기원후 23년 교회 역사가들에 따르면 콘스탄티누스 대제가 기독교를 인정하고 교회와 국가가 연합하면서부터 사람들은 마지막 때에 대한 기대를 하지 않게 되었다고 합니다. 콘스탄티누스 대제가 메시아로 추앙 받고 마치 새 하늘과 새 땅이 임한 것처럼 이해할 만도 합니다. 왜냐하면 핍박과 고난으로 수많은 사람들이 죽어가다가 콘스탄티누스 대제가 기독교를 인정하면서 자유롭고 평화로운 시대가 찾아오자 사람들은 다시 오시겠다는 예수 그리스도가 콘스탄티누스 대제로 온 것이 아닐까 착각할 정도였습니다.

새 하늘과 새 땅이 임한 것처럼 보였습니다. 하지만 그때부터 중세의 어두운 시대가 시작되었습니다. 마지막 때에 대한 인식이 사라졌을 때부터 교회의 역사는 어두워지기 시작했습니다.

어거스틴이 《하나님의 도성》을 쓴 이유가 바로 이것입니다. 많은 사람들이 하나님의 도성이 임한 것처럼 콘스탄티누스 대제를 추앙하고, 그를 우상화하고, 새 하늘과 새 땅이 임한 것처럼 생각하고 있었을 때 "아닙니다! 하나님의 도성은 아직 오지 않았습니다. 새 하늘과 새 땅은 아직 온전히 임한 것이 아닙니다"라는 사실을 밝히기 위해 이 책을 쓴 것입니다. 바로 마지막 때가 아직 오지 않았다는 것을 가르쳐 주기 위해 쓴 책입니다.

교회는 마지막 때에 대한 관심을 잃어버리면서 능력도 잃어버렸습니다. 마지막 때에 대해 관심을 가지게 되면 현실을 도피하는 것처럼 보일지 모르지만, 오히려 반대입니다. 역사적으로 위대한 인생을 살았고 역사를 변화시킨 사람들을 보면 한결같이 마지막 때를 의식하며 살았습니다. 우리 개인의 인생도 마찬가지입니다. 인생의 마지막 때를 의식하며 사는 사람은 날마다 새로운 인생을 삽니다. 역사의 마지막 때를 인식하며 사는 사람은 역사를 변화시키는 인생을 살게 됩니다.

C.S. 루이스는 "천국을 준비하지 않는 사람은 이 세상에서의 삶도 준비하지 않는다. 천국을 목표로 하는 사람은 이 세상에 자신을 투신한다. 그러나 땅을 목표로 하는 사람은 아무것도 이루지 못한다"라고 말했습니다.

늘 마지막 때를 의식하며 살아가는 우리 삶이 될 수 있기를 바랍니다.

성경에서 예수님은 역사의 마지막 때의 징조를 말씀하면서 어떻게 이 마지막 때를 준비하며 살아가야 하는지 교훈을 주셨습니다. 예수님의 말씀이 모두 진리인 것을 믿습니까? 성경의 모든 말씀이 진리입니다. 예수님이 하신 모든 말씀이 진리임을 믿는다면 예수님이 마가복음 13장을 통해 미래에 있을 일을 예언한 대로 반드시 그렇게 이루어질 줄 믿어야 합니다.

우리는 이미 그 증거를 체험하고 있습니다. 많은 사람들이 미래를 예견하는 교과서를 찾고 미래 트렌드를 가르쳐 준다는 책을 읽지만, 마가복음 13장에 나오는 미래에 대한 예수님의 예언을 읽지 않습니다. 받아들이지 않습니다. 무시합니다. 하지만 크리스천들은 비싼 돈을 주고 미래학 교과서를 사 보는 대신에 마가복음 13장, 마태복음 24장, 요한계시록처럼 성경에 나오는 미래의 모습을 더 많이 읽고 깊이 묵상해야 합니다. 성경에 다 기록되어 있습니다. 성경이야말로 가장 정확한 미래학 교과서입니다.

예수님은 마지막 때가 어떻게 오는지 설명하기 위해 비유를 드셨습니다. 바로 해산하는 고통입니다. 예수님은 "이런 일은 해산하는 고통의 시작일 뿐이다"라고 말씀했습니다. 해산하는 고통을 가리켜 이 마지막 때를 설명하셨습니다. 이 기간은 해산의 고통이 시작되어 출산에 이르기까지의 과정, 그 고통의 과정에 비유하신 것입니다. 왜 해산의 고통으로 이 마지막 때를 설명하셨을까요?

그것은 일단 고통스럽게 때문입니다. 하지만 그 고통은 불가피한 고통입니다. 피할 수 있는 고통이 아닙니다. 반드시 지나가야 하는 고통입니다. 물론 분만실에 들어가서 10~15분 만에 금방 나오는 사람들도 있습니다. 하지만 대체적으로 출산은 힘들고 고통스럽습니다. 산모에게는 그 시간이 1분이 한 시간처럼, 아니 하루처럼 길게 느껴집니다.

물론 직접 체험해 보지 않았습니다. 아내가 첫 아이를 낳을 때 호흡법을 같이하면, 1인실에서 함께 출산할 수 있게 해준다고 해서 바쁜 시간을 쪼개 그 호흡법을 배웠습니다. 그런데 진통이 시작되고 나니 호흡법이고 뭐고 하나도 기억나는 것이 없었습니다. 다 잊어버렸습니다. 어떻게 해야 하는지 너무 당황해서, 아내가 너무 고통스러워하는 모습을 보고 열 몇 시간이 열흘, 수십 년처럼 느껴졌습니다. 그 방 바깥에서, 분만실 곳곳에서 터져 나오는 산모들의 비명 소리가 지금도 귀에 쟁쟁합니다. 남편을 나무라는 아내의 비명소리가 지금도 귀에 쟁쟁합니다.

산모의 해산하는 고통, 그것은 피할 수가 없습니다. 죽을 것 같은 고통이지만, 그 고통의 끝은 생명입니다. 이 말세의 고통은 분명히 피할 수 없지만, 이 말세의 고통의 끝은 새로운 창조입니다. 새 하늘과 새 땅입니다. 그러므로 해산의 고통이라고 비유하신 것만큼 마지막 때를 바라보는, 종말의 시각을 가장 정확하게 설명해 주는 비유는 없습니다.

말세가 되면 우리에게 고통이 오고, 마지막 때의 고통은 바로 해산의 고통이라고 말씀했습니다. 예수님은 그 시작과 마지막을 마가복음 13장을 통해 보여 주셨습니다.

마지막 때에 나타나는 몇 가지 징조

마지막 때에는 몇 가지 징조가 나타납니다. 첫 번째는 타락한 종교의 화려함 자체가 마지막 때의 징조입니다.

[예수께서 성전을 떠나실 때 제자들 가운데 한 사람이 말했습니다. "선생님, 저 것 좀 보십시오! 저 큰 돌들 하며 웅장한 건물 좀 보십시오!" 예수께서 그에게 말씀 하셨습니다. "이 훌륭한 건물들을 보느냐? 여기 있는 돌 하나라도 그냥 쌓여 있지 않고 하나같이 모두 무너질 것이다."(막 13:1-2)]

한 제자가 예루살렘 성전의 화려함과 웅장함을 보고 감탄하며 예수께 말씀했 습니다. "예수님 저 훌륭한 건물, 성전을 보십시오." 그 제자만 감탄한 것이 아니 라 그 당시 모든 유대인이 예루살렘 성전을 보고 감탄했습니다. 그 성전은 바로 헤 롯 왕이 유대인들의 환심을 사기 위하여 지어 준 건물이었습니다. 헤롯은 정치가 여서 어떻게 하면 지배 속국인 유대인들의 마음을 사로잡을 수 있는지 알았던 것 입니다.

유대인들은 성전을 소중하게 생각했습니다. 다윗은 성전을 짓고자 했고, 그 아 들 솔로몬이 성전을 완성했습니다. 하지만 바벨론에 의해 성전이 무너지자 다시 돌아온 하나님의 백성들은 성전을 다시 짓기를 원했습니다.

학개와 스가랴, 스룹바벨 지도자를 통해 성전이 재건되었지만, 솔로몬의 영광에 비하면 너무나 초라한 성전이었습니다. 그러자 헤롯 왕은 이스라엘 백성들을 위해 전무후무한 아름다운 성전을 지어 줍니다. 자신의 정치적 업적과 입지를 위해, 통 치를 위해 지어 준 것입니다.

성전 건물은 그 당시에 별로 크지 않았던 예루살렘 도시의 6분의 1을 차지할 정 도였습니다. 흰 돌과 황금빛으로 빛나는 찬란하고 아름다운 성전이었습니다. 사람 들의 감탄을 자아내기에 부족함이 없었습니다. 기원후 64년에 완공되었다고 하니 예수님과 제자들이 볼 당시에는 한쪽에서 한창 공사가 진행 중이었을 겁니다.

크고 웅장한 건물이었으니 제자들이 놀라는 것은 당연한 일이었습니다.

"저것 좀 보십시오! 저 큰 돌들 하며 웅장한 건물 좀 보십시오!"

그러나 예수님은 전혀 흥분하시지 않았습니다. 예수님은 칭찬하시지 않았습니 다. 동의하시지 않았습니다. 예수님은 그 성전의 화려함에 조금도 마음을 빼앗기 시지 않았습니다. 오히려 예수님은 저주처럼 느껴지는 말씀을 하셨습니다. 그 성 전의 미래를 보고 계셨기 때문입니다. 기원후 70년 그 성전이 비참하게 무너질 것 을 미리 아셨기 때문입니다.

예수님은 그 성전에 대해 이렇게 예언하셨습니다. "이 훌륭한 건물들을 보느 냐?" 이 질문 다음으로 예수님은 " 여기 있는 돌 하나라도 그냥 쌓여 있지 않고 하나같이 모두 무너질 것이다"라고 예언하셨습니다. 예수님은 왜 그처럼 훌륭한 건물에 감동하시지 않고 이런 파괴적인 예언을 하셨을까요?

겉으로는 화려한 성전 건물이었지만 내면적으로는 피폐해져 버린, 강도의 굴혈이 되어 버린 성전을 보면서 예수님은 화려함에 미혹될 수가 없으셨던 겁니다. 마지막 때에 첫 번째 징조는 어쩌면 하나님의 임재를 잃어버린, 외형적으로만 화려해져 버린 종교적 건물이 아닐까 생각해 봅니다.

터키에 가면 세계 최대의 성당이라는 성소피아성당이 있습니다. 로마에 있는 성베드로성당이 더 크냐 성소피아성당이 더 크냐 하는 것을 가지고 논란들을 합니다. 성소피아성당에 가 보면 정말 크고 웅장합니다. 그 벽면을 보면 어떻게 그처럼 화려하게 장식했는지 상상하기 어려울 정도입니다. 하지만 지금은 관광객들이 들러 가는 곳이 되어 버렸습니다. 하나님을 향한 참된 예배는 사라져 버렸습니다. 웅장하고 화려했던 그 건물은 낡고 초라한 건물이 되어 버렸습니다.

유리로 된 미국 LA의 수정교회는 로버트 슐러 목사님이 목회하시는 교회입니다. 12년 전에 방문했을 때 그 교회의 관계자로부터 설명을 들었습니다. 몇 개의 유리로 되어 있고, 이 벽면은 어떻게 열리고, 부활절에는 뮤지컬을 보기 위해 어디서부터 사람들이 줄을 서고…. 지금 생각해 보면 그때 저의 모습이 바로 성경에 나온 제자들의 모습이었습니다. "와! 저것 좀 보십시오." 그런데 사실은 거기에 감동해서는 안 되는 것이었습니다. 비단 저의 문제만은 아닐 것입니다. 우리는 너무 쉽게 그런 것에 감동을 받습니다.

지금은 교회가 파산하고 부도가 나서 가톨릭 교회에 팔렸습니다. 만약 그때 그 수정교회가 교회 예배당을 통해 임재하시는 성령의 역사하심과 어떤 사람들이 변화를 받는 것에 대해 브리핑하는 교회였다면 지금 건물만 남는 교회가 되지는 않았을 거라고 생각합니다. 외형적인 화려함에 내면적인 영성이 사라져 버렸던 것입니다.

한국 교회도 많은 예배당을 짓습니다. 낡고 오래된 건물은 다시 지어야 합니다. 그것을 반대하는 것은 아닙니다. 하지만 교회의 영적, 내면적 성숙이 건물의 화려함이 따라가지 못한다면, 내면적 성숙보다 건물의 화려함이 지나치게 앞서 나간다면 하나님은 절대 기뻐하시지 않을 것입니다. 건물의 화려함에 도취된다면 그것이 바로 마지막 시대의 징조가 아닐까 합니다. 우리를 다시 한 번 돌아보는 시간이 되어야 하겠습니다.

하나님은 구약 시대에 이미 하나님의 이름으로 성전이란 이름만 붙인다고 안전하지 않다는 것을 보여 주셨습니다. 예배당이라는 이름만 붙이면 "모든 것이 옳다"라고 하는 시대는 지났습니다. 이스라엘 백성들의 문제는 무엇입니까? 그들이 하나님과 너무 멀리 떨어진, 하나님과의 관계가 너무 멀리 떨어졌음에도 성전을 부적처럼 생각한 것입니다. 성전만 있으면 안전할 거라고 생각한 것입니다.

사무엘서에 보면 이스라엘 백성들은 언약궤만 있으면 전쟁에서 이길 수 있다고 생각했다는 것을 알 수 있습니다. 그런 자동적인 신앙, 기계적인 신앙, 부적처럼 미신적인 신앙으로 나갔던 것입니다. 건물의 화려함은 우리 신앙과 믿음을 대신해 주지 못합니다.

하나님이 보실 때는 화려한 헤롯 성전보다 초대 그리스도인들이 모여 예배하던 동굴들이 더 아름다운 성전이었을지도 모릅니다. 성소피아성당보다도 북한의 지하교회 성도들이 모이는 낡고 추운 방이 더 아름다운 성전일 수도 있습니다. 이러한 마음으로 예수님은 그 성전의 화려함에 도취된 제자들에게 교훈해 주신 것입니다.

제자들 중 핵심 제자들인 베드로와 야고보, 요한, 안드레가 찾아와서 "그런 일이 언제 일어납니까?"라고 질문했습니다. 예수님은 그들의 질문에 마지막 때에 일어날 징조를 설명하셨습니다. 어떻게 보면 "성전이 무너질 때가 언제입니까?"라는 질문에 예수님이 동문서답을 하신 것 같지만 그것은 모두 연결되어 있습니다.

예수님은 두 번째 징조로, 거짓 그리스도들이 출현해 성도들을 미혹한다고 말씀했습니다.

[예수께서 대답하셨습니다. "어느 누구에게도 현혹되지 않도록 조심하라. 많은 사람들이 내 이름으로 와서 '내가 바로 그다'라며 많은 사람들을 속일 것이다."(막 13:5-6)]

["그때 누가 너희에게 '보라! 여기 그리스도가 있다!', '보라! 그리스도가 저기 있다!'고 해도 믿지 말라. 가짜 그리스도들과 가짜 예언자들이 나타나 표적과 기사를 보이면서 가능한 한 택함받은 사람들까지도 미혹할 것이다."(막 13:21-22)]

이 거짓 그리스도와 적그리스도는 초대교회부터 지금에 이르기까지 변함없이 나타납니다. 그런데 오늘 이 시대만큼 성도들을 적극적으로 미혹하는 시대가 없었던 것 같습니다. 갈수록 이단과 사이비가 적극적으로 성도들을 미혹하고 공격해 오고 있습니다. 그 수도 굉장히 무섭게 증가하고 있습니다. 믿는 자들은 서로가 서로를 보호해 주어야 합니다. 교회로부터 상처를 받은 성도들은 교회를 뛰쳐나가 이단과 사이비에 빠져들 수 있기 때문입니다. 서로가 서로에게 상처받지 않고, 불만을 갖지 않고 올바르게 믿음 생활을 할 수 있도록 보호해야 합니다.

우리가 경각심을 가지고 적극적으로 임하지 않으면 미혹의 세력에 많은 성도들과 많은 사람들을 빼앗기게 될 것입니다.

세 번째 징조는 전쟁과 기근과 지진입니다.

["전쟁이 일어난 소식과 소문이 들려도 놀라지 말라. 그런 일은 반드시 일어나야 하지만 마지막은 아직 아니다. 민족과 민족이 서로 대항해 일어나고 나라와 나라가 서로 대항해 일어날 것이다. 곳곳에서 지진이 일어나고 기근이 들 것이다. 그러나 이런 일은 해산하는 고통의 시작일 뿐이다."(막 13:7-8)]

갈수록 내전과 핵 위협과 전쟁의 소문이 자주 들려 오고 있습니다. 또한 그토록 많은 UN의 원조와 많은 나라의 원조가 있지만 기근은 끊이지 않고 있습니다. 참으로 아이러니컬한 일입니다. 쓰나미와 대지진의 공포도 점점 커지고 있습니다. 화산 폭발의 공포도 점점 더 커지고 있습니다.

역사는 예수님이 말씀한 대로 마지막 때로 향하고 있습니다. 산고의 진통처럼, 이제 진통이 점점 강해지고 있습니다. 곳곳에서 들려 오는 소식을 통해 들은 지구의 미래는 밝지 않습니다. 지구온난화, 핵 위협, 자원 고갈을 보면 지구의 미래는 과학기술이 발전하면 발전할수록 대체 에너지가 나오겠지만, 인간의 욕심과 탐욕과 악이 증가하기 때문에 지구 자체의 미래는 밝지 않습니다. 이것이 성경이 보여 주는 지구의 미래입니다.

그러나 이것은 해산의 고통입니다. 이것으로 끝나는 것이 아니라 새로운 생명과 새 창조의 한 과정입니다. 이것만큼 분명한 미래에 대한 예언이 어디 있겠습니까! 그러므로 전쟁과 기근과 지진의 소문이 들려 와도 두려워하거나 놀라지 말라고 말씀했습니다.

네 번째는 박해와 배교의 징조입니다.

["너희가 붙잡혀 가서 재판을 받게 될 때에 무슨 말을 할지 미리 걱정하지 말라. 때에 맞게 너희에게 주시는 말만 하면 된다. 말하는 분은 너희가 아니라 성령이시다. 형제가 형제를, 아버지가 자식을 배신해 죽게 내어 줄 것이다. 자식들이 부모를 배역해 죽게 만들 것이다. 모든 사람들이 나로 인해 너희를 미워할 것이다. 그러나 끝까지 견디는 사람은 구원받을 것이다."(막 13:11-13)]

우리는 그리스도를 신실하게 따르는 사람들이 받았던 핍박과 고난을 기억해야 합니다. 기원후 3세기 이전까지 수많은 핍박이 있었습니다. 이러한 핍박, 예수님이 말씀한 이러한 핍박은 초대교회의 성도들을 통해 나타났습니다. 하지만 그 시대의 사람들뿐 아니라 지금 이 시대의 선교지에서, 복음의 핍박이 있는 지역에서 해마다 약 15만 명의 순교자가 나오고 있습니다. 적어도 2억 명의 성도들이 직접적인 핍박 가운데 있습니다. 바로 이 말씀이 현실에서 그대로 이루어지고 있습니다.

일본의 선교 소설가 엔도 슈샤쿠가 쓴 《침묵》이라는 소설이 있습니다. 일본에 초기 복음이 전해질 때의 핍박 받은 이야기들을 소설로 쓴 것입니다. 소설은 아주 유능했던 포르투갈의 예수회 신부가 배교했다는 소문을 듣고 본국에서 조사단이 파견되면서 시작됩니다. 그런데 그 신부가 항변을 합니다. "왜 배신했느냐? 어떻게 당신이 예수님을 부인할 수 있느냐?" 후배 신부들이 호소했을 때 그는 다음과 같은 이야기를 들려 줍니다.

얼마나 끔찍하게 고문을 행해졌느냐 하면, 선교사가 전도한 농부들의 코에 갈고리를 꿰어 거꾸로 구덩이에 매달아 놓는 것입니다. 고통스러워하는 신음소리가 들리는데 그 방 옆에 선교사를 데려다가 "당신이 전도한 저 사람은 죽어가고 있소. 하지만 당신이 예수를 부인하면 그를 살려 주겠소"라고 회유했다고 합니다. 결국 그 신음소리에 선교사가 부인하게 된 것입니다.

그래서는 안 됩니다. 성경에 보면 형제가 형제를, 아버지가 자식을, 자식이 부모를 배신하여 죽게 할 것이라고 했습니다. 이런 끔찍한 핍박 속에서 일부의 배신이 있었다는 겁니다. 초대교회에도 이런 일이 있었습니다. 그리고 선교의 현장마다 있습니다. 그리고 장차 있을 것입니다. 이러한 믿음의 도전과 핍박 속에서 진정한 그리스도인들이 드러나듯이 참된 그리스도인들과 철새 그리스도인들이 구별될 것입니다. 예수님은 끝까지 견딜 때 우리의 구원이 완성된다고 말씀합니다.

모든 핍박과 고난을 참고, 그 산고의 고통을 끝까지 인내할 때 생명이 탄생합니다. 이는 절대 포기할 수 없습니다. 어떤 고통이 찾아와도, 죽을 것 같은 고통이 찾아와도 산고의 고통을 멈출 수가 없습니다. 그 고통을 지나야만 새로운 생명이 탄생하기 때문입니다.

다섯 번째로 이 마지막 때의 완성은 예수님이 다시 오시는 것입니다.

["그때 사람들은 인자가 큰 권능과 영광 가운데 구름을 타고 오는 것을 볼 것이다. 그때에 인자가 천사들을 보내 택함받은 사람들을 땅 끝에서 하늘 끝까지 사방

에서 모을 것이다."(막 13:26-27)]

예수님은 첫 번째 오셨을 때 주목을 받으시지 못했습니다. 동방박사들과 목자들만 경배했을 뿐입니다. 하지만 예수님이 다시 오실 때는 큰 권능과 영광 가운데 사람들의 주목을 받고 환영을 받고 다시 오실 것이라고 말씀했습니다.

이 시대에 우리가 잃어버린 신앙, 잊혀진 신앙은 바로 예수님이 다시 오신다는 재림의 신앙입니다. 한국 교회의 초기, 우리 믿음의 선배들을 사로잡았던 것은 바로 재림의 신앙이었습니다. 많은 교단의 표어, 핵심에 재림신앙이 있었습니다. 그런데 어느 때부터 재림을 강조하지 않게 되었습니다. 신화처럼 여기게 되었습니다. 안 됩니다. 예수님이 다시 오심을 믿는 것이 참된 신앙입니다.

신학자 에밀 브루너는 재림을 기대하지 않는 신앙을 이렇게 표현했습니다. "그것은 마치 현금으로 바꿔지지 않는 수표와 같다. 진심이 담기지 않는 약속과 같다. 그리고 중간에 끊어져 있는 그런 계단과 같다."

여기에 몇 가지 표현을 덧붙인다면 달리기를 하는데 결승점이 없는 것입니다. 골인 지점이 없는 것입니다. 경기를 하는데 마지막 종료 휘슬이 올리지 않는 것입니다. 재림을 기다리지 않는 신앙은 혼란을 불러일으킵니다.

많은 사람들이 언제 어떻게 오는지 궁금해합니다. 그래서 역사적으로 언제 예수님이 온다, 언제 종말이 온다는 구체적인 날짜와 시간을 예언하면 그것은 거짓입니다. 예수님은 분명히 언제일지 모른다고 말씀했습니다.

'언제'에 대해 관심을 갖지 말고, 왜 오시는가에 대해 관심을 가지라는 것입니다. 우리는 언제(when)가 아니라 왜(why) 오시는가 하는 것에 관심을 가져야 합니다. 악을 제거하고, 심판하고, 만물을 구속하고, 새 하늘과 새 땅을 우리에게 주기 위해 다시 오십니다. 그것이 우리가 꼭 알아야 할 것입니다.

마지막 때를 위해 깨어 있으라

그럼 우리는 마지막 때를 어떻게 준비해야 합니까? 한 마디로 깨어 있으라고 말씀합니다. 어떻게 깨어 있어야 합니까? 정신을 바짝 차리고 깨어 있어야 합니다. 마가복음 13장에 보면 번역을 우리말답게 아주 생기 있게 잘 번역했습니다. "정신을 바짝 차리라"는 말이 여러 구절에 나옵니다. 9절을 보면 앞부분에 "너희는 정신을 바짝 차려야 한다"라고 되어 있습니다.

["그러므로 정신을 바짝 차리라. 그때가 오기 전에 이 모든 것을 너희에게 미리 일러두는 것이다."(막 13:23)]

["정신을 바짝 차리라! 항상 깨어 있으라! 그때가 언제 올지 알지 못하기 때문이다."(막 13:33)]

["그러므로 너희는 항상 깨어 있으라. 집주인이 언제 돌아올지, 곧 저녁이 될지, 한밤이 될지, 새벽이 될지, 아침이 될지 모르기 때문이다. 그가 갑자기 돌아와 너희가 자고 있는 모습을 보게 되는 일이 없도록 하라. 내가 너희에게 하는 이 말은 모든 사람에게 하는 말이니 '깨어 있으라!'"(막 13:35-37)]

마지막 때에 정신을 바짝 차리고 깨어 있는 성도는 복음이 모든 민족에게 전해지는 일에 힘쓸 것입니다.

["먼저 복음이 세상 모든 민족에게 전해져야 한다."(막 13:10)]

'먼저'라는 단어에 하나님의 마음이 담겨 있습니다. 이 역사의 마지막 때가 진행되고 있으며 산고의 진통, 해산의 고통이 시작되었고 이제 진행되고 있는데, 마지막 때가 오고 있는데 하나님의 마음은 무엇입니까? 먼저 복음이 모든 사람에게 전해지는 것입니다.

마지막 때가 오기 전에 먼저 한 영혼이라도 더 복음을 듣고 구원받기 원하시는 것입니다. 이것이 바로 우리가 선교해야 할 이유요, 전도해야 할 이유입니다. 왜 선교를 해야 합니까? 마지막 때가 오고 있기 때문입니다. 왜 전도를 해야 합니까? 마지막 때가 오고 있기 때문입니다.

그런데 교회의 프로그램, 양육 프로그램 중에서 가장 인기 없고 인원이 차지 않는 것이 전도훈련과 선교학교입니다. 마지막 때를 준비하는 교회의 모습이 아닙니다. 물론 우리 내면의 치유도 해야 합니다. 여러 가지 기도도 해야 합니다. 말씀도 공부해야 합니다. 다 중요합니다. 하지만 마지막 때를 깨어 준비하는, 정신을 바짝 차린 교회는 전도하고 선교하는 일에 힘씁니다. 전도하고 선교하다 보면 치유가 됩니다. 내적 치유 학교에 가지 말라는 것이 아니라 중보기도, 성경공부를 하지 말라는 이야기가 아니라 마지막 때를 준비하면 그것이 가장 먼저 그의 나라와 의를 구하는 것이고 가장 우선적으로 우리 삶에, 우리 교회에 에너지를 집중할 때 하나님께서 우리의 문제도 우리 가정의 문제도 다 해결해 주실 줄로 믿습니다.

하나님이 중요하게 생각하시는 것은 "먼저 그의 나라와 그의 의를 구하라"는 것입니다. 마지막 때를 준비하는 크리스천이 되기를 축원합니다. 한 영혼이라도 더 구원하는 마지막 때를 깨어 준비하는 우리가 되기를 바랍니다.

두 번째로 마지막 때를 준비하며 깨어 있는 성도는 언제든지 주인에게 돌려 드릴, 결산할 준비를 하며 정결하고 거룩하게 살아갑니다. 성경에 비유를 들었습니다. 주인이 종에게 권한을 맡기고 갔는데, 갑자기 주인이 왔을 때 주인에게 돌려 주고 결산할 수 있는 준비가 되어 있느냐 하는 것입니다. 기업을 운영하는 사람들은 실감할 것입니다. 갑자기 세무 조사를 나오면 얼마나 당황스럽습니까? 평소 회계 관리를 잘해 놓으면 회개할 일이 없습니다. 회계를 잘 못하면 회개할 일이 생깁니다. 그것처럼 하나님 앞에 잘 정리해 놓은 사람은 주님이 언제 오시든 두렵지가 않습니다.

요한일서에 보면 "주님을 다시 만날 그 소망을 가진 자마다 자신을 정결케 하느니"라는 말씀이 있습니다. 왜 우리 삶이 정결하지 못합니까? 주님이 다시 오신다는 소망이 없기 때문입니다. 주님이 다시 오셔서 우리에게 맡겨진 것을, 우리에게 맡겨진 청지기 사명을 결산할 때가 오지 않는다고 생각하기 때문입니다. 주님의 다시 오심을 준비하며 마지막으로 깨어 준비하는 우리가 되기를 축원합니다.

세 번째로 마지막 때를 깨어 준비하는 성도는 "마라나타 주여 오시옵소서"라고 주님의 다시 오심을 간절히 사모하고 기다립니다. 주님의 다시 오심을 기다립니까? 물론 기다릴 것입니다. 어촌에서 고기를 잡으러 나간 남편을 기다리는 아내가 있습니다. 다 기다립니다. 남편을 기다립니까, 기다리지 않습니까 하면 다 기다린다고 대답합니다. 그런데 어느 아내는 자면서 기다리고, 어느 아내는 TV를 보며 기다리고, 어느 아내는 부둣가에 나가 남편의 배가 보이기만을 기다리며 수평선을 응시합니다.

누가 더 기다리는 것입니까? 주님의 다시 오심을 기다리는 사람들의 모습도 다양합니다. 자면서 기다리는 성도, 이 세상에 취해 기다리는 성도, 아니면 매일 매순간 깨어 수평선을 바라보며 "주님 이때입니까?" "주님 언제 오십니까?"라고 사모하며 기다리는 것은 차원이 다릅니다.

우리가 주님을 다시 만날 때 "누구시죠? 처음 뵙겠습니다"라고 인사하는 일이 없기를 바랍니다.

날마다 주님과 교제하며 사는 성도들은 주님을 기다립니다. 환영합니다. 기뻐합니다. 그런 담대한 마음으로 환영하며 주님을 맞이하는 그리스도인이 되기를 바랍니다.

역사는 마지막 때를 향하고 있습니다. 마지막 때에 정신을 바짝 차리고 깨어 기도하며 준비하는 그리스도인이 되어야 하겠습니다.

Pray

하나님, 세상이 점점 험해지고 마지막 때의 모습이 우리 주위 곳곳에서 나타남을 느끼고 있습니다. 우리가 마지막 때를 위해 깨어 있게 하옵소서. 주님께서 계속해서 강조하신 것처럼 늘 깨어 있어 주님을 잘 맞이할 수 있도록 인도하여 주옵소서. 예수님 이름으로 기도합니다. 아멘.

6부

마침내 승리하신 예수님

예수님은 고통당하시며 십자가에 달려 돌아가셨습니다.
그러나 3일 만에 부활하심으로 영원한 승리를 보여 주셨습니다.

막 14:1-11

¹유월절과 무교절이 되기 이틀 전이었습니다. 대제사장들과 율법학자들은 어떻게 예수를 체포해 죽일지 궁리하고 있었습니다. ²그들은 "백성들이 소동을 일으킬 수 있으니 명절에는 하지 말자"라고 말했습니다. ³예수께서 베다니 마을에서 '나병 환자 시몬'이라는 사람의 집에서 식탁에 기대 먹고 계시는데 한 여인이 값비싼 순수한 나드 향유가 든 옥합 하나를 가져왔습니다. 그리고 그 여인은 옥합을 깨뜨려 향유를 예수의 머리에 부었습니다. ⁴거기 있던 사람들이 화를 내며 서로 수군거렸습니다. "왜 향유를 저렇게 낭비하는가? ⁵저것을 팔면 300데나리온은 족히 될 텐데. 그 돈을 가난한 사람들에게 주었으면 좋았을 것." 그러면서 그들은 여인을 심하게 나무랐습니다. ⁶예수께서 말씀하셨습니다. "가만두어라. 어찌해 이 여인을 괴롭히느냐? 이 사람은 내게 좋은 일을 했다. ⁷가난한 사람들이야 항상 너희 곁에 있으니 너희가 원하기만 하면 언제든지 도울 수 있지만 나는 너희 곁에 항상 있는 것이 아니다. ⁸이 여인은 자기가 할 수 있는 일을 했다. 내 몸에 향유를 부어 내 장례를 미리 준비한 것이다. ⁹내가 너희에게 진실로 말한다. 온 세상 어디든지 복음이 전파되는 곳마다 이 여인이 한 일도 전해져서 사람들이 이 여인을 기억하게 될 것이다." ¹⁰그때 열두 제자 가운데 하나인 가룟 유다가 예수를 배반해서 넘겨줄 심산으로 대제사장들에게 갔습니다. ¹¹그들은 유다의 말을 듣고 무척 기뻐하며 그에게 돈을 주기로 약속했습니다. 그래서 유다는 예수를 넘겨줄 기회를 엿보았습니다.

거룩한 낭비

예배란 무엇입니까? 소중한 가치가 드리는 것입니다.
우리 마음에 있는 사랑이라는 가치, 섬김이라는 가치,
우리가 누릴 수 있는 것을 깨뜨리는 가치입니다.
무엇인가 가치 있는 것이 깨뜨려지고 드려지고 나누어지고 섬겨져야
참된 예배가 이루어집니다.

우리가 살아가면서 추구해야 할 중요한 가치는 효율성이라는 것입니다. 어떤 일이든지 적은 비용으로 높은 효과를 얻는 것은 중요합니다. 기업 경영은 물론이거니와 모든 일에서 우리는 효율성을 따져 일해야 합니다.

프랑스의 유명한 철학자이자 현대 신학자인 자크 엘룰은 "우리가 살아가는 삶을 지배하는 원리가 점점 효율성이 되어 가고 있다는 것은 매우 잔인한 일이다"라고 말했습니다. 왜 그럴까요? 어떤 면에서 효율성을 추구하는 이 사회가 잔인한 사회가 되어 가고 있다는 말을 한 것일까요? 그것은 효율성만으로는 결코 평가할 수 없는 일들이 있기 때문입니다. 사랑이 그렇습니다.

사랑은 때로 비효율적입니다. 경제적 효율성만으로 표기한다면 고귀한 사랑, 진실한 사랑, 참된 사랑일수록 비효율적일 것입니다. 부모가 자녀를 사랑할 때 효율적인 기준으로만 사랑한다면 어떻게 되겠습니까? 아주 적은 사랑만을 투자하고 많은 것을 얻으려고 하지 않겠습니까?

부모의 사랑은 효율성으로 평가할 수 없습니다. 참된 부모의 사랑은 모든 것을 다해 주는 사랑이었지만, 정작 부모 자신에게는 많은 것이 되돌아오지 않을지라

도 자녀가 행복하게 잘 사는 것만으로도 행복을 느끼는 것이 부모님의 사랑이 아닐까 합니다.

효율성으로 평가할 수 없는 사랑

최고의 사랑은 언제나 낭비처럼 보일 수 있습니다. 예수님이 오 리를 가라고 하면 십 리를 가야 합니다. 왜 오 리를 더 갑니까? 시간 관리를 가르치는 사람이 보면 이것은 바보 같은 결정입니다. 속옷을 달라고 하면 겉옷까지 줘야 합니다. 이것만큼 비효율적인 선택이 어디 있습니까?

선교사로 파송되어 가는 사람들, 자신의 인생 전부를 드리는 사람들, 또 자신의 황금기인 젊음의 일부를 드리는 사람들이 있습니다. 믿지 않는 사람들의 시선에서 보면 '저런 낭비가 어디 있는가?'라고 생각할 수도 있습니다.

그러나 예수님의 사랑이 바로 그런 사랑이었습니다. "예수님은 꼭 그렇게 십자가에서 죽으셔야만 했는가?" 믿는 사람들도 한 번쯤은 던지는 질문입니다. 하지만 예수님의 십자가는 하나님의 거룩한 낭비였습니다. 하나님은 그렇게 낭비처럼 보이는, 생명을 다하는 희생을 통해 우리를 구원하신 것입니다. 성경에서 한 여인이 쓸데없는 낭비처럼 보이는 사랑을 드립니다. 요한복음 말씀에 보면 이 여인은 베다니에서 나사로, 마르다와 함께 예수님을 섬겼던 마리아입니다.

[예수께서 베다니 마을에서 '나병 환자 시몬'이라는 사람의 집에서 식탁에 기대 먹고 계시는데 한 여인이 값비싼 순수한 나드 향유가 든 옥합 하나를 가져왔습니다. 그리고 그 여인은 옥합을 깨뜨려 향유를 예수의 머리에 부었습니다.(막 14:3)]

베다니 마을의 나병 환자였던 시몬이라고 한 것을 보면 현재는 나병 환자가 아닙니다. 현재도 나병 환자였다면 사람들과 교제할 수 없었을 것입니다. 언젠가 나병 환자였는데 고침을 받았을 것입니다. 아마도 예수님을 통해 고침을 받았을 가능성이 높습니다.

어떤 학자는 이 시몬이라는 사람이 아마도 나사로와 마르다, 마리아의 아버지였을 수 있다는 가능성을 제기합니다. 일리 있는 주장입니다. 요한복음에 따르면 이 잔치에 나사로도 함께 식사하고, 마르다가 열심히 봉사하고 있는 것으로 보아 분명히 어떤 관계가 있을 거라고 추측할 수 있습니다. 혹은 이 잔치의 목적이 얼마 전 살아난 나사로가 다시 소생한 것을 축하하며 감사하기 위해 베풀어진 잔치일 수도 있습니다. 이 잔치의 이름을 붙인다면 '나사로 소생 기념 감사 잔치'라고 붙일 수 있을 겁니다.

죽었다가 살아난 사람과 함께 식사한다고 생각해 봅시다. 얼마나 스릴 있고 신기한 잔치이겠습니까? 그런데 예수님을 위해 이런 잔치를 베푼 사람들은 실로 용기 있는 사람들이었습니다. 이때 예수님은 이미 지명 수배자처럼 유대 지도자들한테 낙인찍혔던 상태였기 때문입니다.

[그러나 대제사장들과 바리새파 사람들은 예수를 붙잡으려고 누구든지 예수께서 계신 곳을 알면 반드시 자기들에게 알려야 한다는 명령을 내렸습니다.(요 11:57)]

명령이 내려진 상태입니다. 예수님에 관한 동태를 보고하고 누구든지 예수님을 만나거나 초대하면 반드시 보고해야 하는 상황이었지만 시몬과 마르다, 마리아, 나사로는 관여하지 않고 예수님을 위한 잔치를 베풀었습니다. 사랑은 사랑하는 사람 때문에 자신이 불이익과 고난당할 것을 계산하지 않습니다.

이 잔치에서 마르다는 여느 때처럼 열심히 음식을 나르며 봉사하고 있었습니다. 하지만 마리아는 어디 있습니까? 식사하고 계시는 예수께 나타나 향유를 부어 드립니다. 마리아는 아주 값비싼 순수한 나드 향유가 들어 있는 옥합을 가지고 와서 식사 중인 예수님의 머리에 향유를 부었습니다.

마가복음에는 머리에 향유를 부었다고 나와 있는데, 요한복음에는 발에 부었다고 기록되어 있습니다. 이것은 차이가 아니라 보완입니다. 머리에도 부었고 발에도 부은 것입니다. 그런데 마가는 머리에 집중했고, 요한은 발에 집중한 것입니다. 요한복음을 보면 예수님의 머리와 발에 부었을 뿐 아니라 그 발을 머리털로 씻어 드렸습니다.

향유를 부은 것도 놀라운 일이지만 사실 유대인들은 식사 중 귀한 손님에게 기름을 발라 드리는 것이 예의였습니다. 그런데 기름을 바른 정도가 아니라 부었습니다. 부은 것뿐 아니라 그 머리털로 발을 씻어 드렸습니다.

당시 문화에서 여인의 머리털은 굉장히 고귀한 상징이었습니다. 그래서 유대 여인들은 머리를 기르는 것을 아주 가치 있게 여겼습니다. 머리를 풀어 헤치는 것만큼 수치스러운 것이 없었습니다. 그런 수치스러운 모습으로 마리아는 기꺼이 예수님의 가장 더러운 발을 자신의 머리털로 씻어 드렸습니다. 사실 기름을 붓고 발을 머리털로 씻는다고 해서 씻어지겠습니까? 상징적인 행동입니다. 하지만 이것은 인격적인 사랑과 헌신이 없으면 할 수 없는 일입니다. 돈으로 물질로 할 수 있는 일이 아닌 것입니다.

어떻게 보면 마리아의 행동은 이상하게 보일 수 있습니다. 여자가 남자에게 행한 행동이기 때문입니다. 그런데 놀라운 것은 예수님이 마리아의 이런 행동을 제지하시지 않고 그대로 받아 주셨다는 것입니다. 예수님은 깜짝 놀라 이렇게 말씀하지 않았습니다.

"마리아야, 너 왜 이러니? 네가 이렇게 행동하면 바로 스캔들이다. 사람들이 오해한다. 이러지 마라."

마리아의 행동을 말리시지 않았다는 것입니다. 마리아의 이런 행동은 어떤 이성적인 대상으로 하는 행동이 아니라 예배의 행동이었기 때문에, 하나님의 아들이신 예수께 예배의 행동으로 드려진 행위라는 것을 아셨기 때문에 사람들의 시선을 의식하지 않고 그녀의 행동을 있는 그대로 받아 주셨습니다.

마리아의 행동은 향기로운 예배였습니다. 옥합을 깨뜨려 나온 나드 향유뿐 아니라 그녀의 마음과 섬김과 사랑에서 나오는 향기로운 예배의 제사였습니다. 예배란 무엇입니까? 소중한 가치가 드리는 것입니다. 우리 마음에 있는 사랑이라는 가치, 섬김이라는 가치, 우리가 누릴 수 있는 것을 깨뜨리는 가치입니다. 무엇인가 가치 있는 것이 깨뜨려지고 드려지고 나누어지고 섬겨져야 참된 예배가 이루어집니다.

이 모습을 지켜본 제자들이 마리아를 비판했습니다.

[거기 있던 사람들이 화를 내며 서로 수군거렸습니다. "왜 향유를 저렇게 낭비하는가? 저것을 팔면 300데나리온은 족히 될 텐데. 그 돈을 가난한 사람들에게 주었으면 좋았을 것." 그러면서 그들은 여인을 심하게 나무랐습니다.(막 14:4-5)]

화를 내며 수군거리고 아주 심하게 그 여인을 나무랐다고 기록하고 있습니다. 요한복음과 비교해 보면 제자들 가운데 가룟 유다가 가장 흥분하며 말했습니다. 그리고 사도 요한은 "저것을 팔면 300데나리온은 족히 될 텐데. 그 돈을 가난한 사람들에게 주었으면 좋았을 것"이라고 말한 사람 역시 가룟 유다임을 기록하고 있습니다.

유다의 은사는 무엇입니까? 유다는 무엇이든 보기만 하면 돈으로 환산할 수 있다는 것입니다. 그 나드 향유에 가격이 붙어 있는 것도 아닐 텐데 쏟아지는 것을 보면서 '아, 저 정도는 300데나리온'이라고 계산이 나온 것입니다. 이는 유다의 은사입니다.

외국의 어느 기업이 예수님의 12제자를 신입사원 뽑는 프로그램에 집어넣어 보왔더니 합격한 사람이 딱 한 사람이라고 합니다. 가룟 유다입니다. 계산을 잘하는 사람이었기 때문이라고 합니다. 무엇이든 보기만 하면 돈으로 환산하는 능력이 있다면 조심해야 합니다.

유다는 마리아의 행동을 순전한 낭비라고 비판했습니다. 그리고 향유를 팔아 가난한 사람들을 도와주는 것이 더 효율적이라고 생각했습니다. 이것은 유다의 진심이 아니었습니다. 유다가 마리아의 행동을 비판한 이유는 다른 데 있었습니다.

다음 말씀에 그 이유가 기록되어 있습니다. 사도 요한은 굉장히 예민하고 통찰력 있는 제자입니다. 그는 그 이유를 성령 안에서 꿰뚫어 보고 있었습니다.

[그가 이렇게 말한 것은 가난한 사람들을 생각해서가 아니었습니다. 그는 돈주머니를 맡고 있으면서 거기에 있는 돈을 훔쳐 가곤 했기 때문입니다.(요 12:6)]

가룟 유다는 재정 담당으로, 공동체에 헌금이 들어오거나 물질을 사용할 때 지출을 출납하고 사용하는 사람이었습니다. 만약 마리아가 이 나드 향유를 쏟지 않고 헌금해서 공동체에 가져다주면 무엇이 증가합니까? 유다의 수입이 증가하는 것입니다. 자신이 거기서 빼서 쓸 수 있는 돈이 많아지기 때문에 그것을 낭비했다고 평가한 것입니다.

사실 유다의 비판 뒤에는 탐욕이 숨어 있습니다. 순수하지 못한 사람일수록 다른 사람들을 많이 비판합니다. 다른 사람의 행동을 보면서 다른 사람도 자기와 같을 거라고 생각합니다. 다른 속셈이 있을 거라고 그렇게 비판합니다. 순수하고 깨끗한 사람은 다른 사람에 대한 비판이 많지 않습니다. 자기 속셈이 많은 사람들이 다른 사람도 그럴 거라고 생각해 자꾸 의심하고 비판하는 겁니다.

가룟 유다는 마리아의 하나님께 대한, 예수께 대한 사랑과 헌신을 있는 그대로 받아들이지 않았습니다. 그래서 비판했던 것입니다.

이렇게 마리아를 비판한 유다는 어떻게 됩니까? 결국 돈에 대한 탐욕으로 예수님을 팔아넘기는 자가 됩니다.

[그때 열두 제자 가운데 하나인 가룟 유다가 예수를 배반해서 넘겨줄 심산으로 대제사장들에게 갔습니다. 그들은 유다의 말을 듣고 무척 기뻐하며 그에게 돈을 주기로 약속했습니다. 그래서 유다는 예수를 넘겨줄 기회를 엿보았습니다.(막 14:10-11)]

예수님을 넘겨 줄 기회를 찾고 있는 가룟 유다와 예수님을 어떻게 하면 체포해 죽일지 궁리하는 대제사장들과 율법학자들은 서로 통해 있습니다. 마가복음 14장

3절부터 9절에 나오는 향유를 부은 사건은 삽입된 기록입니다. 1~2절에 보면 이 사건은 유월절이 되기 이틀 전이라고 되어 있는데, 요한복음을 보면 마리아의 사건은 유월절이 되기 6일 전의 일입니다. 예수님이 예루살렘으로 들어가시기 하루 전, 토요일에 일어난 사건이라고 기록되어 있습니다. 어떻게 된 것입니까?

마가는 이 일을 기록할 때 대제사장들과 율법학자들과 가룟 유다의 배반 사이에 샌드위치식으로 이 기사를 삽입해 넣은 것입니다. 과거의 며칠 전에 일어난 사건을 며칠 후에 일어난 사건 사이에 기록한 것입니다. 의도적인 것입니다. 대조시키기 위해 이렇게 한 것입니다. 이렇게 어떤 다른 사람을 희생해서라도 자신들의 이익을 얻으려는 대제사장들과 율법학자들, 사랑하는 스승을 돈에 대한 탐욕으로 배반한 가룟 유다, 마리아의 고귀한 사랑과 순수한 헌신을 대조해 읽도록 하기 위해 그 중간에 며칠 전에 일어난 사건을 삽입한 것입니다.

마가복음에는 이런 구조가 많습니다. 어떤 사건이 기록될 때 중간에 다른 사건을 대입하고 삽입해 그 기사를 부각시키는 기록 방법을 사용한 것입니다.

다음 말씀에 보면 대제사장들과 율법학자들이 궁리하고 있습니다.

[유월절과 무교절이 되기 이틀 전이었습니다. 대제사장들과 율법학자들은 어떻게 예수를 체포해 죽일지 궁리하고 있었습니다. 그들은 "백성들이 소동을 일으킬 수 있으니 명절에는 하지 말자"라고 말했습니다. (막 14:1-2)]

이것이 이들의 결의였습니다. "유월절에는 하지 말자." 왜 하지 않기로 한 것입니까? 유월절에 대한 경외심 때문이었습니까? 명절에는 그런 일을 하지 않아야 한다고 생각했기 때문이 아닙니다. 자기들의 안전 때문이었습니다. 사람들에게 많이 알려진 예수님을 유월절 때 넘어뜨리려고 한다면 틀림없이 불법적인 방법으로, 불의한 죄목으로 예수님을 체포해야 하는데, 사람들의 시선이 많은 유월절에 그 일을 하면 자신들의 잘못이 드러나 오히려 역으로 당할 수 있기 때문에 은밀히 진행하려고 유월절에는 하지 말자고 한 것입니다. 유월절이 지나고 사람들이 각자의 집으로 돌아갔을 때 이 일을 하자고 계획한 것입니다.

그런데 왜 유월절에 예수님은 돌아가셨을까요? 이들의 뜻대로 안 된 것입니다. 이들의 음모는 은밀하게 아주 치밀하게, 어느 누구도 알지 못하게 예수님을 죽이는 것이었습니다. 하지만 하나님은 이들의 음모대로, 계획대로 되는 것을 허락하시지 않았던 것입니다. 모든 악의 세력까지 주관하시는 하나님은 이들의 계획대로 되도록 허락하시지 않았습니다.

마리아의 사랑과 유다의 배신

이들의 계획대로 예수님이 유월절에 죽임을 당하시지 않고 유월절이 지난 다음에 은밀하게 죽임을 당하신다면 큰 문제가 생깁니다.

두 가지 문제가 생깁니다. 첫 번째로 예수님이 은밀하게 죽임당하시면 그분이 죽은 후 다시 부활하셔도 사람들이 돌아가신 것을 모르기 때문에, 죽임을 당하셨다는 사실 자체를 모르기 때문에 부활하셨다고 증거하는 것 자체에 어려움이 생깁니다.

더 중요한 것은 유월절과 예수님 죽음의 관계입니다. 유월절이 상징하는 것이 무엇입니까? 유대인들에게는 이스라엘 백성들이 애굽의 처음 난 것을 하나님이 죽이실 때 어린 양의 피로 애굽에서 구원받았음을 의미하는 절기였습니다.

유월절의 진정한 의미는 무엇입니까? 하나님의 어린양이신 예수 그리스도의 피로 모든 사람이 그 죄로부터 구원받았다는 것을 보여 주는 절기라는 것입니다. 이제 이스라엘 백성들이 하나님의 진노로부터 면죄 받는 것뿐 아니라 그리스도 안에 있는 모든 사람이 하나님의 진노로부터 면죄 받는다는 것을 보여 주는 절기가 되었습니다. 그리고 예수 그리스도는 하나님의 어린양으로서, 유월절의 어린양으로서 죽임을 당하러 오신 것입니다.

악한 자들이 유월절에 죽이지 않도록 계획을 세웠지만, 하나님은 그것을 허락하시지 않았습니다. 유월절 이후로 하려 했는데 스케줄이 변경되어 계획보다 빨라진 것은 가룟 유다가 출연했기 때문입니다. 잘 됐다 싶어서 계획을 앞당긴 것입니다. 결국 유월절이 상징하는 하나님의 어린양으로 오신 예수 그리스도, 하나님은 바로 모든 구약의 절기가 성취되는 일을 이루셨던 것입니다.

세상의 모든 악한 사람들이 자신의 뜻대로 하는 것 같지만 하나님은 모든 것 위에 살아 계십니다. 모든 것 위에 섭리하십니다. 그리고 하나님의 뜻을 이루어 가십니다.

이들은 하나님의 아들을 희생시켜서라도 자신의 위치와 이익을 얻으려고 했습니다. 가룟 유다는 돈에 대한 탐욕으로, 대제사장들과 율법학자들은 자신들의 지위를 유지하면서 거짓을 감추려고 예수님을 희생시켰습니다.

그러나 마리아는 어땠습니까? 마리아는 자신의 모든 것을 다 드려서 예수님을 영광스럽게 했습니다. 자신의 탐욕을 지키기 위해 예수님을 제거하려는 사람들과 자신을 깨뜨려 예수님을 높이는 마리아는 분명한 대조를 이루고 있습니다!

마리아는 자신이 옥합을 깨뜨려 예수께 향유를 부어 드렸지만, 가룟 유다는 예수님의 옥합을 깨뜨려 자신의 주머니를 채웠습니다. 마리아가 구제에 사용하지 않았다고 비판한 유다는 예수님을 얼마에 팔아 넘겼습니까? 은 30, 환산하면 120데나리온입니다. 지금 300데나리온이라는 가치, 그것을 가난한 사람에게 나눠 주지 않았다고 비판한 가룟 유다는 120데나리온에 예수님을 팔아넘겼습니다. 마리아는 최고의 예배를 드렸지만 유다는 최악의 배신을 했습니다.

마리아가 여자이다 보니 그 당시 제자 리스트에 올리지 못했습니다. 12제자가 아니었기 때문이 아니라 핵심 제자들 중에서도 핵심 제자였지만 그 당시 문화적 배경 때문에 제자 리스트에 오르지 못했던 것입니다. 하지만 그 마리아는 어떤 제자들보다도 아름다운 최고의 섬김을 주님 앞에 드렸습니다.

예수님은 마리아의 행동을 비판하고 정죄하는 제자들에게 교훈을 주셨습니다.

[예수께서 말씀하셨습니다. "가만두어라. 어찌해 이 여인을 괴롭히느냐? 이 사람은 내게 좋은 일을 했다. 가난한 사람들이야 항상 너희 곁에 있으니 너희가 원하기만 하면 언제든지 도울 수 있지만 나는 너희 곁에 항상 있는 것이 아니다. 이 여인은 자기가 할 수 있는 일을 했다. 내 몸에 향유를 부어 내 장례를 미리 준비한 것이다. 내가 너희에게 진실로 말한다. 온 세상 어디든지 복음이 전파되는 곳마다 이 여인이 한 일도 전해져서 사람들이 이 여인을 기억하게 될 것이다."(막 14:6-9)]

예수님은 마리아가 좋은 일을 했다고 말씀했습니다. 발을 씻어 주었기 때문에, 발이 시원해서 그런 말씀을 한 것이 아닙니다. 예수님의 몸에서 이제 향기가 나서 좋은 일을 했다고 말씀한 것이 아닙니다. 첫째로 이 일을 좋은 일이라고 한 것은 지금 예수께 꼭 있어야 할 일, 합당한 일, 하나님의 계획 가운데 있는 바로 그 일을 했기 때문입니다.

예수님은 "가난한 사람들이야 항상 너희 곁에 있지만, 나는 너희 곁에 항상 있는 것이 아니다"라고 말씀했습니다.

이 말씀을 오해하면 예수님이 가난한 사람들을 돌보는 것을 거부하거나 그것 자체를 부인한 것처럼 보일 수도 있습니다. 하지만 아닙니다. 예수님은 가난한 자들과 예수님을 대조하신 것이 아니라 항상 할 수 있는 일과 지금이 아니면 할 수 없는 일을 대조하신 것입니다. 가난한 사람을 돌보지 말라는 것이 아닙니다. 언제나 할 수 있는 일과 지금이 아니면 할 수 없는 일이 있다는 것입니다.

마리아의 아름다운 향기와 유다의 악취

예수님은 더 이상 이 세상에 육신의 모습으로 계실 수 없습니다. 죽음을 앞두고 계십니다. 하나님의 구속 역사에서 예수님은 성령의 기름 부으심을 받으셨습니다. 요단 강에서 세례 받으실 때 성령의 기름 부으심을 받으셨습니다. 하지만 실제적인 이스라엘 역사에서 왕이나 제사장, 선지자가 기름 부음 받을 때와 같은 물리적인 기름 부음을 받으신 적은 없습니다.

그런데 이 마리아가 예수님의 머리에 기름을 부을 때, 수많은 사람들이 환호하며 기름 붓는 예식은 아니었지만 이 땅에 정치적인 메시아가 아니라 온 인류를 구원할 메시아로 오신, 고난당하는 메시아의 모습으로 오신 그 메시아의 머리에 기름 부음 받은 예식으로 받아들이신 것입니다.

예수님은 두 번째로 마리아가 좋은 일을 한 이유에 대해 설명하셨습니다.

["이 여인은 자기가 할 수 있는 일을 했다. 내 몸에 향유를 부어 내 장례를 미리 준비한 것이다."(막 14:8)]

예수님의 장례를 미리 준비했다는 것입니다. 십자가에 못 박혀 죽으셨을 때 예수의 몸에 기름을 바를 여유가 없었습니다. 예수님의 몸을 씻겨 드릴 시간도 없었습니다. 곧 안식일이 시작되기 때문입니다. 사실 금요일 오후에 십자가 처형을 한 것은 십자가 처형을 한 죄수들의 시신은 무덤에 안치되지 않았기 때문입니다. 골짜기에 버려져 새들한테 쪼아 먹히거나 쓰레기처럼 내던져 버려질 뿐 무덤에 안치되지 않았습니다. 이런 이유로 시간이 필요하지 않았던 것입니다.

부자의 묘실에 안치되었다는 구약의 예언을 이루기 위해 아리마대 요셉이 예수님의 시신을 자신의 무덤에 안치합니다. 하지만 시신을 수습할 시간이 없었습니다. 곧 안식일이 시작되기 때문에 예수님의 시신은 그 흘린 피도 씻기지 못한 채 바로 무덤에 안치되었습니다.

예수님은 그 모든 과정을 알고 계셨기에 마리아가 향유 붓는 것에 대해 장례를 미리 준비한 거라고 말씀한 것입니다. 마리아가 그런 사실을 미리 알았을 리는 없습니다. 예수님의 해석이었습니다. 예수님이 그렇게 해석하신 것입니다.

마리아는 사랑하는 마음으로, 무엇인가 예수께 최고의 예배를 드리겠다는 마음으로 행한 것입니다. 마리아도 어느 정도는 알았을 것입니다. 예수님이 자신의 고난과 죽음에 대해 미리 말씀했기 때문에 어느 정도는 알고 있었을 겁니다. 하지만 장례를 준비한다는 마음으로 한 것은 아닙니다. 그럼에도 예수님은 그것을 연결시켜 해석해 주신 것입니다.

어떤 경우에서는 해석이 실제입니다. 역사도 실제 일어난 사건만을 가리켜 역사라고 말하지 않습니다. 역사라고 말할 때는 실제 일어난 사건에다 그 사건에 대한 해석을 얹은 것입니다. 그러면 역사를 얼마든지 왜곡할 수 있다는 것입니다. 해석을 어떻게 하느냐에 따라서 역사가 바뀝니다.

우리는 해석을 잘해야 합니다. 하나님 안에 있고 성령 안에 있는 사람들은 자신에게 일어난 모든 일을 하나님의 관점으로 해석해야 합니다. 그러면 그런 인생이 됩니다. 반면 마음이 비뚤어져 있고 죄 가운데 있는 사람은 무슨 일이 생기면 엉뚱하게 해석합니다. 그러면 그런 사람이 됩니다. 해석이 중요합니다. 잘못된, 억지로 뜯어 맞추는 해석이 아니라 하나님의 관점에서 실제로 일어난 일들을 어떻게 연결시키고 해석하느냐가 우리의 인생과 미래를 결정 짓습니다.

예수님은 향유를 붓는 그 사건을 가리켜 "내 장례를 미리 준비했다"고 말씀합니다. 얼마나 멋진 해석입니까? 마리아가 이 모든 것을 알고 행하지 않았지만, 어떻게 이런 아름다운 결과가 있었겠습니까? 마리아의 사랑에서 나온 통찰력 때문입니다.

얼마 후 예수님은 미리 말씀한 대로 고난과 죽음을 당하실 것이 분명한데, 마지막 죽음으로 향하시는 예수께 드릴 수 있는 최선의 사랑이 무엇일까 생각했을 겁니다. 그리고 자신이 고귀하게 여겼던, 모아 두었던 나드 옥합을 깨뜨려 주님께 드리기로 한 것입니다. 이것이 바로 그녀가 드릴 수 있는 최고의 사랑이었기 때문입니다. 이 최고의 사랑을 예수님은 "내 장례를 준비한 것이다"라는 아름다운 해석으로 마리아의 사랑을 받아들인 것입니다.

마리아도 예수님의 해석을 듣고서야 자신의 행동이 어떤 의미인지 깨달았을 것입니다. 어떤 때는 의미를 알고 행동하는 것도 있지만 때로는 해석을 듣고 그 의미를 이해하는 것도 있습니다.

세 번째로 마리아의 이런 행동은 자신이 할 수 있는 일을 했기 때문에 좋은 일인 것입니다. 성경에 "이 여인은 자기가 할 수 있는 일을 했다"라고 표현되어 있습니다. 마가복음에 보면 과부가 두 렙돈을 가지고 주님 앞에 드립니다. 자기가 할 수 있는 최선의 것을 가지고 주님 앞에 드립니다. 그러므로 예수님은 그 여인을 칭찬하셨습니다. 가장 많은 것을 드렸다고 말입니다.

하나님은 결코 우리가 할 수 없는 일을 요구하시지 않습니다. 예수님은 제자들에게 서로 발을 씻기라고 말씀했습니다. 왜 발을 씻기라고 하셨습니까? 할 수 있는 일이기 때문입니다. 그런데 다른 사람의 발을 씻기는 것은 어렵습니다. 왜 어렵습니까? 할 수 있는 일이기 때문에 어려운 것입니다. "전 인류를 사랑하라!" 추상적입니다. 하지만 "네 옆에 있는 사람의 발을 씻어라"고 하면 할 수 있는 일이기 때문에 어려운 것입니다. 사랑은 자신이 할 수 있는 최선의 것을 다하는 것입니다. 예수님은 마리아의 이 행동에 추가적인 명령을 주셨습니다.

["내가 너희에게 진실로 말한다. 온 세상 어디든지 복음이 전파되는 곳마다 이 여인이 한 일도 전해져서 사람들이 이 여인을 기억하게 될 것이다."(막 14:9)]

대리석이나 금으로 된 기념비를 세우라는 것이 아닙니다. 이 여인이 행한 그 아름다운 동기, 아름다운 향기를 기념하라는 것입니다. 최고의 사랑을 드리는 예배의 향기가 우리 삶을 통해 흘러넘치도록 하라는 것입니다.

유다한테서는 악취가 났습니다. 대제사장들과 율법학자들에게도 악취가 진동했습니다. 하지만 이 마리아의 아름다운 사랑과 고귀한 헌신은 300데나리온이나 되는 순전한 나드에서 뿜어져 나오는 향기보다도 더 향기로웠습니다. 예수님은 나드 향기에 취하신 것이 아니라 마리아의 아름다운 사랑에 취하신 것입니다.

예수님의 다음 말씀은 중요합니다. "복음이 전파되는 곳마다 이 여인이 한 일도 전해져서 사람들이 이 여인을 기억하게 될 것이다." 복음이야말로 이 깨어짐을 통해 전해지기 때문입니다. 복음이 사랑으로 깨어지는, 어쩌면 비효율적인 것처럼 보이는 사랑과 헌신이 있어야 복음이 전해지기 때문입니다.

하나님의 사랑은 그처럼 거룩한 낭비, 고귀한 낭비, 가치 있는 낭비였기 때문에 복음이 전해지는 데 있어 효율적인 계산만으로는 절대 복음이 전해지지 않습니다. 일은 효율적으로 해야 하지만 우리 마음과 헌신은 때로 고귀한 낭비처럼 보이는 일들도 기꺼이 해야 합니다.

Pray

하나님, 마리아가 예수님께 옥합을 깨뜨려 향유를 부은 것처럼 우리도 우리의 가장 좋은 것을 주님께 아낌없이 내드리는 삶 되게 하옵소서. 아들 예수 그리스도를 보내 주신, 값으로 계산할 수 없는 무한한 하나님의 사랑에 감사하며 사는 우리들 되게 하옵소서. 예수님 이름으로 기도합니다. 아멘.

막 14:17-26

¹⁷그날 저녁이 되자 예수께서 열두 제자들과 함께 그 집에 도착하셨습니다. ¹⁸함께 식탁에 기대어 음식을 나누는 동안 예수께서 말씀하셨습니다. "내가 너희에게 진실로 말한다. 너희 가운데 하나가 나를 배반할 것이다. 그가 지금 나와 함께 먹고 있다." ¹⁹그들은 슬픔에 잠겨 한 사람씩 예수께 물었습니다. "설마 저는 아니지요?" ²⁰예수께서 대답하셨습니다. '12명 가운데 한 사람이다. 지금 나와 한 그릇에 빵을 찍어 먹는 사람이다. ²¹인자는 자신에 대해 성경에 기록된 대로 가겠지만 인자를 배반하는 그 사람에게는 화가 있을 것이다! 그는 차라리 이 세상에 태어나지 않았더라면 좋았을 것이다." ²²그들이 음식을 먹고 있는데 예수께서 빵을 들고 감사기도를 드리신 후 떼어 제자들에게 나눠 주며 말씀하셨습니다. "이것을 받으라. 이것은 내 몸이다." ²³그러고 나서 예수께서는 잔을 들고 감사기도를 드리신 후 제자들에게 주셨습니다. 그러자 그들 모두 받아 마셨습니다. ²⁴예수께서 그들에게 말씀하셨습니다. "이것은 많은 사람을 위해 흘리는 내 피 곧 언약의 피다. ²⁵내가 너희에게 진실로 말한다. 내가 하나님 나라에서 새 포도주를 마시는 그날까지 포도나무에서 난 것을 다시는 마시지 않을 것이다." ²⁶그들은 찬송을 부른 뒤 올리브 산으로 향했습니다.

배신을 넘어선
사랑

예수님의 사랑은 인간의 모든 배신을 이긴 놀라운 사랑입니다.
어떤 배신도 이 사랑보다 클 수는 없습니다.
어떤 배신도 예수님의 사랑을 포기시킬 수는 없습니다.
예수님의 사랑은 배신을 넘어선 사랑입니다. 배신을 이긴 사랑입니다.
배신을 이긴 하나님의 사랑인 것입니다.

살아가면서 받는 가장 깊은 마음의 상처는 배신의 상처일 것입니다. 사랑하고 믿었던 사람의 배신은 가슴속에 깊은 분노와 고통을 남기기 마련입니다. 많은 사람들이 이 배신의 상처를 치유하지 못한 채 고통 속에서 살아가고 있습니다. 역사적으로 널리 알려진 많은 배신이 있습니다. 로마의 시저도 자신이 친아들처럼 사랑했던 브루투스와 그의 일당에게 암살을 당했습니다. 다윗 왕도 사랑하는 압살롬에 의해 배신을 당했습니다. 또한 친자식처럼 여겼던 아히도벨한테도 배신을 당했습니다.

역사상 가장 유명하고 가장 악한 배신이 있다면 역시 예수님을 배신한 가룟 유다의 배신입니다. 예수께 육체적인 고통보다 더 가슴 아팠던 고통은 사랑하는 제자의 배신이었을 것입니다. 예수님은 그 손과 발에 못 박히셨을 뿐 아니라 가슴에도 못이 박히셨습니다.

배신이란 가슴에 못을 박는 것입니다. 가룟 유다의 배신은 그 방식도 고통스럽고 안타까운 것이었습니다. 가장 사랑하는 이에게 행하는 입맞춤, 사랑과 존경의 표시인 입맞춤이 바로 배신의 신호였습니다. 그 배신의 대가도 너무나 초라했습니다. 은 30. 그는 예수님을 돈과 바꾼 것입니다. 어떤 위대한 비전도 아니요, 이상도 아니었습니다. 돈과 바꿨습니다. 결국 밭에 내던져 버릴 그 돈, 없어도 되는 그 돈 때문에 예수님을 배신했던 것입니다.

물론 베드로도 예수님을 부인했습니다. 다른 제자들도 예수님을 버리고 도망가는 배신을 했습니다. 하지만 중요한 차이가 있습니다. 베드로의 배신은 충동적이었습니다. 즉흥적인 배신이었습니다. 반면 가룟 유다의 배신은 치밀한 계획 하에 이루어진 의도적인 배신이었습니다. 예수님은 베드로한테 한 번 경고를 하셨지만 가룟 유다에게는 훨씬 더 여러 번 반복해서 기회를 주시고 경고도 주셨습니다.

베드로는 결국 회개하고 돌아와서 사도의 삶을 살았습니다. 하지만 가룟 유다는 끝내 회개하지 않았습니다. 다만 후회했습니다. 후회와 회개는 다릅니다. 그리고 그는 후회 끝에 자살을 선택했습니다.

악한 배신의 아이콘, 가룟 유다

예수님은 제자들과 함께 유월절 만찬을 나누시던 중에 유다의 배신을 미리 예고하셨습니다.

[그날 저녁이 되자 예수께서 열두 제자들과 함께 그 집에 도착하셨습니다. 함께 식탁에 기대어 음식을 나누는 동안 예수께서 말씀하셨습니다. "내가 너희에게 진실로 말한다. 너희 가운데 하나가 나를 배반할 것이다. 그가 지금 나와 함께 먹고 있다."(막 14:17-18)]

유명한 화가 레오나르도 다빈치가 그린 〈최후의 만찬〉을 볼 때 많은 사람들의 궁금증은 누가 예수님인가 하는 것이 아니었습니다. 누가 예수님인지 바로 알 수 있기 때문입니다. 더 많은 관심은 누가 유다인가 하는 것입니다. 오랫동안 관찰한 끝에 결국 찾아냈습니다. 이 그림에서 가룟 유다가 어디 있는지 압니까? 가룟 유다의 얼굴은 검습니다. 반면 다른 제자들의 얼굴은 다 환합니다. 빛을 받지 못하는 검은색으로 얼굴을 표현한 것 외에 유다임을 확인할 수 있는 근거는 돈주머니를 오른손에 쥔 채 왼손으로는 빵 접시를 가리키고 있습니다. 오른손에 돈주머니를 쥐고 있는 것을 보아 이 사람이 유다임을 알 수 있습니다. 다른 화가들은 유다를 식탁 건너편에 혼자 앉아 있게 해서 누가 봐도 가룟 유다라는 것을 딱 드러냈는데, 다빈치는 암시적으로 표현했습니다. 돈에 대한 탐욕으로 예수님을 배반했음을 암시하고 있습니다.

배반에 대한 예고가 없었다면 예수님은 얘기치 않은 제자의 배반으로 기구한 운명을 맞이한 사람밖에 되지 않았을 것입니다. 하지만 예수님은 운명의 희생자가 아닙니다. 예수님은 운명을 주관하시는 분입니다. 예수님은 미리 다 알고 계셨습니다. 고난도 아셨고, 죽음도 아셨고, 유다의 배반도 미리 알고 계셨습니다. 그래서 예고하신 것이고, 유다를 향해 예수님은 회복을 기대하고 노력하고 기다리셨던 것입니다.

요한복음에 따르면 예수님은 이 말씀을 하실 때 몹시 괴로워하셨습니다. 특이한 것은 예수님은 유다의 배반을 예고하셨지만 이름을 한 번도 언급하시지 않았다는 점입니다.

배반을 예고하실 때 예수님이 가룟 유다가 자신을 배반할 거라고 이름을 말씀하거나 구체적으로 지목하셨다면 그는 어떻게 되었을까요? 예수님이 이름을 언급하시지 않은 이유가 두 가지 있습니다. 첫 번째 이유는 유다를 보호하시고 기회를 주시려고 한 것입니다. 마지막 순간까지도 배신자가 되지 않도록 돌아올 수 있는 기회를 주시기 위해 간접적으로 그분이 알고 있다는 점만 가르쳐 주셨을 뿐 이름을 언급하시지 않았던 것입니다.

예수님이 가룟 유다가 자신을 배반할 거라고 이름을 언급하셨다면 어떤 일이 일어날까요? 아마 가룟 유다는 당장 제자들에게 끌려가 매를 맞아 죽었을 것입니다. 틀림없이 성격 급한 베드로가 머리채를 끌고 나갔을 것입니다. 그런 일이 일어나지 않도록 예수님은 "나와 함께 먹는 자 중에 나를 파는 자가 있을 것이다"라고 하신 것입니다. 그러니 누군지 몰랐던 것입니다. 예수님은 간접적으로 알려 주심으로써 유다가 돌아올 수 있는 기회를 놓치지 않도록, 마지막 순간까지 기회를 주셨습니다. 얼마나 인격적인 예수님입니까?

성경에 보면 "지금 나와 한 그릇에 빵을 찍어 먹는 사람"이라는 표현을 썼습니다. 이 표현은 이미 구약에 다윗이 아히도벨한테 배신을 당한 이후 고백한 시편에서 메시아가 장차 가까운 친구에 의해 배신을 당할 것이라는 기록에도 나와 있습니다.

[내가 믿던 가까운 친구, 내 빵을 나눠 먹던 그 친구조차 나를 대적해 발꿈치를 들었습니다.(시 41:9)]

발꿈치를 들었다는 것은 대적했다는 것입니다. 배반했다는 것입니다. 가까운 친구, 빵을 나눠 먹던 그런 친구가 배반했다는 것입니다. 이 표현은 아주 중요합니다. 예수님과 함께 먹던 자, 함께 빵을 나누어 먹던 자, 예수님과 가까이 교제하던 자, 예수님의 사랑을 경험하고 은혜를 체험하고 그분의 교훈을 듣고 기적을 목도했던 자 중에 배신자가 있을 거라는 말씀은 우리에게 큰 도전과 경계를 줍니다. 예수님과 가까이 했다고 자랑하거나 방심해서는 안 된다는 것입니다. 함께 먹는 자 중에 배신자가 있습니다.

교회 생활을 오래해 형식에 익숙해졌다고 방심해서는 안 되는 이유가 여기 있습니다. 예수님과 함께 먹는 사람들 중에 배신자가 있었다는 것입니다. 교회의 혼란과 갈등의 중심을 보면 누가 있습니까? 불교 신자가 있습니까? 천주교 신자가 있습니까? 이슬람 교도가 있습니까? 불신자가 있습니까? 초신자가 있습니까? 아닙니다. 예수님을 가까이 하던 사람들 중에, 교회를 깊이 아는 사람들 중에 예수님을 팔아먹는 사람이 있다는 것입니다. 목회자들도 예수님을 가까이 하고 있던 자, 예수님을 증거하던 자 중에 예수님을 팔아먹을 위험을 가진 사람들이라는 것입니다.

재정을 맡았던 가룟 유다는 처음부터 예수님을 팔려고 제자가 된 것은 아닙니다. 어느 순간부터 사탄이 그에게 들어가 그의 생각을 사로잡았고, 사탄을 받아들임으로써 지배를 받게 되었던 것입니다. 우리도 언제든지 배반자가 될 수 있습니다. 이것이 우리에게 주시는 교훈입니다. 초신자는 초신자대로, 오래된 성도는 오래된 성도대로 예수님을 팔아먹는 배신자가 될 수 있다는 것입니다.

한국 교회는 1927년 대한예수교장로회 총회의 결의를 통해 예수님을 팔았습니다. "신사 참배는 죄가 아니다. 우상 숭배가 아니다. 단지 예의일 뿐이요, 문화일 뿐이다"라고 공표한 뒤 총회의 리더십들이 먼저 가서 솔선수범하여 신사 참배를 했습니다. 그때 "이것은 옳지 않다"라고 말한 사람들이 있었습니다. 손양원 목사님, 주기철 목사님, 한삼동 목사님이었습니다.

예수님은 왜 함께 먹는 자 중에 자신을 팔 자가 있다고 말씀했습니까? 두 번째 이유는 나머지 제자들도 모두가 동일한 근심을 해야 했기 때문입니다. 예수님이 이런 말씀을 하셨을 때 나머지 제자들은 어떻게 반응했습니까?

[그들은 슬픔에 잠겨 한 사람씩 예수께 물었습니다. "설마 저는 아니지요?"(막 14:19)]

슬픔에 잠겼다고 했습니다. 근심했다고 했습니다. 더 정확히 해석하면 마음이 아팠다고 했습니다. 고통스러워했다는 것입니다. '아니, 예수님을 파는 사람이 있다니. 설마 나는 아닐까?' 하는 염려하는 마음, 근심하는 마음이 우리에게 있어야 합니다. 예수님을 팔아넘기고는 견딜 수 없는 심정, 팔아넘길까 봐 염려하는 심정, 혹시 '나는 아닐까'라고 자신을 의심하며 걱정하는 그런 마음이 우리에게 필요합니다.

[하나님의 뜻대로 하는 근심은 구원에 이르는 회개를 가져오므로 후회할 것이 없습니다. 그러나 세상 근심은 죽음을 가져옵니다.(고후 7:10)]

우리에게는 이러한 근심이 있어야 합니다. 세상의 근심이 아니라 하나님의 뜻대로 하는 근심, 죄 가운데 있지 않는지 돌아보는 근심, 예수님을 배반하고 있지 않은가 염려하는 근심이 있어야 합니다. 그것이 근심에 머물러 있는 것이 아니라 자기 마음을 아프게 할 정도로, 고통스럽게 할 정도의 근심이 우리에게 있어야 합니다. "주님, 제가 주님을 배반하는 자는 아닙니까?" 이런 염려와 근심이 우리에게 늘 있어야 할 줄로 믿습니다.

교만한 사람은 자신을 의심하지 않습니다. 하나님도 의심하고 성경도 의심하고 세상도 의심하고 늘 다른 사람은 의심하지만, 정작 자기 자신은 의심하지 않습니다. 자기 자신에 대해서는 확신을 가지고 있습니다. 하지만 구원받은 겸손한 성도들은 늘 자기 자신부터 의심합니다. 설마 나는 아닐까? 나는 배반자가 아닐까?

제자들의 마음속에 있던 염려하는 마음, 배반을 걱정하는 마음, '설마 주님, 저는 아니지요?'라는 염려하는 마음이 늘 우리 가운데 있어야 할 줄로 믿습니다. 날마다 말씀 가운데 하나님 앞에서 자신을 의심하고 살피고, 오늘 하루 주님을 배반하는 삶을 살지 않았는지 염려하는 우리 인생이 되기를 축원합니다.

그런데 놀라운 것은 유다도 이런 질문을 던졌다는 것입니다.

[그때 예수를 배반한 유다가 말했습니다. "랍비여! 저는 아니겠지요?" 예수께서 대답하셨습니다. "네가 말했다."(마 26:25)]

참으로 가증스럽고 뻔뻔스러운 행동이 아닐 수 없습니다. 유다도 다른 제자들처럼 "랍비여! 저는 아니겠지요?"라고 물은 것입니다. 다 하니까, 가만히 있으면 자기라는 것을 인정하는 거니까 감추기 위해 "설마 저는 아니겠지요?"라고 물은 것입니다. 우리는 예수님의 어떤 대답을 기대합니까? 이런 대답이 나왔으면 아주 통쾌할 것 같습니다. "그래, 너다. 너! 너잖아!" 얼마나 가증스럽고 뻔뻔한 질문입니까! 자신의 죄를 감추기 위해 "저는 아니지요?"라고 물은 것입니다. 그런데 예수님은 뭐라고 대답하십니까? "네가 말했다." 이게 좀 이상한 대답입니다. 우리말에도 이런 표현이 있습니다. 누군가 자신이 정말 아니라고 말하면 "너 정말 그렇게 말했지"라고 말합니다. 네 말에 책임을 지라는 것입니다. 네가 아니라고 했으면 그 말에 책임져야 한다는 의미로 "너 그렇게 말했지"라는 뉘앙스로 얘기합니다.

"네가 그렇게 스스로 말했다면 하지 말라. 네가 아니길 바란다."

지금이라도 포기하라, 지금이라도 내려놓으라는 것이 예수님의 대답입니다. 하지만 유다의 마음은 바뀌지 않았습니다. 요한복음을 보면 그때 예수님이 다시 대답하십니다. "내가 빵 한 쪽을 적셔서 주는 사람이 바로 그 사람이다." 그리고 빵 한 쪽을 적셔 시몬의 아들 가룟 유다에게 주셨다는 겁니다. 그럼에도 제자들은 무슨 말씀을 하시는지 몰랐습니다. 설마 가룟 유다가 배신자라는 말씀인 줄은 몰랐던 것입니다.

그래서 유다에게 사탄이 들어와 있을 때, "네가 하고자 하는 일을 속히 하라"는 말씀을 이 직후에 하셨을 때 유다는 밖으로 나갔습니다. 그때 제자들은 '아, 은행에 가서 돈을 찾아오라는 말씀이구나'라고 생각했습니다. 제자들은 이처럼 예수님의 말씀을 이해하지 못했습니다. 그만큼 유다는 신뢰 받는 제자였다는 것입니다. 빵 한 조각을 찍어 주는 사람은 어떤 사람이었습니까? 그 만찬에서 VIP, 가장 중요한 사람, 바로 이 사람을 위해 만찬이 존재한다는 사인으로 호스트가 빵 한 조각을 찍어 그 사람에게 주는 것입니다. 바로 '이 만찬은 유다를 위한 것이다, 네가 너를 사랑한다, 너는 이 만찬에서 가장 중요한 사람이다'라는 의미인 것입니다.

어떻게 자신을 배반할 계획을 가지고 있는 사람, 그 사람의 계획과 속을 알면서도 이 만찬의 가장 중요한 신호를 주실 수 있을까요? 이것이 모든 죄인을 대신해 십자가에서 죽으시며 용서를 구했던 예수님의 사랑이 아닌가요! 이러한 예수님의 경고와 회복의 기다림에도 유다는 변화되지 않았습니다. 이때 예수님은 유다에게 최후의 경고, 화가 있을 거라고 예고하십니다.

["인자는 자신에 대해 성경에 기록된 대로 가겠지만 인자를 배반하는 그 사람에게는 화가 있을 것이다! 그는 차라리 이 세상에 태어나지 않았더라면 좋았을 것이다."(막 14:21)]

어떤 사람들은 유다를 동정합니다. 초대교회 당시 이단 문서로 분류되었던 유다복음을 끄집어 내어 "유다는 희생자다! 유다는 운명의 도구, 하나님 섭리의 도구다. 심지어는 예수님의 부탁을 받고 그렇게 한 것이다"라는 잘못된 주장을 하는 사람들도 있습니다.

배고픔에서 시작된 타락과 배신

왜 유다는 책임을 면할 수 없습니까? 왜 화가 있어야 합니까? 하나님은 유다에게 죄를 지으라고 명령한 것이 아닙니다. 예수님이 부탁하신 것도 아닙니다. 유다의 탐욕 때문에 스스로 선택한 길이었기 때문입니다. 어떤 죄도 변명할 수 없습니다. 어쩔 수 없는 죄는 존재하지 않습니다. 모두가 자신의 선택이요, 인격적인 선택이기 때문입니다.

그리고 유다는 떠납니다. 예수님은 유다의 배신에도 감사하셨습니다. 유월절 식사를 성찬으로 제정해 주셨습니다.

[그들이 음식을 먹고 있는데 예수께서 빵을 들고 감사기도를 드리신 후 떼어 제자들에게 나눠 주며 말씀하셨습니다. "이것을 받으라. 이것은 내 몸이다." 그러고 나서 예수께서는 잔을 들고 감사기도를 드리신 후 제자들에게 주셨습니다. 그러자 그들 모두 받아 마셨습니다. 예수께서 그들에게 말씀하셨습니다. "이것은 많은 사람을 위해 흘리는 내 피, 곧 언약의 피다."(막 14:22-24)]

성경이 먹는 것으로 시작해 먹는 것으로 끝난다는 것을 알고 있습니까? 창세기 1장에 하나님이 인간을 만드시고 먹는 것을 식량으로 주셨습니다. 하나님은 인간을 시험하실 때 먹는 것으로 시험하셨습니다. "동산 가운데 있는 나무의 열매는 먹지 말라."

하나님은 인간에게 배고픔을 느끼도록 창조하셨습니다. 배고픔이 있다는 것은 의존적인 존재라는 뜻입니다. 먹지 말라고 한 그 명령을 어김으로써 인간은 타락하기 시작합니다. 최초의 타락은 먹는 것에서부터 시작되었습니다. 수많은 사람들을 타락하게 하는 근원이 무엇입니까? 바로 돈 문제 아닙니까? 사실은 돈 너머에 경제가 있습니다. 그리고 경제 너머에 배고픔이 있습니다.

이렇듯 인간의 죄는 배고픔으로부터 시작되었습니다. 배고픔을 잘못된 방법으로 해결하지 말고, 빵으로만 살 수 없다는 것을 가르쳐 주기 위해 먹지 말라는 명령을 주신 것입니다. 인간은 떡으로만 사는 것이 아니라 하나님의 입으로 나온 모든 말씀으로 사는 것임에도 배고픔만 채우면 하나님을 어겨도, 하나님을 반역해도 된다는 생각이 인간의 마음속에 들어온 것이 타락입니다.

하나님은 생명나무의 열매를 먹지 못하도록 금지하셨습니다. 왜 생명나무의 열매를 먹지 말도록 금지하셨을까요? 만약 타락한 상태로 생명나무의 열매를 먹으면 영원히 타락된 상태로 거할 것이기 때문에, 하나님과 단절된 상태로 영원히 살

것이기 때문에 하나님은 그것을 원하시지 않았습니다. 하나님은 회복을 원하셨습니다. 죽도록 하신 것입니다. 그리고 새로운 생명을 허락하신 것입니다.

요한계시록 22장에 보면 마지막 장면도 먹는 것으로 끝납니다. 에덴동산에서 금지되었던 생명나무의 열매가 요한계시록 22장에도 나옵니다. 새 하늘과 새 땅과 함께 동산 좌우에 생명나무의 열매가 있어 그 나뭇잎들은 나라들을 치료하는 데 쓰인다고 말씀합니다.

타락이 먹는 것으로 이루어졌기에 하나님은 우리의 구원도 먹는 것으로 이루시는 것입니다. 예수님은 "누구든지 내 살을 먹고 내 피를 마시는 사람은 내 안에 있고 나도 그 안에 있다"(요 6:56)라고 말씀했습니다. 예수님을 믿는다는 것은 예수님을 음식으로 먹는다는 것입니다. 우리가 음식을 먹을 때 그 음식이 나의 일부가 되듯이 우리가 예수님을 믿는다는 것은 우리가 예수 그리스도 몸의 지체가 되고, 일부가 되고, 주님이 우리 안에 거하시는 놀라운 신비로운 연합의 역사가 일어나는 것입니다. 이것이 바로 믿음입니다.

'나는 빵이다'라고 시작되는 시가 있습니다. 여기서 나는 바로 예수님입니다.

나는 빵이다.
나는 그대로 남아 있는 존재가 아니요,
나는 먹혀야 하는 존재이다.

나는 빵이다.
나를 먹음으로써 삶의 활력을 찾을 것이요
나를 먹음으로써 나의 존재를 기억할 것이다.
나는 빵이다.
너희들의 삶을 방식을 변화시켜 줄 것이며
너희들의 존재의 방식을 바꾸어 줄 그런 빵이다.

나는 먹힘으로써
내 존재가 사라져 보일지는 모르지만
나의 먹힘은 사라짐이 아니라 새로운 삶이다.

나는 먹힘으로써
새로운 사람을 바로 너를 통해 살게 되고
새로운 삶의 방법을 너를 통해 선택할 것이다.

나를 먹음으로써
내가 보는 세상을 함께 볼 것이고
내가 이야기하는 세상을 함께 노래할 것이다.

나를 먹음으로써
이제는 너가 아니라 나로 살아갈 수 있을 것이고
내가 살아가는 하나님 나라를 살아갈 수 있을 것이다.

단순한 변화가 아니라
삶의 온 존재를 바꾸는 변화가 이루어질 것이다.
태초에 간직되었던 자유가 지금 이루어질 것이다.

하나님 나라를 향한 강한 의지를
참인간이라는 삶을 향한 강한 열망을
함께 느끼고 함께 살아갈 수 있을 것이다.

나는 빵이다.
먹힘으로써 먹는 자의 것이 되는 것이 아니라
먹는 자를 '나'로 변화시키는 영원으로서의 빵이다.

이 빵을 먹는 자는 영원을 살아가게 될 것이다.
행복과 하나님 나라를 기억하게 될 것이다.

이 마지막 부분이 참으로 감동적입니다. 먹힘으로써 먹는 자의 것이 되는 것이
아니라 우리가 예수님의 살을 받아들일 때 먹는 자를 예수 그리스도로 변화시키는
놀라운 축복을 주시는 빵인 것입니다. 그러므로 예수 그리스도의 살을 기념하는

빵을 먹고 그 피를 마시는 것은 매우 중요합니다.

예수님을 믿는다는 것은 예수님의 그 피를 마신다는 것입니다. 예수님의 피를 가리켜 언약의 피라고 말했습니다. 구약의 옛 언약 아래 피흘림으로 죄를 용서 받는 의식이 있었습니다. 하지만 그 동물의 피로는 현재의 죄, 바로 그 순간의 죄밖에 용서 받지 못합니다. 과거의 죄, 미래의 죄를 용서 받을 수 없습니다. 반면 새 언약의 피인 예수 그리스도의 피는 과거와 현재와 미래의 모든 죄를, 어떤 죄든 완전히 용서하시는 약속의 피입니다.

배반을 넘어선 예수님의 사랑

우리 모두는 씻고 싶은 죄가 있습니다. 아무리 노력해도 씻어지지 않는 죄가 있습니다. 지우고 싶어도 지워지지 않는 배신의 상처가 있습니다. 벗어나려고 해도 벗어나기 힘든 미움이 우리 마음에 있습니다. 무엇으로 그 죄를, 무엇으로 그 마음의 상처를 씻을 수 있습니까? 오직 새 언약의 피를, 우리에게 주신 예수 그리스도의 피를 마심으로써 우리는 완전한 용서를 받고 용서할 수 있습니다.

어느 정신과 의사가 이런 말을 했습니다. "내가 만나는 환자들 중에 자신이 용서 받았다는 것을 확신할 수 있다면, 누군가를 용서할 수 있다면 나의 모든 환자는 집으로 돌아가게 될 것이다."

모든 사람의 스트레스, 우울증, 마음의 근심과 염려는 용서하지 못하는 마음 혹은 자신이 용서 받았다는 것을 확신하지 못해 일어난다는 것입니다. 주님이 우리에게 자신의 피를 음료로 나누어 주며 "내 피를 마시라. 이는 새 언약의 피다"라고 말씀했을 때 이것은 우리를 용서하시는 하나님 사랑의 증거입니다. 이 잔에 참여하는 사람만이 하나님의 완전한 용서를 확신 받을 수 있습니다.

우리에게는 용서가 약속되어 있습니다. 우리는 이미 용서 받았습니다. 그리고 그리스도 안에서 용서할 수 있는 사람이 되었습니다. 예수님은 가룟 유다를 단지 눈감아 주신 것이 아니라 십자가 안에서 이미 용서하셨습니다. 이미 용서하셨기에 그 만찬에 참여할 수 있었던 것입니다. "너는 내 만찬에 올 자격이 없다"라고 말씀하지 않았습니다. 그에게 가장 중요한 사인, 사랑을 고백하셨습니다.

가룟 유다는 예수님을 버리고 떠났지만, 예수님은 그를 버리시지 않았습니다. 배반한 베드로도 버리시지 않았습니다. 우리가 배반했을 때도 예수님은 우리를 버리시지 않았습니다. 우리는 예수님을 버렸지만, 예수님은 우리를 버리시지 않을 것입니다. 심지어 이 세상의 많은 사람들이 우리를 버리실 수 있지만 예수님은 우리를 버리시지 않았습니다. 예수님은 그 몸을 찢으시고 그 피를 흘리시며 우리를 사랑하셨기 때문입니다.

예수님의 사랑은 인간의 모든 배신을 이긴 놀라운 사랑입니다. 어떤 배신도 이 사랑보다 클 수는 없습니다. 어떤 배신도 예수님의 사랑을 포기시킬 수는 없습니다. 예수님의 사랑은 배신을 넘어선 사랑입니다. 배신을 이긴 사랑입니다. 배신을 이긴 하나님의 사랑인 것입니다.

제자들의 마음속에 있던 근심처럼, 주님과 함께 먹던 자 중에 예수님을 팔았던 자가 있었던 것처럼 '혹시 내가 그 배신자의 길을 걸어가고 있는 것은 아닐까?'라는 늘 염려하고 안타까워하고 가슴 아파하며 기도할 수 있어야 합니다. 또한 이 배신을 넘어선 주의 사랑으로 주님의 살과 피를 우리에게 주셨을 때, 그 살과 피를 우리가 먹고 마심으로써 날마다 하나님의 놀라운 약속, 용서의 약속을 체험함으로써 혹시 우리를 배신해 우리에게 가슴 아픈 배신의 상처를 준 누군가가 있다면 그 상처를 씻을 수 있는, 그 상처를 넘어설 수 있는, 그 상처를 용서할 수 있는, 주님의 사람으로 승리할 수 있기를 바랍니다.

Pray

하나님, 이 시간 예수님의 사랑을 다시 한번 생각합니다. 예수님의 사랑은 배신을 이긴 사랑이고, 모든 것을 품어 주신 사랑임을 고백합니다. 우리는 그 사랑을 받는 자임을 감사하며 고백합니다. 우리도 예수님처럼 그런 사랑을 품는 사랑의 사람들 되게 하옵소서. 예수님 이름으로 기도합니다. 아멘.

막 14:32-42

³²그들은 겟세마네라는 곳으로 갔습니다. 예수께서 제자들에게 "내가 기도하는 동안 여기 앉아 있으라" 하시고 ³³베드로와 야고보와 요한만 따로 데리고 가셨습니다. 그리고 매우 근심에 잠겨 괴로워하셨습니다. ³⁴예수께서 그들에게 말씀하셨습니다. "내 마음이 너무 괴로워 죽을 지경이다. 너희는 여기 머물러 깨어 있으라." ³⁵예수께서는 조금 떨어진 곳으로 가서서 땅에 엎드려 할 수만 있다면 그 순간이 그냥 지나가게 해 주십사 기도하셨습니다. ³⁶예수께서 말씀하셨습니다. "아바 아버지예! 아버지께는 모든 일이 가능하시니 이 잔을 내게서 거두어 주십시오. 그러나 내 뜻대로 하지 마시고 아버지의 뜻대로 하십시오." ³⁷그러고 나서 제자들에게 돌아와 보시니 그들은 자고 있었습니다. 예수께서 베드로에게 말씀하셨습니다. "시몬아, 자고 있느냐? 네가 한 시간도 깨어 있지 못하겠느냐? ³⁸시험에 들지 않도록 깨어서 기도하여라. 마음은 간절한데 육신이 약하구나." ³⁹예수께서는 다시 한 번 가셔서 똑같은 말씀으로 기도하셨습니다. ⁴⁰그러고는 다시 오셔서 보시니 그들은 또 잠이 들어 있었습니다. 제자들이 너무 졸려 눈을 뜰 수 없었던 것입니다. 그들은 예수께 무슨 말을 해야 좋을지 몰랐습니다. ⁴¹예수께서 세 번째 그들에게 돌아오셔서 말씀하셨습니다. "아직도 졸며 쉬고 있느냐? 이제 됐다. 때가 왔구나. 보라. 인자가 배반당해 죄인들의 손에 넘겨지게 됐다. ⁴²일어나래 가자! 저기 나를 배반할 자가 오고 있다."

겟세마네의 기도

하나님의 진노는 사랑에서 나온 진노입니다. 하나님은 그 진노를
우리에게 쏟아 붓지 않으시고, 그 아들을 버림으로써 그 아들에게 쏟아 부으셨습니다.
그 아들을 버리심으로써 우리를 살리신 것입니다.
그러므로 이 세상 누구도 하나님이 버린 영혼은 없습니다.
세상의 어느 누구도 버림받은 영혼은 없는 것입니다.

제자들과 함께 유월절 만찬을 마치신 예수님은 찬송을 부르며 올리브 산으로 올라가셨습니다. 이 장면에는 성경에서 유일하게 예수님이 찬송을 부르셨다는 내용이 나옵니다. 그 시점은 언제입니까? 바로 최후의 만찬을 마치신 이후에 예수님은 올리브 산으로 가서 그곳에 있는 겟세마네 동산으로 기도하시러 가는 여정에 제자들과 함께 찬송을 부르셨습니다. 물론 기록에는 없지만 예수님은 많은 찬송을 부르셨을 것입니다. 하지만 유일하게 기록된 이 시점이 특이합니다. 십자가로 나아가시는 그 여정 가운데 제자들의 배신과 음모와 십자가의 고난, 죽음의 십자가로 향하는 여정에서 찬송을 부르셨다는 것입니다. 만약 고난과 시험이 기다리고 있다면 찬송을 부르며 나아가기를 바랍니다.

찬송의 능력, 주님을 높여 드리고 우리가 당하는 고난과 시험을 다 이해할 수 없지만 찬송을 부른다는 것은 승리로 그 시험을 이긴다는 뜻입니다. 찬송이 시험을 이기는 능력입니다. "예수님이 올리브 산으로 가시며 찬송하셨다." 이는 우리에게 큰 도전을 주는 말씀입니다.

예수님이 올리브 산에 오르셨던 이유는 평소에도 이 산에 올라 기도하셨기 때문

입니다. 예수님은 겟세마네 동산에서 기도하셨습니다. 겟세마네는 히브리어로 '기름을 짜는 틀'이라는 뜻입니다. 올리브 산이었기 때문에 올리브 기름을 짜는 틀이 그곳에 있었던 것 같습니다.

예수님이 이 겟세마네 동산에서 기도하셨다는 것, 이것은 매우 암시적인 의미가 있습니다. 올리브 기름을 짤 때는 여러 단계를 거쳐 무거운 돌을 통해 기름을 짭니다. 그런데 그 동산에서 예수님이 기도하셨을 때 마치 겟세마네, 기름을 짜는 틀에서 올리브 기름을 짜내는 것처럼 땀이 피처럼 흘러내렸다고 합니다.

의학적으로도 보면 땀이 피처럼 나는 것이 가능한데, 혈한증이라는 증상이 있다고 합니다. 아주 드문 증상이지만 극도의 스트레스가 있을 때 그 땀이 흘러나올 때 피가 섞여 나올 수 있다는 겁니다. 그렇듯 예수님이 겟세마네에서 기도한 것은 그 이름과 너무 잘 들어맞는 모습이었습니다.

죽음 앞에 연약함을 보이신 겟세마네의 기도

겟세마네 동산에서 예수님이 기도하신 모습과 그 내용은 우리가 읽기가 두려울 정도로 매우 심각합니다. 복음서 어디서도 잘 나타나지 않는 예수님의 깊은 고뇌와 갈등과 괴로움을 솔직하게 표현하고 있습니다.

예수님은 참 사람이셨습니다. 그래서 예수님은 때로 슬퍼하셨고 분노하셨고 기뻐하셨습니다. 예수님은 종교지도자들의 외식을 보고 분노하셨습니다. 성전을 보고 분노하셨습니다. 죽음의 두려움에 사로잡혀 있고 죽음으로 인해 울고 있는 사람들과는 함께 우셨습니다. 그리고 천국이 나타날 때는 기뻐하셨습니다. 그런데 예수님이 깊은 고통과 근심과 탄식을 쏟아 내신 것은 이 성경 말씀에만 나타납니다. 성경은 주님이 겪은 근심과 괴로움을 다음과 같이 표현했습니다.

[베드로와 야고보와 요한만 따로 데리고 가셨습니다. 그리고 매우 근심에 잠겨 괴로워하셨습니다. 예수께서 그들에게 말씀하셨습니다. "내 마음이 너무 괴로워 죽을 지경이다. 너희는 여기 머물러 깨어 있으라."(막 14:33-34)]

참 사람이셨기에 괴롭고 아픈 감정을 나타내는 것은 지극히 당연한 일입니다. 그렇게 생각하면서도 이 말씀을 보면서 의문을 가지게 됩니다. "하나님의 아들이신 예수께서 왜 죽음 앞에서 이렇게 연약한 모습을 보이시는가?"

예수님이 기도하셨던 모습 역시 괴로움이 얼마나 극심했는가를 잘 보여 줍니다.

35절에 보면 땅에 엎드려 기도하셨다고 되어 있습니다. 누가복음 22장에 보면 무릎을 꿇고 기도하셨다고 하는데, 마태복음에 보면 얼굴을 땅에 파묻고 기도하셨다고 기록되어 있습니다. 얼마나 괴로우면 얼굴을 땅에 파묻고 기도하셨겠습니까!

복음서를 보면 분명히 예수님은 자신이 죽게 될 때를 아셨고, 이때를 향하여 준비하고 계셨습니다. "누가 내 생명을 빼앗는 것이 아니라 내가 스스로 버리노라"라고도 말씀했습니다. 그리고 요한복음 17장을 보면 예수님은 죽으시는 그 순간이 가장 영화롭게 되는 순간이라고 말씀했습니다. 그리고 제자들에게 죽은 후 3일 후에 다시 살아나실 것까지 말씀했습니다.

이런 모든 말씀을 종합해 본다면 예수님이 드리신 이 겟세마네의 기도는 그에 걸맞은 담대하고 의연한 모습이어야 하지 않을까 하는 의문이 생깁니다.

죽음은 분명 인간에게 있어 가장 두려운 대상입니다. 하지만 때때로 나라를 위하여, 어떤 대의를 위하여 장렬하게 죽는 사람들도 있지 않습니까! 교회사적으로 보면 순교하신 사람들을 보면 죽음 직전에 예수님과 같은 이런 고백을 하지 않았습니다. 사나운 짐승에게 먹히고, 사자에게 갈기갈기 찢기고, 불에 타 죽는 믿음의 순교자들을 보면 예수님이 고백하신 것처럼 "너무 괴로워 죽을 지경이다"라는 말을 하지 않았습니다.

초대교회 감독 폴리캅은 화형 당하기 위해 끌려가서 불이 붙여졌을 때 이렇게 고백했다고 합니다.

"당신들이 붙인 불은 1시간쯤 타다 꺼질 뿐입니다. 하지만 당신들은 다가올 심판의 불을 모르고 있습니다. 당신들 마음대로 해 보십시오."

실로 담대한 고백이 아닐 수 없습니다. 이러한 믿음의 순교자들의 고백과 죽음에 선 겟세마네에서 예수님의 기도를 보면 뭔가 동떨어져 있다는 생각이 듭니다. 연약해 보입니다. 예수님이 두려움에 사로잡혀 있는 것처럼 보입니다. 왜 이렇게 연약한 기도를 하신 걸까 하는 질문을 갖게 됩니다.

또한 예수님은 "아바 아버지여! 아버지께는 모든 일이 가능하시니 이 잔을 내게서 거두어 주십시오"라고 기도하셨습니다. 이 잔을 자신한테서 거두어 달라는 말씀은 마치 십자가의 죽음을 피하고 싶으신 것처럼 보입니다. 그렇다면 지금까지 예수님이 "인자 역시 섬김을 받으러 온 것이 아니라 섬기러 왔고 많은 사람들을 구원하기 위해 치를 몸값으로 자기 생명을 내어 주려고 온 것이다"(막 10:45), "나는 선한 목자다. 선한 목자는 양들을 위해 자기 생명을 내놓는다"(요 10:11)라고 하신 말씀이 다르게 느껴집니다. 이렇게 말씀한 주님이 이제 와서 그분의 생명이 다시 중요해지신 것일까요?

우리는 이 겟세마네의 기도에 나타난 예수님의 연약한 모습을 어떻게 이해해야 할까요? 죽기 위해 오셨고 죽음을 준비해 오신 예수님이 죽음 직전에 왜 이렇게 괴로워하시고 고통스러워하시고 피하고 싶어 하시는 것처럼 보일까요? 이것을 깨달아야 우리는 십자가의 은총과 그 구원의 축복을 깨달을 수 있습니다. 이러한 질문에 대한 대답은 분명합니다.

예수님이 두려워하신 것은 육체적 죽음에 따른 고통이 아니었다는 것입니다. "할 수만 있다면 그 순간이 그냥 지나가게 해 달라"는 잔은 육체의 죽음의 잔이 아니었습니다. 예수님이 극도로 두려워하셨던 것은 육체적 죽음의 고통이 아닙니다. 그것은 하나님께로부터 버림받는, 하나님과 끊어지는, 하나님과의 관계가 단절되는 영적인 죽음의 고통을 두려워하시고 그것을 거두어 달라고 간청한 것입니다.

십자가 마지막 순간 그 고통이 절정에 이르셨을 때 예수님은 이런 말씀을 하셨습니다. "엘리 엘리 라마 사박다니?" 이 말은 "내 하나님, 내 하나님, 어째서 나를 버리셨습니까?"라는 뜻입니다.

예수님은 "내 하나님, 내 하나님, 너무 아픕니다. 죽을 지경입니다"라고 말씀하지 않았습니다. 하나님과의 단절, 이 세상 어느 누구도 나눌 수 없었던 아바 아버지와의 그 친밀한 관계가 끊어지는 그 고통, 그 고통이 예수께는 육체적 죽음의 고통보다 더 두렵고 괴로웠고 피하고 싶었던 것입니다. 예수님은 육체적 죽음을 피하려고 하신 것이 아닙니다. 예수님은 아버지 하나님과의 관계가 단절되는 그 고통으로 괴로워하셨던 것입니다.

예수님은 십자가상에서 일곱 마디 말씀을 나누셨는데, 그중 육체적 고통에 관한 예수님의 고백은 단 한 마디였습니다. "내가 목마르다." 십자가에 매달려 죽어가는 육체적 고통 속에서 자기 육체의 고통에 대한 반응치고는 너무나 약합니다. "내가 목마르다." 우리는 일상에서 조금만 목이 마르면 "목말라 죽겠어"라고 말하지 않습니까. 그런데 예수님은 십자가의 극심한 고통 속에서도 "내가 너무 괴로워 죽을 지경이다"라고 말씀하지 않았습니다. 사실 이 고백은 십자가 위에서 하실 말씀이었습니다. 하지만 십자가 위에 매달린 육체의 고통 속에서는 단순한 한 마디만 하셨습니다.

"내가 목마르다."

예수께 육체적 고통은 그 정도밖에 되지 않았던 것입니다. 예수님이 괴로워하시고 슬퍼하시고 근심 가운데 있는 것은 아버지 하나님과 나누었던 친밀한 교제가 십자가를 지시며 끊어지는, 진정한 십자가가 되기 위해, 그 십자가가 진정 인간의 죄를 대신하는 십자가가 되기 위해서는 그 관계마저 끊어져야 했기 때문입니다. 단순히 육체만 죽는 제물이 아니라 하나님과의 관계가 끊어진 상태를 경험해야만 했던 것입니다. 모든 사람들이 하나님과의 관계가 끊어지는 지옥의 고통, 하나님과 단절되는 분리의 고통을 예수님이 경험하셔야만 했던 것입니다. 예수님은 그것만큼은 피하시기 원했던 것입니다. 하지만 하나님의 뜻은 그 분리의 고통마저 담당하셔야 온전한 구원이 이루어진다는 것입니다.

어떤 사람들은 이렇게 말합니다. "하나님과의 관계가 단절되는 것이 뭐 그리 대단한 일입니까? 오히려 편한 일 아닙니까? 하나님이 나를 외면하시든지 침묵하시든지 말든지 무슨 상관입니까?" 이들은 확실히 단언하건데 영혼이 죽어 있는 사람입니다. 몸은 아주 건강하게 살아 있으나 영혼은 죽어 있는 사람입니다.

죽어 있는 시체는 아무리 건드려도 감각이 없는 것처럼 영혼도 마찬가지입니다. 죽어 있는 영혼은 하나님에 대한 감각이 없습니다. 우리는 태어날 때 영적인 죽음 가운데 태어났습니다. 따라서 아무런 느낌이 없는 것입니다. 그리고 그것을 자유라고 생각합니다.

온 땅에 임한 암흑보다 더 고통스러운 하나님과의 단절

예수님이 느끼신 이 겟세마네의 고통은 영혼이 살아 있어서, 하나님과 친밀한 교제를 누리고 있는 사람만이 느낄 수 있는 것입니다. 살아 있는 영혼, 하나님과의 살아 있는 교제, 친밀한 사귐을 누리고 있는 사람만이 이 고통을 느낄 수 있습니다. 예수님이 십자가에 달리신 세 시간 동안 어두운 암흑이 있었다고 합니다. 그것보다 더 어두운 암흑이 예수님이 버림받으실 때 임했던 것입니다.

하나님과의 관계가 단절된 고독은 온 땅에 임한 암흑보다 더 고통스러운 것입니다. 하나님과의 관계가 단절되고, 하나님과의 관계가 멀어지는 것이 고통스러워야 합니다. 친밀한 부부의 관계가 깨어지면 얼마나 고통스럽습니까? 육체적 고통보다 더 고통스러운 것은 바로 영혼의 고통입니다. 사랑했던 사람, 친밀했던 관계가 끊어지는 것이 얼마나 고통스러운지 알 것입니다. 하나님과 우리가 나누는 관계가 소원해지고, 하나님과의 관계가 끊어져 있는 것을 고통스러워하고 탄식하고 안타까워하고 슬퍼하고 너무 괴로워서 견딜 수 없어야 합니다. 우리 육신만이 아니라 우리 영혼이 하나님과의 관계가 멀어지는 것을 고통스러워하는 것이 살아 있는 영혼입니다.

하나님을 갈망하고, 우리 안에 진정한 예배가 사라질 때 그것을 고통스러워하고, 우리가 기도하지 못하고 있는 것을 고통스러워하고 탄식하며 깊은 근심 가운데 빠지는 영혼은 예수님의 이 기도를 이해할 수 있습니다.

성자들의 글을 읽어 보면 '영혼의 어두운 밤'이라는 표현이 나옵니다.

처음에 이 영혼의 어두운 밤이라는 표현을 볼 때 '세상 속에서 방황하는 사람이구나, 그런 사람이 겪는 거구나'라고 생각했습니다. 하지만 그것이 아니었습니다. 영혼의 어두운 밤을 경험하는 것은 하나님과 친밀하게 동행하는 사람들이 영혼의 어두운 밤을 때로 경험한다는 뜻이었습니다. 육신이 날마다 어두운 밤에 거하는 사람은 결코 이런 경험을 할 수가 없습니다. 그 육신이 밝은 빛 가운데 거하며 하나님과 동행하는 그런 영혼들이 때로 하나님이 자신의 얼굴을 감추시고 말씀하지 않고 침묵하실 때 이런 경험을 합니다. 시편에 보면 이런 고백이 많이 나옵니다. "여호와여, 왜 주의 얼굴을 내게서 숨기십니까?"

우리가 하나님을 버리는 것이 아니라 하나님이 때로 그분의 얼굴을 숨기시는 것입니다. 감추시는 것입니다. 침묵하시는 것입니다. 하나님이 나타나시지 않고 침묵하십니까? 하나님이 말씀하지 않습니까? 하나님이 우리를 버리신 것 같은 상황에 있습니까? 이는 영혼의 어두운 밤을 경험한 것입니다. 이러한 경험은 하나님과 친밀한 사귐을 살아가고 있는 사람들만이 할 수 있는 것입니다.

필립 얀시가 쓴 《하나님 당신께 실망했습니다(Disappointment with God)》를 보면 하나님께 전혀 실망하지 않는 사람이 있다면 그 사람은 틀림없이 무신론자라고 말했습니다. 하나님과 사귀어 본 적이 없으니 하나님에 대한 실망도 기대도 아무것도 하지 않는 것입니다. 하나님께 대한 깊은 실망을 경험하는 사람은 하나님과 동행하는 사람입니다. 하나님과 교제하는 사람입니다.

바로 영혼의 깊은 어두운 밤, 어두운 밤 정도가 아니라 짙은 암흑이 예수께 임한 것입니다. 하나님이 버리셨기 때문입니다. 모든 인류를 살리시려고 그 아들을 버리셨기 때문에 그 버리심의 고통 속에서, 하나님과의 관계가 단절되는 그 아픔 속에서 예수님은 괴로워하셨던 것입니다. 자신의 생명이 죽음 가운데 나아가는 것이 두려워 근심하며 괴로워하신 것이 아닙니다.

세례 받으실 때 "내 사랑하는 아들, 내 기뻐하는 자"라고 말씀했던 하나님의 음성, 변화산상에서는 오직 그의 말을 들으라고 말씀해 주었던 그 하나님이 침묵하셨다는 것, 버리셨다는 것입니다. 사랑하는 아들과의 관계를 끊으셨다는 것입니다. 왜 하나님의 아들 예수께서 고통스럽게 버림을 받아야 합니까? 첫째로 그것은 그 아들 예수께서 모든 사람에 대한 하나님의 진노를 받으셔야 했기 때문입니다. 하나님의 진노, 그것은 사랑의 진노입니다. 사랑하기 때문에 진노하시는 것입니다. 진정한 분노는 사랑에서 나옵니다. 사랑하지 않는 사람한테서는 화가 나지 않습니다. 왜 자녀에게 이렇게 화가 납니까? 사랑하기 때문에 화가 나는 겁니다.

하나님의 진노는 사랑에서 나온 진노입니다. 하나님은 그 진노를 우리에게 쏟아 붓지 않으시고, 그 아들을 버림으로써 그 아들에게 쏟아 부으셨습니다. 그 아들을 버리심으로써 우리를 살리신 것입니다. 그러므로 이 세상 누구도 하나님이 버린 영혼은 없습니다. 왜입니까? 그 아들을 버리시기까지 우리를 살리셨기 때문에, 세상의 어느 누구도 버림받은 영혼은 없는 것입니다.

죄 가운데 있는 영혼들은 이런 음성을 듣습니다. "하나님이 너를 버리실 거야." 사탄이 주는 음성입니다. 하나님은 결코 버리실 수가 없습니다. 그 아들을 버리면서까지 우리를 다시 찾으셨기 때문입니다. 하나님께 버림받은 영혼이 없다는 것을 굳게 믿기를 바랍니다. 하나님은 어느 누구도 버리시지 않습니다.

둘째로 그 아들 예수께서 의인으로서 불의한 자를 대신하셔야 했기 때문입니다.

[하나님께서는 죄를 알지도 못하신 분에게 우리 대신 죄를 짊어지게 하셨습니다. 이는 우리로 그리스도 안에서 하나님의 의가 되게 하시려는 것입니다.(고후 5:21)]

[이는 여러분을 하나님께로 인도하기 위해 그리스도께서도 한 번 죄를 위해 고난을 당하시고 의인으로서 불의한 사람을 대신하셨기 때문입니다. 그는 육체로는 죽임을 당하셨으나 영으로는 살리심을 받으셨습니다.(벧전 3:18)]

우리는 날마다 죄 가운데 살면서도 조금만 억울해도 참지 못합니다. 날마다 죄 가운데 있는 우리도 억울한 일이 생기면, 그것이 좀 심하다 싶으면 실성하기까지 합니다. 견디지를 못합니다. 조금만 억울해도 고소하고 항변합니다. 그런데 죄가 전혀 없고 죄가 무엇인지 알지도 못하신 분, 온전한 의인이신 그분께서 이 세상에서 가장 억울한 재판을 당하시고, 가장 억울한 모욕을 당하시고, 가장 억울한 누명을 쓰고 십자가에 못 박혀 돌아가셨는데, 그것은 이루 말할 수 없는 고통이었던 것입니다.

죄를 알지도 못하는 분이 죄로 말미암아 하나님의 진노와 심판을 당하셨으니 그 근심 속에 예수님은 너무 괴로우셨을 겁니다. 자신의 육체적 죽음이 두려워서 괴로워하신 것이 아닙니다. 따라서 이 고통은 죄 가운데 살아가는 우리는 이해할 수 없는 고통입니다. 예수님만이 이해할 수 있는 신비로운 고통입니다. 의인으로서 불의한 자를 대신하는 고통의 절규였던 것입니다.

셋째로 그 아들 예수께서 그 아버지의 뜻에 온전히 순종하셨기 때문입니다.

버림받는 고통이 그렇게 큰 것이었지만 예수님은 오랫동안 거두어 달라고 매달리시지 않았습니다. "아버지께는 모든 일이 가능하시니 이 잔을 내게서 거두어 주십시오. 그러나 내 뜻대로 마시고 아버지의 뜻대로 하십시오"라고 말씀했을 뿐입니다.

만약 예수님이 끝까지 원하시지 않았다면 아버지께서는 그렇게 하시지 않았을 것입니다. 아버지께서 그 아들 예수를 버리셨던 것은 성자 예수께서 기쁘게 그 아버지의 뜻에 순종하셨기 때문입니다. 그리고 스스로를 내어 주셨기 때문입니다.

예수님은 하나님의 모든 뜻을 받아들이신 것입니다. 그 아버지와의 교제가 끊어지는 것을 고통스러워하셨고 피하고 싶어 하셨지만 그것마저도 아버지의 뜻이니 순종하겠다고 말씀한 것입니다. 이 기도가 있었기에, 이 순종의 결단이 있었기에 우리의 구원이 완성된 것입니다. 우리가 받은 구원은 완전한 것입니다. 하나님과의 관계가 단절되는 모든 것까지 예수님이 경험하셨기에 우리의 몸과 영혼을 하나님께서 온전히 구원하실 수 있게 된 것입니다.

이 구원에 감사하기를 바랍니다. 우리 주님이 겟세마네에서 이 깊은 괴로움과 근심과 고통을 겪으셨기에 우리한테 자유가 있고 기쁨이 있고 평안이 있게 된 것에 감사하기를 바랍니다. 예수님은 이런 고통스러운 겟세마네의 기도를 드리러 가실 때 제자들을 함께 데리고 가셨습니다. 특별히 베드로, 야고보, 요한을 데리고 가셔서 자신이 기도하는 동안 여기 앉아 있으라고 말씀했습니다. 예수님은 베드로와 야고보, 요한에게 "여기 머물러 깨어 있으라"고 말씀하고 나중에는 "깨어서 기도하여라"고 더욱 강조하셨습니다.

예수님이 겟세마네에 제자들을 초청하신 것은 그들의 도움이 필요해서가 아닙니다. 심지어 그분을 위해 중보기도를 하라고 한 것도 아니었습니다. 예수님의 말씀을 가만히 보면 너희가 시험에 들지 않도록 기도하라고 하십니다. 장차 다가올 그 십자가, 예수님이 지실 십자가였지만 더 두려워한 것은 제자들이었습니다. 예수님이 당하시는 십자가를 보며 더 두려워하고 근심하고 도망쳤던 것은 제자들이었습니다. 그러므로 시험에 들지 않도록 깨어 기도해야 한다고 말씀했던 것입니다. 예수님은 그들 자신의 영혼을 위해 깨어 기도하도록 그 겟세마네 기도에 동참시키셨던 것입니다.

예수님의 이 기도 장면에서 흥미로운 것은 깊은 고통과 간절함 속에 기도하시다가도 중간 중간에 제자들을 살피시는 모습을 볼 수 있습니다. '기도에 집중하실 일이지 왜 왔다 갔다 하시나'라는 생각이 들 정도로 예수님은 기도하는 중간에 제자들을 챙기셨습니다.

여기서 우리는 예수님의 완전한 균형을 봐야 합니다. 하나님 아버지께 완전히 몰두하여 그 깊은 괴로움을 토로하며 기도하시다가도 제자들을 돌보신 겁니다. 기도해야 하는데, 이 제자들도 기도해야 하는데……. 기도해야 하는 제자들을 함께 살피면서 기도하시는 예수님의 완전한 균형을 볼 수 있습니다.

그러나 제자들은 어떻게 하고 있었습니까? 자고 있었습니다. 깨어 있으라고 분명히 말씀했는데 졸았습니다. 앉아 있으라 하셨는데 누워 있었습니다. 깨어 기도하라고 하셨는데 깊이 잠들었습니다.

어떤 사람들은 예배 시간에 깊게 자는 것을 제자들의 모범을 따르는 것이라고 변명하기도 합니다. 물론 육신이 약해서 그럴 수 있습니다. 정말 몸이 약해서 자는 사람도 있습니다. 때론 육신이 강해서 그런 사람도 있습니다. 어떤 사람은 육신은 강한데 설교가 약해서 그렇다고 말하기도 합니다. 어찌 됐든 간에 예수님은 "마음은 간절한데 육신이 약하구나"라며 제자들의 마음을 이해해 주셨습니다.

겟세마네의 기도를 통해 에덴의 실패를 회복하시다

제자들의 이 실패, 잠자는 실패가 크게 부각되는 이유는 무엇입니까? 조금 전 이들이 예수께 뭐라고 했습니까?

[그러나 베드로는 힘주어 말했습니다. "주와 함께 죽을지언정 결코 주를 모른다고 하지 않을 것입니다." 다른 모든 제자들도 같은 말을 했습니다.(막 14:31)]

베드로는 "절대 주님을 버리지 않겠습니다"고 말했습니다. 그러자 다른 제자들도 그렇게 말합니다. 방금 전 이렇게 맹세했던 제자들이 "깨어 있으라"는 예수님의 말씀에도 불구하고 잠시도 기도하지 못했던 연약한 모습을 보여 주었기 때문에 이들의 실패가 밝게 드러난 것입니다.

사실 이들의 마음은 진심이었습니다. 하지만 기도해야 될 때 사탄의 시험이 있었다는 것을 알 수 있습니다. 예수님이 왜 기도하시다가 제자들을 중간 중간에 살피셨습니까? 사탄은 광야에서만 예수님을 시험한 것이 아니라 끝까지 예수님을 시험했고, 마지막 시험이 남아 있었습니다. 바로 그 겟세마네에서 마지막으로 사탄과의 싸움이 있었는데, 그 현장에 있던 제자들은 잠으로 그 시험에서 진 것입니다. 사탄은 그 마지막 시험에서 잠자는 카드로 제자들을 넘어뜨린 것입니다.

예배 시간에 잠자는 것이 다 귀신의 활동이라고 말하면 안 됩니다. 예배 시간과 기도 시간에 조는 것이 다 사탄에게 넘어간 것이고, 다 귀신의 일이라는 의미가 절대 아닙니다. 그런데 중요한 순간, 꼭 들어야 할 메시지를 듣지 못하게 방해하는 것은 사탄의 역할일 수도 있습니다. 이 말씀을 꼭 들어야 할 성도에게 말씀을 듣지 못하게 만드는 일이 생긴다면, 경계해야 합니다.

제자들에게 찾아온 잠, 이것은 집단적인 잠입니다. 육체적인 잠을 넘어서는 영적인 잠입니다. 어느 교회에 설교하러 가 보면 집단적으로 자고 있는 교회가 있습니다. 들어올 때부터 잠잘 준비를 하고 들어오는 사람이 있습니다. 또한 설교 시작과 동시에 취침에 들어가는 사람도 있습니다. 의도적으로 반항하는 사람들도 있습니다.

그러나 의도적으로 청하는 잠이 있어서는 안 됩니다. 깨어 있으라고 하신 주님의 말씀에 제자들이 넘어졌습니다. 그러자 특별히 베드로에게 책망하셨습니다.

[그러고 나서 제자들에게 돌아와 보시니 그들은 자고 있었습니다. 예수께서 베드로에게 말씀하셨습니다. "시몬아, 자고 있느냐? 네가 한 시간도 깨어 있지 못하겠느냐? 시험에 들지 않도록 깨어서 기도하여라. 마음은 간절한데 육신이 약하구나."(막 14:37-38)]

베드로만 잔 것이 아닌데, 왜 그의 이름만 거명해 집중적으로 말씀했을까요? 두 가지 이유가 있다고 봅니다. 첫째는 대표 제자였기 때문입니다. 어쩌면 베드로가 가장 먼저 잠들었을지도 모릅니다. 아니면 "야, 자자"라고 선동했을 수도 있습니다. 어쨌든 베드로를 지목하셨습니다.

둘째로 베드로가 다른 어떤 제자들보다 힘주어 말했기 때문입니다. 힘주어 말하는 것을 조심해야 합니다. 베드로는 다른 제자들보다 더 힘주어 "나는 결코 주를 모른다고 하지 않을 것입니다"라고 말했습니다. 그래서 예수님이 다시 교훈하시는 것입니다.

잠자는 영혼이 되어서는 안 됩니다. 육체적인 잠이 아니라 영적인 잠을 자는 영혼이 되어서는 안 됩니다. 영적으로 깨어 있어야 합니다. 영적으로 살아나고, 살아 있는 영혼이 되어야 합니다. 거듭나야 합니다. 그런데 베드로는 잠자는 영혼이 되었습니다.

죽어 있는 영혼이 있고, 깨어 있는 영혼이 있고, 잠자는 영혼이 있습니다. 잠자는 영혼은 미래에 있을 일을 알지 못합니다. 준비하지 못합니다. 다가올 시험을 준비하지 못합니다. 자신이 듣기 원하는 것만 듣고 아버지의 뜻은 듣지 못합니다. 자신이 넘어질 가능성을 가진 사람이라는 것을 깨닫지 못합니다. 자신은 다 이루었다고 생각합니다.

예수님은 제자들에게 깨어 기도하라고 하셨지만, 기도에 실패했기 때문에 그들은 결국 예수님을 배신하고 흩어지게 되었습니다. 기도에 실패하면 시험당할 때 실패합니다. 기도 시간에 승리하면 시험당할 때 승리하게 됩니다.

예수님이 십자가를 향하실 때 그 극심한 고통 속에서, 육신의 고통 가운데서 "내가 목마르다"라는 말밖에 하지 않으실 정도로 승리하신 이유가 무엇입니까? 사람들이 십자가에서 내려오라고 조롱했지만 예수님이 구원을 이룰 수 있었던 이유는 무엇입니까? 겟세마네 기도에서 승리하셨기 때문입니다. 우리의 승리는 순종입니다. "아버지의 뜻대로 하옵소서." 이것이 바로 예수님의 십자가를 지셨던 의미입니다.

예수님은 겟세마네 동산의 기도를 통해 에덴동산의 실패를 회복시키셨습니다. 예수님은 둘째 사람, 마지막 아담이라고 말씀합니다. 예수님이 마지막 아담, 둘째 사람으로 오신 이유는 첫 번째 사람, 첫 번째 아담의 실패와 죄악을 회복시키기 위해서입니다. 모든 사람은 아담 가운데 태어난 것입니다. 그런데 둘째 사람, 마지막 아담으로 오신 예수님은 순종하심으로써 첫째 아담이 담당해야 할 모든 저주를 대신 담당하신 것입니다.

에덴동산에서 아담과 하와는 선악을 알게 하는 나무의 열매를 따 먹음으로써 타락했고 불순종했습니다. 하지만 예수님은 아버지께서 주시는 잔을 받으심으로써 순종해 구원을 이루셨습니다. 아담과 하와는 에덴동산에서 사탄과 많은 대화를 나눕으로써 타락했습니다. 하지만 이 겟세마네 동산에서 주님은 아버지와 깊은 대화를 나누심으로써 순종하셨습니다.

에덴의 실패가 겟세마네 동산의 승리로 변화되었습니다. 창세기에 나오는 에덴 동산의 실패가 요한계시록에 나오는 영생의 동산이 되기 위해서는 이 겟세마네 동산이 반드시 필요했던 것입니다. 에덴동산의 실패, 이 겟세마네 동산의 승리를 통해 요한계시록에 나오는 최후의 새 하늘과 새 땅, 영생의 동산이 우리에게 주어진 것입니다.

Pray

하나님, 예수님이 죽음을 목전에 두시고, 겟세마네에서 기도하신 일을 기억합니다. 예수님이 눈물로 기도하실 때에 깨어 있지 못한 제자들의 모습을 보면서 늘 깨어 있으라는 주님의 명령을 지키지 못한 영적으로 육적으로 약한 우리의 모습을 회개합니다. 겟세마네 동산의 승리를 기억하며 살게 하옵소서. 예수님 이름으로 기도합니다. 아멘.

막 14:53-65

⁵³그들은 예수를 끌고 대제사장에게로 갔습니다. 대제사장들과 장로들과 율법학자들이 모두 모여들었습니다. ⁵⁴베드로는 멀찌감치 떨어져 예수를 따라가 대제사장 집 뜰에까지 들어갔습니다. 거기서 그는 경비병들 틈에 앉아 불을 쬐고 있었습니다. ⁵⁵대제사장들과 온 공회가 예수를 죽이려고 증거를 찾았지만 아무런 증거도 나오지 않았습니다. ⁵⁶많은 사람들이 예수에 대해 거짓 증거를 댔지만 그들의 증언이 서로 맞지 않았습니다. ⁵⁷그러자 몇몇 사람들이 일어나 예수에 대해 이렇게 거짓으로 증언했습니다. ⁵⁸"우리는 저 사람이 '내가 손으로 지은 이 성전을 헐고 손으로 짓지 않은 다른 성전을 3일 만에 세우겠다'고 하는 소리를 들었습니다." ⁵⁹그러나 이 사람들이 한 증언도 서로 맞지 않았습니다. ⁶⁰그러자 대제사장이 그들 앞에 서서 예수께 물었습니다. "아무 대답도 안할 작정이냐? 이 사람들이 너에 대해 이렇게 불리한 진술을 하고 있지 않느냐?" ⁶¹예수께서는 묵묵히 아무런 대답도 하지 않으셨습니다. 대제사장이 다시 물었습니다. "네가 찬송받으실 하나님의 아들, 그리스도냐?" ⁶²예수께서 대답하셨습니다. "내가 바로 그다. 너희는 인자가 전능하신 분의 오른편에 앉아 있는 것과 하늘 구름을 타고 오는 것을 보게 될 것이다." ⁶³대제사장은 자기 옷을 찢으며 말했습니다. "더 이상 무슨 증인이 필요하겠소? ⁶⁴하나님을 모독하는 저 말을 여러분이 들었는데 어떻게 생각하시오?" 그들은 모두 예수가 사형을 받아야 마땅하다고 정죄했습니다. ⁶⁵어떤 사람들은 예수께 침을 뱉었습니다. 또 예수의 얼굴을 가리고 주먹으로 때리며 말했습니다. "누가 때렸는지 예언자처럼 맞춰 보아라!" 경비병들도 예수를 끌고 가 마구 때렸습니다.

피고석의 하나님

어둠은 결코 빛을 덮지 못합니다.
빛은 어둠을 뚫고 새어 나오기 마련입니다.
악은 결코 선을 무너뜨리지 못합니다.
불의는 공의를 무너뜨리지 못합니다.

고사성어 가운데 '적반하장'이라는 말이 있습니다. 잡힌 도둑이 도리어 매를 들고 주인에게 달려든다는 말입니다. 정죄 받아 마땅한 사람이 오히려 큰소리를 치고 기세등등하게 남을 정죄한다는 뜻입니다.

그 당시에 최고 권력기관이었던 산헤드린 공회가 예수께 보인 모습이 바로 그러한 모습이었습니다. 이 장의 제목은 C.S. 루이스가 쓴 글 가운데 에세이 〈피고석의 하나님〉에서 빌려 온 것입니다.

고대인들은 하나님을 마땅히 재판장의 자리에 놓았고, 인간을 피고석에 앉히는 것을 주저하지 않았습니다. 그런데 현대로 오면서 인간을 재판장 자리 위에 앉혀 놓고 하나님을 피고석 위에 올려놓기 시작했다는 것입니다. "신은 죽었다"는 말을 한 니체, 최근에 "신은 만들어졌다"고 말하며 《만들어진 신》이라는 책을 쓴 옥스퍼드의 도킨스 교수, 이 외에도 "신도 진화한다"라고 주장하는 신학자들이 그렇습니다. 모두가 하나님을 피고석에 앉혀 놓고 인간이 재판장이 된 것입니다. 결코 신은 죽지 않았습니다. 하나님은 살아 계십니다. 어떻게 살아 계십니까? 시퍼렇게 살아 계십니다. 하나님은 만들어지지 않았습니다. 우리 인간이 만들어졌습니다. 하나님은 진화하시는 분이 아닙니다. 어제나 오늘이나 영원토록 동일하신 분입니다. 인간의 마음만이 변할 뿐입니다.

공회 앞에 서신 예수님

예수님이 십자가에 못 박히시기 18시간 전입니다. 크게 두 번의 재판을 받으셨습니다. 한 번의 재판은 최고 권력기관인 유대 산헤드린 공회에서 종교 재판을 받으셨고, 두 번째 재판은 로마의 권력자들에 의한 정치적 재판을 받으셨습니다. 이 두 번의 재판은 각기 세 번의 심문으로 나누어집니다. 유대인들의 종교 재판은 전직 대제사장인 안나스와 그의 사위이자 현직 대제사장인 가야바에 의한 심문, 마지막 산헤드린 재판 등 세 번으로 나뉩니다.

로마 권력자들의 재판에서는 빌라도에게 가장 먼저 심판을 받으시다가 빌라도가 자신의 책임을 면하려고 헤롯에게 보냈다가 다시 빌라도에게 돌아와 사형 선고를 내리는 세 번의 심문으로 나누어집니다. 총 6번의 심문과 재판이 18시간 안에 이루어졌습니다.

겉으로 볼 때는 모든 법적인 절차를 구비한 것처럼 보입니다. 기소되고 체포되고 증인이 불려 오고 증언하고 심문하는 절차를 거칩니다. 그래서 겉으로 볼 때는 완벽한 법적 조건을 갖춘 것처럼 보이지만 그 안을 들여다보면 불법으로 가득한 악한 재판이었습니다. 성경은 이 재판이 얼마나 악했는가를 고발합니다. 하나님을, 의로우신 하나님의 아들을 피고석에 앉혀 놓고 불의한 인간들이 재판했던 불법한 재판이라는 것을 고발하고 있습니다.

악이 선을 재판하는 것이요, 불의가 정의를 재판하는 것이요, 어둠이 빛을 재판하는 재판이었던 것입니다. 당시 세계에서 가장 종교적이었다고 말할 수 있는 유대 사회의 최고의 재판 기구 산헤드린 공회, 세계에서 가장 법치적인 나라였다고 말할 수 있는 로마 제국의 최고 권력자들이 나선 재판이 가장 불의한 재판이었다는 것을 보여 주고 있습니다.

성경만 봐도 예수님에 대한 재판이 얼마나 불법적이었는지 금방 알 수 있습니다. 고대의 역사 자료들을 통합해 보면 불법적인 요소가 최소 일곱 가지 이상 됩니다. 간략하게 설명하면 예수님이 대제사장에게 끌려왔을 때 장로들과 율법학자들이 모여들었다고 했습니다. 그런데 마태복음에 보면 이미 모여 있었다고 합니다.

사전에 계획한 것이고, 예수님이 잡혀 온 이후에 소집된 것이 아니라 예수님이 잡혀 올 것을 미리 알고 모여 준비하고 있었다는 것입니다.

또한 이 재판이 열린 장소를 보면, 산헤드린 공회의 재판 장소는 정해져 있습니다. 성전 뜰 안에 있는 돌로 깎아 만든 그 장소에서만 결정할 수 있었습니다. 우리나라 국회도 마찬가지입니다. 왜 의장석을 탈환하려고 합니까? 장소가 중요한 것입니다. 그 장소에서 선포가 되어야 하는 것입니다. 산헤드린 공회는 엄격하게 결정 장소를 제한했습니다. 그런데 대제사장의 집에 모였습니다. 안나스와 가야바의 집에 모였던 것입니다.

시간도 문제입니다. 산헤드린 공회는 밤에는 모일 수 없게 되어 있습니다. 또한 절기 때는 재판을 열지 못하게 되어 있습니다. 하지만 그 조항조차 어겼습니다. 심야에 열렸고, 유월절 절기에 재판을 했던 것입니다.

만약 산헤드린 공회 결정 가운데 판결이 사형이라면 하룻밤이 경과한 다음에야 집행할 수 있습니다. 왜냐하면 그 하룻 동안 잘못된 결정이라면 뒤집을 수 있는 기회를 주기 위해서입니다. 하지만 이들은 기다리지 않았습니다. 하룻밤도 경과되지 않아 그들은 빌라도를 닦달해 사형 언도를 실행에 옮기도록 했습니다.

또한 산헤드린 공회원은 71명이었습니다. 공회원 모두가 회의에 참석하지 않았으면 한 사람 한 사람의 의견을 모두 들어야만 했습니다. 하지만 이들은 개인적인 의견을 듣지 않았습니다. 소수이긴 하지만 아리마대 요셉이나 니고데모처럼 예수님이 누구신지를 알았던, 예수님을 마음으로 존경했던 공회원들이 있었음에도 개인적인 의견을 묻지 않는 불법을 저질렀던 것입니다.

그리고 여섯 번의 심문과 재판이 심야에 시작되어 다음날 새벽에 끝이 났습니다. 어떤 과정을 통해 사형이 언도되었는지 일반인이 알 수 없도록 하기 위해 이미 계획된 사람들, 계획된 증인들만 불러 놓고 재판을 진행한다는 것입니다.

가장 중요한 불법은 증거가 없었다는 것입니다. 그리고 증언은 모두 거짓 증언이었습니다. 성경은 그것을 집중적으로 보여 주고 있습니다.

[대제사장들과 온 공회가 예수를 죽이려고 증거를 찾았지만 아무런 증거도 나오지 않았습니다. 많은 사람들이 예수에 대해 거짓 증거를 댔지만 그들의 증언이 서로 맞지 않았습니다. (막 14:55-56)]

증거도 없었고, 증언도 맞지 않았습니다. 왜냐하면 급조해 만든 증인들이었기 때문입니다. 그 거짓 증언 가운데 하나를 소개하면 다음과 같습니다.

[그러자 몇몇 사람들이 일어나 예수에 대해 이렇게 거짓으로 증언했습니다. "우리는 저 사람이 '내가 손으로 지은 이 성전을 헐고 손으로 짓지 않은 다른 성전을 3일 만에 세우겠다'고 하는 소리를 들었습니다." 그러나 이 사람들이 한 증언도 서로 맞지 않았습니다.(막 14:57-59)]

이는 예수님이 언젠가 하신 말씀입니다. 성전이 나오고 헐라는 말씀이 나온 것을 보면 어디선가 하신 말씀입니다. 요한복음 2장에서 예수님이 하신 말씀입니다. 하지만 이것은 틀렸습니다. 예수님은 내가 헐겠다고 하시지 않았습니다. "성전을 허물라"고 말씀했고, 또 다른 성전을 세우겠다는 말씀한 적은 없습니다. '세운다'라는 단어를 쓰시지 않았습니다. 이 단어가 중요합니다.

예수님은 사흘 만에 '일으키랴', 그것은 건물을 짓는다고 할 때 쓰는 단어가 아닙니다. 사람이 누웠다가 일어나는 것을 표현할 때 쓰는 단어입니다. 이것은 예수님이 죽은 자들 가운데서 다시 부활하실 것을 말씀한 것입니다. 예수님이 다른 건물을 세우신다는 뜻이 아니었습니다. 정보도 틀렸고 상황도 틀렸습니다. 합법적 죄목이 될 수 없었습니다. 단 "성전을 허물라"는 말이 성전을 모독했다는 죄목을 주장할 수 있었을 것입니다.

예수님이 끌려오시자마자 거짓 증언을 불러오는 데 혈안이 되었습니다. 이들이 처음부터 거짓 증언을 하려고 했던 것은 아닙니다. 이들도 상식이 있는 사람들이었습니다. 율법학자들은 법을 아는 사람들이고, 자신들이 불법으로 저지르면 후환이 찾아올 것을 알았던 사람들입니다.

복음서를 보면 이런 이유로 이들은 집요하게 사람들을 통해, 때로는 서기관을 보내고 바리새파 사람들을 보내고 율법학자들을 보내고 헤롯 당원들을 보내 트집을 잡기 위해 질문을 던지고 덫을 놓았던 것입니다. 그런데 예수님을 합법적으로 고소할 혐의를 잡아 내려고 아무리 애써도 다 실패했습니다. 오히려 그들의 무지와 편견과 악의만 드러났습니다.

합법적인 죄목으로는 예수님을 옭아맬 방법이 없었습니다. 그래서 하는 수 없이 처음부터 거짓 증언을 하기로 의견을 모은 것입니다. 처음부터 예수님을 모함하고 거짓 증언을 해야 넘어뜨릴 수 있다고 결정한 것입니다.

하나님의 아들을 십자가에서 처형한 사람들은 야만인이 아니었습니다. 지극히 종교적인 사람들, 율법을 지킨다고 생각하는 사람들, 법을 잘 지키고 있다고 생각하는 사람들, 소위 당시 최고 엘리트였습니다.

어떤 목사님이 이런 말씀을 하시는 것을 들었습니다. 만약 예수님이 지금 이 시대에 한국 사회에 오신다면 어떤 일이 일어날 것인가? 유대 사회의 종교지도자들과 이 시대의 지도자들이 비슷한 수준을 가졌다면 어떤 일이 일어났을까요? 아마도 예수님은 교회의 최고 지도자들 회의에서 정죄를 받았을 것이라고 합니다.

그런데 당시 로마의 권력자들처럼 이 시대의 권력과 재판이 부패했다고 한다면 지도자들로부터 압력을 받은 최고 재판 기구에서 예수께 사형을 내렸을 수도 있다는 것입니다. 우리는 무서운 마음으로 이 재판의 결과를 들여다보아야 합니다.

이들은 예수님을 지극히 불법적인 재판으로 죽이려고 했습니다. 사회를 바로잡기 위해서였습니까? 아니면 교리적인 순수성을 위해서였습니까? 하나님에 대한 열심 때문이었습니까? 아니면 로마에 대한 충성 때문이었습니까?

빌라도는 단 한 가지 이유였다고 아주 객관적인 입장에서 증언합니다. 빌라도의 증언에 따르면 시기심과 질투심 때문에 자신들의 이권을 지키기 위해 자신들의 죄악을 고발하고 드러내는 예수님을 제거하려고 했던 것뿐입니다. 이들은 빛이 어둠에 비쳤지만 어둠이 빛을 거부한 것입니다. 그리고 그 빛을 어둠으로 덮어 버리려고 했던 것입니다.

그러나 어둠은 결코 빛을 덮지 못합니다. 빛은 어둠을 뚫고 새어 나오기 마련입니다. 악은 결코 선을 무너뜨리지 못합니다. 불의는 공의를 무너뜨리지 못합니다. 혹시 억울한 상황 가운데서도 선하게 살려고 했는데 불의한 취급당하는 사람이 있습니까? 예수님을 바라보며 승리하기를 바랍니다. 악은 결코 선을 무너뜨리지 못합니다. 불의가 결코 공의를 무너뜨릴 수는 없습니다. 어둠은 빛을 덮어 버리지 못합니다.

그러나 타락한 인간들은 하나님의 아들을 피고석에 앉혀 놓고 불의한 자들이 의로우신 분을 재판합니다. 자신들이 재판장이 되었습니다. 예수님이 이들을 재판하는 자리에 앉으시고, 그들이 피고석에 앉아야 함에도 말입니다.

인간의 거짓에 침묵하신 하나님

이 시대의 타락 역시 마찬가지입니다. 하나님을 그분의 위치에 놓지 않고 인간을 하나님의 위치에 올려놓고 그분을 인간이 판단하는 자리에 내려놓는 것, 이것이 바로 모든 악의 시작입니다.

이러한 거짓 증언에 예수님이 어떻게 반응하셨는지 주목해야 합니다. 예수님은 감정적으로 흔들리시지 않았습니다. 대개 자신을 거짓 증언으로 고소하면 감정이 상하고 분노가 폭발합니다. 하지만 예수님은 감정적으로 동요하시지 않았습니다. 그리고 묵묵히 침묵하셨습니다. 성경에 보면 "예수께서는 묵묵히 아무런 대답도 하지 않으셨습니다"라고 기록되어 있습니다.

놀라운 일입니다. 다른 사람들이 거짓 증언을 할 때 침묵할 수 있습니까? "이것은 거짓입니다. 모함입니다. 거짓 증언입니다"라고 한 마디 해야 하지 않습니까? 하지만 예수님은 묵묵히 침묵하셨습니다. 이 침묵은 어떠한 침묵입니까? 무능력한 침묵이 아닙니다. 두려움에 사로잡힌 침묵이 아닙니다. 이 침묵은 담대한 침묵, 진실한 침묵입니다. 무엇보다 이 침묵은 믿음의 침묵입니다.

다음 말씀에 보면 예수님이 왜 침묵하셨는지 메시아의 고난 받는 모습에 대한 예언이 나옵니다.

[그는 학대를 받고 괴롭힘을 당했지만 입을 열지 않았다. 마치 도살장으로 끌려가는 어린 양처럼, 마치 털을 깎이는 잠잠한 어미 양처럼 그는 입을 열지 않았다.(사 53:7)]

양을 비유해 설명하고 있습니다. 털을 깎이는 잠잠한 어린 양입니다. 왜 털을 깎일 때 양이 잠잠한지 압니까? 목자를 한 경험이 있는 필립 켈러의 책을 읽었는데, 양은 털이 촘촘해서 목욕을 못 한다고 합니다. 그래서 양의 목욕은 털을 깎아 내는 것이랍니다. 털을 깎아 내면 시원해서 털 깎는 시간에 아주 잠잠하게 온순하게 있다는 것입니다. 예수님의 이 잠잠함은 그러한 온순함과 온유함으로 잠잠히 침묵하셨다고 말씀합니다. 다음 말씀을 보면 그 이유가 더 자세히 설명되어 있습니다.

[그분은 모욕을 당하셨으나 모욕으로 갚지 않으셨고 고난을 당하셨으나 위협하지 않으셨고 공의로 심판하시는 분에게 자신을 맡기셨습니다.(벧전 2:23)]

맡기심의 침묵이었다는 것입니다. 예수님은 믿음이 있으셨다는 것입니다. 공의로 모든 것을 심판하실 하나님을 믿었기 때문에 예수님은 침묵하셨다는 겁니다.

피고석에 계신 하나님은 인간의 거짓에 침묵하셨습니다. 선은 때로 악에 대해 침묵합니다. 정의는 때로 불의에 의해 침묵합니다. 빛은 때로 어두운 구름에 의해 가려져 침묵할 때가 있습니다. 하지만 그 침묵은 상황에 끌려가는 침묵이 아닙니다. 상황을 이끌어 가는 침묵입니다. 그 침묵하시는 순간 예수님은 상황에 이끌려 가신 것이 아닙니다. 그 순간에도 침묵을 통해 상황을 이끌어 가셨습니다.

이런 비슷한 상황이 요한복음에도 나옵니다. 요한복음 8장을 보면 현장에서 간음하다 잡힌 여인을 끌고 와서 사람들이 요동치며 이 여인을 돌로 쳐 죽여야 한다며 질문했을 때, 예수님은 어떻게 대답하셨습니까? 예수님은 바로 대답하시지 않았습니다. 침묵하셨습니다. 그리고 바닥에 무엇인가를 쓰셨습니다.

말없이 바닥에 글을 쓰시는 장면을 보면서 많은 사람들이 궁금해합니다. 도대체 예수님이 무엇을 쓰셨는지 관심을 집중합니다. 그래서 상상을 합니다. 거기에 써 있는 것은 십계명일 것이다, 거기 온 사람들의 죄목일 것이다, 여러 가지 주장을 하는데 칼뱅은 단칼에 이렇게 말합니다. "다 쓸데없는 일이다. 예수님은 그저 낙서하신 것뿐이다." 무엇을 쓰셨느냐 하는 게 중요한 것이 아니라 행동 그 자체, 침묵하신 채 낙서하는 행동을 통해 군중의 요동을 잠재워 버리신 것입니다. 스펀지처럼 빨아들이신 것입니다. 담대하게 상황을 잠재우신 것입니다.

크랙 반즈 목사님은 칼뱅의 해석에 덧붙여 "예수님이 침묵한 채 낙서한 것은 지루하셨기 때문이다"라고 말합니다. 그 사람들의 악에 싫증을 느끼셔서 낙서한 거라고 말합니다. 주보를 봤을 때 앞면에 낙서가 있으면 지루한 것이고, 설교 노트난에 적혀 있으면 지루하지 않은 거라고 합니다.

계속된 거짓 증언을 통해 예수님의 감정을 동요시키고 무엇인가 예수님의 입에서 실수가 터져 나와야 하는데, 그분은 거짓 증언에 전혀 대꾸하시지 않고 침묵으로 대답하셨습니다.

오히려 상황이 예수께로 끌려오고 있는 것을 볼 수 있습니다. 거기서 대제사장 가야바가 당황해 돌발 질문을 던집니다.

[그러자 대제사장이 그들 앞에 서서 예수께 물었습니다. "아무 대답도 안 할 작정이냐? 이 사람들이 너에 대해 이렇게 불리한 진술을 하고 있지 않느냐?" 예수께서는 묵묵히 아무런 대답도 하지 않으셨습니다. 대제사장이 다시 물었습니다. "네가 찬송받으실 하나님의 아들, 그리스도냐?"(막 14:60-61)]

예수님의 침묵 앞에서 대제사장이 오히려 당황한 것입니다. 예상대로 상황이 흘러가지 않고 있다는 것을 알 수 있습니다. 그래서 직접 나서서 질문을 던진 것입니다. "아무 대답도 안 할 작정이냐?" 이 말은 당황하기 시작했다는 것입니다. 그래서 또다시 질문을 하는데, 아주 중요한 질문을 던집니다.

"네가 찬송받으실 하나님의 아들, 그리스도냐?"

사실 번역에서는 의문문으로 나와 있지만, 원문을 보면 평서문에 물음표를 붙인 것입니다. 무슨 의미냐 하면 "네가 찬송받으실 하나님의 아들, 그리스도냐?"라는 것입니다. 다른 사람에게 경멸의 감정을 드러낼 때 어떻게 합니까? "네가 할 수 있어?"라고 하기보다는 "네가 할 수 있다?"라고 말하지 않습니까. 못한다고 경멸하는 것입니다. 궁금해서 물어보는 것이 아니라 아니라는 겁니다. "네가 하나님의 아들 그리스도냐?" 아니라는 것입니다.

그러나 그 말 자체는 진리입니다. 예수님이 그 질문에 뭐라고 대답하셨습니까? "내가 바로 그다."

침묵하셨던 예수님은 입을 열어 "찬송받으실 하나님의 아들이다"라고 대답하게 진리에 대해 말씀하기 시작했습니다. 실로 용기 있는 대답입니다. 예수님은 이 대답을 가지고 신성을 모독했다, 하나님을 모독했다는 죄목으로 십자가형에 처할 거라는 사실을 알고 계셨습니다. 예수님이 죽음을 피하려면 이렇게 대답하시지 않았으면 되었습니다. 계속 침묵하시면 되었습니다. 계속 침묵하셨다면 십자가에 못 박히시지 않았을 것입니다. 그러나 예수님이 "내가 바로 그다"라고 하시면서 하나님의 아들이라고 정확하게 대답하셨기 때문에 산헤드린 공회원들은 살인적인 미소, 음흉한 미소를 지었을 것입니다. 속으로 '이제야 걸려들었군! 이제 하나님을 모독한 죄로 예수를 십자가에 못 박을 수 있겠어'라고 생각했을 겁니다.

이 대답을 듣고 대제사장은 어떻게 했습니까? 마음속으로 음흉하게 웃으며 겉으로는 어떻게 행했는지 봅시다.

[대제사장은 자기 옷을 찢으며 말했습니다. "더 이상 무슨 증인이 필요하겠소? 하나님을 모독하는 저 말을 여러분이 들었는데 어떻게 생각하시오?" 그들은 모두 예수가 사형을 받아야 마땅하다고 정죄했습니다. (막 14:63-64)]

대제사장은 흥분된 목소리로 "더 이상 무슨 증언이 필요하냐? 하나님을 모독하는 저 죄인을 어떻게 하냐?"라고 말하며 마치 하나님의 이름이 모독당하는 것을 견딜 수 없다는 듯이 옷을 찢었습니다.

아마 대제사장의 옷은 이럴 때 쓰려고 잘 찢어지도록 옷을 만들었을 겁니다. 어디 옷이 쉽게 찢어집니까? 물론 유대인의 옷은 잘 찢어졌겠지만 그것도 옷감이 질기면 잘 찢어지지 않습니다. 이럴 때를 위해 잘 찢어지는 옷을 만들었을 겁니다. 구약에 보면 회개할 때 그 징조로 옷을 찢었다고 합니다. 하도 옷을 찢자 하나님은 "이제 그만 좀 찢어. 옷을 찢지 말고 마음을 찢어라"고 말씀했습니다.

원래 옷을 찢는 것이 마음을 찢는다는 의미인데, 마음은 찢지 않고 옷만 찢는 것입니다. 대제사장들이 찢은 옷만 해도 수없이 많았을 것입니다. 하나님은 요엘서 2장 13절에서 "너희의 옷이 아닌 너희의 마음을 찢고 너희 하나님 여호와께 돌아오라"고 말씀했습니다.

얼마나 간사한 정치적인 쇼입니까! 이 순간 연극을 한 것입니다. 마음속으로 즐거워하면서 겉으로는 슬퍼하듯이 옷을 찢으면서 "참람하다"라고 말하고 있는 것입니다. 누가 참람합니까? 오히려 그들이 참람하지 않습니까. 겉으로는 하나님의 이름이 모독당하는 것을 안타까워하는 것처럼 행동하면서 마음속으로는 이제야 예수를 죽일 수 있다고 즐거워하는 그 마음! 자신의 감정을 속이며 종교적으로 포장한 위선의 모습이 이들 안에 있었습니다.

만약 이들 안에 진실이 살아 있었다면 예수님의 자기주장에 대해 증거를 대보라고 했을 것입니다. 증거는 너무나도 많습니다. 이미 예수님이 복음서에서 보여 주신 수많은 기적들, 물이 포도주로 변하는 기적, 오병이어의 기적, 중풍 환자를 일으키시고 죽은 나사로를 다시 살리시고 수없이 많은 기적을 보여 주셨는데 더 이상 어떻게 하나님의 아들이 아니라고 말할 수 있는 증거가 있겠습니까? 참으로 이상한 재판이고 정신병자가 아니라면 누구라도 잘못된 재판임을 알 수 있는 뒤죽박죽된 재판이었던 것입니다.

이들은 예수님이 사형을 받아 마땅하다고 정죄한 것에 그치지 않고 침을 뱉고 얼굴을 때리고 모욕을 주었습니다.

[어떤 사람들은 예수께 침을 뱉었습니다. 또 예수의 얼굴을 가리고 주먹으로 때리며 말했습니다. "누가 때렸는지 예언자처럼 맞춰 보아라!" 경비병들도 예수를 끌고 가 마구 때렸습니다.(막 14:65)]

이것이 산헤드린 공회원들의 잔인함과 경박함과 비열함입니다. 침을 뱉고 때리고 예언자처럼 누가 때렸는지 맞춰 보라고 조롱합니다. 얼마나 추한 모습입니까? 놀라운 것은 이들의 침 뱉음까지도 구약에 이미 예언되어 있었다는 것입니다.

[나는 나를 때리는 사람들에게 내 등을 내주었고 내 수염을 뽑는 사람들에게 내 뺨을 내주었다. 조롱하고 침을 뱉는데도 나는 얼굴을 가리지 않았다.(사 50:6)]

고난 받는 메시아의 고난의 여정 가운데 침을 뱉는 것까지 예언되어 있었습니다. 이들은 자신의 악함 때문에 침을 뱉었지만, 이미 메시아에게 침이 뱉어진다고 예언되어 있었습니다. 예수님은 구약의 모든 예언된 고난을 모두 당하신 것입니다. 예수님은 이 모든 것을 알고 계셨습니다. 그래서 이미 제자들한테도 예언하시지 않았습니까. 예수님이 어떤 모습으로 어떤 자들에 의해 어떤 장소에서 어떤 모습으로 고난 받고 죽임당하고 다시 살아나실지 말씀했습니다. 그리고 예수님이 말씀하신 시나리오대로 다 이루어져 가고 있었습니다.

피고석에 앉으신 하나님을 통해 구원받다

예수님은 어이없게도 하나님의 아들이시라는 이유로 죽임을 당하셨던 것입니다. 예수님은 하나님의 아들이십니다. 복음서 전체에서 예수님이 가장 강조하고 있는 자기주장은 무엇입니까? 예수님은 겸손하신 분입니다. 그런데 예수님은 놀랍도록 자기 자신에 대한 소개를 많이 하셨습니다. 자기주장을 많이 하셨습니다. 그 자기주장의 핵심은 무엇입니까? 예수님이 하나님의 아들이시요, 하나님과 동등 된 하나님이시라는 것입니다.

이 주장을 어떻게 받아들이겠습니까? 예수님이 하나님의 아들이심을 받아들인다면 실로 놀라운 일입니다. C.S. 루이스는 예수님이 하나님의 아들이라는 주장을 놓고 오랫동안 씨름했습니다. 그는 원래 뭐가 뭔지 모르겠다고 판단을 보류하는 불가지론자였습니다. 그런데 예수님의 이 자기주장 앞에서 그는 결단을 내려야만 했습니다.

C.S. 루이스는 여러 가지 가능성을 생각했습니다. 예수님이 하나님의 아들이 아닌데 그렇게 주장할 수 있다고 생각합니다. 객관적으로 믿지 않는 상태에서 접근할 때 하나님의 아들이신 것을 알고 말씀할 수도 있고 모르고 말씀할 수도 있다는 것입니다. 하나님의 아들이 아닌 사람이 스스로 하나님의 아들이라고 할 때는 두 가지 경우가 있습니다.

하나님의 아들이 아님을 알면서도 아들이라고 말하는 사람은 어떤 사람입니까? 사기꾼입니다. 자기가 하나님의 아들이 아닌데도 아들이라고 말하는 것은 사기꾼 아닙니까? 만약 예수님이 그런 사기꾼이라면 우리 모두는 속고 있는 것입니다. 인류 최대의 사기꾼에게 속고 있는 것입니다. 역사상 한 번도 실패하지 않은 사기꾼에게 속고 있는 것입니다. 인류 역사상 이처럼 오랜 기간, 이렇게 많은 사람들에게 사기를 쳐서 성공한 사례는 아직 없습니다.

그렇다고 한다면 두 번째 가능성입니다. 자신이 하나님의 아들이 아니라는 것을 몰랐을 경우도 있습니다. 그런 경우에는 정신병자가 되는 것입니다. 요즘도 병원에 가면 자신이 하나님이라고 주장하는 사람이 있습니다. 자신이 무슨 말을 하는지 모르는 겁니다. 자신이 하나님의 아들이 아니라는 것을 모르는 채로 주장한다면 그것은 정신적으로 문제가 있는 사람입니다. 이 두 가지 가능성 외에 또 다른 가능성으로 뭐가 있을까요? 없습니다.

예수님이 주장하신 대로 하나님의 아들일 가능성밖에 없습니다. 이것을 받아들일 것인가, 받아들이지 않을까 하는 것만 남아 있습니다.

그런데 수많은 사람들은 이 세 가지 가능성 외에 다른 가능성들을 찾습니다. "예수님은 기독교를 창시하신 훌륭한 분, 위대한 인물이다. 그러나 하나님의 아들은 아니다"라고 말합니다. 예수님이 위대하지 않은 분이 아니라는 게 아니라 예수님은 위대한 성인이라는 것입니다. 그러나 예수님을 위대한 종교지도자라고 말해서는 안 됩니다. 왜 그렇습니까? 하나님의 아들이시라고 주장했다면, 그것을 받아들이던지 받아들이지 않던지 둘 중에 하나를 선택해야 합니다. 하나님의 아들이라는 주장 앞에서 차라리 못 믿겠다고 한다면, 그분은 아니라고 생각한다면 예수님을 정신병자나 사기꾼으로 취급하는 것이 오히려 논리적입니다.

하나님의 아들이시라는 주장 앞에서 "단지 훌륭한 분이다. 공자님, 노자님, 부처님처럼 훌륭한 분이다"라고 말해서는 안 된다는 것입니다. 예수님의 유일성이 있는 것입니다. 인류의 어떤 지도자도 자신의 신성을 주장하지 않았습니다. 부처님도 "나는 하나님이 아니다"라고 말씀했습니다. "나는 신이 아니다"라고 말씀한 분과 "나는 하나님의 아들, 하나님이다"라고 말씀한 분을 어떻게 동등하게 놓을 수 있다는 겁니까?

차라리 하나님의 아들이 아니라 주장하던지, 정신병자 사기꾼이라고 주장하던지 해야 합니다. 하지만 예수님의 말씀과 행동을 종합해 보면 어디서도 정신적인 문제가 발견되지 않습니다.

정신적으로 문제가 있는 사람들의 글을 보면 대개 복잡합니다. 대부분 글자 크기가 너무 작아서 보기 어려울 뿐 아니라 문자 호응이 제대로 안 됩니다. 중간에 세계의 여러 지도자들 이름이 등장하고, 모든 문제가 다 등장하고, 논리도 없습니다.

반면에 영적 깊이가 있는 사람들의 글을 보면 짧지만 핵심 있고 마음을 찌릅니다. 예수님의 산상수훈은 수많은 사람들, 예수님을 믿지 않는 사람들도 말씀을 듣고 변화되었습니다. 그중 한 사람이 슈바이처 박사입니다. 그는 예수님의 인성만 보고도 큰 감동을 받았습니다. 정신적인 문제가 있는 사람의 글을 읽고 그런 변화가 일어나겠습니까? 이것이 사기입니까? 그렇지 않다면 하나님의 아들이라는 것을 인정해야 합니다. 아니면 인정하지 않는다고 해야지, 단순히 훌륭한 사람으로만 인정할 수는 없다는 말입니다.

이것이 C.S. 루이스의 논리입니다. 명확한 논리입니다. 그래서 불가지론자였던 그는 예수님을 하나님의 아들로 인정할 수밖에 없었던 것입니다. 그것 외에 다른 가능성이 없었기 때문입니다.

예수님이 하나님의 아들이시라면, 아들이시기 때문에 우리의 구세주가 되신 겁니다. 만약 예수님이 하나님의 아들이 아니시라면, 그분의 죽음은 가장 억울한 죽음일 뿐입니다. 예수님이 하나님의 아들이시기에 그 죽음이 효력을 갖게 된 것이고, 우리를 구원하는 구세주의 죽음이 되는 것입니다. 우리를 구원하시는 구세주의 죽음이기 때문에 예수님은 우리의 주님이 되시는 것입니다. 우리의 모든 삶을 요구할 수 있는 주님이신 것입니다.

많은 사람들이 예수님을 구세주로 받아들이지만 나의 주님으로는 인정하지 않습니다. 예수님이 '나의 구세주(my Savior)'임을 고백함과 동시에 '나의 주님(my Lord)'이라고 고백해야 합니다.

예수님은 피고석에 앉아 있어야 하는 분이 아니었습니다. 그런데 예수님은 그 자리에 앉으셨습니다. 그것은 그 의자에 앉아야 할 우리 모두를 그 자리에서 해방시키시고 구원하시기 위해 예수님이 그 자리에 앉으셨던 것입니다. 하지만 다시 오실 때 예수님은 그 자리에 앉으시지 않을 것입니다. 다시 오실 때 예수님은 재판장의 자리에 앉으실 것입니다. 그리고 하나님을, 하나님의 아들을 피고석에 앉혔던 모든 인간을 심판하실 것입니다.

[그러므로 우리가 몸 안에 있든지 몸을 떠나 있든지 주를 기쁘게 하려고 힘씁니다. 우리 모두가 그리스도의 심판대 앞에 드러나야 하기 때문입니다. 그 결과 각기 선악 간에 몸으로 행한 것에 대해 보응을 받게 될 것입니다.(고후 5:9-10)]

인간은 하나님을 피고석에 앉혔지만, 하나님은 그들을 구원하셨습니다. 하지만 그것을 받아들이지 않는 사람들은 마지막 때에 하나님이 그들을 피고석에 앉히실 것입니다. 하나님과 함께 재판장 그 옆에 앉겠습니까, 아니면 인류의 마지막 때에 피고석에 앉아 재판을 받겠습니까? 이것은 주님이 우리에게 주시는 경고입니다.

피고석에 앉으신 하나님을 통해 우리가 구원받은 것에 감사하며, 그분을 주와 그리스도로 고백하며 살아가야 합니다.

Pray

하나님, 예수님이 우리 죄를 대신 지시고 십자가에 돌아가신 것을 기억합니다. 하나님의 아들이신 예수 그리스도께서 우리를 위해 피고석에 서신 것을 생각하며 감사하며 살게 하옵소서. 예수님 이름으로 기도합니다. 아멘.

막 15:1-15

¹새벽이 되자 곧 대제사장들은 장로들과 율법학자들과 온 공회원들과 함께 회의를 소집했습니다. 그리고 그들은 예수를 묶어 끌고 가서 빌라도에게 넘겨주었습니다. ²빌라도가 물었습니다. "네가 유대 사람의 왕이냐?" 예수께서 대답하셨습니다. "그렇다. 네가 말한 대로다." ³대제사장들은 여러 가지로 예수를 고소했습니다. ⁴그러자 빌라도가 다시 예수께 물었습니다. "저 사람들이 너를 여러 가지로 고소하고 있는데 대답할 말이 없느냐?" ⁵그러나 예수께서는 더 이상 아무 대답을 하지 않으셨습니다. 그래서 빌라도는 이상히 여겼습니다. ⁶명절이 되면 백성들이 요구하는 죄수 하나를 풀어 주는 관례가 있었습니다. ⁷그런데 폭동 때 살인한 죄로 감옥에 갇힌 반란자들 가운데 바라바라는 사람이 있었습니다. ⁸군중들은 빌라도에게 관례대로 죄수 하나를 석방해 달라고 요구했습니다. ⁹빌라도가 물었습니다. "너희는 내가 유대 사람의 왕을 풀어 주기를 바라느냐?" ¹⁰그는 대제사장들이 예수를 시기해서 자기에게 넘겨준 것을 알고 있었습니다. ¹¹그러자 대제사장들은 군중들을 선동해 오히려 바라바를 대신 풀어 줄 것을 요구했습니다. ¹²빌라도가 그들에게 물었습니다. "그렇다면 이 유대 사람의 왕이라는 사람을 내가 어떻게 하면 좋겠느냐?" ¹³사람들이 소리 질렀습니다. "십자가에 못 박으시오!" ¹⁴빌라도가 물었습니다. "도대체 그가 무슨 죄를 지었다고 그러느냐?" 그러나 그들은 더 큰 소리로 외쳤습니다. "십자가에 못 박으시오!" ¹⁵그래서 빌라도는 군중들의 비위를 맞추려고 바라바를 풀어 주었습니다. 빌라도는 예수를 채찍질한 다음 십자가에 못 박도록 넘겨주었습니다.

빌라도의 심판

'산다'라는 것은 악을 거스르는 것입니다.
악을 거스르지 않으면 진정한 삶이 아닙니다.
우리는 나라와 민족을 위해 기도할 때 빌라도와 같은 지도자들이
득세하는 나라가 되지 않도록 해 달라고 기도해야 합니다.

선거철이 되면 어떤 정치인을 뽑아야 하는지 고민하게 됩니다. 이때 반면교사가 되는 인물이 바로 빌라도입니다. 예수님의 죽음을 둘러싼 등장인물들 가운데 가장 핵심적인 역할을 했던 사람이 빌라도입니다. 빌라도는 로마 시민이 아닙니다. 로마 출신이 아니면서 로마에서 가장 높은 지위에 오른 인물입니다. 성품으로나 능력으로나 그는 총독의 위치에 오를 만한 인물이 아니었습니다. 그런 그가 총독에 오를 수 있었던 것은 바로 결혼이었습니다. 당시 티베리우스 황제의 세 번째 아내였던 '클라우디아'라는 여인의 딸과 결혼한 이후 친족이라는 정치적 배경 때문에 빌라도는 로마의 유대 총독이 될 수 있었습니다.

빌라도는 기원후 26년부터 10년간 유대를 통치했습니다. 빌라도의 성품을 묘사한 역사가의 기록을 보면 좋은 평가가 하나도 없습니다. 그는 아주 약삭빠르고, 처세술에 능하고, 때론 잔인하고 폭력적인 리더십으로 묘사하고 있습니다.

빌라도는 성경 역사의 무대에서 4시간 정도밖에 등장하지 않습니다. 하지만 가장 짧은 시간에 가장 유명한 사람이 되었습니다. 그 이유는 그리스도인들이 신앙을 고백하는 사도신경에 그의 이름이 등장하기 때문입니다. 우리가 사도신경을 고

백할 때 "본디오 빌라도에게 고난을 받으사"라는 구절이 나옵니다. 그래서 교회를 다니고 사도신경을 아는 사람에게 본디오 빌라도는 유명합니다.

빌라도의 후손들은 어쩌면 억울해할지도 모릅니다. "예수님을 죽게 한 사람이 빌라도만은 아닌데, 가야바도 있고, 안나스도 있고, 많은 등장인물들이 있는데 왜 우리 선조를 거기에 넣어 불명예스럽게 합니까?"라고 항변할지도 모릅니다.

예수님의 재판 과정에 보면 빌라도는 나름 예수님에 대해서 호의적이었습니다. '어떻게 하면 풀어 줄 수 있을까?'라고 고민했던 흔적이 역력합니다. 그럼에도 그의 이름이 사도신경에 기록될 수밖에 없었던 것은 그가 예수님을 십자가에 넘겨 준 결정권자였기 때문입니다.

빌라도의 선택

지도자의 책임입니다. 이 빌라도의 선택으로 예수님이 십자가형을 받으셨습니다. 단지 빌라도의 의해 예수님이 죽으셨다는 뜻이 아니라 예수님을 십자가에 넘기도록 한 여러 사람들과 모든 사람의 죄를 대표하는 인물로 본디오 빌라도라는 이름을 사도신경에 넣은 것입니다. 가톨릭에서는 이 부분을 "빌라도의 통치하에 고난을 받으사"라고 추가 번역함으로써 그의 억울함을 풀어 주었습니다.

그러나 사도신경으로부터 탈출하지는 못했습니다. 왜 그의 이름이 사도신경에까지 기록되어 보는 사람들에게 고백되어야만 할까요? 성경을 통해 왜 빌라도가 모든 믿는 사람들에 의해 예수님을 고난 받게 한 장본인으로 언급되어야만 하는지 이유를 알아보겠습니다.

첫 번째 빌라도는 유대 지도자들이 시기심으로 예수님을 죽이려고 했다는 것을 알았음에도 십자가에 넘겨주었기 때문입니다.

[그는 대제사장들이 예수를 시기해서 자기에게 넘겨준 것을 알고 있었습니다.(막 15:10)

빌라도는 예수님을 끌고 온 유대 지도자들의 그 '악한 마음'을 알았습니다. 그럼에도 그 사실을 묵인한 채 끌려갔던 것입니다. 악에 대한 묵인, 권위 아래에 있는 사람이 악에 대해 묵인한 것은 동일한 악을 범한 것입니다. 하지만 그보다 더 높은 권위에 있는 사람이 악을 묵인했다는 것은 더 큰 악을 범한 것입니다. 빌라도는 자신에게 결정권이 있다는 것을 알고, 자신에게 찾아온 유대 지도자들의 악한 마음을 보앉음에도 그 악을 제거하려고 하지 않았습니다. 오히려 그들에게 끌려다녔습니다.

산헤드린 공회원들이 밤새 심의해서 내린 재판 결과로 예수님은 '사형에 해당한다'고 결론 내렸습니다. 그 죄목은 신성모독죄였습니다. 예수님이 하나님의 아들이시라는 주장과 성전을 폄하한 신성모독죄로 결정을 내렸지만, 그런 죄목으로는 로마 재판에서 사형을 언도 받을 수 없다는 것을 잘 알고 있었습니다. 그래서 밤새 궁리한 끝에 죄목을 바꾸었습니다. 조작된 죄목으로, 정치적 죄목으로 빌라도 앞에 고소한 것입니다. 그 내용은 바로 '내란음모죄'였습니다. 로마제국에 대한 내란음모죄, 이것이 바로 그들이 내놓은 죄목이었습니다.

[온 무리가 모두 일어나 예수를 빌라도에게 끌고 갔습니다. 그리고 예수께 대한 고소가 시작됐습니다. "이 사람이 우리 민족을 어지럽게 하는 것을 보았습니다. 그는 가이사께 세금을 바치는 것을 반대하며 자칭 그리스도 곧 왕이라고 주장하고 있습니다."(눅 23:1-2)]

고소의 내용은 세 가지입니다. 첫째, 군중을 선동하여 반란을 일으키려고 했다는 것입니다. 둘째, 세금을 내지 말라고 선전했다는 것입니다. 셋째, 스스로 왕이라고 정치적인 왕이라고 주장함으로써 로마 제국의 반역했다는 반역죄목입니다.

모두가 거짓입니다. 그들이 산헤드린 공회에서 내린 죄목과 전혀 다른 죄목입니다. 그들이 밤을 새며 궁리했던 이유는 어떻게 하면 로마 법정에서 사형을 이끌어 낼 것인가 하는 것이었습니다.

성경에서 빌라도는 예수께 "네가 유대 사람의 왕이냐?"라는 질문을 던집니다. 이 질문을 한 이유가 바로 거기에 있습니다. 스스로 유대 사람의 정치적 왕이라고 주장함으로써 '내란을 음모하고, 반역을 꾀했다'라는 죄목으로 고소했기 때문입니다.

[예수께서 말씀하셨습니다. "내 나라는 이 세상에 속한 것이 아니다. 만일 내 나라가 이 세상에 속한 것이라면 내 종들이 싸워 유대 사람들이 나를 체포하지 못하도록 막았을 것이다. 그러나 내 나라는 지금 여기에 속한 것이 아니다." 빌라도가 말했습니다. "그러면 네가 왕이란 말이냐?" 예수께서 대답하셨습니다. "네 말대로 나는 왕이다. 나는 진리를 증거하려고 태어났으며 진리를 증거하려고 이 세상에 왔다. 누구든지 진리에 속한 사람은 내 말을 듣는다."(요 18:36-37)]

예수님은 분명하게 "내 나라는 이 세상에 속한 나라가 아니다. 이 세상에 속하지 않은 나라의 왕이다"라고 말씀했습니다. 이 순간에도 예수님은 빌라도를 전도하고 계십니다.

"빌라도야, 이 세상에 속하지 않은 나라가 있다. 무력과 세금으로 다스려지지 않는 그 나라에 내가 왕으로 왔다. 이것이 진리이다."

예수님은 빌라도를 구원하시기 위해 대화하고 계셨던 것입니다. 빌라도는 예수님의 이 대답을 통해 그분에게 어떤 정치적 혁명의 의사가 없다는 것을 알았을 것입니다. 그리고 소문을 통해서도 예수님이 어떤 분인가를 이미 알고 있었습니다. 지도자들이 제시한 고소 죄목과 합당하지 않았다는 것을 알았습니다. 그럼에도 끌려다녔습니다.

어느 시대든 악한 세력에 끌려 다니는 지도자는 그 역사의 미래를 망가뜨립니다. 성경에도 빌라도가 끌려다닌 흔적이 역력합니다. 마가복음 15장은 "새벽이 되자"라고 시작합니다. 새벽부터 모인 회의라는 것입니다. 물론 역사가들에 따르면 로마 제국의 모든 재판은 이른 아침, 동이 틀 때부터 이루어졌다고 말합니다. 하지만 새벽이 되자마자 빌라도는 이 재판을 시작했습니다. 요한복음에 보면 보통 총독 관저에서 재판이 이루어지는데, 빌라도가 총독 관저 밖으로까지 나왔다고 했습니다. 그 이유는 유대인들의 유월절이 곧 시작되는데, 이방인의 집에 들어가면 부정하게 되기 때문에 유월절을 지킬 수가 없기 때문입니다.

이것도 물론 규약에 있는 것이 아니라 유대인들이 만들어 낸 것입니다. 그래서 빌라도에게 밖으로 나와 달라고 요청한 겁니다. 그런데 빌라도가 나왔습니다. 로마의 막강한 권력을 가진 권력자가 피지배 민족의 지도자들이 새벽에 좀 나와 달라고 했다고 순순히 나와 준 것입니다. 평소 빌라도는 절대 그런 인물이 아닙니다.

많은 역사가들은 이 점에 착안해 틀림없이 그 전날 밤에 예수님이 잡히자마자 빌라도와 산헤드린 공회원들이 같이 정치적 음모를 꾸몄을 거라고 추정합니다. 아주 설득력 있는 주장입니다. 그렇지 않았다면 빌라도가 "여러분이 어렵다면 제가 나가지요"라고 '찾아가는 민원'으로 밖에까지 나와 친절하게 재판을 해 주었겠습니까? 절대 있을 수 없는 일입니다.

빌라도가 이미 정치적 압력을 받고 있었다는 것을 알 수 있습니다. 로마의 막강한 권력자도 어쩔 수 없이 끌려 다닐 수밖에 없는 그런 약점을 잡혔다는 것을 알 수 있습니다. 그래서 요한복음에 보면 빌라도는 관저를 들락날락하며 재판을 합니다. 피고가 들락날락해야 하는데, 재판장이 들락날락하다니 뭔가 이상하지 않습니까?

빌라도는 악한 세력을 제어하지 못하고 끌려다니는 무능한 지도자의 모습을 보여 줍니다. 자신 안에 어떤 '악함'이 있기 때문에, 어떤 빌미를 주었기 때문에 어쩔 수 없이 끌려다닌 겁니다. 유대 지도자들의 시기심을 보고도, 그 '악함'을 보고도 오히려 끌려다닌 것입니다. 그래서 예수님을 십자가에 넘겨줄 수밖에 없었다는 겁니다. 이것이 빌라도의 이름이 사도신경에 기록되어야 하는 첫 번째 이유입니다.

두 번째 이유는 빌라도는 예수님을 심문하면서 예수님이 무죄하다는 사실을 확신했음에도 그분을 십자가에 넘겨 주었다는 것입니다. 성경에 보면 빌라도는 예수님을 심문하면서 이상하게 여겼다고 했습니다.

[그러자 빌라도가 다시 예수께 물었습니다. "저 사람들이 너를 여러 가지로 고소하고 있는데 대답할 말이 없느냐?" 그러나 예수께서는 더 이상 아무 대답을 하지 않으셨습니다. 그래서 빌라도는 이상히 여겼습니다.(막 15:4-5)]

빌라도는 수없이 많은 죄인을 심판하고 심문해 보았습니다. 모든 사람은 그의 앞에만 서면 말할 기회가 주어졌을 때 변명하는 데 모든 에너지를 쏟아 붓습니다. 죄가 있는 사람이나 없는 사람이나 한결같이 그 상황을 모면해 보려고 말을 많이 하는 것이 평소 보아 온 모습이었습니다. 하지만 예수님은 침묵하셨다는 것입니다. 마치 자포자한 사람처럼 자신을 변호하지 않는 모습을 보고 빌라도는 이상하게 느낀 것입니다.

불의로 의로움을 짓밟은 빌라도

이상한 정도가 아니라 빌라도는 예수님을 심문한 몇 차례 과정을 통해 세 번씩이나 "예수님은 죄가 없다"라고 공식적으로 선언했습니다. 성경에 기록된 것만 해도 세 번이나 선언합니다. 첫 번째 무죄 선언은 금요일 새벽 예수님을 처음 심문하고 난 직후였습니다.

[그러자 빌라도는 대제사장들과 무리에게 말했습니다. "나는 이 사람에게서 아무런 죄목도 찾지 못하겠다."(눅 23:4)]

처음으로 무죄를 선언한 것입니다. 두 번째 무죄 선언은 예수님이 갈릴리 출신이라는 것을 알고 헤롯한테로 보냈는데, 헤롯이 다시 빌라도에게 보냅니다. 헤롯한테서 다시 돌아온 직후 다 심문하고 이렇게 말합니다.

[빌라도는 다시 밖으로 나와 유대 사람들에게 말했습니다. "보라. 내가 예수를 너희들 앞에 데려오겠다. 이는 그에게서 아무 죄도 찾지 못한 것을 너희에게도 알

게 하려는 것이다."(요 19:4)]

이번에도 아무 죄도 찾지 못했던 것입니다. 마지막 세 번째 무죄 선언은 군중들이 십자가에 못 박으라고 외칠 때 빌라도는 이렇게 말했습니다.

[빌라도가 세 번째로 말했습니다. "도대체 그가 무슨 나쁜 일을 했다고 그러느냐? 나는 이 사람에게서 사형에 처할 아무런 죄를 찾지 못했다. 그래서 나는 그를 매질이나 해서 풀어 줄 것이다."(눅 23:22)]

성경에 보면 빌라도는 "도대체 그가 무슨 죄를 지었다고 그러느냐?"(14절)라고 말합니다. 세 번째로 무죄 선언을 한 것입니다.

자신의 상식과 양심과 법의 기준으로 봤을 때 세 번씩이나 아무런 죄를 찾지 못했다면 무죄를 선언하고, 석방하고, 무고하게 고소한 자들을 벌해야 하지 않겠습니까? 하지만 세 번씩이나 무죄를 선고했음에도 그는 예수님을 십자가에 넘겨주었습니다. 이것이 그의 이름이 사도신경에 기록될 수밖에 없는 이유입니다. 물론 그는 이런저런 도피 수단을 동원했습니다.

이 딜레마를 모면해 보기 위해 어떤 시도를 했습니까? 예수님이 갈릴리 출신이라는 사실을 알고 갈릴리를 관할하는 헤롯한테로 보냈습니다. 하지만 헤롯도 정신 병자 같은 사람입니다. 예수님을 희롱만 하고 다시 돌려보냈습니다. 또한 예수님을 채찍질해서 너희들이 원하는 대로 자신이 분풀이를 해 주겠다고 했습니다. 하지만 이것도 용납되지 않았습니다.

세 번째로 빌라도가 생각해 낸 아이디어는 유월절 특사 제도를 통해 풀어 주는 것이었습니다. 유월절이 되면 한 명의 죄수를 풀어 줄 수 있는 권한이 총독에게 있었습니다. 그래서 폭동과 살인죄를 범한 도저히 풀어 줄 수 없는 바라바와 예수님을 붙여 놓았습니다. 사람들이 "예수님을 풀어 줘야 한다"라고 말할 거라고 생각한 것입니다. 그런데 군중들은 뭐라고 그랬습니까? "바라바를 풀어 줘야 한다!"

빌라도는 깜짝 놀랐을 것입니다. 자신이 생각하는 것보다 더 심각한 상황이라는 것을 깨달았습니다. 여러 가지 도피 수단을 동원해 보았지만, 십자가에 예수님을 못 박으라는 군중의 소리에 굴복할 수밖에 없었습니다. 그는 양심의 소리, 진실의 소리, 상식의 소리를 외면하고 거짓된 압력에 굴복한 지도자였습니다.

이 모든 상황보다도 가장 중요한 소리가 있었습니다. 만일 이 모든 것에 굴복했다고 할지라도 이 마지막 소리에 빌라도가 순종했다면, 그는 역사에 중죄인이 되지 않았을 것입니다. 이 소리는 어떤 소리입니까? 누구의 소리입니까? 아내의 소리입니다.

[빌라도가 재판석에 앉아 있을 때 그의 아내가 이런 전갈을 보내 왔습니다. "당신은 그 의로운 사람에게 상관하지 마세요. 어제 꿈에 제가 그 사람 때문에 몹시 괴로웠어요."(마 27:19)]

남편은 아내의 말에 귀를 기울여야 합니다. 단 아내가 불의하면 안 됩니다. 정상적이고, 믿음 가운데 있고, 진리를 분별할 줄 알고, 남편을 객관적으로 볼 줄 아는 최후의 사람이 누구입니까? 다른 많은 사람들을 속일 수 있어도 아내는 속일 수 없습니다.

모든 사람이 좋다고 해도 정말 아닌 것을 아니라고 말해줄 수 있는 마지막 사람은 아내입니다. 빌라도의 아내는 예수님이 의로운 사람이라는 것을 알고 있었던 것으로 봐서 분별력이 있는 사람이었다고 생각됩니다. 하지만 빌라도는 최후의 음성을 거절했습니다. 하나님이 주시는 마지막 음성을 거절했기 때문에 그는 역사의 중죄인이 되었고, 사도신경에 그 이름이 기록될 수밖에 없었습니다.

세 번째로 빌라도는 왜 그 사도신경에까지 이름이 기록되는 죄인이 되었습니까? 빌라도는 군중들의 비위를 맞추기 위해 예수님을 십자가형에 넘겨 주었기 때문입니다.

[그래서 빌라도는 군중들의 비위를 맞추려고 바라바를 풀어 주었습니다. 빌라도는 예수를 채찍질한 다음 십자가에 못 박도록 넘겨주었습니다.(막 15:15)]

군중들의 이 소리가 옳은 소리였습니까? 대중의 소리라고 해서 다 옳은 것은 아닙니다. 때로는 진정한 여론의 소리일 수도 있지만, 일부의 악한 세력에 의해 선동되고 조작된 소리일 수도 있습니다. 빌라도는 그 사실을 알았을 것입니다. 지도자들의 시기심과 악함을 보았고, 그들에 의해 군중들이 선동되었다는 것을 알았고, 상식적이지 않은 대중의 선택이 어리석다는 것도 알았습니다.

그럼에도 빌라도는 군중의 그 어리석은 부르짖음에 끌려갔던 것입니다. 진정한 지도자는 진정한 여론과 만들어진 여론을 분별할 줄 알아야 합니다. 진정한 여론은 각자가 판단하고 자연스럽게 형성되어 가는 것입니다. 역사를 변화시키는 그런 혁명, 자연적인 혁명은 그렇게 일어났습니다.

반면 일부 의도된 세력에 의해 만들어진 거짓된 정보를 통해 일어나는 세력의 소리는 결코 의롭지 못합니다. 오늘날 신문이나 뉴스를 보면 우리나라가 포퓰리즘을 조심해야 한다는 많은 경고가 있습니다. 포퓰리즘은 대중의 어리석음을 이용한 정치술입니다. 먼 미래를 보지 못하고 단기간의 이익만을 바라보도록 하는 것입니다. 대중의 어리석음을 이용해 정치지도자들이 자신들의 정치적 입지를 차지하는 것이 포퓰리즘입니다. 대중인기 영합주의라고 할 수 있습니다. 우리 자신이 어리석은 대중이 되지 않도록 항상 스스로를 경계해야 합니다.

참된 지도자는 어리석은 대중이 원하는 것을 해 주는 것이 아니라 대중에게 진정으로 필요한 것이 무엇인지를 깨닫게 해 주고 설득해야 합니다. 자신의 정치적 입지가 중요한 것이 아닙니다. 역사의 미래가 얼마나 중요한지를 깨닫고 지도할 줄 알아야 합니다. 이런 지도자들로 이 나라가 세워지도록 기도해야 합니다.

어쩌면 빌라도는 "다수의 뜻을 따랐다, 대중의 뜻을 따랐다"라고 변명할지도 모릅니다. 하지만 지도자는 분별력을 잃은 대중을 지도할 수 있어야만 합니다. 빌라도가 그들의 목소리에 쩔쩔맨 이유가 뭔지 아십니까? 이미 많은 실정을 했기 때문입니다. 그럼에도 자신의 지위를 지키고 싶었기 때문입니다.

빌라도는 총독으로 부임할 때부터 문제가 있었습니다. 10년 내내 문제가 있었습니다. 로마 제국은 유대의 땅을 특별히 종교적 나라라고 인정해 주었습니다. 유대인들은 로마 국기에 황제 얼굴이 들어가 있는 것을 싫어했는데, 그것이 십계명에 위배된다고 여겨 목숨 걸고 지켰습니다. 그래서 국기를 두 개를 만들어 유대 나라에 갈 때는 로마 황제의 얼굴이 없는 국기를 사용하도록 했습니다. 신사적인 나라였습니다. 이것을 따르면 되는데 빌라도는 괜한 고집을 부려 굳이 로마 황제의 얼굴이 그려진 국기를 가지고 들어왔습니다. 그러자 유대인들이 로마 황제, 아니 총독 관저를 둘러싸고 항의하기 시작했습니다. 좀 하다가 말겠지 했는데 그 항의는 끝날 줄을 몰랐습니다. 결국 빌라도가 사과하고 포기했습니다.

다음은 유대인들이 소중히 생각하는 성전의 헌금을 빼내어 상하수도 공사를 하는 등 말도 안 되는 실정을 많이 저질러서 로마 황제도 벼르고 있었습니다. 한 번만 더 소요가 일어나면 호출당할 상황이었던 것입니다. 자신의 무능과 욕심으로 계속 실정을 저질러 이제 한 번만 더 소요가 일어나면 바로 호출당할지도 모르는 정치적 위기에 있었습니다.

그래서 유대 지도자들에게 시기심이 있었다는 것을 알고, 예수님이 무죄라는 것을 알고, 대중들이 지금 선동된 세력에 의해 어리석은 선택을 했다고 것을 알고도 눈을 감아 버린 것입니다. 과연 누구를 위해서 그런 결정을 내린 겁니까? 바로 자기 자신을 위해, 자기 속에 있는 비겁함을 위해, 몇 년간의 정치적 입지를 위해 그는 진실을 외면하고 의로운 자를 불의한 재판에 넘기고 십자가에 예수님을 넘겨 주었습니다.

오늘날 수없이 많은 불의가 의로움을 짓밟고, 진실과 양심의 소리가 묻히는 그런 시대에 살고 있습니다. 유대 지도자들의 시기심을 보고도, 예수님의 무죄함을 보고도, 어리석은 대중의 선택을 보고도 자신의 선택을 비겁한 양심으로 팔아 넘긴 빌라도가 우리 속에 있습니다. 이 문제는 빌라도만의 문제가 아닙니다. 우리가 내리는 많은 선택들 가운데 선택의 기준이 자기 자신이고, 자기 자신의 비겁함을 덮기 위한 것이 많습니다. 양심이나 정의, 공의, 진리보다 자신의 욕심과 이익과 눈앞에 놓인 탐욕으로 마음이 어두울 때, 우리는 끊임없는 빌라도의 선택을 하고 있는 것입니다.

신문지상에 오르내리는 엘리트들의 비리를 보면서, 이것은 비단 그들만의 문제가 아니라 우리도 끊임없이 빌라도의 선택을 하고 있지 않은지 반성해 봅니다. 빌라도의 이 선택으로 예수님이 십자가에 넘겨졌다면, 오늘 이 시대에 오셨더라도 예수님은 동일한 이유로 십자가에 넘겨지셨을 것입니다. 빌라도를 반면교사로 삼으면서 우리는 이 말씀 앞에서 결단을 해야 합니다.

양심의 소리, 진실의 소리에 귀를 기울일 것인가? 아니면 우리 안에 있는 탐욕과 비겁함의 소리에 귀를 기울일 것인가? 선을 적극적으로 찾을 것인가? 아니면 악에 이끌려 갈 것인가? 악을 이끌어 가지 않는다면, 우리는 악을 선택하고 있는 것입니다. 악의 Evil를 뒤집어 보면 live '산다'라는 단어가 됩니다. '산다'라는 것은 악을 거스르는 것입니다. 악을 거스르지 않으면 진정한 삶이 아닙니다. 우리는 나라와 민족을 위해 기도할 때 빌라도와 같은 지도자들이 득세하는 나라가 되지 않도록 해 달라고 기도해야 합니다.

Pray

하나님, 빌라도가 불의로 의로움을 짓밟은 일을 기억합니다. 그 용기 없음을 통해 우리가 과감히 정의의 편에 서는 용기를 갖게 하옵소서. 또한 그 무엇보다도 참정의요, 진리인 복음을 전하는 데 미적거리지 않고 담대히 나아가게 하옵소서. 예수님 이름으로 기도합니다. 아멘.

막 15:25-37

²⁵군인들이 예수를 십자가에 못 박은 것은 아침 9시쯤이었습니다. ²⁶예수의 죄 패에는 "유대 사람의 왕"이라고 적혀 있었습니다. ²⁷그들은 예수와 함께 두 명의 강도를 하나는 그분의 오른쪽에, 하나는 그분의 왼쪽에 매달았습니다. ²⁸(없음) ²⁹지나가던 사람들이 고개를 흔들며 욕설을 퍼부었습니다. "아하! 성전을 헐고 3일 만에 짓겠다던 사람아! ³⁰십자가에서 내려와 네 자신이나 구원해 보아라!" ³¹대제사장들도 율법학자들과 함께 예수를 조롱하며 자기들끼리 말했습니다. "남을 구원한다더니 정작 자기 자신은 구원하지 못하는군! ³²그리스도, 이스라엘 왕아! 십자가에서 내려와 보아라! 우리가 보고 믿도록 해 보아라!" 함께 십자가에 매달린 두 사람도 예수를 모욕했습니다. ³³낮 12시가 되자 온 땅에 어둠이 뒤덮이더니 오후 3시까지 계속됐습니다. ³⁴오후 3시가 되자 예수께서 큰 소리로 부르짖으셨습니다. "엘리 엘리 라마 사박다니?" 이 말은 "내 하나님, 내 하나님, 어째서 나를 버리셨습니까?"라는 뜻입니다. ³⁵가까이 서 있던 몇 사람들이 이 소리를 듣고 말했습니다. "들어 보라, 저 사람이 엘리야를 부른다." ³⁶한 사람이 달려가 해면을 신 포도주에 듬뿍 적셔 막대기에 매달아 예수께 마시게 하며 말했습니다. "보시오, 저가 엘리야를 부르고 있소." ³⁷그때 예수께서 큰 소리를 지르시고 숨을 거두셨습니다.

십자가의
패러독스

십자가를 경험한 사람은 자기에 대한 인식이 바뀝니다.
십자가를 경험한 사람은 자기 인생에 자랑거리가 바뀝니다.
십자가를 경험한 사람은 자기의 지혜에 의지하지 않습니다.
자기가 해방됐다는 것을 경험합니다. 진정한 자유를 경험합니다.

신약 성경을 처음 읽는 사람들이 이상하게 생각하는 것은 이 말씀이 예수님의 죽음에 강조점을 두고 있기 때문일 거라는 생각이 듭니다. 대개 위대한 사람들의 인생에 대한 강조는 살아 있을 때의 삶을 강조합니다. 그들의 죽음은 단지 마지막에 나올 뿐입니다. 하지만 예수님의 생애를 기록한 복음서는 그분의 죽음에 초점을 두고 있습니다. 세상의 지혜자들은 '어떻게 살 것인가?'에 강조점을 둡니다.

반면 예수님의 생애는 '어떻게 죽을 것인가?'에 강조점을 두고 있습니다. 예수님의 생애는 33세밖에 되지 않았습니다. 기록을 보면 공자님은 72세에 생을 마쳤고, 마호메트는 62세, 부처님은 80세에 생을 마감했습니다. 그들의 절반밖에 되지 않는 짧은 인생을 사셨던 이유는 무엇입니까? 그것은 살아 있을 때보다 예수님의 죽음이 더 중요하다는 것을 알려 주시기 위해서입니다.

십자가의 죽음이 우리 믿음의 중심에 있습니다. 십자가는 로마 제국의 사형 틀이었습니다. 세상에 사형 틀을 믿음의 상징물로 사용하는 종교는 없습니다. 종교의 상징물은 대부분 아름다운 것들입니다. 불교의 상징물은 연꽃이고, 이슬람의 상징물은 초승달입니다. 얼마나 아름다운 것입니까! 하지만 우리는 죽음의 도구였던, 저주의 상징이었던 십자가를 믿음의 상징으로 간직하고 있습니다.

그 이유는 이 죽음을 통과한 예수님의 부활, 이 십자가를 통한 부활의 영광스러움이 우리 믿음의 중심에 있기 때문입니다. 그러므로 예수님의 십자가는 단순한 종교적 상징물이 아닙니다. 이것은 살아 있는 진리입니다. 단순한 역사적 사건이 아닙니다. 이 십자가를 체험한 사람은 언제나 이런 고백을 했습니다. 다음은 사도 바울의 고백입니다.

[그러나 내게는 우리 주 예수 그리스도의 십자가 외에는 결코 자랑할 것이 없습니다. 그리스도로 인해 세상이 내게 대해 십자가에 못 박혔고 나 또한 세상에 대해 그러합니다.(갈 6:14)]

십자가를 경험한 사람은 자기에 대한 인식이 바뀝니다. 십자가를 경험한 사람은 자기 인생에 자랑거리가 바뀝니다. 십자가를 경험한 사람은 자기의 지혜에 의지하지 않습니다. 자기가 해방됐다는 것을 경험합니다. 진정한 자유를 경험합니다.

사무엘 러더포드는 십자가에 대해 이런 고백을 했습니다. "십자가는 내가 가지고 있는 가장 감미로운 부담이다. 그것은 마치 새에게 있는 날개와 같고, 배에 있는 돛과 같다."

새에게 날개가 있다는 것이 부담입니까? 부담처럼 보이지만 그것은 새가 날아다닐 수 있는 자유를 가져다주는 부담입니다. 배에 돛이 없으면 무게는 적게 나가겠지만, 돛이 있어야 배가 방향을 잡고 중심을 잡고 앞으로 나아갈 수 있습니다.

십자가의 죽음을 통해 전능하신 능력을 보이시다

십자가가 우리 인생에 부담처럼 느껴지고, 십자가를 지고 사는 인생이 부담스럽지만, 그것은 우리에게 새를 날게 하는 날개처럼 우리에게 영혼의 자유를 가져다주고, 우리 인생에 방향을 잡아 주는 배의 돛과 같습니다. 그러므로 우리는 십자가를 포기해서는 안 되는 것입니다.

십자가는 우리에게 하나님의 신비를 보여 줍니다. 하나님은 우리에게 십자가를 주셨고, 그 십자가는 우리에게 하나님을 보여 줍니다. 하나님은 십자가를 통해서만 온전히 이해될 수 있습니다. 십자가를 통하지 않고는 하나님이 어떤 분인지 알 길이 없습니다.

십자가 안에서 보여 주신 하나님은 어떤 분입니까? 하나님은 하나님의 전능하신 능력을 그 십자가의 연약함을 통해, 그 십자가의 죽음을 통해 하나님의 전능하신 능력을 보여 주셨습니다. 하나님의 그 무한하신 지혜를 어리석어 보이는, 세상 사람들이 보기에 어리석어 보이는 십자가의 어리석음을 통해 하나님의 무한하신 지혜를 보여 주셨습니다. 그래서 십자가는 역설인 것입니다. 십자가는 패러독스입니다.

성경에 나오는 하나님의 많은 진리들이 역설적인 형태로 주어졌습니다. 예수님은 "누구든지 자기의 생명을 잃고자 하면 얻을 것이요, 얻고자 하면 잃을 것이다"라고 말씀했습니다. 이는 역설입니다. 누구든지 낮아지고자 하는 자, 자신을 낮추는 자는 높아지고, 자신을 높이고자 하는 자는 낮아질 것이다. 이것이 역설입니다. 진리입니다.

사도 바울은 "내가 약할 때에 곧 강함이라"고 고백했습니다. 모두가 다 역설의 형태입니다. 하나님의 진리는 왜 이런 역설, 패러독스 형태로 주어진 걸까요? 그 진리의 중심에 십자가가 있기 때문입니다. 십자가가 역설이고, 십자가가 패러독스이기 때문에 모든 신앙의 진리들은 다 우리가 세상의 관점과는 거꾸로 봐야만 하는, 역설의 진리로 우리에게 주어졌습니다.

성경에도 십자가의 역설이 나타납니다. 바로 예수님이 빌라도한테서 사형을 언도당하고 십자가에 못 박히셔서 유대 지도자들과 로마 군병들과 십자가형을 구경하며 지나가는 사람들에 의해 조롱 받고, 모욕을 당하시고, 숨을 거두시는 그런 장면입니다. 이는 예수님 고난의 절정에 대한 기록입니다.

그런데 이 복음서 기자들은 십자가에 못 박혀 죽어가는 그 마지막 몇 시간 동안 예수님을 향하여 끊임없는 모욕과 조롱이 가해졌다는 것을 기록하고 있습니다.

아무리 중한 죄를 범한 죄인일지라도, 살아 있을 때 아무리 심한 죄로 무수하게 많은 사람을 피해를 주고 이제 사형을 집행당한 중죄인이라 할지라도 최후의 몇 시간 동안은 엄숙하게 보내는 것이 인류입니다. 사형을 앞둔 사형수에게 몇 시간 동안 교도관들이 모욕을 가하고 조롱하는 경우는 없을 것입니다. 그가 비록 사형수일지라도 마지막 몇 시간은, 그를 불쌍히 여기고 이렇게 죽을 수밖에 없는 그의 인생에 대해 동정하는 것이 마땅한 인류가 아니겠습니까? 그런데 예수님이 마지막 가시는 그 여정, 십자가에 못 박혀 계시는 그 마지막 순간에도 조롱은 끝나지 않고 계속 이어졌습니다.

어쩌면 예수님이 유대인 법정에서 사형이 언도되어 바로 집행되었더라면 이런 시간은 없었을 것입니다. 만약 유대인들에 의해 사형이 집행되었다면 돌로 쳐 죽임을 당하고 바로 신속하게 제거되었을 것입니다. 이는 유대인들이 원하는 것이었습니다. 유대 지도자들은 오랫동안 예수님의 사형이 집행되기를 원치 않았습니다. 하지만 법적인 능력과 권한이 없기 때문에 로마 법정에 넘긴 것입니다.

만일 예수님이 유대 법정의 선고와 집행으로 끝났더라면 이사야 53장에 나오는 메시아의 고난에 대한 예언은 모두 이루어지지 않았을 것입니다. 예수님이 로마의 법에 의해 사형이 집행되었기 때문에 모욕당하고 조롱당하고 모든 메시아의 고난 과정이 이루어진 것입니다. 그런데 이것 역시 역설입니다. 다음은 이사야 53장에 나온 예언입니다.

["그가 찔림은 우리의 허물을 인함이요 그가 상함은 우리의 죄악을 인함이라 그가 징계를 받음으로 우리가 평화를 누리고 그가 채찍에 맞음으로 우리가 나음을 입었도다."(사 53:5-개역한글)]

'그의 찔림, 상함, 징계 받음, 채찍에 맞음'이라는 모든 예언은 로마 제국이 내린 사형 집행에 의해, 그들의 잔인하고 포악한 조롱과 모욕에 의해 메시아의 모든 고난이 다 이루어진 것입니다. 얼마나 놀랍습니까. 하나님은 유대 지도자들의 시기심, 로마 군인들의 잔인함과 포악함, 빌라도의 비겁함, 군중들의 무지함 등 이 모든 것을 다 사용하셔서 하나님의 선을 이루신 것입니다.

성경에서 이들은 무지함과 잔인함 가운데 죽어 가시는 예수님을 끝까지 조롱하고 모욕합니다. 그런데 이들이 입으로 내뱉는 그 어리석은 말들을 통해 예수님이 누구이신지, 예수님이 왜 이 땅에 오셨는지, 예수님이 어떤 분이신지 모두 밝히 드러납니다. 이것이 역설입니다. 이것이 십자가의 패러독스입니다. 이것은 조롱하려고 한 말입니다. 모욕을 주려고 한 말입니다. 그런데 아이러니컬하게 이들이 무지함 속에서 죄로 인해 내뱉은 그 말들이 다 예수님에 대한 진리를 증거하고 있다는 것입니다. 이것이 하나님의 능력입니다. 이것이 역설입니다.

성경에 나타난 십자가의 첫 번째 역설은 이들은 예수님을 유대인의 왕이라고 조롱했습니다. 그런데 예수님은 실제로 왕이셨다는 것입니다.

[예수의 죄패에는 "유대 사람의 왕"이라고 적혀 있었습니다.(막 15:26)]

이 죄패를 통해 예수님의 십자가 형태가 T자형이 아니라 십자형이라는 것을 알 수 있습니다. T자형이라면 죄패를 붙일 공간이 없었을 것입니다. 예수님의 머리 위에 죄패가 붙은 것으로 봐서 예수님이 달린 십자가는 십자형임을 알 수 있습니다. 죄패는 이 사람이 죽어야만 하는 이유를 기록하는 것입니다. 로마 제국에서는 꼭 죄패를 붙이도록 했습니다. 그런데 죽음당하는 그 이유를 빌라도는 유대인의 왕이라고 했습니다. 또한 요한복음에 보면 "나사렛 예수 유대인의 왕이다"라고 기록했다고 말씀합니다.

그런데 요한복음에 산헤드린 공회원들은 그렇게 쓰면 안 된다고 주장합니다. 보면 '자칭'이라는 단어를 써서 '자칭 유대인의 왕이다'이라고 써 달라고 빌라도에게 요구했습니다. 이 요구를 빌라도는 거절했습니다. 뭐라고 거절했습니까? 자기 마음이라고 한 것입니다. 사형이 언도되고 나니 빌라도의 본성이 나온 것입니다. 지금까지는 끌려왔지만, 이제는 자기 마음대로 하겠다고 말한 겁니다. 빌라도의 잔인함과 포악함이 점점 드러나기 시작합니다.

빌라도의 잔인함은 어떻게 드러납니까? 자칭이라고 써 주면 예수님은 그냥 정신적인 문제를 가진 사람이나 그런 문제를 가진 사람밖에 되지 않는다고 생각한 것입니다. 차라리 그냥 유대인의 왕이라고 씀으로써 유대인 전체에 모욕을 주고 싶었던 것입니다. "봐라, 너희들의 유대인의 왕이, 십자가에 못 박혀 죽었으니, 너희 유대 나라는 얼마나 형편없는 나라냐. 얼마나 무능한 나라냐." 유대인 전체를 모욕 주고 싶은 의도에서 그냥 유대인의 왕이라고 쓴 것입니다. 하지만 아이러니하게도 빌라도가 모욕을 주려고 썼던 유대인의 죄패는 실제로 예수님이 유대인의 왕이시고, 만왕의 왕이시라는 것을 증거하는 도구가 되었습니다.

맥스 루케이도의 《예수가 선택한 십자가》에 보면 이 죄패가 전도지가 되었을 것이라고 추정합니다. 이 죄패는 모든 사람이 지나가면서 볼 수 있도록 히브리어, 헬라어, 로마어 세 개의 언어로 기록되었습니다. 그러니 이것을 보는 많은 사람들에게 이 죄패는 전도지 역할을 했을 것이다.

맥스 루케이도는 한 강도가 변화되는 전도지였다고 하는데, 그건 좀 무리라고 봅니다. 바로 옆에 있는 사람은 읽을 수가 없기 때문입니다. 하지만 지나가는 모든 사람에게 전도지가 되었을 것이라는 데는 동의합니다. 이 십자가의 역사는 조롱을 주려고, 더 큰 모욕을 주려고 '자칭'이라는 단어를 뗌으로써 오히려 예수님이 진정한 왕이시라는 증거가 되었다고 말합니다.

두 번째 역설입니다. 29~32절에 보면 사람들이 조롱합니다. 그 조롱의 내용은 "다른 사람을 구원한다는 이가 자신을 구원할 수 없느냐" 하는 것입니다.

[지나가던 사람들이 고개를 흔들며 욕설을 퍼부었습니다. "아하! 성전을 헐고 3

일 만에 짓겠다던 사람아! 십자가에서 내려와 네 자신이나 구원해 보아라!" 대제사장들도 율법학자들과 함께 예수를 조롱하며 자기들끼리 말했습니다. "남을 구원한다더니 정작 자기 자신은 구원하지 못하는군! 그리스도, 이스라엘 왕아! 십자가에서 내려와 보아라! 우리가 보고 믿도록 해 보아라!" 함께 십자가에 매달린 두 사람도 예수를 모욕했습니다.(막 15: 29-32)]

유대의 종교지도자들은 십자가에서 내려와서 자신을 구원해 보라고 조롱했습니다. 또한 지나가던 사람들도, 심지어는 함께 못 박힌 죄수들도 "십자가에서 내려와 보라"고 모욕하며 조롱했습니다. 함께 못 박힌 두 사람은 정말 십자가에 죽어 마땅한 사람들이었습니다. 회개는커녕, 자기 자신의 삶을 돌아보기는커녕 그 조롱과 모욕에 동참했다는 것은 얼마나 죽어 마땅한 사람이라는 겁니까!

이들이 조롱한 내용은 뭡니까? 남은 구원하면서 왜 자신은 구원하지 못하느냐고 조롱했습니다. 그런데 예수님이 메시아요, 그리스도였던 이유는 남을 구원하기 위해 자신을 구원하지 않았기 때문입니다. 예수님이 자신을 구원했다고 한다면 예수님은 메시아가 되실 수 없습니다. 이들의 말 그대로 남은 구원하지만 자신은 구원하지 않는 분이 바로 예수 그리스도입니다. 이것이 바로 십자가의 의인 것입니다.

조롱의 언어를 통한 십자가의 역설

사람들은 자신을 구원하는 메시아를 기대했습니다. 하지만 예수님은 자신을 버림으로써, 자신을 구원하지 않음으로써 다른 사람을 구원하는 메시아였던 것입니다. 예수님이 체포당하실 때 겟세마네 기도를 마치신 이후 사람들이 예수님을 잡으러 왔을 때 베드로는 칼을 휘둘렀습니다. 그때 예수님이 이런 말씀을 하셨습니다.

"내가 아버지께 왜 열두 영이나 되는 벗 천사를 요청할 수 없는 줄 아느냐. 내가 만약 이렇게 하면 이런 일이 있으리라고 한 성경이 이루어질 것이냐."

예수님은 능력이 없어서 자신을 구원하시지 않는 게 아닙니다. 예수님은 능력이 없어 방어하시지 않은 게 아닙니다. 자신을 구원하지 않아야만 남을 구원하는 메시아가 될 수 있기 때문에 자신을 구원하시지 않은 것입니다. 이들이 말한 그대로가 사실이었던 것입니다. 십자가의 역설입니다.

메시아의 능력은 십자가에서 내려와 자신을 구원하는 능력이 아니라 불의하는 십자가를 참고 인내하는 것이 바로 메시아의 능력이었습니다. 만약 그런 억울한 상황에 처해 있다면 우리는 자신의 옳음을 증명하려고 노력할 것입니다. 자신이 의롭다는 것을 보여 주고 싶어 할 것입니다. 우리의 능력을 발휘해 보고 싶을 것입니다.

만약 그런 억울한 상황 속에 십자가의 고난을 받는다면 이렇게 말할지도 모릅니다. "내려오라면 내가 못 내려갈 것 같아? 내가 내려가 주지."

만약 예수님이 십자가에 못 박혀 계시는데 "너 자신을 구원해 보라. 네가 만일 메시아라면 내려와 보라! 내려와 보라!"라고 했을 때 예수님이 갑자기 내려오셔서 "참다 참다 도저히 못 참겠네"라고 하면서 십자가를 뽑아 들고 휘두르셨다면 그것은 능력입니다. 못 박혔던 연약함이 아니라 능력입니다. 하지만 그런 능력을 보여 주셨다면 우리의 구원은 없는 것입니다. 또한 예수님은 메시아가 되실 수 없었습니다.

"남을 구원한다더니 자신은 구원하지 못하는구나."

말 그대로 예수님은 자신을 구원하지 않으심으로써 남을 구원하는 메시아가 되셨습니다. 예수님은 십자가 위에서 죽어 가고 계셨지만 성전을 다시 짓고 계셨던 것입니다. 자신은 구원하시지 않았지만 모든 사람이 하나님이 거하시는 성전이 되도록 만드는 구원을 이루고 계셨습니다. 이것이 십자가의 역사입니다. 그들의 조롱하는 언어를 통해 나타난 역설입니다.

세 번째는 하나님께 버림받았다고 절규했던 예수님은 오히려 그 순간 하나님을 진정으로 믿고 신뢰하고 있었다는 것입니다.

[낮 12시가 되자 온 땅에 어둠이 뒤덮이더니 오후 3시까지 계속됐습니다. 오후 3시가 되자 예수께서 큰 소리로 부르짖으셨습니다. "엘리 엘리 라마 사박다니?" 이 말은 "내 하나님, 내 하나님, 어째서 나를 버리셨습니까?"라는 뜻입니다.(막 15:33-34)]

이 세 번째 역설은 우리가 이해하기 어려운 하나님을 보여 주고 있습니다. 예수님, 그 하나님의 아들이 십자가에 못 박혀 죽었을 때 "내 하나님, 내 하나님, 어찌하여 나를 버리시나이까? 엘리 엘리 라마 사박다니!"라고 부르짖을 때 하나님은 예수님의 기도에 응답하지 않은 것처럼 보입니다. 마르틴 루터는 이것을 가리켜 "십자가에 감추시고 숨으신 하나님"이라고 말합니다.

예수님의 이 부르짖음은 오해를 불러일으키기에 충분합니다. 지금까지 예수님은 하나님께는 순종하셨는데 이제 와서 "저를 버리십니까?" 하고 부르짖는 것 같습니다. 이런 고통이 있을 줄 몰랐다가 "어째서 나를 버리셨습니까" 하고 절규하며 따지는 것처럼 보입니다. 결코 이런 뜻은 아닙니다. 예수님은 이미 십자가를 아셨고, 십자가를 준비하고 있었기 때문입니다.

예수님은 잠시 동안 하나님께 버림을 받으셨습니다. 그런데 놀라운 것은 그 순간에도 예수님은 하나님을 붙잡고 계셨다는 사실입니다. 하나님을 버리시지 않았다는 사실입니다. 하나님을 여전히 믿고 신뢰하셨습니다. 예수님은 하나님께 불평하시지 않았습니다. "왜 내가 이런 고통을 당해야만 합니까? 왜 내가 침 뱉음을 받고 이런 조롱을 받아야 합니까?"라고 하나님께 불평하시지 않았습니다. 예수님은 조롱받는 그 순간에도, 죽음의 그 순간에도 하나님을 여전히 신뢰하고 있었습니다. 다음 말씀을 보면 사람들의 조롱 가운데 마가복음에 나오지 않는 조롱이 한 가지 더 나옵니다.

["그가 하나님을 믿는다고 하니 하나님께서 정말 원하신다면 지금이라도 그를 당장 구원하시겠지. 자기 스스로 '나는 하나님의 아들이다'라고 말했었다."(마 27:43)]

그들의 조롱 내용은 "하나님을 믿는다고 하니, 하나님을 신뢰한다고 하니"라는 것이었습니다. 그런데 실제로 예수님은 하나님을 신뢰하고 있었다는 겁니다. 인간적으로 생각하면 이런 상황에서는 자신이 믿는 하나님을 버리는 것이 당연합니다. 하나님께 버림받았다고 상처를 받았을 거라고 생각했지만, 예수님은 그 순간에 오히려 하나님을 더 깊이 신뢰했습니다. 그 증거가 뭡니까?

예수님이 하나님을 뭐라고 부르셨습니까? 그 순간에도 예수님은 하나님을 "내 하나님"이라고 불렀습니다. 이 '내 하나님'은 무슨 뜻입니까? '지금 나를 버리셨을지라도 하나님은 여전히 내 아버지이십니다'라는 뜻입니다. 이것은 하나님을 더 신뢰하고 그분을 믿었다는 것입니다. "어째서 나를 버리셨습니까?"라는 절규는 한탄과 불평이 아니라 "하나님 아버지의 사랑은 너무나 크기에 저를 버리실 만큼, 이 세상의 모든 저주를 나에게 쏟아 버리실 만큼 이 세상의 사람들을 사랑하시는군요"라는 고백입니다. "어찌하여 나를 버리셨습니까! 억울합니다, 한탄스럽습니다, 불만스럽습니다"가 아니라 "하나님의 사랑은 너무나 커서 나를 버리실 만큼 이 세상을 사랑하시는군요"라는 예수님의 신앙고백입니다. 그 깊은 버림의 상처

가운데서도 예수님은 하나님을 버리시지 않고 붙잡고 계셨다는 것, 이것이 바로 십자가의 역설입니다.

그들은 조롱했습니다. 그런데 그들의 조롱과 모욕의 언어 속 모든 것이 다 사실이었습니다. 아이러니컬한 이야기입니다. 이것이 바로 십자가의 역설입니다. 예수님이 십자가 위에서 고난 받으시는 이 모습은 사람들의 조롱을 전부 아이러니로 바꾸어 버립니다.

십자가의 역설로 나타나는 축복

이제 이 십자가는 우리에게 어떤 삶을 요구하십니다. 예수님이 말씀하신 대로 "자기 십자가를 지고 나를 따를 것"이라고 말씀한 그 말씀을 우리에게 적용할 때 우리도 이 세상을 살아갈 때 동일한 역설로 살아갈 것을 요구하시는 것입니다. 우리는 살기 위해 죽어야 합니다. 죽기 않기 위해 우리는 죽어야 합니다. 우리 자신을 십자가에 못 박음으로써 우리는 살 수가 있습니다. 십자가의 역설을 붙잡아야 우리는 이 땅에서 진정으로 살 수 있습니다. 다음은 십자가 역설의 삶을 말씀입니다.

[나는 그리스도와 함께 십자가에 못 박혔습니다. 그러므로 이제 더 이상 내가 사는 것이 아니라 내 안에 그리스도께서 사시는 것입니다. 지금 내가 육체 안에 사는 것은 나를 사랑하셔서 나를 위해 자신의 몸을 내 주신 하나님의 아들을 믿는 믿음으로 사는 것입니다.(갈 2:20)]

십자가의 역설의 삶입니다. 우리가 살아 있는데 우리가 사는 것이 아닙니다. 역설, 패러독스입니다. 왜 우리가 살아 있는데 사는 것이 아닙니까? 세상이 이해할 수 없는 역설, 십자가를 경험하는 사람만이 깨달을 수 있는 역설입니다.

세상 사람들 가운데 누가 이 말씀을 이해할 수 있습니까? 갈라디아서 2장 20절은 신앙생활을 처음 할 때 깨닫는 구절처럼 보입니다. 하지만 우리가 말씀을 암송하고, 중심이 되신 그리스도에 대해 공부할 때 암송한 구절입니다. 목회를 하면서, 믿음 생활을 하면서 깨닫는 것은 이것이 전부이고 우리 생활의 목표라는 사실입니다. 우리 인생의 마지막 날 십자가 앞에, 주님 앞에 섰을 때 우리의 고백이 되어야 합니다. 그동안 살아온 것은 우리가 산 것이 아니라 오직 그리스도께서 우리 안에 사신 것입니다.

세상은 이 역설의 고백을 이해할 수가 없습니다. 왜 그렇습니까? 우리 예수님이 십자가에 못 박힘으로써 그때 성령이 우리 안에 새로운 자아를 창조하셔서 우리가 살지만 우리가 사는 것이 아니라 우리 안에 새롭게 창조하신 새 사람이 성령 안에서 살기 때문에, 그리스도께서 우리 안에 우리를 대신해 사시는 인생이기 때문에 이런 고백을 할 수가 있는 겁니다. 이런 십자가의 역설의 고백을 날마다 고백하며 살아가기를 축원합니다.

예수님이 자기 십자가를 지고 나를 따르라고 했을 때 많은 사람들이 자기 십자가를 피할 수 없는 환경이나 가슴 아프게 하는 자녀나 경제적인 어려움이나 힘들게 하는 시어머니나 그런 것으로 대입합니다. 하지만 아닙니다. 잘못 해석한 것입니다.

십자가는 우리를 부인하는 도구인 것입니다. 우리가 십자가에 못 박히는 겁니다. 환경이나 어떤 사람이 아니라 우리를 못 박는 자리입니다. 매일 매일 십자가 앞에 섭니다. 우리 자신을 십자가의 믿음으로 못 박음으로써 예수님이 못 박히실 때에 그 모욕과 조롱을 다 참으심으로써, 인내하심으로써 오히려 그들의 조롱은 역설이 되어 버렸습니다.

유대인의 왕이라고 써 붙인 대로 예수님은 왕이셨습니다. 남은 구원하되 자신은 구원하지 못하느냐고 말한 그대로 예수님은 자신을 구원하지 않음으로써 남을 구원하신 분입니다. 말 그대로 하나님께서 그를 버리셨지만 그분은 하나님을 신뢰하고 있었습니다. 하나님이 때로 우리를 버리신 것 같은 상황 속에도 하나님은 우리의 하나님이라고 고백해야 합니다.

주님을 더욱 신뢰해야 합니다. 이제는 우리가 사는 것 아니요, 그리스도께서 우리 안에 사시는 것이라고 고백하며 살아가야 합니다. 이런 십자가의 역설을 체험한 인생으로 살아가야 합니다.

하나님. 이 세상이 이해할 수 없는 십자가의 도로, 세상의 지혜자들은 어리석
다 말하고 세상의 능력 있는 자들은 연약하다고 말했던 십자가의 모습으로
우리를 구원하여 주신 은혜를 감사합니다. 그 십자가를 붙잡고 그 십자가에
못 박힌 채로 살아가게 되기를 원합니다. 예수님 이름으로 기도합니다. 아멘.

막 16:1-11

¹안식일이 지난 뒤 막달라 마리아와 야고보의 어머니 마리아와 살로메는 예수의 시신에 바르려고 향품을 사 두었습니다. ²그 주가 시작되는 첫날 이른 아침 해가 막 돋을 때 여인들은 무덤으로 가고 있었습니다. ³그들이 서로 말했습니다. "무덤 입구에 있는 돌덩이를 누가 굴려 줄까?" ⁴그런데 여인들이 눈을 들어 보니 돌덩이가 이미 옮겨져 있었습니다. ⁵여인들이 무덤에 들어가 보니 흰옷 입은 한 청년이 오른쪽에 앉아 있었습니다. 그들은 깜짝 놀랐습니다. ⁶그러자 그가 말했습니다. "놀라지 말라. 십자가에 못 박히신 나사렛 예수를 찾으러 온 것이 아니냐? 예수께서는 살아나셨다. 이제 여기 계시지 않는다. 여기 예수를 눕혔던 자리를 보라. ⁷자, 이제 가서 그분의 제자들과 베드로에게 전하라. '예수께서 너희보다 앞서 갈릴리로 가실 것이며, 그분의 말씀대로 거기서 너희가 예수를 보게 될 것이다.'" ⁸여인들은 넋을 잃고 벌벌 떨면서 무덤에서 도망쳐 나왔습니다. 너무나 무서워 아무에게 어떤 말도 할 수가 없었습니다. ⁹예수께서 그 주가 시작되는 첫날 이른 아침 부활하셔서 맨 처음으로 막달라 마리아에게 나타나셨습니다. 막달라 마리아는 전에 예수께서 일곱 귀신을 쫓아 주신 여인입니다. ¹⁰그녀는 전에 예수와 함께 지내던 사람들에게 가서 전했습니다. 그들은 슬피 울며 통곡하고 있었습니다. ¹¹그러나 그들은 예수께서 살아나셨다는 소식과 또 마리아가 그분을 직접 보았다는 말을 듣고도 믿지 않았습니다.

그가 누우셨던
자리를 보라

예수님의 무덤을 향하고자 할 때 우리 마음에 새로운 힘과 능력이
샘솟는 이유는 무엇입니까? 그것은 예수님만의 부활이 아니기 때문입니다.
그분이 누우셨던 곳을 볼 때, 우리가 눕게 될 자리도 비게 될 줄로 믿습니다.
앞서간 믿음의 선조들 역시 예수님이 누우셨던 자리처럼 비게 될 것을 믿습니다.
우리는 인생에 절망하고 좌절할 때 예수님이 누우셨던 자리를 향하여 나아가야 하는 것입니다.

법률가들이 기독교의 부활을 증거하는 많은 책들을 기록했다 것은 참 의미 있다
고 생각합니다. 모든 증거와 정황을 논리적으로 분석하는 이 법률가들이 그리스도
의 부활을 묵상하면서 도저히 부인할 수 없는, 명백한 증거를 가진 이 부활 앞에서
무릎을 꿇었습니다.

기네스북에 가장 성공적인 변호사로 기록되어 있는 법률가는 라이오넬 러쿠입
니다. 그는 연속해서 245건의 사건을 승소한 변호사로, 신약에 나타난 그리스도
부활의 증거를 법률과 증거에 입각해 검토한 뒤 그리스도의 부활을 믿지 않을 수
없었다고 다음과 같은 고백을 했습니다.

"예수님의 부활이 증거가 나를 완전히 압도해서 어떤 의심도 없이 그것을 받아
들이지 않을 수 없었다."

첫 번째 부활절의 모습을 기록하고 있는 복음서, 특별히 마가복음 16장의 말씀
을 통해 우리가 부활의 기록들을 믿고, 부활을 신뢰하는 계기를 되었으면 합니다.
이 말씀에는 부활을 갈망해야 되는 이유가 나타나 있습니다.

첫 번째는 매우 역설적인 이유입니다. 그것은 바로 복음서에 나타난, 부활을 체

험한 제자들은 한결같이 부활을 믿기 어려워했다는 것입니다. 심지어 그들은 두려움에 벌벌 떨기까지 했습니다.

먼저 무덤을 찾아간 여인들은 어떤 반응을 보였습니까? 여인들은 넋을 잃고 벌벌 떨면서 무덤에서 도망쳐 나왔습니다. 너무 무서워 아무한테도 말을 할 수도 없었습니다. 다른 복음서를 보면 제자들이 부활을 기대하지 않았다는 것을 알 수 있습니다. 부활하리라는 예수님의 말씀을 직접 들었지만, 인간의 경험과 상식으로 도저히 일어날 수 없는 일이다 보니 부활을 기대하지 않았던 것입니다.

막상 부활의 증거들이 나타나자 그들은 믿기 어렵다는 반응을 내놓았습니다. 심지어 예수님을 만나는 그 현장에서도 의심하는 자가 있었습니다. 이처럼 부활은 믿기 어려운 일입니다. 따라서 어떤 사람들처럼 부활은 믿기 어려운 일이라는 것은 지극히 당연한 일인지도 모릅니다. 하지만 성경은 우리가 쉽게 믿기 어려운 이 부활, 우리로서는 기대조차 하기 어려운 이 부활이 실제로 있었다는 것을 증거하고 있습니다. 이것은 역설적으로 신약에 기록된 부활의 기록들이 사실이라는 것을 보여 줍니다.

만약 부활에 관한 기록들이 제자들이 임의적으로, 거짓말로 예수님이 부활했다는 것을 기록했다면 절대 이렇게 기록하지 않았을 것입니다. 다른 사람들이 믿게 할 목적으로 거짓을 만든 사람들이 스스로 믿기 어려워했다는 말로 가득 찬 기록을 만들어 다른 사람을 믿도록 했다고는 믿을 수 없습니다. 이는 매우 역설적인 증거인 것입니다.

부활의 소식을 전하다

성경 본문에 보면, 예수님을 만난 여인들이 다른 제자들한테 가서 부활의 소식을 전했을 때 선뜻 믿은 제자가 없었다고 말씀하고 있습니다.

[그러나 그들은 예수께서 살아나셨다는 소식과 또 마리아가 그분을 직접 보았다는 말을 듣고도 믿지 않았습니다.(막 16:11)]

제자들은 믿지 못하겠다는 반응을 보였습니다. 이것이 역설적으로 부활이 사실이라는 증거입니다. 따라서 첫 번째 부활절을 맞이했던 이들처럼 우리의 마음속에도 부활을 맞이할 때 놀라움과 충격, 무서움과 두려움이 있어야 합니다.

우리는 부활이란 단어에 너무 익숙해져 있습니다. 너무 자주 그리고 오랫동안 부활이라는 단어에 익숙해져 있어 그리 놀라지 않습니다. 세상을 향하여 예수님이 부활하셨다고 신문에 광고를 내고 방송을 하고 플래카드를 붙여도 사람들은 놀라지 않습니다. 왜일까요? 부활절 예배를 드리고 나오는 성도들이 놀라지 않기 때문입니다. 사람들은 구호에 변화되는 것이 아니라, 변화된 사람을 통해 놀라기 때문입니다.

두 번째로 복음서는 부활의 첫 증인들을 여인들로 기록하고 있다는 것이 또 하나의 증거가 됩니다. 성경에 보면 이렇게 기록되어 있습니다.

[안식일이 지난 뒤 막달라 마리아와 야곱의 어머니 마리아와 살로메는 예수의 시신에 바르려고 향품을 사두었습니다.(막 16:1)]

그 주가 시작되는 첫날 이른 아침 해가 막 돋을 때, 여인들은 무덤으로 갔습니다.

예수님의 십자가에 가장 가까이 있던 여인들이 안식 후 첫날 예수님의 무덤을 향하여 갔던 이유는 무엇입니까? 예수님의 시신에 향품을 바르기 위해서였습니다. 예수님은 금요일 오후 늦게 돌아가셨습니다. 그러므로 무덤에 안치되기 위한, 시신을 수습할 시간이 없었습니다. 아니 십자가에 처형된 죄수는 시신이 무덤에 안치되는 경우가 없었습니다. 모든 시신은 다 버려졌습니다. 새나 들짐승의 먹이로 쓰레기처럼 버려질 뿐 무덤에 안치되는 십자가형을 당한 죄수는 여지껏 없었습니다. 오직 예수님만이 구약에 나타난 예언대로 부자의 묘에 안치되었습니다.

이 예언을 이루기 위해 예수님이 따로 부탁하지 않았음에도 아리마대 요셉이 예수님에 대한 죄송한 마음으로, 사랑의 마음으로 자기 무덤으로 준비해 두었던 돌 무덤에 예수님을 안치시켰던 겁니다. 그러므로 예수님의 시신은 피범벅이 된 찢겨진 상태에서 그대로 무덤에 안치되었습니다.

마지막에 무덤까지 따라갔던 여인들은 이런 사실을 알았기에 안식 후 첫날 새벽에 예수님의 시신을 찾아왔던 것입니다. 그래서 이들은 부활의 첫 증인이 되었고, 그 무덤을 보고 부활하신 예수님을 만나게 되었습니다.

이 여인들이 부활의 첫 증인이라고 기록하고 있는 이 신약은 역설적으로 부활이 정말이라는 것을 우리에게 증거하고 있습니다. 왜냐하면 어느 한 시대에 세계관과 문화 의식은 그 시대 사람들이 도저히 벗어날 굴레 같은 것입니다. 물이 수면보다 더 높을 수 없듯이 한 시대, 적어도 200~300명 가량 그 시대 사람들의 사고방식을 사로잡고 있는 것은 좀처럼 변화되기가 어렵습니다.

'태양이 돈다'라고 믿었던 천동설이 지배하고 있던 시대에는 지구가 돈다는 분명한 발견이 있기 전까지 모두가 다 지구는 평평하다고 믿었고 태양이 돌고 있다고 믿었던 것처럼, 그 시대의 기록된 모든 기록은 태양이 도는 것이지 지구가 도는 것이 아니었습니다. 그것을 뛰어넘는다는 것은 대단히 어려운 일입니다.

여인의 증거를 법전에 채택하지 않았던 시대였습니다. 여인은 인구 조사에도 포함시키지 않았던 그런 시대에, 여인을 너무나 비천하게 여겨 그녀들의 말을 신뢰하지 않았던 그러한 시대에 물들어 있던 모든 사람들한테서 나온 어떤 기록과 자료들은 한결같이 동일한 메시지를 담고 있을 겁니다. 그러한 시대에 부활을 기록하고 있는 이 성경이 제자들에 의해 조작된 문서라면 결코 여인들로부터 첫 증인을 시작되지 않았을 것입니다. 실제로 일어난 사건이 아니고는, 있는 그대로 기록한 기록이 아니고는 결코 여인들에게 부활의 첫 증인 자리를 내놓지 않았을 것입니다. 니고데모나 남자들로 시작했을 거라는 말입니다. 이것 역시 부활의 증거가 됩니다.

세 번째는 명백한 증거로, 예수님이 누우셨던 그 자리가 비어 있었다는 것입니다.

[그들이 서로 말했습니다. "무덤 입구에 있는 돌덩이를 누가 굴려 줄까?" 그런데 여인들이 눈을 들어 보니 돌덩이가 이미 옮겨져 있었습니다.(막 16:3-4)]

여인들이 눈을 들어 보니, 돌덩이가 이미 옮겨져 있었습니다. 그 여인들이 무덤을 향하여 가기로 결정하고 났을 때는 이 일을 미처 생각지 못했을 것입니다. 너무나 간절한 마음으로 나선 그녀들은 가던 중에 생각해 보니 큰 문제라는 생각이 들었던 것입니다. 그것은 1톤이나 그 이상이 되는, 장정이 10명이 밀어도 움직이지 않는 큰 돌이 그 입구에 막고 있었다는 것입니다.

그래서 그녀들은 한참 고민했습니다. 하나님은 그녀들의 고민을 아시고 천사들을 통해 그 돌문을 미리 열어 두셨습니다.

[그런데 갑자기 큰 지진이 일어나더니 주의 천사가 하늘에서 내려와 돌을 굴려 내고 그 돌 위에 앉았습니다. 그 천사의 모습은 번개와 같았고, 옷은 눈처럼 희었습니다. 경비병들은 그 천사를 보고 두려워 떨면서 마치 죽은 사람들처럼 되었습니다.(마 28:2~4)]

천사가 돌문을 열어 준 이유는 무엇입니까? 예수님이 안에서 밖으로 나오시도록 돕기 위해 한 것이 아닙니다. 밖에서 제자들이 그 무덤 안을 볼 수 있도록 도와주기 위해 문을 열어 주신 것입니다. 예수님의 부활을 돕기 위해 문을 연 것이 아니라 부활을 확인시켜 주기 위해 돌문을 열어 주셨습니다.

예수님은 도움이 필요 없는 분입니다. 예수님의 시신은 세마포로 묶여 있는 상태에서 그대로 빠져나와, 그것을 풀어 해체하고 나오신 것이 아니라서 그 세마포가 그대로 가라앉았습니다. 놀라운 기적의 사건입니다. 이러한 주님이 누우셨던 자리를 볼 수 있도록 하기 위해 무덤 문을 열어 놓으신 것입니다. 만약 천사를 보내 열어 주지 않았다면, 예수님이 부활하셨다는 것을 제자들은 확인할 수 없었을 것입니다. 그분이 누우셨던 자리를 볼 수 없었을 것입니다.

부활절의 놀라운 아이러니가 여기 나옵니다. 경비병들이 있었다는 겁니다. 일반 무덤에는 경비병이 필요 없습니다. 왜 로마 군병들이 한 유대인 죄수의 무덤을 지킵니까? 더군다나 돌문으로 인봉합니까? 유대 지도자들이 빌라도한테 간청해서 군병들을 배치한 것입니다. 그것은 무엇을 보여 줍니까? 유대 지도자들은 예수님의 부활을 예상했던 것입니다. 실로 아이러니라고 하지 않을 수 없습니다.

예수님의 제자들은 부활을 기대하지도 못했는데 유대 지도자들은 겉으로는 예수님의 시신을 제자들이 훔쳐 갈까 봐 지켜야 된다고 말했지만, 사실 그들은 예수님의 능력을 알고 있었기에, 지금까지 말씀한 모든 것이 그대로 이루어졌다는 것을 알고 있었기에 무슨 일이 생길지도 모른다는 생각에 로마 군병도 세우고 돌문까지 인봉해 놓은 것입니다. 이 일은 부활의 아이러니를 보여 줍니다.

마태복음에 따르면 유대 지도자들은 돈으로 군병들을 매수했습니다. 지진이 일어나고 돌문이 열린 그 사건 이후 그들을 매수해 제자들이 시체를 훔쳐 간 거라고 말하도록 했습니다. 만약 그것이 사실이라면 해결해야 할 문제가 너무 많습니다. 그중 몇 가지만 간략히 설명하면, 마태복음에 나타난 유대 지도자들이 그 예수님의 시체를 훔쳐갔다고 말하려면 몇 가지 해결해야 할 문제가 있습니다.

첫째로 군병들이 다 잠들었어야 하는데, 돌문이 움직이는데도 깊이 잠들 사람이 있을까요? 더군다나 한 사람이 아니라 모든 군병들이 말입니다. 그게 가능할까요?

둘째로 제자들이 훔쳐 갔다면 그들을 시체 도난 혐의로 바로 구속해야 합니다. 무죄한 예수님도 구속해 사형을 내릴 수 있는 권력자들이 제자들은 왜 구속시키지 못하겠습니까?

셋째로 제자들의 심리 상태는 어떤가요? 제자들이 시체를 훔쳐 갔다면, 십자가에서 못 박히신 예수님을 보고 도망갔던 그 제자들이 하루 만에 정신을 차리고 돌아와 안식일에 모두 모여서 의기투합해 "우리가 이렇게 해서는 안 된다. 이렇게 무너져서는 안 된다. 예수님이 부활하신다고 말씀했으니 시체라도 훔쳐 그분이 부활하신 것처럼 만들어야 되지 않겠느냐"라고 말할 수 있겠습니까! 제자들이 마음을 합쳐 도적질을 했다고 어떻게 말할 수 있겠습니까!

넷째로 제자들이 예수님의 시체를 훔쳤다면, 그 무덤 안에 해 놓은 일을 보면 쉽게 이해되지 않는 것이 있습니다. 왜냐하면 세마포가 남아 있었다는 것입니다. 아니, 시신을 훔쳐 가면, 그 짧은 순간에 세마포 채로 그 시신을 들고 가는 것이 편하지 세마포를 벗겨서 시신을 빼가고 다시 세마포를 원래 상태대로 해놓는 바보들이 어디 있겠습니까.

다섯째로 제자들이 시체를 훔쳤다면 그중 자백한 사람들이 한 명이라고 있어야 합니다. 닉슨 대통령 시절 워터게이트 사건에 연루되었던 찰스 콜슨이 자서전에서 이런 고백을 했습니다.

"세계에서 가장 막강했던 부서에서 10명의 최고 엘리트가 모여 거짓으로 음모를 꾸미고 절대 이것을 고백하지 말자고 다짐했지만, 수사가 시작되고 두 주도 되지 않아 자백하는 사람이 생겨나기 시작했다."

거짓을 담보로 자신의 인생을 내걸 사람은 없다는 말입니다.

모든 증거를 통해 봤을 때 제자들이 훔쳐 갔다는 그들의 증거는 거짓이요, 실로 어리석은 주장일 뿐입니다.

그 외에도 부활을 믿지 않기 위해 어떻게 하면 부활을 믿지 않을 수 있는가 주장하는 사람들이 역사상 얼마나 많은지 모릅니다. 그걸 가지고 신약 박사 학위를 받는 사람들도 있습니다. 그걸 박사 학위를 주는 학교나 받는 사람이나, 그 학위 논문을 가지고 교수가 되는 사람이나 참으로 이해하기가 어렵습니다. 그 주장들을 보면 대부분 신학 교수라는 직함을 가진 사람이 쓴 내용입니다. 기절했다는 겁니다. 실제로 죽지 않았다는 겁니다. 이건 로마 군병들을 무시하는 겁니다. 하루에도 수천 명씩 십자가 처형을 하는 군병들의 기술을 무시하는 겁니다. 죽었는지를 확인하는 그 과정을 다 무시한 것입니다. 죽기 직전까지 갔다가 무덤에서 온기를 회복해 다시 일어났다고 하는 건 어떨까요?

또 한 사람은 하버드 대학의 한 교수입니다. 여인들이 이른 새벽이라서 무덤을 잘못 찾아갔다는 겁니다. 며칠 전 봤던 무덤이다 보니 다른 무덤에 갔다는 겁니다. 이 사람은 부활을 부인하는 죄뿐 아니라 더 심각한 죄를 범한 것입니다.

어떤 사람들은 환각을 본 거라고 말합니다. 한 명은 몰라도 500명이 동시에 보는 환각은 없습니다. 또 어떤 사람은 로마 군인들이 훔쳐 갔다고 말합니다. 그들이 왜 시체를 훔쳐 문제를 일으킵니까?

도무지 말도 안 되는 그런 이유를 들기도 하는데, 어떤 사람은 예수님이 쌍둥이였다고 주장합니다. 이것은 최근에 나온 학설들입니다. 쌍둥이였기 때문에 실제로 예수님이라는 한 사람이 실제로 죽긴 했는데, 그 쌍둥이 동생이 우리 형이 부활할 것이라고 주장했다는 겁니다. 그리고 그가 형의 행세를 한 것이라고 합니다. 신학 교수가 낸 논문입니다.

　참으로 어리석기 짝이 없습니다. 믿으면 될 것을 믿지 않으려고 발버둥치는 그런 인생을 볼 때 주님이 얼마나 마음이 아프실까 생각하게 됩니다. 모든 가능성을 아무리 가지고 들이대도 부활은 고대 문서의 진정성으로 보나, 부활의 증거들로 보나, 정황으로 보나, 경험적으로 보나, 심리학적으로 보나, 의학적으로 보나 주님은 다시 살아났습니다. 그분이 누우셨던 자리를 볼 때, 우리는 믿어야 합니다.

　이것은 감성적인 선택이 아니라 논리적인 결과이므로 받아들여야 하는 명백한 증거인 것입니다.

　[여인들이 무덤에 들어가 보니 흰옷 입은 한 청년이 오른쪽에 앉아 있었습니다. 그들은 깜짝 놀랐습니다. 그러자 그가 말했습니다. "놀라지 말라. 십자가에 못 박히신 나사렛 예수를 찾으러 온 것이 아니냐? 예수께서는 살아나셨다. 이제 여기 계시지 않는다. 여기 예수를 눕혔던 자리를 보라. 자, 이제 가서 그분의 제자들과 베드로에게 전하라. '예수께서 너희보다 앞서 갈릴리로 가실 것이며, 그분의 말씀대로 거기서 너희가 예수를 보게 될 것이다.'"(막 16:5-7)]

　흰옷 입은 한 청년이 "예수를 눕혔던 자리를 보라"고 말합니다. 그분이 누우셨던 자리를 볼 때, 우리는 부활을 어떻게 깨닫게 됩니까?

　첫째로 예수님이 누우셨던 자리를 볼 때, 예수님이 십자가에 못 박힌 바로 그 예수님의 몸이 부활했다는 것을 우리에게 보여 줍니다. 성경에 보면 흰옷 입은 한 청년이 "놀라지 말라. 십자가에 못 박히신 나사렛 예수를 찾으러 온 것이 아니냐?"(6절)라고 말합니다. 십자가에 못 박히신 바로 그 예수님의 몸이 부활하신 것입니다. 부활은 단지 예수님이 죽음 이후에 천국에 가셨다는 것이 아닙니다. 예수님의 그 몸이 부활을 통하여 전혀 새로운 몸으로 변화하셨다는 것입니다. 사도 바울은 이 것을 씨앗과 식물의 비유로 설명했습니다.

　[죽은 사람들의 부활도 이와 같습니다. 썩을 몸으로 묻히지만 썩지 않을 것으로 살아납니다. 비천한 가운데 묻히지만 영광 가운데 살아납니다. 약한 사람으로 묻히지만 강한 사람으로 살아납니다.(고전 15:42-43)]

부활의 믿음으로 승리하라

부활은 미래의 일로만 강조하는 것이 아니라 부활의 소망은 현재 하나님이 주신 우리 몸을 사랑하고, 우리를 사랑하는 "현실에 충실하라!"는 하나님의 메시지입니다. 현재의 몸과 부활의 몸은 분명히 차이가 있습니다. 엠마오로 가는 두 제자들도 처음에 예수님을 알아보지 못했습니다. 나중에 알아봤습니다. 그만큼 차이가 있을 수 있지만 못 알아볼 정도는 아니었을 것입니다.

그러므로 현재의 우리 몸에 실망하게 되지 않기를 축원합니다. 현재의 우리 몸은 정상이 아닙니다. 부활의 몸이 영광스러운 몸이 기다리고 있을 것입니다. 그때가 되면 우리가 서로 알아보기 어려울지도 모릅니다. 하지만 몇 마디 나눠 보면 곧 알게 될 것입니다. 그게 재미입니다. 알아보는 재미가 아마 영원히 있을 겁니다.

둘째로 예수님이 누우셨던 곳을 볼 때, 예수님이 주장하시던 그 말씀대로 이루어졌다는 걸 말씀하고 있습니다. 성경에 보면 "그분의 말씀대로 거기서 너희가 예수를 보게 될 것이다"(7절)고 말씀합니다. 또한 다음 말씀에도 "예수께서 여기 계시지 않고 말씀하신 대로 살아나셨다"(마 28:6)라고 말씀합니다. 예수님의 모든 삶은 말씀대로 이루어졌습니다.

어떤 종교지도자가 자기의 죽음 이후를 예언했습니까? 어떤 인류의 스승이, 어떤 위대한 정치가가 자신의 죽음 이후에 일어날 일을 예언했습니까? 살아 있을 때 예언한 종교지도자는 몇 사람 있습니다. 그런데 가만히 보면 그것은 자기가 하면 되는 것이었습니다. 그건 예언이라고 말할 수 없습니다. 그건 자기 계획, 자기가 할 일을 말한 것이지 예언이 아닙니다. 진정한 예언이 되려면 자신의 선택과 힘으로 할 수 없는 영역에서 일어나는 일을 말해야 진정한 예언입니다. 그리고 죽음 이후의 일을 말할 수 있어야만 진정한 예언입니다.

예수님은 언제나 죽음 이후 다시 살아날 것을 예언하셨습니다. 그분의 말씀대로 예수님은 다시 살아나신 것입니다. 그런데 그분의 말씀이 이루어지지 않은 단 한 가지 예언이 있습니다. 그것은 바로 "다시 올 것"이라는 예언입니다. 지금까지의 모든 예언이 말씀대로 이루어졌다면 다시 오시리라는 그 예언도 이루어질 것을 믿어야 합니다.

셋째로 예수님이 누우셨던 곳을 볼 때, 제자들은 예수님의 무덤에 머무르지 않고 가서 부활을 증거하도록 했습니다. 성경을 다시 보면 "이제 가서 그분의 제자들과 베드로에게 전하라"(7절)고 말씀합니다.

무덤을 찾아가던 여인의 발걸음은 심히 무겁고 괴로웠습니다. 하지만 그 무덤이 비어 있었습니다. 예수님이 누우셨던 자리를 본 그 여인들은, 부활하신 예수님을 만난 그 여인들은 힘차게 달려가서 예수님이 부활하셨다는 사실을 전하게 되었다는 것입니다. 보통 이 세상의 무덤을 방문할 때는 그 발걸음이 무겁고 천천히 걷게 됩니다. 하지만 예수님이 누우셨던 무덤을 향해 가는 제자들은 그곳에 머무를 수가 없었습니다. 빨리 달려가서 부활의 소식을 증거해야 했기 때문입니다.

예수님의 무덤을 향하고자 할 때 우리 마음에 새로운 힘과 능력이 샘솟는 이유는 무엇입니까? 그것은 예수님만의 부활이 아니기 때문입니다. 그분이 누우셨던 곳을 볼 때, 우리가 눕게 될 자리도 비게 될 줄로 믿습니다. 앞서간 믿음의 선조들, 우리 믿음의 조상들이 묻힌 무덤 역시 예수님이 누우셨던 자리처럼 비게 될 것을 믿습니다. 그렇게 우리는 인생에 절망하고 좌절할 때 예수님이 누우셨던 자리를 향하여 나아가야 하는 것입니다.

찰스 스펄전 목사님은 성도들한테 늘 이렇게 당부했다고 합니다. "예수님의 누우셨던 자리를 자주 방문하십시오. 예수님의 빈 무덤에 자주 방문하십시오. 비어 있는 그 자리를 확인하십시오. 그리고 저와 여러분의 무덤도 그렇게 될 것을 믿으십시오. 우리의 무덤도 비게 될 것입니다. 잠자는 자들의 첫 열매가 되십시오. 부활의 첫 열매가 되신 주님의 무덤처럼 우리의 무덤도 비게 될 줄로 믿습니다."

이것이 부활의 능력입니다. 먼 훗날 단지 우리가 부활의 몸을 이어갈 것을 상상하며 믿음으로 사는 것은 오늘날 우리가 어떤 상황 속에서도 우리의 무덤도 비게 될 것을 믿는 생명의 부활의 믿음으로 승리하며 살아갈 수 있다는 뜻입니다.

Pray

하나님, 기독교가 부활 신앙임을 다시 한번 기억합니다. 부활의 믿음으로 이 세상의 삶에서도 승리하며 살게 하옵소서. 마침내 승리하신 예수 그리스도를 기억하며 용기 있게 살게 하옵소서. 예수님 이름으로 기도합니다. 아멘.

막 16:15-20

¹⁵예수께서 제자들에게 말씀하셨습니다. "너희는 온 세상에 나가서 모든 사람들에게 복음을 전파하라. ¹⁶누구든지 믿고 세례 받는 사람은 구원을 받을 것이요, 누구든지 믿지 않는 사람은 심판을 받을 것이다. ¹⁷믿는 사람들에게는 이런 표적이 따를 것이다. 그들은 내 이름으로 귀신을 내쫓고 새 방언으로 말하며 ¹⁸손으로 뱀을 집어 들고 독을 마셔도 아무런 해를 받지 않으며 아픈 사람들에게 손을 얹으면 병이 나을 것이다." ¹⁹주 예수께서 그들에게 말씀하신 후에 하늘로 들려 올라가셔서 하나님의 오른편에 앉으셨습니다. ²⁰그리고 제자들은 곳곳에 다니면서 복음을 전파하는데 주께서 그들과 함께 일하시고 표적들이 나타나게 하셔서 그들이 전하는 말씀이 사실임을 확증해 주셨습니다.

복음을 전파하라!

예수님의 십자가 희생을 통해 우리에게 구원의 길이 열린 것입니다.
심판의 길만 있었던 그 상태에서 이제는 구원의 길과 심판의 길, 두 갈래의 길이 열린 겁니다.
믿고 받아들이는 구원은 강제적인 것이 아닙니다.
믿음으로 선택하면 우리에게 구원이 임할 것입니다.

예수님이 주신 많은 말씀과 명령 가운데 우리가 꼭 기억해야 될 세 가지 명령이 있습니다.

첫 번째는 마태복음 11장 28절의 "오라"는 명령입니다. "오라. 수고하고 무거운 짐 진 자들아, 다 내게로 오라." 이는 죄 짐에 쌓여 있는 죄인들을 초청하시는 주님의 명령입니다.

두 번째 명령은 요한복음 13장에 나오는 "서로 사랑하라"는 말씀입니다. "너희는 서로 사랑하라. 내가 너희를 사랑한 것 같이, 너희도 서로 사랑하라."

세 번째 명령은 "가라"입니다. "가라. 너희는 가서, 모든 족속으로 제자를 삼아 아버지와 아들과 성령의 이름으로 세례를 주고, 내가 너희에게 가르쳐, 가르친 모든 것을 지키게 하라." 이는 지상 명령입니다.

마가복음 16장에는 "너희는 온 세상에 복음을 전파하라"는 명령의 말씀이 나옵니다. 우리는 이 세 가지 명령을 그리스도인의 삶 속에 날마다 되새겨야 합니다. 수고하고 무거운 짐을 지고 있을 때, 우리는 언제나 주님께 나아가야 합니다. 주님이 오라고 말씀했기 때문입니다. 그리고 가기 전에 우리는 서로 사랑해야 합니다. 우리는 사랑의 공동체를 만들어야 합니다. 그리고 우리는 그 사랑을 가지고 나아가야 합니다. 다음은 세 번째 중요한 명령에 관한 것입니다. 마태복음 18장에 나오는 그 지상 명령이 마가복음의 버전대로 기록이 되어 있습니다.

[예수께서 제자들에게 말씀하셨습니다. "너희는 온 세상에 나가서 모든 사람들에게 복음을 전파하라."(막 16:15)]

이것은 명령입니다. 지켜도 되고, 안 지켜도 되는 선택이 아니라 꼭 해야 하는 명령인 것입니다. 순종하지 않으면 불순종의 죄를 범하게 됩니다. 먼저 '온 세상에'라는 단어에 주목해야 합니다. 우리는 이미 글로벌 시대에 살고 있어 온 세상이라는 단어에 익숙해져야 합니다. 그런데 그 당시 제자들의 입장에서 한번 생각해 보길 바랍니다. 그때 제자들은 이웃나라도 가본 적이 없었을지도 모릅니다. 교통도 원활하지 않고, 여러모로 낙후된 상태라서 지구 반대편에서 일어나는 일들에 대해 전혀 무지한 지극히 지역적인 시대였습니다. 그러한 제자들에게 예수님은 '온 세상'에 복음을 전파하라고 말씀했습니다.

제자들이 이 '온 세상'이라는 단어를 어느 정도 소화했는지는 모르겠습니다. 상상하건대 아마 실감이 나지 않았을 것입니다. 하지만 예수님은 이미 글로벌 시대를 내다보시고, 제자들한테 온 세상에 복음이 전파돼야 한다고 말씀했습니다.

세상에 나가 모든 사람에게 복음을 전파하라

우리 마음속에는 우리나라, 내 가족, 우리 이웃의 문제가 시급합니다. 하지만 동시에 우리는 '온 세상', 지구 반대편이나 우리가 한 번도 가 보지 못한 나라일지라도 그 나라의 기도 제목을 우리의 기도 제목으로 삼아야 합니다. 이는 절대 쉬운 일이 아닙니다. 사실 들어 보지도 못한 나라의 기도 제목을 들으면 감이 오지 않습니다. 그렇다고 해도 다른 나라의 기도 제목을 우리의 기도 제목으로 삼을 수 있다면, 그것이 바로 세계를 품은 그리스도인이 되는 줄로 믿습니다.

'온 세상'이라고 번역된 단어는 그 당시의 세계 사람들이라고 할 때는 그냥 '코스모스'라고만 하면 됩니다. 예수님에 있어 '온 세상'은 그 당시의 온 세상뿐 아니라 이 시대의 온 세상, 아니 앞으로 올 모든 세대의 사람들과 그들이 사는 지역, 오고 가는 모든 세대의 사람들과 그들이 사는 장소까지 다 포함시켜야 합니다.

예수님은 얼마나 정교하게 말씀했는지 모릅니다. 그러므로 그 당시의 제자들보다도 훨씬 더 중한 책임이 우리에게 있습니다.

그 당시 제자들은 걸어서 다녀야 했기 때문에 전 세계를 다니려고 해도 다닐 수 없는 그런 시대였습니다. 하지만 오늘 이 시대를 사는 우리는 헌신하면 지구 끝까지도 갈 수 있는, 온 세상을 품을 수 있는 그런 시대에 살고 있습니다. TV이나 라디오를 통해 온 세상에 복음을 전파할 수 있는 그런 툴도, 그런 도구도 주어졌습니다. 그러므로 "너희는 온 세상에 복음을 전파하라"는 오늘 이 시대의 우리에게 주시는 말씀이라고 생각합니다.

예수님은 이 명령을 누구한테 주셨습니까? 아직 부활을 믿지 못하는 제자들에게 주셨습니다. 이것 역시 놀랍습니다.

[그러나 그들은 예수께서 살아나셨다는 소식과 또 마리아가 그분을 직접 보았다는 말을 듣고도 믿지 않았습니다.(막 16:11)]

그리고 13절을 보면 이들은 다른 제자들에게 돌아가서 이 사실을 알렸지만 이번에도 제자들은 믿지 않았습니다. 연속적으로 반복되는 '믿지 않았다'는 기록이 있습니다.

[예수께서 다시 살아나신 후 자신을 보았다는 사람들의 말을 제자들이 믿지 못했기 때문입니다.(막 16:14)]

제자들은 믿지 못했습니다. 하지만 예수님은 이 명령을 믿지 못하는 제자들에게 주셨습니다. 도대체 그 제자들을 어떻게 믿고 그 명령을 주신 걸까 의구심이 들 정도입니다. 하지만 예수님은 현재 믿지 못하는 제자들의 모습을 바라보신 것이 아니라 장차 성령을 받고 변화될, 미래의 제자들 모습을 내다보셨기 때문에 지금은 불완전하고, 의심 많고, 두려움이 있고, 불신한 가운데 있지만 성령 안에서 변화될 제자들의 모습을 바라보면서 이 명령을 주셨습니다. 바로 이러한 이유 때문에 부활하신 이후 예수님은 제자들에게 집중적으로 나타나셨던 것입니다.

부활의 기사를 읽으면서 오랫동안 마음속에 이런 의구심이 있었습니다. 예수님이 대적자들한테는 나타나시지 않는 이유가 궁금했습니다. 자신을 십자가에 못 박도록 만들었던 유대 지도자들이 산헤드린 공의회로 모였을 때 회의 시작을 알리는 종이 울림과 동시에 예수님이 정중앙에 나타나서 "너희들이 십자가에 못 박도록 한 내가 살아났다"라고 말씀한다면 얼마나 놀랄까요? 본디오 빌라도가 사무실에 출근했는데 예수님이 문을 열자마자 책상에 딱 앉아 인사를 하신다면 그는 얼마나 놀랄까요? 로마 군병들이 연병장에 모여 있을 때 예수님이 탁 나타나서서 "네가 못 박았지?"라고 한 말씀만 하신다면 성경을 읽는 우리는 얼마나 통쾌할까요? 왜 그런 기록이 없을까? 이는 어린 시절에 가졌던 의문입니다. 불타는 복수심에 따르면 반드시 있어야 되는데, 이런 기록이 없는 게 너무 아쉬웠습니다. 이런 기록이 있다면 설교하기도 쉬울 것 같습니다. 너무 통쾌해서 많은 성도들이 은혜 받을 것 같습니다. 그런데 아무리 찾아봐도 이런 말씀이 없어 의구심까지 생겼습니다.

그런데 오랜 시간이 지나고 예수님의 마음을 알게 됐습니다. 예수님은 우리와 같은 복수심이 없으셨습니다. 우리 정도의 수준이 아니었습니다. 예수님은 그 부활의 영광스러움을 복수하는 데 쓰시지 않았습니다. 왜일까요? 그 대적자들이 지금 기적을 보지 못해 믿지 않는 것이 아니기 때문입니다. 예수님이 나타시면 그들은 벌벌 떨면서 "우리가 회개합니다, 잘못했습니다"라고 그랬을 것 같습니까? 절대 그렇지 않습니다. 어떤 거짓말, 어떤 이유를 들어서도 믿지 않았을 것입니다.

제자들도 지금 예수님이 부활해 나타나셨음에도 믿지 못하고 있는데, 그들이 부활하신 예수님이 나타났다고 하면 믿고 회개하고 그렇게 했을까요? 예수님은 다 알고 계셨습니다. 그렇게 해서는 그들이 변화되지 않을 거라는 것을 말입니다.

복수심으로 나타난다고 해서 그들이 변화되지 않는다는 것을 예수님은 다 알고 계셨습니다. 이미 충분한 증거가 있었고, 예수님의 살아계심이 충분히 증거 되었음에도 그들은 믿지 않았습니다. 중요한 것은 예수님은 실패한 제자들, 믿지 못하는 이 제자들이 변화되어 이들을 통해 복음이 전파되기를 기대하셨다는 사실입니다.

전설로 내려오는 이야기가 있습니다. 예수님이 승천하셔서 천국에 올라오자 가브리엘 천사가 인터뷰를 했다고 합니다.

"예수님 수고 많으셨습니다. 예수님이 지상에 있을 때 얼마나 큰 사랑으로 이 사람들을 사랑하셨는지 세상 사람들이 다 알고 있나요?"

"아니 모르지. 아직 팔레스타인에 몇 사람밖에 모르지."

"그러면 그 예수님이 세상을 위해서 행하신 일을 온 세상에 알리기 위해서 어떤 계획이 있습니까?"

"내가 베드로를 비롯해 제자들 몇 사람에게 말해 놓았어. 부탁해 놓았어."

가브리엘 천사는 깜짝 놀랍니다.

"아니 그 베드로를 믿는단 말입니까? 그 제자들을 믿는단 말입니까? 예수님이 십자가로 가실 때, 배반하고 도망하였던 그 제자들을 어떻게 믿고 그들에게 부탁한단 말입니까? 그 외에 다른 계획은 없습니까?"

다음은 예수님의 대답입니다.

"없다네. 다른 계획은 없다네. 나는 그들을 믿고 있다네."

물론 만든 이야기입니다. 누군가에 의해 만들어져 내려온 이야기입니다. 아주 교훈적입니다. 부활하신 예수님이 그 놀라운 십자가와 구원의 사건을 세상 모든 사람에게 알리기 위해 세우신 대책은 오직 한 가지, 실패한 제자들에게 명령하시는 것이었습니다.

인간적으로 생각할 때는 '그들을 어떻게 믿고, 그들에게 부탁하셨단 말인가?'라고 생각할 수도 있습니다. 그러나 온 세상에 복음이 전해졌습니다. 예수님의 믿음이 헛되지 않았습니다. 성령이 임하셨고, 그들이 목숨을 내걸고 복음을 증거하는 영혼들로 변화되었기 때문입니다. 그래서 예수님은 부활하신 이후 제자들한테 집중적으로 나타나셨습니다.

의심이 많은 자에게는 더 많이 나타나셨고, 사랑이 깊은 자에게는 사랑으로 만나 주셨고, 만져 봐야 믿겠다고 하는 자한테는 만져 보라고 만나 주셨습니다. 개인적으로, 단체로 만나 주셔서 40일 동안 십여 차례 나타나심으로써 제자들한테 확신을 주셨습니다. 그리고 제자들에게 온 세상에 복음을 전파하라는 명령을 주셨습니다.

복음이 무엇이기에 이 세상에 전파되어야 합니까? 복음은 예수 그리스도께서 십자가에 우리를 대신해, 온 세상 사람들을 대신해 죽으심으로써 우리에게 임한 하나님의 진노와 하나님의 심판이 더 이상 주어지지 않았다는 소식이기 때문입니다.

왜 복음을 증거해야 되는지를 정리해 보겠습니다. 첫 번째로 그것은 온 세상이 처해 있는 위험 때문입니다. 이 세상은 안전하지 않습니다. 이 세상은 위험 가운데 있습니다. 하나님의 진노 가운데 있습니다. 하나님의 심판 앞에 놓여 있습니다. 다음 말씀에는 우리의 현실을 이렇게 정리하고 있습니다.

[하나님의 진노가, 불의로 진리를 막는 자들의 모든 불경건과 불의에 대해서 하늘로부터 나타납니다.(롬 1:18)]

하나님의 진노가 하늘로부터 나타납니다. 이것은 장차 있을 미래의 사건이 아니라 현재 하나님의 진노 가운데 있다는 것입니다. 우리가 느끼지 못했을 뿐입니다. 현재의 역사에도 하나님의 진노가 나타나고 있습니다.

구약의 역사를 통해 보면 온통 하나님의 진노입니다. 일부 개개인의 삶 속에 하나님이 함께하심으로써 축복의 사건이 일어나고, 형통이 일어나고 있습니다. 하지만 성경 전체로 통계를 내면, 하나님의 진노와 심판이 훨씬 많습니다.

신명기 28장부터는 축복과 저주가 나옵니다. 율법에 순종하면 축복이고, 불순종하면 저주라는 말씀이 나옵니다. 신명기에는 복과 저주가 나오는데 대부분 우리는 복과 관련된 부분만 읽습니다. 들어와도 복을 받고, 나가도 복을 받고, 앉아도 복을 받고, 일어서도 복을 받고, 길을 가도 떡 반죽 그릇에 복을 받으니 얼마나 신납니까!

그다음부터 정반대가 됩니다. 나가도 저주를 받고, 들어와도 저주를 받고, 머리가 되지 아니하고 꼬리가 되고……. 그래서 그냥 지나가 버립니다. 보통 앞부분만 읽습니다. 그래도 참고 읽어야 됩니다. 그 분량은 복 받는 것에 정확하게 세 배입니다. 정확하게 세 배의 저주를 주셨습니다. 이것은 이 세상 역사에는 복 받을 일보다 저주 받을 일이 더 많다는 것입니다. 그러니 더 조심해야 된다는 것입니다.

성경에 보면 왜 하나님의 진노와 심판이 훨씬 더 많을까요? 하나님이 성숙하지 못한 분이라서 짜증이 많고, 성숙하지 못해 그런 것일까요? 신경질적이라서 그런 것일까요? 아닙니다. 이 역사가 하나님의 진노 가운데 있기 때문입니다. 성경 역사는 아래로부터 지금까지도 다음 세대까지도 하나님의 진노와 심판을 이뤄 내고 있는 그러한 역사라는 것입니다. 지금은 하나님께서 개인의 죄악에 대한 심판, 역사의 죄에 대한 심판 등 간헐적으로 부분적으로 심판하시지만, 언젠가 온 세상을 심판하실 날이 올 것입니다. 이것이 성경이 말하고 있는 미래입니다.

그러므로 우리가 인생을 살아갈 때 뭔가 잘못했을 때 문제가 일어나고, 어떤 하나님이 우리를 벌하신 것 같으면 그것은 축복입니다. 그때 그때 하나님이 우리를 벌하시는 것 같은 상황이 일어나면 굉장히 하나님이 사랑하시는 것입니다. 즉 죄를 묵히면 나중에 큰 심판을 받습니다. 뭔가 잘못했을 때 "하나님이 나를 지금 즉각적으로 벌하시는구나! 할렐루야"라고 말하며 하나님 앞에 감사하시기를 바랍니다.

하나님은 왜 우리를 이렇게 벌하시는 걸까 하는 생각이 들어도 하나님은 우리를 미워하시는 것이 아닙니다. 살짝 벌하시는 게 얼마나 감사한 일인 줄 모릅니다. 이것이 쌓이면 나중에 크게 심판하시는 것입니다.

두 번째로 온 세상을 위해 예수님이 치르신 대가 때문입니다. 가상칠언에서 예수님은 이렇게 말씀했습니다. "다 이루었다." 뭘 이루셨다는 겁니까? 예수님이 자신의 생명을 내 드려서, 우리가 당할 하나님의 진노를 대신 담당하신 일을 다 이루셨다는 것입니다.

로마서 4장 25절의 말씀을 읽어 보면 예수님은 우리의 범죄로 인해 죽임에 넘겨지셨고, 우리의 의를 위해 살리심을 받았습니다. 이 십자가와 부활 사건을 통해 예수님이 그 십자가에 죽으셨을 때 그것은 그분만의 죽음이 아니라 온 세상 사람들이 받을 하나님의 심판을 그분이 대신 받으신 것입니다. 그로써 우리는 심판을 면제 받은 것이 아니라 예수님과 함께 이미 심판을 받은 것입니다. "다 이루었다"는 바로 이런 뜻입니다. 심판을 눈 감아 주는 것이 아니라 심판을 이미 받은 것입니다. 그리스도 안에서 예수님이 십자가와 함께 이 놀라운 구원의 기쁜 소식, 예수님이 치르신 이 놀라운 대가, 이 엄청난 대가 때문에 우리는 복음을 전해야 하는 것입니다.

따라서 복음을 전파하지 않는다면 우리는 두 가지 종류 중 한 사람이라고 생각할 수 있습니다. 먼저 복음을 증거하지 않습니다. 십자가 부활의 진리를 깨닫고 구원을 체험했음에도 복음을 전파하지 않는다면 우리는 어쩌면 이기적인 사람일 수 있습니다.

예수님이 치르신 엄청난 대가를 알고도 그분에 관해 다른 사람에게 이야기하지 않는다면 이기적인 것입니다. 아니면 아직 그 예수님을 온전히 만나지 못한 것입니다.

십자가를 통해 구원의 길이 열리다

십자가 부활의 그 은총, 예수님이 우리를 위해, 온 세상을 위해 치러 주신 그 대가가 얼마나 값진 것임을 깨닫지 못하고 있는 것입니다. 그렇다면 아직 전도 대상자입니다. 전도하지 않으면 전도 대상자입니다. 선교하지 않으면 선교 대상자입니다.

태어나서 예수님을 만났어도 한 번도 다른 사람한테 예수님에 관해 말하지 않고, 자신이 깨닫고 체험한 복음을 말하지 않았다면 이기적이든지 전도 대상자입니다. 교회 안에도 아직 전도 대상자가 많습니다.

한 목사님이 신학 대학 교목으로 가셨습니다. 그 목사님께 "이제 좋으시겠어요. 그동안 일반 대학에서 믿지 않는 학생들을 전도하느라 얼마나 힘드셨어요? 이제는 신학 대학에 갔으니 얼마나 쉽겠어요? 요즘 뭐 하세요?" 그랬더니 요즘도 예수님을 믿으라고 전도하고 다닌다고 합니다. 신학 대학에도 예수님을 믿지 않는 전도 대상자가 많습니다. 교회 안에 있는 전도 대상자가 되지 않기를 축원합니다.

그리고 복음을 증거해야 합니다. 아직 내가 복음을 깨닫지 못했다면 한 번 전해 보기 바랍니다. 그러면 우리가 뭘 모르고 있는지를 알 수 있습니다. 그래서 전도훈련은 전도 대상자만이 아니라 우리를 위해서도 좋은 것입니다. 전도학교, 전도훈련을 사랑하는 사람이 되면 복음을 더 확실히 깨닫게 됩니다.

세 번째로 온 세상보다 귀한 한 영혼의 가치 때문에 그렇습니다. 우리는 복음을 온 세상에 전해야 합니다. 수많은 사람들이 있지만 하나님은 한 영혼을 소중하게 생각하십니다. 프랑스의 한 의사가 영혼의 무게를 자기가 발견했다고 발표했습니다. 영혼의 무게는 21그램이라고 합니다. 그 근거가 뭔가 하면 사람이 죽기 이전에 몸무게를 재고 죽고 난 직후에 몸무게를 쟀더니 21그램이 빠졌다는 것입니다. 이런 어리석은 사고가 어디 있습니까! 예수님은 영혼의 무게를 이렇게 설명하셨습니다.

["사람이 온 세상을 다 얻고도 자기 생명을 잃으면 무슨 소용이 있겠느냐? 사람이 자기 생명을 무엇과 맞바꾸겠느냐?"(막 8:36-37)]

한 영혼의 무게는 온 세상보다 무겁습니다. 예수님은 바로 이러한 영혼을 위해 십자가에 죽으셨던 것입니다.

우리는 재난의 현장에 보면 한 영혼이 얼마나 귀한지 알게 됩니다. 예전에 아프리카의 한 나라에 영국인 한 명이 지하 감옥에 억류되었다는 소식이 전해졌습니다. 영국은 1만 명의 군대를 파송했습니다. 2,500만 달러를 투자해 그 한 사람을 구출했습니다.

예수님은 한 영혼의 가치를 아는 마음에 대해 말씀했습니다. 아흔아홉 마리의 양을 버려 두고 한 마리의 양을 구하기 위해 찾아나서야 합니다. 하나님은 온 세상에 있는 한 영혼 한 영혼을 천하보다도 더 귀하게 여기시는 분입니다. 예수님의 십자가 부활 사건 이전에는 모두가 심판 행이었지만, 예수님의 십자가 부활 사건을 통해 우리에게는 구원의 길이 추가됐습니다.

["누구든지 믿고 세례 받는 사람은 구원을 받을 것이요, 누구든지 믿지 않는 사람은 심판을 받을 것이다."(막 16:16)]

["아들을 믿는 사람은 심판을 받지 않는다. 그러나 믿지 않는 사람은 이미 심판

을 받았다. 하나님의 독생자의 이름을 믿지 않았기 때문이다."(요 3:18)]

믿음은 구원이고, 믿지 않음은 심판입니다. 이렇게 단순한 논리로만 이해한다면, 어떤 사람들은 믿지 않는다고 괘씸하게 여겨서 우리를 심판하는 거라고 말할 수 있습니다. 하지만 이렇게만 생각하면 복음이 잘 이해되지 않습니다. 이렇게 이해해야 합니다. 우리가 믿기 이전에 십자가 부활 사건 이전의 상태는 심판의 상태였습니다. 모든 세상이 다 심판의 상태였습니다.

그런데 예수님이 십자가의 희생을 통해 우리에게 구원의 길이 열린 것입니다. 심판의 길만 있었던 그 상태에서 이제는 구원의 길과 심판의 길, 두 갈래의 길이 열린 겁니다. 그래서 믿고 받아들이는 구원은 강제적인 것이 아닙니다. 믿음으로 선택하면 우리에게 구원이 임할 것입니다. 그런데 선택하지 않으면 받기로 되어 있던 심판으로 가야 합니다. 과거에는 내가 믿든 믿지 않든 간에 이미 심판이었지만 예수님의 십자가 부활을 통해 구원의 길이 열렸습니다. 이제 두 갈래의 길이 있는 것입니다. 선택을 통해 구원이냐 심판이냐를 결정해야 합니다.

어느 성도님이 칠십이 넘어 언제 돌아가실지 모르는 아버님을 전도해 달라고 부탁해 복음을 전하러 갔습니다. 복음에 관한 모든 지식을 동원해 A4 용지에 그려 가면서 모든 지식을 총동원해서 40분간 복음을 설명했습니다. 그러고 나자 자신감이 생겼습니다. 이 정도의 변죽이면 믿을 거라고 생각한 것입니다. 그래서 "이제 믿으시겠습니까?"라고 그랬더니 고개를 절레절레 흔드시는 겁니다.

그때 솔직한 심정은 '이 영혼이 구원받지 못해 안타깝다'라는 생각보다는 창피하다는 생각이 먼저 들었습니다. 목사가 와서 복음을 전했는데 안 믿겠다고 하니 너무 가슴이 아픈 겁니다. '언제 또 오겠어'라는 생각이 드는 것이었습니다. 그 순간 "하나님 어떡합니까?"라고 했더니, 복권 생각이 갑자기 떠올랐습니다. 왜 복권이 떠올랐는지…. 그래서 "아버님 복권 사 보셨습니까?"라고 물어보자 사 봤다는 겁니다. 복권의 확률은 제로입니다. 그럼에도 많은 사람들이 복권을 삽니다. 그런데 예수님을 믿으면, 구원받고 믿지 않으면 심판이라는 사실은 50퍼센트의 가능성입니다. 50퍼센트. "오직 50퍼센트의 가능성에 한 번 던져 보지 않겠습니까"라고 했더니 "어, 그럼 믿어야 되겠네"라고 했습니다. 40분 설명한 게 하나도 머릿속에 들어가지 않았던 것입니다. 무슨 말인지 이제야 이해가 된 겁니다. "그냥 50퍼센트의 확률!"이라고 하자 "어, 그러면 믿어야 되겠네"라고 반응한 것입니다.

우리의 언변이나 설명으로 구원을 받는 것이 아닙니다. 예수님을 믿으면 구원이고, 믿지 않으면 심판입니다. 그리고 이미 심판 받기로 되어 있지만, 우리에게 주어진 구원의 길을 선택할 때 심판에 이르지 않는다는 사실, 이 단순한 소식을 전하지 않는다면, 에스겔 말씀에 따르면 우리에게 핏값을 찾을지 모른다는 것입니다.

적어도 수첩에 이름이 기록되어 있는 사람들, 이 세상에서 만나고 있는 사람들에게 복음을 전하지 않는다면, 하나님은 우리에게 그 값을 치르게 하신다고 말씀했습니다. 우리는 온 세상의 사람들을 다 만나고 있지 않습니다. 살아가다 보면 우리가 만나는 사람은 지극히 적습니다.

16절의 말씀을 제대로 이해하지 못하면, 구원받기 위해서는 꼭 세례를 받아야 한다고 생각할 수도 있습니다. 하지만 믿고 세례를 받아야 합니다. 강조점은 세례보다 믿음에 있습니다. 세례 의식은 받았지만 믿음이 없으면 구원받지 못합니다. 하지만 믿는 사람은 반드시 세례를 받아야 합니다. 구원받기 위해 세례를 받는 것이 아니라 구원받았기 때문에 세례를 받는 것입니다. 세례는 바로 예수님과 함께 연합된 것을 의미합니다.

[그리스도와 연합해 세례를 받은 우리는 모두 그리스도의 죽으심과 연합해 세례를 받은 줄을 알지 못합니까? 그러므로 우리는 그리스도의 죽으심과 연합해 세례를 받음으로써 그분과 함께 묻혔습니다. 이는 그리스도께서 아버지의 영광으로 인해 죽은 자들 가운데서 살리심을 받은 것처럼 우리도 또한 새 생명 가운데서 살게 하려는 것입니다.(롬 6:3-4)]

세례는 그리스도와 연합되는 것입니다. '그리스도와 연합해'라는 단어는 '그리스도 안으로 들어간다'는 것입니다. 세례라는 단어는 헬라어 '물에 잠기다'라는 데서 나왔습니다. 물에 잠기는 이유가 거기 있습니다. 침례든, 뿌리는 것이든 물에 잠김은 죽는 것입니다. 물에서 나올 때, 다시 살아나는 것을 의미합니다. 예수님 십자가의 부활에 우리가 함께 동참해야 하는 이유입니다.

이것이 진정한 구원입니다. 이러한 믿음의 놀라운 축복을 많은 사람들에게 증거하는 그리스도인이 되기를 바랍니다. 이 말씀에 순종해 믿음으로 복음을 전파하는 사람들에게 약속된 표적이 있습니다.

["믿는 사람들에게는 이런 표적이 따를 것이다. 그들은 내 이름으로 귀신을 내쫓고 새 방언으로 말하며 손으로 뱀을 집어 들고 독을 마셔도 아무런 해를 받지 않으며 아픈 사람들에게 손을 얹으면 병이 나을 것이다."(막 16:17-18)]

하나님은 놀라운 표적을 약속하셨습니다. 그런데 17절 말씀으로만 끊어 읽으면 많은 오해가 생깁니다. 그러면 '예수 믿는 사람들은' 누구나 이렇게 생각할 수 있는데, 이는 위험한 생각입니다. "내가 예수 믿는다. 그래서 독사에 물려도 살아나고, 독약을 마셔도 끄떡 없고, 농약을 음료수처럼 마셔도 괜찮고, 독사나 뱀에게 물려도 죽지 않을 거야."

기적과 표적보다 복음이다

여기서 '믿는 자들'이라는 제한이 있습니다. 15절, 16절 말씀에서 믿는 자들은 누굽니까? 복음을 전파하는 믿는 자들이, 복음을 전파하는 일에 헌신하는 자들이 복음을 전파하면서 나타날 수 있는 위험입니다. 때로 뱀에 물리고, 때로 독을 마셔야 되는 사람들이 있습니다. 선교의 역사가 담긴 사도행전을 보면 그것을 알 수가 있습니다. 사도행전에 보면 어떤 일이 일어납니까? 복음을 전파할 때 귀신을 내쫓는 일이 초대교회 당시에는 아주 빈번하게 일어났습니다.

또한 예전에 배우지 않았던 새로운 방언입니다. 성경에 방언은 두 가지입니다. 외국어 방언이 있는데, 이것은 사도행전 2장에 나타난 방언입니다. 고린도전서에는 영의 기도로서의 방언이 나옵니다. 그런데 여기서 말씀한 새 방언은 복음이 전파되는 일이 있어 나타나는 방언이므로 언어적 방언, 외국어 방언입니다.

사도행전 2장에 보면 오순절에 수많은 사람들이 모였는데, 그들이 태어난 곳의 방언으로 듣게 되었습니다. 그것은 언어적 체계를 가진 언어적인 방언입니다. 선교 현장에서 이런 간증을 사람들이 참 많습니다. 그 부족의 언어를 오래 배우지 않았음에도 아주 짧은 기간에 성령의 역사를 통해 그 언어로 복음을 전할 수 있게 되었다는 간증들이 있습니다.

사도행전 28장에 보면 바울은 독사에 물렸음에도 죽지 않았습니다. 그가 특이한 체질이라서 그런 것일까요? 아닙니다. 복음을 전하기 위해 "로마도 보아야 하리라"는 마음으로 배를 타고 로마까지 가는 가운데 파선되어 어느 섬에 표류하는 가운데 독사에 물렸기 때문에 하나님이 그를 보호해 주신 것입니다. "로마도 보아야 하기 때문에."

복음을 전파하는 자에게 주시는 보호의 약속이 있습니다. 순교자들의 기록을 읽어 보면 죽이기 위해 독을 마시게 했다는 얘기가 나옵니다. 그런데 하나님의 영광을 나타내기 위해 어떤 순교자들은 독을 마셔도 해를 입지 않고 살아났다는 것입니다. 다니엘서에 보면 풀무불에 던져지고, 사자굴에 던져도 살아났습니다. 구약 시대에도 복음을 증거 되기 원하고, 하나님의 이름을 높이는 그런 증거의 삶을, 전 파의 삶을 사는 자들에게 하나님이 때때로 기적과 표적을 나타내어 복음이 확실하 게 드러나도록 도와주신다는 것입니다.

때로는 병을 고치는 역사도 나타내 주십니다. 강원도의 산골 오지에서 목회하는 신유 은사를 받은 목회자가 있습니다. 그래서 한번 찾아가 봤더니, 그 시골에 교회 도 반듯하게 잘 건축하고 성도들을 잘 목회하고 있었습니다. 그의 얘기를 들어보 니 처음에는 너무 전도가 되지 않았다고 합니다. 그래서 "이 가정 가운데 병든 사 람 있습니까? 내가 만일 기도해서 이 병이 나으면 예수님을 믿겠습니까?"라고 했 답니다. 이 말에 밑져야 본전이니 그렇게 하라고 하더랍니다. 그래서 기도했더니 병이 나았다고 합니다. 그러지 교회에 나오지 않을 수가 없었다는 것입니다. 하나 님은 이렇게 믿게 하기 위해, 믿지 않는 자들을 믿게 하기 위해 기적과 표적을 허락 하실 수 있습니다.

"나는 예수 믿는 사람이니까 독을 마셔도 돼." 이것은 큰일 날 일입니다. 그렇게 하나님을 시험하고, 엉뚱한 우연을 바라고, 자기 믿음의 능력을 과시하기 위해 이 런 표적을 구하는 자들은 하나님이 함께하시지 않습니다. 하나님의 뜻 가운데서 온 세상에 복음을 전파하라는 말씀에 순종하고, 이 명령에 순종해 복음을 전파하 다가 어떤 위험한 상황 가운데 처해졌을 때는 하나님이 보호해 주십니다.

다음 말씀은 이것을 증명해 주고 있습니다.

[그리고 제자들은 곳곳에 다니면서 복음을 전파하는데 주께서 그들과 함께 일 하시고 표적들이 나타나게 하셔서 그들이 전하는 말씀이 사실임을 확증해 주셨습 니다.(막 16:20)]

이 표적의 목적은 어디에 있습니까? 그들이 전하는 말씀이 사실임을 확증시키 기 위해서만 이 표적은 의미가 있습니다. 그 외의 표적, 우리의 능력을 과시하는 표 적이 될 때는 위험합니다. 하나님은 오로지 이 복음이 사실임을 드러내기 위한, 확 증을 위한 표적만을 허락하실 것입니다.

모든 선교사님들 가운데 이런 표적이 나타나는 역사가 있기를 바랍니다. 복음을 증거하는 일에서 이런 기적이 나타나게 되기를 바랍니다. 그러나 그 기적과 표적 보다 더 중요한 것은 우리를 구원하신 그 복음을 다른 누구에게 우리가 전할 수 있 다는 것입니다. 우리 가정과 이웃뿐 아니라, 우리나라뿐 아니라 우리가 알지 못하고가 보지 못한 온 세상까지 복음을 전해야 합니다.

저자 하용조

1946년 평남 진남포에서 태어난 하용조 목사는 건국대 한국대학생선교회(CCC)를 통해 사역자의 길을 걷게 되었다. CCC에서 7년간 섬기다가 1972년 장로회신학대학원에 입학했다. 1980년 두란노서원을 설립해 잠자는 한국 기독교 문화를 깨웠다. 1985년 열두 명의 가정으로 시작한 온누리교회는 사도행전적 '바로 그 교회'의 비전을 품고 일구어 서울 서빙고 성전 외에 국내 8개 캠퍼스와 미국, 중국, 오세아니아, 일본 등 해외에 26개 비전교회를 낳았다. 전 세계 65개국에 1,350여 명의 선교사를 파송했다.

한국 복음주의 운동의 선구자였던 하용조 목사는 제목 설교에 익숙했던 한국 교회에 본문에 기초한 강해 설교를 소개하고 널리 보급하는 일에 앞장섰다. '일대일 제자 양육', '큐티', '아버지학교' 등으로 평신도 교육을, 두란노 '경배와 찬양'으로 찬양 운동과 치유집회 운동을 주도했다. 위성방송 CGNTV를 개국해 시간과 공간의 제약을 넘어 전 세계에 천국복음을 전파하고 있다. 문화를 읽는 안목이 탁월했던 하용조 목사는 문화전도집회 '러브 소나타'로 일본 선교의 새로운 지평을 열었다.

미국 바이올라대 명예 문학박사와 미국 트리니티신학대 명예 신학박사 학위를 취득했다. 온누리교회 담임목사, 전주대학교 이사장, 한동대학교 이사, 횃불트리니티신학대 총장, 두란노서원 원장, CGNTV 이사장을 역임했다. 『감사의 저녁』, 『사도행전적 교회를 꿈꾼다』, 『나는 선교에 목숨을 걸었다』 등 50여 권의 단행본과 강해 설교 시리즈를 남겼다. 2011년 8월 2일 향년 65세의 나이로 하나님 품에 안기었다.

저자 이재훈

온누리교회 2대 담임목사. 온누리교회에서 차세대 사역을 시작으로 맞춤전도 사역을 개발하였고, 멀티사이트 교회로서의 전략 개발을 이끌었다. 시대를 이끌어 가는 창의적인 교회론을 추구하며 하용조 목사를 통해 주신 Acts29비전을 이어 나가고 있다. 명지대학교, 합동신학대학원(M.Div.), Trinity Evangelical Divinity School(Th.M.), Gordon-Conwell Theological Seminary(D.Min. Candidate)에서 공부하였다. 두란노 『빛과소금』 편집장과 뉴저지초대교회 담임목사를 역임하였고, 현재 횃불트리니티신학대학원 겸임교수로 재직 중이다.